山东黄河大事记

（1946～2005）

山东黄河河务局　编

黄 河 水 利 出 版 社

图书在版编目(CIP)数据

山东黄河大事记/山东黄河河务局编．—郑州：黄河水利出版社，2006．4

ISBN 7－80621－968－4

Ⅰ．山…　Ⅱ．山　…　Ⅲ．黄河－河道整治－大事记－山东－1946～2005　Ⅳ．TV882．1

中国版本图书馆 CIP 数据核字(2005)第 101739 号

出 版 社：黄河水利出版社

地址：河南省郑州市金水路 11 号　　邮政编码：450003

发行单位：黄河水利出版社

发行部电话：0371－66026940　　传真：0371－66022620

E-mail：yrcp@public．zz．ha．cn

承印单位：河南第二新华印刷厂

开本：787 毫米×1 092 毫米　1/16

印张：46．50　　插页：1

字数：806 千字　　印数：1—2 500

版次：2006 年 4 月第 1 版　　印次：2006 年 4 月第 1 次印刷

书号：ISBN 7－80621－968－4/TV·421　　定　价：132．00 元

山东黄河志编纂委员会

（2003年3月）

黄河志编纂领导小组

（1988年10月）

组　长　齐兆庆

副组长　张学信　包锡成

成　员　李善润　孙承安　王春林　肖景惠

张明德　阎文卿　武洪文　王曰中

史尚儒　陶廷佐　李博文　司书亨

主　编　包锡成

副主编　窦守宽

办公室主任　孙承安

《山东黄河大事记》编辑人员名单

审　　　定	袁崇仁
审　　　核	王昌慈　赵衍湖
主　　　编	杜玉海
常务副主编	张振水
副　主　编	李祚谟　宋传国
特邀编审	齐兆庆　张学信　张明德　窦守宽
编辑人员	史尚儒　王式元　王洪勤　钟兰桂
	谷志生　支东坡　王春林　李　卫
	王芳华　郑秀玲　赵　静

序

黄河是中华民族的母亲河，她源远流长，哺育了华夏各族儿女，孕育了祖国光辉灿烂的历史文化，为人类文明和社会进步做出了不可磨灭的贡献。同时，黄河又是世界上最难治理的河流之一，历史上频繁决口，给人民群众造成深重灾难。山东省地处黄河最下游，历史上曾饱受洪(凌)灾之苦。从1855年到1938年，黄河在山东行水83年，其中就有57年发生决溢灾害。

1946年，开始了中国共产党领导的人民治黄事业。新中国成立后，中共中央、国务院高度重视黄河的治理与开发，作出了一系列重要指示。按照除害兴利的方针，山东人民进行了大规模的防洪工程建设，加高、加固堤防，石化险工，整治河道，兴建蓄滞洪工程，初步建成了较为完整的防洪工程体系。特别是1998年之后，国家进一步加大了对大江大河的治理投入，加快了黄河治理的建设步伐，提高了机械化施工程度和治黄的科技含量，大力推进"三条黄河"(原型黄河、数字黄河、模型黄河)建设；加强东平湖治理，加固二级湖堤，开挖退水河道，修复戴村坝，新建排水工程；实施了河口挖河疏浚，启动了河口模型基地建设；完成了第一期标准化堤防建设任务。1998～2005年国家安排山东黄河基本建设投资达60多亿元，土方24219万立方米，石方298万立方米。共加高加宽大堤417.2公里，加固堤防405.6公里；新建、改建险工、控导坝岸2152段；硬化堤顶道路399公里，建设防浪林370公里。工程整体强度明显提高，为抗御洪水奠定了重要物质基础。经过半个多世纪艰苦不懈的奋斗，黄河的治理与开发取得了举世瞩目的伟大成就，战胜了历年洪水，确保了伏秋大汛岁岁安澜；同时，积极开发利用黄河水资源，强化水资源管理调度，实现了引黄涵闸远程监控，确保了黄河连年不断流，为城乡居民生活和工农业生产用水提供了宝贵水源，并把黄河水远距离送到了山东青岛、河北、天津等地，为国民经济和社会发展做出了巨大贡献。

由于黄河是世界上著名的多泥沙河流，泥沙问题至今尚未得到有效控制，悬河形势依然严峻，防洪保安全的任务十分艰巨。而且随着经济社会的发展，黄河水资源供需矛盾日益突出，对黄河的治理开发与管理提出了更高的要求。坚持科学的发展观，按照中共黄河水利委员会党组提出的“维持黄河健康生命”治河新理念，实现“堤防不决口、河道不断流、污染不超标、河床不抬高”，达到人与自然和谐相处，促进经济社会的可持续发展，山东黄河的治理开发与管理仍然任重而道远。

“以铜为镜可以正衣冠，以史为鉴可以知兴替”。在多年的实践探索中，山东黄河的治理开发与管理形成了大量的历史资料。为了继往开来，山东黄河志编纂办公室在上届修志的基础上，编辑完成了这部《山东黄河大事记》。希望此书的出版，能够成为让社会了解黄河、认识黄河的重要窗口，对今后山东黄河的治理开发与管理起到积极借鉴作用。

袁崇仁

2006年2月

凡 例

一、指导思想。《山东黄河大事记》是《山东黄河志》的重要组成部分。大事记编写以马克思列宁主义、毛泽东思想、邓小平理论和“三个代表”重要思想为指导,运用辩证唯物主义与历史唯物主义的观点,坚持存真求实的原则,准确地记述山东黄河治理开发过程中的大事、要事、新事。服务当代,惠及后世。

二、体例。采取编年体为主,辅之以记事本末体,按事件发生的先后顺序,一事一记,有简明标题,以利阅读和检索。日期不详的,记于本月末或年末。对持续(或间隔)时间较短的同一事件,即一次记述其始末;对持续(或间隔)时间较长的,按照事件发生和发展的过程分别记述。凡收录的大事,原则上记述其发生的时间、地点、人物活动事件梗概及其结果,力求保持事件的准确完整。

三、收录标准。以山东黄河治理活动为主体,主要收录范围、内容如下:

1.山东黄河治理工程。包括堤防建设、险工改建、河道整治、分滞洪工程、河口治理等的工程规划、设计、施工,完成工程量、投资、效果等。

2.防汛工作。包括指挥机构建立,防洪防凌预案制订与实施,防汛队伍组织建设,防汛物资储备与使用,滩区、滞洪区安全建设、迁安救护,防汛信息化建设,防汛抢险技术、设备改革创新,重大险情抢护等。

3.水资源管理与利用。包括水资源管理,水量调度,引黄涵闸工程建设,工农业生产和城镇供水,水费征管、引黄济青、引黄济津、南水北调等。

4.科技与教育。包括科学技术研究、科技交流,科技成果获国家、省(部)、黄河水利委员会奖励项目。科技拔尖人才培养,职工教育等。

5.山东黄河河务局及局属单位行政机构的设置、撤并、调整、变更;山东黄河河务局(正、副职)及所属地(市)河务局(正职)负责人任免、奖惩等人事变动事项;相应级别的专业技术人员职称评聘、任免等事项。

6.全省、全局性有关黄河治理的重要会议和学术会议,简记会议内容。

7.中共中央及国家领导、省(部)领导、黄河水利委员会领导及部分厅(局)级领导对黄河治理工作的视察、调研活动等。

8.外国要人、学者、专家及国内著名专家来山东黄河考察或进行学术交流,山东黄河河务局及黄河水利委员会组织的出国考察、学术交流活动等。

9.国务院、省(部)、黄河水利委员会及本局制定颁布的有关黄河治理开发及相关的法规、条例、办法等。

10.中华全国总工会、省(部)、黄河水利委员会授予的劳动模范、先进集体和先进个人。

11.重大技术事故、工程事故、人身安全事故,重大灾害及抗灾斗争。

12.1946~1948年期间,山东黄河有共产党领导的解放区,也有国民政府管辖区,双方在黄河治理中的大事,按当时的实际情况进行记述。

13.1946~1985年的大事记,系首届修志工作者所编写,其大事收录的范围和要求与续修的黄河大事记有所不同,合并汇编出版。

四、资料来源。大事记资料主要采自本局原始档案、黄河史志、有关治黄专著及文献资料;本局各职能部门、各市河务(管理)局提供的专题资料以及黄河报刊等。凡收录的资料,均经考证核实,一般不再注明出处。

五、文体文风。行文使用语体文、记述体;文约事丰,不加褒贬;文字采用简化字。

六、记事断限。上限自1946年起，下限断至2005年。记事本着立足当代、详近略远的原则记述。晚清及民国时期黄河修防辑要，作为附录载入（上限自1855年铜瓦厢决口改道起，下限至1945年）。

七、称谓。名称书写首次出现用全称，同时加括号注明简称，其后用简称，如黄河水利委员会简称黄委会（1994年3月起简称黄委），黄河防汛总指挥部简称黄河防总，水利电力部简称水电部等。人名除引文外，直书其姓名，必要时加职衔。地区、行政区划、行政机构名称书写按当时称谓记述。

八、计量单位。为尊重历史，1985年（含1985年）以前记述中的计量单位，按当时使用的计量单位记载。如：××斤、××丈等。自1986年起，以1984年2月27日国务院颁发的《中华人民共和国法定计量单位的规定》为依据，行文的计量单位名称均用汉字表示。如：10公里、15立方米、1000立方米每秒等。

九、标点符号。以1995年12月13日国家技术监督局发布的《标点符号用法》为据。

十、引文注释。引用文献书籍原文时，保持原文准确无误，引文注明原始出处。引文注释一律用“脚注”，即“页末注”，将注释写在本页的下边，加注线，与正文隔开。每页面内按注释条目的多少和先后顺序用阴码①、②、③……标注于需注释文字的右上角。

十一、关于附录——晚清及民国时期黄河修防辑要。按内容分类，并分年度记载，不加小标题。其资料来源写在其后，一般直接引用原文，不加变更，以尊重历史。

目　录

1946 年

调查黄河故道社会经济情况

1 月 31 日　冀鲁豫区行政公署(以下简称冀鲁豫行署)通令长垣、滨河、昆吾、南华、濮县、范县、鄄城、郓城、寿张、东阿、平阴、长清等沿黄河各县,要求立即调查黄河故道耕田、林地、村庄、房屋、户口数量及堤坝破坏情形等,动员群众防备国民党利用黄河归故水淹解放区的阴谋。

国民政府山东修防处在开封成立

2 月 7 日　国民政府黄河水利委员会山东修防处在开封成立,主任孔令镕到职视事。修防处有职员 71 人,工役 31 人,共 102 人。黄河水利委员会核准山东修防处本年度水利建设费预算为 11.376 万元(法币)。

花园口堵复工程破土动工

2 月　国民政府成立黄河堵口复堤工程局,积极进行堵复花园口的准备工作。3 月 1 日,堵口工程破土动工。

1945 年日本投降后,蒋介石在策动内战的同时,决定堵复花园口改黄河回归故道,水淹解放区。当时,黄河南流已经 8 年多,故道堤防经战争破坏和风雨侵蚀已残破不堪。故道所经地区为冀鲁豫和渤海解放区,河床内土地大部垦为农田,有 60 万人在其中居住耕作,如不先行复堤和迁移居民而堵口使黄河归故,冀鲁豫和渤海解放区必将沦为新的黄泛区。为保护广大群众的切身利益,中国共产党以大局为重,同意黄河堵口归故,同时提出了必须先复堤和迁移河床居民而后堵口的合理主张。对花园口堵口、复堤与移民等问题,中共代表与国民政府代表进行了多次谈判[1]。

沿黄各专署及县设立黄河故道管理委员会

2 月 27 日　晋冀鲁豫边区政府、冀鲁豫行署发布建字第 3 号通令指出:近闻国民党准备将黄河改归故道,在郑汴两地集中材料拟要动工。为保障本区安全,维护群众利益,我们应即与之斗争,为便于交涉,须设专门组织。要求

---

[1] 黄河归故问题谈判,自 1946 年 3 月开始,至 1947 年 4 月停止。中国共产党领导的解放区代表为一方,国民政府代表为一方,并有联合国善后救济总署中国分署(以下简称联总)代表参加,对黄河堵口复堤问题进行了多次谈判,曾达成多次协议。有关谈判经过及各项协议内容,均引自山东黄河河务局档案室《黄河谈判档案》。

行署第一、二、四、五各专署及沿黄县均成立黄河故道管理委员会。委员数目，暂定行署级7～11人，专署级5～7人，县级3～5人。当前主要工作是进行各项有关河道决口受灾，河床土地面积、村庄及河堤工程等情况的调查；在群众中广泛进行宣传，揭穿国民党之阴谋；对过去的河工人员，注意吸收，使之为人民服务。

冀鲁豫黄委会第四修防处成立

3月　冀鲁豫黄委会第四修防处成立，驻平阴县(现东阿县)黄渡。第四军分区司令员岳舜卿兼任主任，贾敬伍任副主任。下设秘书科、工程科、会计科、材料科、工程队，管辖平阴、河西、东阿、齐禹四个修防段。

国共商谈黄河堵口复堤问题

3月3日　国民政府黄河水利委员会委员长赵守钰，在新乡与正在进行军事调处的周恩来、马歇尔、张治中商谈了黄河堵口复堤问题。决定各方派出代表谈判合理解决。

国共达成《开封协议》

3月23日　晋冀鲁豫边区政府代表晁哲甫、贾心斋、赵明甫等在开封与国民政府代表商谈堵口复堤问题，4月7日达成《开封协议》。商定堵口复堤同时并进，但花园口合龙放水日期，须俟会勘下游河道堤防淤垫破坏情形及估修工程大小而定。

国共达成《菏泽协议》

4月8日　赵守钰和美籍顾问塔德[1]等和中共代表赵明甫、成润共同赴黄河下游查勘，从菏泽到河口实地调查了堤岸破坏情况。15日返抵菏泽，在冀鲁豫行署交际处，与段君毅、贾心斋、罗士高等进行了协商，达成《菏泽协议》：复堤、浚河、裁弯取直、整理险工等工程完竣后，再行合龙放水。河床内村庄迁移救济问题，由黄河水利委员会呈请行政院发给迁移费，并请联总、行总[2]救济。

---

[1] 塔德，美国人。抗日战争前曾在中国从事水利工作多年，此时为联总中国分署顾问。

[2] 系指国民政府行政院善后救济总署。

渤海行署成立修治黄河工作机构

4月15日 山东省渤海区行政公署(以下简称渤海行署)发布训令,指出黄河归故势在必行,国民政府已进行堵口,若不早为提防,可能被其灾害。行署已成立修治黄河工作机构,并决定在垦利县朱家屋子、利津县城、蒲台县乔家庄、惠民县清河镇、齐东县台子等建立治河办事处。办事处设主任一名,下设总务、工程、救济股,各设股长一人,干事、技术员若干人。

中共中央坚决反对国民政府违反协议提前堵口

4月17日 国民党中央通讯社发出"黄河堵口复堤决定两月同时完成"的消息。20日,国民党《中央日报》发表消息称:"倘黄河汛前不克全部完成堵口工程,政府方面实不能负其全责。"对国民政府违反协议提前堵口的行为,5月5日,新华社发表的晋冀鲁豫边区政府负责人谈话指出:国民政府决定两个月内堵口,显系包含军事企图,有意指挥放水,水淹冀鲁两省沿河人民。要求国民政府立即停止花园口堵口工程。10日,中共中央发言人也发表谈话:"坚决反对国民政府此种蓄意淹我解放区的恶毒计划,要求国内外人士主持正义。制止花园口堵口工程,彻底实行《菏泽协议》。"

周恩来与薛笃弼商谈达成《南京协议》

5月15日 中共中央代表周恩来领导冀鲁豫解放区代表与国民政府水利委员会主任薛笃弼进行了商谈。18日上午双方达成《南京协议》:(1)下游急要复堤工程包括险工及局部整理河槽尽先完成,急要工程所需器材及工粮请行总、联总尽先尽速供给,所需工款由水利委员会充分筹拨。(2)下游河道以内居民迁移救济问题,请从速核定办理。(3)堵口工程继续进行以不使下游发生水害为原则。中共代表提出保留意见:大汛前打桩抛石以不超出河底两米为限。但须:一不受任何军事政治影响,二汴新铁路公路暂不拆除,三由中共派工程师住花园口密切联系。

沿黄各县速建码头和渡口应对提前堵口

5月20日 渤海行署为应对国民政府提前堵口的紧急情况,指示沿河各县迅速建造码头、渡口和船只,以防水到有碍交通。

渤海行署确定架设北镇到济阳长途电话

5月21日　渤海行署为便于治黄领导工作,决定在黄河北岸自北镇至济阳架设长途电话,直达各县治黄指挥部。南岸以三专署指挥部为中心,利用原有长途线路,不另架专线。

渤海行署设立各级治黄机构

5月22日　山东省渤海区修治黄河工程总指挥部发出联字第一号指示:(1)为了治黄工作的顺利进行,渤海行署成立河务局,河务局在沿河各县设办事处。(2)成立渤海区修治黄河工程总指挥部,李人凤任指挥,王宜之、高兴华任副指挥;下设西段、中段、东段指挥部及沿河各县指挥部,负责民工的宣传动员和组织工作,领导群众完成治黄任务。(3)成立黄河归故损失调查委员会,负责沿河居民损失调查及救济工作。(4)规定民工待遇,每人每日发给伙食粮小米3斤,工资粮小米4斤。(5)修河工程进行实地查勘,绘制修工图表。

复堤工程开工

5月26日　冀鲁豫及渤海解放区沿黄河各县动员组织40万人,开始了大规模的复堤工程。

关于治河大举动工前之准备工作的通知

5月28日　晋冀鲁豫边区政府、冀鲁豫行署发出黄字第一号《关于治河大举动工前之准备工作的通知》,要求沿河各专署、县政府、修防处、修防段:(1)麦前只修路口缺处。(2)堤岸之鼠穴、獾洞必须全部查出,加以堵塞。民夫工资每人每日小米4斤。(3)为准备麦后全线大举动工,需用之石硪、土车及其他工具,各县立即就全县范围内进行检查统计,保证麦后大举动工时不误应用。

渤海行署训令加强复堤

5月30日　渤海行署接省政府电示:国民政府推翻《菏泽协议》,决定大汛前合龙放水,渤海区河堤须争取于7月15日前完工。据此,渤海行署训令各县指挥部,加强施工的组织发动,说服群众麦收期间不停工,争取尽早完成复堤工程。

冀鲁豫行署发布修堤命令

6月1日 冀鲁豫行署对各专署、县、修防处、段发布修堤命令:沿河各县府,应立即动员组织群众即日开工。将堤上獾洞、鼠穴、缺口等修补完毕,打下加高培厚之基础。完工后,即开始修理河岸大堤,在未测量之先,各县暂按旧堤加高两市尺、堤顶加厚至二丈四市尺;如旧堤已超过二丈四尺者即保留原状。各地即应先行开工,不得等待,以保证任务之及时完成。

冀鲁豫黄委会召开各县修防段长联席会议

6月3日 冀鲁豫黄委会召开沿河各县黄河修防段长联席会议,对全面开展复堤进一步作了部署。至6月10日,冀鲁豫解放区沿河18县组织23万民工,从西起长垣、东至齐禹长达300公里的堤线上进行复堤。在粮款、器材、医药等极端缺乏的情况下,积极地修筑堤防工程。

范铭德到渤海区视察修堤深受感动

6月 国民政府黄委会特派加拿大人范铭德两次到渤海区视察,亲见数万民工修堤,工程规模可观,深受感动。他亲驾吉普车一辆送河务局,并乘机去青岛交涉物资,遂由青岛联总发来面粉1300吨、汽油20桶、麻袋11万余条、医药及医疗设备5箱。同时又由上海运来面粉1500吨、医药8吨、汽油20桶。

渤海行署积极动员修堤浚河

6月8日 渤海行署发布公告揭露国民政府不顾信义,推翻《菏泽协议》,准备于大汛前堵口合龙放水。动员全区人民积极修堤浚河,规定沿河各县之男子凡年龄在18岁以上50岁以下者,均有受调修治河工之义务,政府按每修做土方1.5立方米为一工日,发给工资粮小米7斤。严惩借机勒索、额外增加人民负担或克扣工资者。做好移民安置工作。号召群众对修险所需砖、石、秫秸等料,尽其所有运交政府,政府照市价发款。

各县治河办事处成为常设机构

6月8日 渤海行署指示:治黄工程为当前最紧急之工作,为加强黄河修防工作,沿河各县治河办事处应成为常设机构,县长兼办事处主任,并遴选相当于县长或区长级干部任副主任,充实配备专职干部特别是专任会计及购料保管人员。河务局已正式成立(住蒲台城),局长江衍坤、副局长王宜之均已到职任事,今后各办事处应直接对其负责,建立垂直系统。河工所需材料均极缺乏,各县要大力协助搜集采购。

王化云确定冀鲁豫解放区复堤工程施工计划

6月13日 冀鲁豫黄委会主任王化云对解放区复堤工作及国民政府对工款及迁移费至今未拨发表谈话:冀鲁豫解放区复堤工程已于5月26日开工。本月3日,又召开修防处、段长联席会议,确定部分急要工程施工计划。因工程浩大,国民政府黄河水利委员会之测量人员至今未来解放区进行测量,只能根据各县现状,以穿插衔接进行。第一期为修补旧堤至改道前之堤形及勘估险工;第二期即加高培厚旧堤及整险工程;第三期为裁弯取直。此次会议仅布置第一期修补旧堤工程,后两期工程待测量后作计划。第一期工程上堤23万人,如国民政府及时保证供给,可于开工后25天内完成。

冀鲁豫黄委会第三修防处成立

6月 冀鲁豫黄委会第三修防处成立,属冀鲁豫二专署领导。修防处主任由副专员张方兼任,孟晓东、刘子江任副主任;下设秘书科、工程科、材料科、会计科,工程科下成立三个工程队。修防处驻大渚潭,辖8个修防段,即北岸的濮县、范县、寿北、张秋修防段,南岸的鄄城、郓北、寿南、昆山修防段。

美籍顾问塔德视察复堤工程

6月20日 国民政府黄河水利委员会美籍顾问塔德,来山东解放区视察复堤工程后电称:经估计已做复堤工程价值已超过法币60亿元,故建议先付60亿元。关于续付款届时再行研究。国民政府水利委员会薛笃弼函复塔德:关于中共区复堤工程款,本会先后三次已拨付60亿元,交行总转发。

河务局及沿河各县成立河防大队

6月27日 渤海区党委研究确定:为巩固河岸,防止敌特破坏河堤,河务局及沿河各县均成立50～100人的武装部队,即河防大队。

国民政府山东修防处第一期复堤工程开工

7月5日 国民政府山东修防处第一期复堤工程开工,培修自齐河水牛赵至济阳沟阳家全长60公里一段,于月底完工。本年度完成复堤土方86.6

万立方米。

治黄总指挥部与河务局联合通知赶修大堤

7月10日 渤海区修治黄河工程总指挥部、山东省河务局联合通知:据联总消息,国民政府决定本月20日花园口堵塞放水。而我区修河复堤工程浩大,迄今尚未完竣,应即星夜动员民工赶修,务于大汛前一律报捷。为此,要求各县办事处早日健全起来,办事处下设工程、材料、动员救济、总务各股外,每县均建立工程队及河防武装,抓紧架设电话,修理汛房,造报预算,建立会计系统和制度等。

治黄总指挥部与河务局指示抓紧整修堤防险工

7月15日 山东省河务局、渤海区修治黄河工程总指挥部联合发出指示:我区治黄工程已进行50余日,经初步检验在工程尺度、夯实程度方面多有不合,应抓紧整理;青城、高苑等县工段,因战事停工,应即速设法修起来。且前段对修险工程多未顾及,现黄水将至,应立即动员一批精壮民工赶修,石料缺乏可以砖代替,破庙、城墙、城楼均可拆用。

周恩来与薛笃弼等在上海达成十项治黄协议

7月18日 由于国民政府热衷于堵口,对协议规定的复堤工款及河床移民费以种种借口不予拨付,中共代表周恩来、伍云甫与国民政府代表薛笃弼、塔德、福兰克芮、张季春[1] 在上海进行了谈判。22日达成协议,签署了黄河工程协定备忘录十项。主要内容为:(1)为修复堤坝中共地方当局所支付之全部工料款项,应由国库支款付还;(2)行总应出面粉8600吨付给中共管理各区黄河工程工人;(3)河床居民救济款在11月底前应拨给150亿元。

沿河各县黄河复堤完成土方416万立方米

7月20日 渤海修治黄河工程总指挥部、山东省河务局通知沿河各县,黄河复堤工程由19个县动员民工20万人,前后工作50余日,完成复堤土方416.4万立方米。现告一段落,请各县进行总结。

---

[1] 国民政府工程师,塔德的助手,曾兼任过堵口工程局副总工程师。

国民政府山东修防处复堤工程第一总段成立

7月 国民政府山东修防处复堤工程第一总段成立。统辖济南、历城、齐河、济阳、长清各段复堤工程，主要修补军沟碉堡残缺，修防处令饬总段复堤工程限于9月25日竣工验收完毕。

河务局向省政府报告治黄工作情况

8月9日 山东省河务局局长江衍坤、副局长王宜之关于治黄工作情况向山东省人民政府(以下简称山东省政府)的报告称：山东黄河两岸堤防破坏严重，残缺不堪，因此第一步工程计划修复大堤原状。于5月25日各县陆续动工，麦忙期间亦未间断。但因各级领导对此工作均不熟悉，群众对黄水是否真来尚存侥幸心理，有的县工程不免有些潦草。经督工视察了解一再研究，提出以下建议：(1)沿河大堤普遍加高1米，为节省民力暂不加宽；(2)重要险工因缺料修筑整理困难，拟展宽河槽或酌挖引渠分泄水势；(3)修堵麻湾决口，加修皇坝展宽河面。经行署研究同意，遂在第一期工程未完之前，召开县长会议做了部署。

关于组织领导及机构建设：河务局设置秘书、工程、材料、救济、组织动员、会计6个科。沿河11个县除齐河外已设置治河办事处，县长兼主任，另设专职副主任。各县办事处设30～60人的工程队，50～100人的河防队，现除惠民、济阳、齐东县外均已建立起来。

山东省河务局各科及所属各县治河办事处负责人名单列下：

秘书科科长崔光进、工程科科长吴士一、材料科科长魏达展、会计科科长董立志、救济科科长张健斋、组织动员科科长暂缺。

垦利县治河办事处副主任杜更生，利津县治河办事处副主任王砚农，蒲台县治河办事处副主任盖云月，滨县治河办事处副主任萧英，惠民县治河办事处副主任刘效孔，齐东县治河办事处主任杜柏玉，高苑县治河办事处主任韩湘南，济阳县治河办事处主任赵景海，杨忠县治河办事处副主任李秀峰，青城县治河办事处副主任王献儒。

积极筹备防汛料物

8月25日 山东省河务局、渤海区修治黄河工程总指挥部通知，为筹备第二年春厢及防汛抢险用秸料，号召沿河农民秋收时连根刨秫秸(做埽工必须带根)，并抓紧收获季节，购买苘麻。

河套耕地被淹可酌减免公粮田赋

8月29日 渤海行署指示凡河套之耕地被水淹没者,酌予减免公粮田赋负担,并制定了减免办法。

河务局编制渤海区治黄工程计划草案

9月 山东省河务局编制完成渤海区治黄工程计划修正草案,按工程缓急情形,分为初步工程和二期工程。初步工程包括:修补残缺,两岸大堤加高培厚及河槽局部疏浚,修筑两岸险工护岸工程;共计划土方2393.4万立方米,需小米1.6亿斤。护岸工程在本区43处险工中,择险情严重的26处先行施工,共计需秸料332万斤,砖料5.5万立方米;为预防黄水归故后险工变化,另储备秸料3000余万斤,砖石料5.5万余立方米。二期工程是局部河身裁弯取直,疏浚尾闾河口。

河务局按市价收购护堤抢险用料

9月18日 渤海行署发出通知,为预筹护堤抢险工程用料,沿河各县布置群众收集带根秫秸2000万斤,运交沿河工地,由山东省河务局按市价付款。

河务局开办测绘训练班

9月21日 山东省河务局在蒲台县城内开办测绘训练班。招收18~25岁具有初中文化程度的青年学生60名,修业期6个月,结业后由山东省河务局安排工作。同月,山东省河务局设立卫生所,负责卫生医疗工作。

国民政府山东修防处组成中游三段

10月11日 国民政府山东修防处组成中游三段,即中游南岸第一段,中游北岸第二段,中游北岸第三段。所辖堤段南岸自宋家桥至秦道口,北岸自水牛赵至大柳树店。修防处及各段共有职员150人、技工600人、工役24人,合计774人。

河务局采取积极措施应对花园口堵口后来水

10月23日 渤海区修治黄河工程总指挥部及山东省河务局获悉:国民政府已于10月5日开始堵口,今冬或明春黄河水将有归故之可能。对今秋黄河工程，除已召集工程股长会议做了研究外，本日发出指示，平工大堤暂不加高加厚，今春未完成加高之各段，以铺平为限。各办事处先行检查估工，今后采取包工制，经验收后再支发工资粮。修险工程按工程股长会议中研究计划进行。并抓紧征集秸料，筹运砖石，为明春修工备好材料。

中共代表提出花园口堵口工程必须推迟5个月

12月19日　中共代表赵明甫，冀鲁豫解放区代表段君毅、王化云等与国民政府代表在山东张秋举行了会谈。《张秋会谈纪要》载称：由于国民政府的军事破坏，复堤工程被推迟5个月之久，且国民政府不执行协议，不如期交付工款及河床居民迁移救济费，多方延迟复堤及居民迁移之事实，至为明显。基于上述原因特提议，花园口堵口工程必须自本日起推迟5个月进行，方使下游复堤工程在水来之前完成，否则，因此而发生的任何问题，应全由国方负责。

国民政府违反协议向我解放区放水

12月27日　国民政府违反协议，悍然挖开两条引河向我解放区放水。

渤海行署训令研究河床居民迁移救济问题

12月29日　渤海行署训令，黄河归故已成定局，决定于明年2月10日在河务局（蒲台县城内）召开救济会议，讨论黄河归故后河床居民迁移救济问题，要求沿河各县民政科长会前做好调查，届时前往参加。

国民政府山东修防处由开封迁至济南

12月31日　国民政府山东修防处由开封迁至济南经二路纬六路办公。

1947年

中共代表强烈谴责国民党违约堵口行径

1月3日　鉴于蒋介石二次电令堵口工程务于1月5日完工，中共特派饶漱石会同联总代表兰士英、顾问塔德等前往邯郸举行会谈。晋冀鲁豫解放区滕代远、戎伍胜、董越千、赵政一等参加了会谈。中共代表强烈谴责国民政府片面堵口放水,破坏解放区复堤工程,抢劫治河物资等罪行,并根据《菏泽协议》提出三项要求:(1)第一期复堤工款只拨 60 亿元,解放区实支 109 亿元,尚差 49 亿元应行拨齐;(2)河床居民迁移费已允拨 150 亿元迅速拨付,下余 75 亿仍须照拨;(3)合龙放水必须推迟到 5 月底或 6 月初,待复堤工程完成后放水。塔德表示同意:一即派工程师前往调查河堤,即刻拨款;二先将流入故道之水堵住;三即到上海拨付救济费,并商议延期堵口问题。

周恩来就黄河堵口问题发表严正声明

1 月 8 日 周恩来将军就黄河堵口问题发表严正声明,强烈抗议蒋介石企图水淹黄河故道居民及解放区军民的残暴行为。同时,山东省河务局及黄河下游人民纷纷通电全国,控诉蒋介石的滔天罪行,并向联总及国民政府提出强烈抗议。

花园口引河分流水头向山东推进

1 月 12 日 花园口引河分流之水,已进入东明县境。24 日 11 时,水流到达齐河水牛赵村,25 日到长清县杨庄,水面宽 65 米,水深 0.25 米,流量约 6 立方米每秒。26 日 9 时,水流到泺口,流速每日 20 里。

董必武电示堵口事宜

1 月 17 日 董必武来电指示:(1)停止放水已不可能,堵口工程国方表示可延及 1 月合龙,停工则办不到;(2)救济款 50 亿元已拨开封,另 100 亿元已拨行总。

国民政府山东修防处所属各段成立

1 月 国民政府山东修防处所属各段成立,并开始办公。6 日,泺口水文站恢复建立,委派崔浚濯为主任。

河务局、修治黄河工程总指挥部指示抓紧抢修险工

2 月 8 日 山东省河务局、渤海区修治黄河工程总指挥部联合下达指示:由于国民政府违约放水,目前必须抓紧抢修险工,各县应即检查险工修整程度,根据需要抢修。其中蒲台修险工程过大,实非本县力所能及,布置各县予

以支援,并安排了备防料筹集任务。平工大堤普遍检查填垫水沟浪窝,禁止大车任意碾轧,加高工程未完工段,须于春暖后继续完成。今后治河民工一律改为支差办法,废除原定工资粮制。

晋冀鲁豫边区政府嘉勉冀鲁豫黄河复堤工作

2月21日 晋冀鲁豫边区政府嘉勉冀鲁豫黄河复堤工作命令中指出:这一历史上少有的伟大工程成就,除应感谢中共中央及中央代表团之领导帮助外,与沿河人民及该署领导的辛勤功绩是分不开的。本府第三届全体委员会议一致决议,对沿河同胞致亲切之慰问。对该署及上述各级干部嘉奖并通报全区,予以表扬。

河务局成立造船厂

2月26日 为便利黄河交通运输,支援前线,山东省河务局于滨县玉皇堂成立造船厂,制造木帆船。

国民政府山东修防处第二期复堤工程竣工

2月 国民政府山东修防处第二期复堤工程竣工,共计完成土方10.7万立方米。

章历治河办事处成立

3月 章历治河办事处成立,纪源任主任。

冀鲁豫军区成立黄河指挥部

3月3日 冀鲁豫军区成立黄河指挥部(亦称黄河司令部),曾宪辉任司令员。指挥部的任务是征集和建造船只,招练水兵,为刘邓大军渡河作准备。指挥部于南华、昆吾、鄄城、郓城、濮阳、范县、寿张、张秋、东阿、齐河等县设置船管所,招集水兵3000余人,拥有船200余艘,各船管所于同年夏改编为五个水兵大队及一个警卫营。并确定濮阳相城、濮县李桥、范县李翠娥、寿张孙口四处为军渡渡口。

冀鲁豫黄委会在东阿召开治黄会议

3月上旬 冀鲁豫黄委会在东阿县郭万庄召开了有修防处主任和修防段段长参加的治黄会议。为了保证战胜洪水,冀鲁豫行署和冀鲁豫黄委会根据上级党委指示,提出了“确保临黄、固守金堤、不准决口”的治黄方针。当时南岸因有国民党军队盘踞,提出要“本着为人民负责的精神,抓紧一切空隙、利用一切方式进行抢修”。会议还部署了以下治黄工作:(1)抓紧复堤,限期在伏汛到来之前一定完成,要求达到坚固,能抵御洪水;(2)号召沿河50里以内的群众,掀起献石运动,将废石碑、牌坊石等运到黄河险工处备用;(3)要求干部埋头苦干,带领群众紧张工作,上工前要认真准备,精心计划。

王化云主持会议,部署造船支前事宜

3月15日 冀鲁豫黄委会主任王化云奉区党委和行署之命,和行署秘书长罗士高主持召开了沿河各地专员、县长及黄河修防处主任会议,具体部署了建厂筹料造船事宜。船厂厂长和其他干部由各黄河修防处抽调。

自本年春季开始,至1948年,共完成240多只造船的任务,为支援刘邓大军渡河发挥了重大作用。

花园口堵口工程合龙

3月15日 黄河花园口堵口工程于凌晨4时合龙,黄水归入故道。19日晨水头到达泺口,6时水位为25.25米,至24日,流量达1167立方米每秒。

国民政府违约堵口合龙后,立即命令黄河水利委员会断绝与冀鲁豫解放区的联系,驱逐中共驻开封代表。黄河谈判遂完全终止。

河务局召开治黄总结会议

3月15日 山东省河务局召开各县治河办事处主任、副主任、河防队长会议,总结了前段治黄复堤工作,研究部署了今后的治黄任务。

冀鲁豫行署训令把治黄作为重要的中心工作

3月21日 冀鲁豫行署向沿河专署、县及修防处、段发出训令。要求立即迁移滩区群众,全线修补大堤水沟浪窝,金堤填补缺口,汛前完成整险,筹集料物,抓紧造船。把治黄工作作为经常的重要的中心工作去抓。

禚宝楠等任职

3月25日 渤海行署决定任命禚宝楠为山东省河务局秘书主任兼救济科长,徐剑秋任副科长。

李植庭声讨蒋介石放水罪行

3 月 29 日 渤海区参议会长李植庭声讨蒋介石的违约放水罪行,号召沿河人民积极抢险复堤,自救自卫。

国民政府山东修防处设立测量队

3 月 29 日 国民政府黄河堵口复堤工程局核准山东修防处设立测量队,共 60 人,负责办理山东全境及解放区复堤土方工程之测验工作。5 月 1 日,测量队开始从菏泽向下游进行测量。

黎玉致联合国抗议联总助蒋违约放水

4 月 16 日 山东省人民政府主席黎玉致联合国善后救济总署艾格顿将军,抗议联总助蒋介石违约放水,造成沿黄人民的巨大灾难。

各县成立防汛指挥部,星夜抢修险工埽坝

4 月 16 日 渤海区修治黄河工程总指挥部与山东省河务局联合发出指示:目前黄河水涨,正是桃汛期。顷接冀鲁豫驻开封代表赵明甫来电谓上游黄水 8 日开始上涨,流量 2700 立方米每秒,14 日已到花园口。估计大水到来后,可能溢出河槽迫刷两堤。为此,要求各县成立防汛指挥部,星夜抢修加高险工埽坝,准备足够之修险、抢险物料,按工情需要酌增常备民工,加强通讯联络,迁移河道居民。

渤海行署颁布黄河两岸土地税契补订办法

4 月 17 日 渤海行署颁布命令,补订黄河两岸土地及盐田税契办法。规定:堤内全部及堤外十丈不确权税契,作为公有地,今后由国家奖励植树保护河堤。凡堤内所有土地及堤外十丈范围内之可耕地,仍归原业主耕种,不纳田赋,只根据每年产量交纳公粮,如无收益不负担。但均不得取土或挖沟,以免河堤之浸塌,违者定予重罚。

河务局召开各县治河办事处副主任会议

4 月 20 日 山东省河务局召开各县治河办事处副主任会议,根据水流现

况及过去各汛期水位涨落情况，确定工程，计算用料，研讨料物筹集及防守领导等问题。

行政院通令冀鲁豫修防处有权指挥沿河县政府

4 月 26 日 国民政府黄河水利委员会转行政院令冀、鲁、豫三省政府，黄河修防期间，修防处有权指挥沿河县政府，以收通力合作之效。

渤海行署与河务局联合召开治黄工程会议

4 月 29 日 渤海行署与山东省河务局在北镇联合召开沿河县长及办事处副主任会议，讨论今后治黄工程问题，会议期间渤海区党委景晓村书记、行署李人凤主任，第三野战军政治部舒同主任分别作了重要讲话，大会于 5 月 2 日结束。

会议确定工程计划以修险为主，修堤为辅。因修工备料任务繁重，决定沿河 11 县以治黄为主支前为辅，地委成立支前治黄委员会，统一调剂配备人力；沿河县成立治黄委员会，党政民武领导参加，以统一人力、物力。

河务局迁址至滨县孙家楼办公

5 月 山东省河务局从蒲台城迁往滨县孙家楼办公。

冀鲁豫黄委会在阳谷召开复堤会议

5 月初 冀鲁豫黄委会在阳谷召开复堤会议，提出如下两项决议：(1)南岸抓紧敌人空隙进行复堤，重点放在北岸临黄堤上；(2)解放区要做到自卫复堤，“一手拿枪、一手复堤”，在敌机可能轰炸的地方，一定做好防空准备。

段君毅等号召全区人民行动起来修堤自救

5 月 3 日 冀鲁豫行署主任段君毅、副主任贾心斋发布布告，号召全区人民“立即行动起来修堤自救”，“一手拿枪，一手拿锨，用血汗粉碎蒋、黄的进攻”。

金堤复堤工程先后开工

5 月 14 日 金堤复堤工程先后开工，冀鲁豫黄委会于本年麦前麦后组织了两期复堤工程。冀南区莘县、永智(即清平)、武训、冠县、元朝等县3万修堤民工,于5月14日前已先后到达金堤各施工段。原定半月的工程,结果只用七八天的时间即完成。

冀鲁豫临黄堤复堤工程开工

5月19日 冀鲁豫临黄堤复堤工程,西自长垣,东至齐禹500里临黄堤于本日全部开工。20余万翻身农民开展了复堤自救竞赛运动。这次修堤自救的农民自动献粮献工,共献出小米达341176市斤。

北岸渡口架设军用电话

6月 刘邓大军渡河前夕,北岸渡口架设了军用电话,为指挥渡河做好准备。

河务局成立航运科

6月1日 山东省河务局成立航运科,任命吴洪宾为科长,管理造船、航运及渡口。同时,在利津、道旭、清河镇、张肖堂设渡口管理所,管理黄河横渡,保证军事交通。

河务局在滨县召开治黄会议

6月28日 山东省河务局在滨县刁石李召开治黄会议,检查北镇会议决定执行情况,研究如何完成未完的复堤整险艰巨任务。渤海行署李人凤主任、渤海军区周贯五副政委亲莅指导。

晋冀鲁豫人民解放军主力强渡黄河

6月30日 晋冀鲁豫人民解放军主力12.6万余人,在张秋至临濮集间强渡黄河,进入鲁西南地区,开始转入外线作战,揭开了全国战略进攻的序幕。

河务局下达开展立功运动指示

7月1日 山东省河务局下达在治黄职工中广泛开展立功运动的指示,并制定了治黄立功评功暂行条例。

刘邓首长赞扬黄河司令部

7 月 4 日晚 刘伯承、邓小平及野战军领导机关从孙口渡河。刘邓首长高度赞扬黄河司令部所作的贡献和水兵们的英勇献身精神，并签发了嘉奖令。

中共冀鲁豫区党委发出黄河防汛紧急通知

7 月 10 日 中共冀鲁豫区党委，对黄河防汛发出了紧急通知：“要求沿河党政军民立即行动起来，密切注意蒋介石派飞机轰炸河堤、扫射群众，派特务进行破坏，派武装进行袭扰，克服一切困难，完成防汛任务。”

河务局致联总备忘录，抗议国民党军飞机轰炸罪行

7 月 20 日 山东省河务局致联总备忘录，抗议国民党军飞机 7 月份在渤海区黄河两岸轰炸扫射罪行，我修防群众、运输车辆船只及料物损失甚重。

河务局向联总递交治黄备忘录

7 月 21 日 山东省河务局江衍坤局长、王宜之副局长向联总递交关于本局修治黄河工程计划、所需料物工资粮以及交通运输、电讯、医疗等器材设备的备忘录。

大车集至水牛赵大堤复堤工程提前完成

7 月 23 日 西起长垣大车集，东至齐禹水牛赵 600 余里大堤复堤工程提前完成。全线 30 万农民不顾敌人的轰炸和炮击投入抢修，大堤普遍加高 2 米、培厚 3 米，完成土方 530 万立方米。

河务局、渤海区总指挥部联合发出防汛指示

7 月 25 日 山东省河务局、渤海区修治黄河工程总指挥部联合发出指示：黄河已入大汛期，为巩固堤防，准备抢险，保证安全，刁石李会议安排之各项工程及筹料任务，尚未完成者要抓紧时间在月底一律完成。沿河 5～10 里以内各村庄，自 16～55 岁男子一律编为防汛队，平时轮流驻堤防护，遇险立即集合全队抢险。各办事处所有干部、工人一律驻工，不得擅离，随时监视水情、工情变化，遇有变化即刻组织抢修整理。

冀鲁豫行署增设修防机构,确定隶属关系

7月28日 冀鲁豫行署为增设第五修防处及重新确定各修防处、修防段的领导关系发布民行字80号通令。通令指出:现河南局面展开、南岸堤防大部为我控制,为增强两岸的黄防领导,确保本地区安全,特决定增设第五修防处,受第八专署领导,由刘传朋任修防处主任,下辖濮县、寿北、范县、张秋四个修防段。寿北、张秋两修防段同受寿张县政府之行政领导,定名为寿张县寿北修防段与寿张县张秋修防段。第四修防处辖东阿、平阴、河西、齐禹四个修防段,受第六专署领导;而河西修防段及平阴修防段同受河西县政府之行政领导,该两段定名为河西县河西修防段与河西县平阴修防段,修防处主任彭晓林,副主任孔简涛。第三修防处辖鄄城、郓北、寿南、昆山四个修防段,受第二专署领导,郓北、寿南两个修防段同受郓北县政府之行政领导。

冀鲁豫部队阻击国民党军决堤放水获胜

7月30日 冀鲁豫二分区副司令员王培根、专员金凤,率地方部队两个营,在鄄城江苏坝阻击国民党军两个团,毙敌百余人,粉碎了蒋介石妄图决堤放水淹没鲁西南军民的阴谋。

国民政府黄河水利委员会改组为黄河水利工程总局

7月 国民政府黄河水利委员会奉国民政府令,改组为黄河水利工程总局。陈泮岭任总局长。

春修复堤整险工程基本竣工

7月30日 春修复堤整险工程基本竣工,共计完成复堤土方492万立方米,整修埽坝共用秸料2841万斤,砖石11.2万立方米,木桩11.7万根,麻苇绳4.3万根,开支工资粮982.6万市斤。

冀鲁豫行署、黄委会召开紧急防汛会议

7月底 冀鲁豫行署、黄委会召开紧急防汛会议。提出:(1)动员大家认识蒋介石破坏堤坝决堤成灾毒计,充分估计防汛困难并坚决克服之。(2)防汛领导必须统一分工,各县成立县、区、村各级防汛指挥部,明确划分险工与防守段,分段负责。(3)沿河7~7.5公里为护堤村,由区、村指挥部负责抢修,一旦出险,全体上堤抢救。(4)在堤上每隔200米搭一窝铺,每窝铺

定两人，担任巡逻送情报、修水沟事，大水即增调人。(5)上堤民工需带锨、筐、布袋、门板、铁锤、榔头等工具，每人带30斤草捆，以备抢险。(6)村中成立抢险突击队，一遇出险，迅即上堤。(7)群众因抢险所受损失要赔偿、伤亡要抚恤，开支统由黄委会报销。(8)水偎堤后河床居民应马上将重要财物搬走，背河群众应予支援。

冀鲁豫黄委会黄河北岸复堤伤亡民工情况

7月 《冀鲁豫日报》登载《冀鲁豫区黄河水利委员会1947年黄河北岸复堤总结》一文指出:这次修堤是在盘踞在东阿、河西、齐禹等县南岸沿河村庄的国民党军队不断隔河扫射、轰击破坏的情况下进行的,此间,打死我民工2名,打伤12名。

宫家建立窑厂,解决抢修险工料源困难

8月 山东省河务局为解决抢修险工埽坝的料源困难,决定在利津县宫家建立窑厂一处,有职工50余人,烧砖代石,每窑出砖6万块。

河务局迁址至利津三大王村办公

8月 山东省河务局从滨县孙家楼迁到利津县三大王村办公。

河务局部署大汛期防国民党军队飞机轰炸措施

8月1日 山东省河务局指示,在大汛期间为避免国民党军队飞机轰炸破坏,须将险工附近之秸料疏散;加强沿河防汛队之组织领导,沿河10里内之联防武装必须全力投入治黄防汛工作。

汛期增设常备民工并建立直属工程队

8月15日 山东省河务局训令各县办事处。在黄水高涨期间,酌情增设防汛常备民工。并由下游各县抽调工程队员5个班,建立直属工程队。伏汛期间国民党军曾一度侵占黄河南岸,先后42天在青城至道旭大堤上遍挖工事,抢劫治河料物。南岸重要险工道旭、刘春家石坝坍塌多段,已损及堤身,形势危急。在当地群众请求下,渤海区部队渡河出击,并组织群众奋力抢修,得转危为安。

黄河归故汛期多次涨水抢险极为紧张

9月 黄河归故后第一个汛期多次涨水,渤海区43处险工因9年脱河,埽坝多已残破不堪,遇水即相继出险。尤以利津大马家、王庄、张家滩、綦家嘴、济阳谷家等险工先后发生塌坝溃堤等严重险情,直接危及堤防安全。大马家险工7月抢险达一月之久,先后有15段埽坝掉蛰入水,大堤坍去大半,600多名抢险员工冒着国民党飞机的扫射,昼夜抢修新埽,抛枕厢护大堤,终于转危为安。王庄险工9月抢险尤为紧张险恶,先后有18段埽坝墩蛰入水,屡抢屡败,大堤坍塌殆尽,终于溃决。2000多名抢险员工退守套堤,坚守二线。套堤靠水后又相继出现16处漏洞过水,抢险员工奋不顾身下水抢堵,用身体结成人墙堵住了漏洞。抢险紧张之际,又遇国民党军11架飞机的轮番袭击,秸料垛起火,民工伤亡。渤海区党政军民奋起战斗,抢护了各处险情,打退了国民党军的进攻,保住了堤防,取得了防汛斗争的胜利。

河务局建立工程初估复估制度

9月12日 山东省河务局决定建立工程初估复估制度。今后黄河兴修工程,除临时抢险外,都须经办事处初估,报经河务局复估后,方得兴工动支材料粮款。

国民党军在黄花寺扒堤决口

9月29日 国民党军为控制运河以东地区及阻碍解放区南北交通,驻郓城之72师在障东堤与临黄堤交界之黄花寺,扒堤决口,水由昆山县代庙入运河南流,灌入东平湖。受灾村庄56个,受害人口19634人,淹地8.9万亩。

河务局指示总结经验教训

10月23日 山东省河务局指示:霜降已至,黄河汛期将胜利度过。我区的复堤修险工程历时一年半,全区人民在治河料物、器材极端困难条件下,在蒋机蒋特袭击破坏中,夜以继日地拼死抢修,终于战胜了黄水,粉碎了蒋介石水淹解放区之阴谋,保证了数百万人民生命财产安全,保卫了渤海解放区,支持了解放战争。人民群众节衣缩食献运治河料物,修堤抢险,作出极大贡献。亟应认真总结经验教训,以迎接新的治黄任务。特印发总结提纲,要求各县认真总结。

河务局及各县办事处召开安澜庆功大会

11 月 20 日 黄河汛期安全度过,为表彰群众治河积极性,鼓励全体员工保证冬防春修胜利完成,山东省河务局及各县办事处于本日前后分别在驻地召开安澜庆功大会。

冀鲁豫解放区召开安澜大会

11 月下旬 冀鲁豫解放区在观城二区百寨村召开了安澜大会。会上,冀鲁豫黄委会主任王化云作了题为《一年来的黄河斗争》的报告。冀鲁豫行署副主任韩哲一、谈判代表赵明甫及军区和华东野战军代表均讲了话。会上还隆重举行了死难烈士的追悼活动。

沿黄各县实地调查受灾情况

12 月 据沿黄 13 县实地调查,由于国民政府违约堵口放水归故,山东故道内村庄人口受灾严重。共有受灾村 121 个,5562 户,25162 人,倒塌房屋 22908 间,淹没作物 25.8 万亩,损失粮食 132 万斤,直接损失共达 86.6 亿元(北海币)。

各级政府下达冬季集料及运输任务

12 月 10 日 晋冀鲁豫边区政府、冀鲁豫行署通令各专署、县政府、修防处、修防段完成冬季集料及运输任务。运输办法原则上各村义务运输。

钱正英任河务局副局长

12 月 29 日 山东省河务局副局长王宜之调行署另有任用,遗职由钱正英充任,钱副局长于本日就职视事。

1948 年

渤海行署发布修工备料训令

1 月 5 日 渤海行署训令:去年黄河大汛期间,水势异常险恶,虽经沿河群众党政机关及治河员工奋力抢修,得以胜利度过。但沿河堤岸埽坝冲毁甚多,又兼敌人侵犯南岸之时多方破坏,遂使工情更形扩大。现经河务局派员勘估,全河修工需用秸料 2523 万斤、砖石料 5.7 万立方米、土方 320 万立方米,备防秸料2634万斤、砖石料5.3万立方米，任务繁重。为使河工民力兼筹并顾，特将各县工程实修用料先行布置，希即广泛动员组织群众收集运送。

修工所需砖石料，各县应普遍动员群众收集自己和村内一切大小石块，以及庙、碑、坊等石块，由河务局设站收料发款。

河务局迁址至滨县山柳杜村办公

2月　山东省河务局从利津三大王迁往滨县山柳杜村办公。

河务局指示各县总结凌汛，做好春修准备

2月17日　山东黄河凌汛期间汛情严重，滨县张肖堂水位高出去年伏汛最高洪水位1.09米，民埝漫决淹没河套区数十村庄，水流靠堤漏洞百出，到处成险。经河务局配合军政领导动员沿河群众砸冰防险，数昼夜奋战，化险为夷。特指示各县办事处认真总结，同时要做好春修各项具体准备工作。

河务局发出《关于工程队查整精简的指示》

2月17日　山东省河务局发出《关于工程队查整精简的指示》，指出查整的具体要求、步骤和领导等，目的是严整阶级阵容，对人员的处理要慎重。

渡口管理所改由县办事处负责

2月21日　山东省河务局直接领导的渡口管理所，改由各县办事处负责。

国民政府山东修防处改组沿河机构

2月25日　国民政府山东修防处改组沿河各段汛为南岸设四段，北岸设六段，并分别委任段长。

渤海行署发出《关于黄河春修工作指示》

3月8日　渤海行署发出《关于黄河春修工作指示》，要求沿河各县结合春耕生产安排春修工程所需劳力，为照顾春耕分两期施工，完成205万立方米的土方任务。为加强施工领导，各县与沿河办事处组成指挥部，民工按县编为大队，区设区队，配备干部，负责组织施工，尽一切努力于芒种前完成春修任务。

河务局印发《修堤须知》

3 月 8 日 山东省河务局印发《修堤须知》，对清基、倒毛、钩坯、取土、夯实等作出了具体规定，特别强调硪工夯实质量，要求单独组织硪工，适当配备党员。此后的修堤质量有明显提高。

冀鲁豫黄委会召开春季复堤会议

3 月上旬 冀鲁豫黄委会在观城百寨召开春季复堤会议。据区党委指示精神，进一步开展复堤运动，加高培厚南北两岸大堤，复堤土方 350 万立方米。同时根据堤防已有一定基础的情况和上级指示，决定将去年的“确保临黄、固守金堤、不准决口”的方针，修改为“确保临黄、不准决口”，动员广大人民，迎战“蒋黄”两大敌人，为争取更大的胜利而斗争。

冀鲁豫黄委会发布《关于复堤各项制度的决定》

3 月 19 日 冀鲁豫黄委会发布工字第一号《关于复堤各项制度的决定》，指出：(1)堤形：做到顶宽 7 公尺，花鼓顶高 2 公寸，临河三收，背河两收，要跑马坦，不要花鼓顶坦。(2)打硪：要上土每坯 4 公寸、硪实 3 公寸、每坯打 3 遍，由包坦打起。(3)工人待遇和比例：①硪工每盘硪增至 9 人(伙夫 1 人)，按土工 20%计算；工资增米半斤，每工 3 斤(伙夫与卯工同)，柴 3 斤。②卯、杂、临、干、医按土工 13%计算，一律按卯工开支；《关于复堤各项制度的决定》并对路工、病工、误工及难工折方等做了具体规定。

渤海行署作出植树护堤决定

3 月 20 日 渤海行署作出决定：(1)各县在春修时节，应领导群众于堤旁或近堤一带植树，树株归群众所有，并号召群众保护树苗，严禁砍折。(2)各县于沿河诸村村政委员中添设护堤委员(不脱产)专管护堤看树等工作，并与就近段长发生联系。(3)禁止在堤上盖屋居住，在险工上已经居住的群众，妨碍修工者动员迁移。(4)发动沿河群众种植苘麻及芦苇，以备修防需用。

渤海行署批准调整治黄料物运输工资

3 月 25 日 渤海行署通知：支前治黄为我区民力财力的两大负担，在目前情况下均属义务性质，待遇标准只能维持群众出差的生活。治黄用料自实行包运制后，群众实得远超过支差待遇，势必引起支前民工不满，而且河工开支浩大。经行署会议研究区党委同意,关于黄河秸石料运输工资,自 4 月 1 日起进行调整。

河务局通知开展群众献石献砖立功运动

3 月 28 日 山东省河务局通知:渤海区党委、行署决定在春耕农忙过后,以半月时间集中有关地区的全党力量,动员组织沿河人民及驻军机关等开展群众性的献石献砖治黄立功运动,责成河务部门提出具体要求和计划。各县办事处要迅速进行实地调查研究,务于清明前提出书面计划。

春修工程奖励办法下达

3 月 28 日 渤海区黄河春修总指挥部、山东省河务局联合下达春修工程奖励的指示,规定了立功条件、奖励标准、评奖规定、奖品及经费等。

河务局发出《关于平工管理的指示》

4 月 5 日 山东省河务局发出《关于平工管理的指示》。根据渤海行署决定沿河各村政委员会中增设护堤委员一人,受村政委员会及所在段长之领导,但不脱产,并规定了护堤委员的任务。

冀鲁豫行署决定沿河基层组织增设护堤委员

4 月 5 日 冀鲁豫行署决定:沿河各村政委员会中增设护堤委员一人,负责保护黄河大堤事宜。

张方职务调整

4 月 5 日 张方调第四修防处任主任,程光任副主任,并将会计科、材料科合并为供给科,撤销了工程大队。

渤海区党委、行署召开黄河修防会议

4 月 14 日 渤海区党委、行署于滨县苏家召开黄河修防会议。河务局及各县治河办事处负责人参加了会议。首先由各县办事处汇报了第一期春修工程施工情况,然后研究布置了备防料物及二期春修工程。要求各县突击半月完成防汛备料工作,并普遍发动沿河 40 里内村庄群众献砖献石,支援黄河修防所需。会议于 17 日结束。

渤海区党委发出《动员治黄修险突击运料的指示》

5 月 渤海区党委发出《动员治黄修险突击运料的指示》,要求各级党委向沿河人民进行宣传教育,号召沿河 40 里内各县人民,紧急行动起来,大家动手,战胜困难,献砖献石,义务赶运河防材料,完成治河修险任务。同时要求其他地区帮工帮料,调秸料 150 万斤,石料 9000 立方米,支援治黄修险工程。

同月,《渤海日报》发表了题为《开展献砖献石治黄修险运动》的社论。

冀鲁豫黄委会发布紧急抢险规定

6 月底 冀鲁豫黄委会紧急规定:县、区设指挥部,重点堤段每 10 里设一指挥点,500 米设一防汛屋;平工段每 1000 米设一防汛屋。每屋备铜锣一面、防汛工具 15 种。沿堤 10 里以内村庄为防汛区;5 里内村庄组织护堤、抢险队,队员准备好草捆、布袋、铁锨、箩筐等工具,平时在家生产,闻警钟、鸣锣立即上堤抢险。

高村大抢险

7 月 6 日 东明高村险工河势发生急剧变化,大溜直冲十三和十四两坝,裹头埽均被冲跑,两坝相继出险。抢险指挥部调集了东明、昆吾、南华、寿张、滑县等 8 个段的工程队共计 350 余人,南北两岸 12 个县的人力、物力和运输力量,各级干部 240 多人以及黄河河防指挥部航运大队,投入抢险。7 月 20 日以前主要抢修十三坝和十四坝。7 月 31 日至 8 月 11 日,重点抢护十五坝,赶筑十四至十五坝之间两道新坝和抢修十六、十七、十八诸坝。8 月 12～18 日重点加修 400 米护岸埽。8 月 18～31 日在护岸埽以下新修几道坝垛,以防洪水顶冲大堤。8 月 12 日险情最为严重,凌晨 5 时左右在后杨村附近有 70 米大堤顶的 1/3 瞬间塌入洪水之中,决口在即,人心惊惧,不少民工跑回家去。

冀鲁豫军区急派两营解放军跑步到达工地,扛桩背料,贴堤下埽。行署副主任韩哲一、黄委会主任王化云、第五专署副专员郭心斋等都亲临现场指挥抢险,经三天三夜的抢护,险情缓和,8 月 18 日大溜外移,整个险工转危为安。抢护工程直至 8 月底完成。

高村抢险历时 56 天,国民党空军日夜轮番轰炸扫射,最多一天竟达 16 次。刘汝明部经常骚扰破坏,7 月 18 日拂晓又突然袭击,20～30 日占领高村,抢劫焚烧各种料物,吊打抢险群众,使抢险被迫停止 10 余日。在各种困难面前,抢险员工在各级领导干部的带领下,不怕牺牲,日夜苦干,共用秸、柳料

450多万公斤,青砖200余万块,石料500立方米;投入工日30多万个,抢修坝埽33道(段)。

冀鲁豫黄委会成立电话班

7月 冀鲁豫黄委会成立电话班,架通了孙口、位山、八里庄的电话。

河务局召开春修总结会议

7月11日 山东省河务局在滨县山柳社召开春修总结会议,钱正英副局长作总结报告。黄河经过去年大汛及今年凌汛,堤防工程受到很大损坏。今年春修工程紧急任务是:修整和加强全河险工,改善垦利入海工程,修补整理全线平工。总计修筑各项土工256.4万立方米,整修秸埽318段,动用秸苇柳枝2766.4万斤,砖石坝317段,连同秸埽护根共用砖石3.2万立方米。共用民工133.9万个工日,支付工资粮1033.3万斤。此外筹运备防秸料1628.7万斤、砖石5.1万立方米,共支付秋粮3700万斤及19亿元(北海币),为战胜洪水打下了较好基础。

高青治河办事处成立

7月15日 高苑、青城治河办事处合并为高青治河办事处,崔纪明任主任,王献儒任副主任。

渤海区党委发出《关于防汛工作的决定》

7月17日 渤海区党委发出《关于防汛工作的决定》,指出保证黄河不开口,保证人民不受黄灾,是我们渤海区党和政府的重要职责。为有效地加强防汛工作,加强和统一领导,区党委决定在全区范围内成立防汛总指挥部,沿黄各县一律成立防汛指挥部,沿黄区、村成立各级队部,党政负责干部应亲自领导。根据"从最坏处打算,向最好处努力"的精神,做好充分准备,在春修胜利的基础上争取防汛的胜利。

渤海区治黄防汛总指挥部成立

8月1日 渤海区党委、行署决定成立渤海区治黄防汛总指挥部,总指挥王卓如,副总指挥江衍坤、钱正英,即日起正式办公。总指挥部通令沿河各县于8月5日前成立防汛指挥部,并在各险工设防,8月10日前将沿河各村防汛队组织起来,发起群众性的查堤复堤运动。

黄河工程队待遇暂行办法公布

8 月 4 日 《渤海日报》公布黄河工程队待遇暂行办法，明确黄河工程队队员是革命技术工人，家属享受工属待遇。还规定了经常薪粮、评级加薪、奖励、老年优待等。由于民主政府对黄河工人的重视与关怀，对解除其生活顾虑、提高其政治觉悟影响极大。

国民政府山东修防处改组沿河各段汛

8 月 11 日 国民政府山东修防处依照黄河水利工程总局新颁组织规程，将沿河各段汛改为六总段三十四分段。上、中、下游各设二总段，称为南岸一、二、三总段，北岸一、二、三总段；上下游各总段以下各设六分段，中游北岸二总段设六分段，南二总段设四分段。

渤海行署要求沿黄各县做好防汛准备工作

8 月 15 日 渤海行署通知沿黄各县迅速切实检查整顿防汛组织，组成坚强的群众防汛组织，做好各种准备，胜利完成全年的防汛工作。

沿黄群众掀起献砖献石运动

9 月 沿黄各县人民积极响应渤海区党委、行署关于献砖献石修治黄河的号召，掀起了群众性的献砖献石运动。广大群众将院墙、影壁、猪圈等拆掉献砖，有的献出自己的门枕石、石磨、石滚、墓碑石等，经大小车辆川流不息地运往附近险工。利津县长王雪亭、垦利县长李伯衡、参议长徐瑞甫等亲自带领干部群众搜集砖石运往工地。远离黄河的广饶、禹城、沾化、无棣、阳信等县群众也争相献运砖石，支援抢修险工。渤海区共得砖石 15 万立方米，解决了当时石料奇缺的困难，保证了修工抢险所需。

齐河治河办事处成立

9 月 齐河治河办事处成立，王耀华任主任。

航运管理所划归所在县办事处负责管理

9 月 5 日 山东省河务局通令将清河镇、张肖堂、利津、济阳各航运管理所分别划归为所在县办事处负责管理。

河务局接收国民政府山东修防处

9月24日 华东人民解放军解放山东省会济南，全歼国民党守军。并攻克长清、齐河、历城3座县城，使胶济、津浦两铁路衔接，华北、华东两解放区连成一片。山东省沿黄河地区也全部解放。

26日，山东省河务局派崔光进、吴洪宾等进入济南市接收国民政府山东黄河修防处的工作，对修防处原有职工进行登记，接收物资财产。该修防处有职工119人，10天内登记92人，经讲解党的政策，解除了他们的思想顾虑，全部安排了工作。

渤海行署任命河务局机关科级干部

9月25日 渤海行署发布命令，任命赵昆山为河务局干部科科长，刘村夫为秘书科副科长，周保祺为工程科科长，武克明为工程科副科长，董立志为会计科科长，孙见斋为会计科副科长，崔光进为材料科科长，王锐夫为材料科副科长，吴洪宾为航运科科长。

河务局驻济南治河办事处成立

10月 山东省河务局驻济南治河办事处成立，崔光进代理主任。

发布训令内外堤脚两丈以内广植树木

10月1日 渤海行署、山东省河务局发布训令，为保护黄河堤防，应于内外堤脚两丈以内广植树木，禁止耕种稼禾，以期保证大堤稳固。

河务局制定《渡河收费试行办法》

10月28日 山东省河务局指示各治黄办事处加强对渡口的管理工作，并制定了《渡河收费试行办法》。

河务局开办工人训练班

11月1日 山东省河务局在驻地（滨县山柳杜）开办工人训练班，从各县工程队抽调工人总数的1%～3%参加学习，时间一个半月。

河务局发出庆祝黄河安澜的指示

11月15日 山东省河务局发出关于庆祝黄河安澜的指示称：我区自蒋

介石违约堵口放水归故以来，业已胜利度过了两年的大汛和凌汛，保卫了沿河人民生命财产的安全，粉碎了蒋介石放水淹没解放区的阴谋。为了庆祝这一伟大胜利，河务局及各县治河办事处均于本月 26 日前，在驻地举行庆祝安澜大会，宣传表扬沿河广大干部群众治河防汛的伟大成绩，表彰奖励在防汛抢险中立功的模范团体和个人。

河务局举办卫生员集训班

11 月 16 日 山东省河务局召集各办事处、航运所及各直属单位卫生员集训一个月。

黄河水利工程专科学校设立

12 月 山东省河务局设立黄河水利工程专科学校，钱正英兼校长，周今生任副校长，陈允恭为教务主任。12 月 23 日招收初级班、本科班、速成班学员 150 余人。1949 年 1 月开学，11 月结业，学校撤销。

华北人民政府水利委员会召开黄河工作会议

12 月 华北人民政府受党中央委托，在河北省平山县西柏坡村附近华北人民政府水利委员会驻地召开会议，冀鲁豫黄委会主任王化云、山东省河务局局长江衍坤等参加了会议。华北水利委员会主任邢肇棠主持会议，各区代表汇报了三年来的治黄工作，研究了筹建统一治河机构黄河水利委员会及组织规程草案，审查了冀、鲁、豫三省 1949 年黄河岁修计划。

河务局举行黄河安澜庆功大会

12 月 4 日 山东省河务局为庆祝 1948 年安度汛期，在驻地举行安澜庆功大会，除本局机关职工及驻地附近群众外，所属工程队员、抢险立功的干部共 388 人参加。4 日欢迎功臣，5 日大会庆祝，并向治黄功臣发奖。

渤海行署指示抓紧送交春修料物

12 月 26 日 渤海行署指示，分配各县运送治黄春修秸料任务，沿河各县领导应高度重视，抓紧冬闲时机，组织群众送交。在目前支援战争、财粮极端困难情况下，群众送料一律为义务制，按公柴入库办法，不支运费。

河务局颁发冬防春修工程要点

12月26日 山东省河务局颁发1948年冬防、1949年春修工程勘估要点，总的要求以防御1937年最高洪水位为标准。规定平工堤顶超高1米，顶宽在5米以上；险工堤顶超高1.5米，顶宽以10米为宜。险工埽坝高出1937年水位0.5米，如工程过大，次要埽坝可做至1937年水位平。土牛按堤线长每公里积400～500立方米。要求各县水退后即行估工，办事处主任必须参加。

1949年

河务局召开沿河县长、办事处主任会议

1月15日 山东省河务局召开沿河县长、办事处主任会议，讨论如何发动民间大量造船，有计划、有组织地发展航运，以完成治黄石料运输任务，减轻人民负担。

渤海行署、河务局印发黄河防凌工作规定

1月19日 渤海行署、山东省河务局发出《关于黄河防凌工作规定的联合指示》。指出山东居黄河最下游，过去因凌汛决口的次数不少，凌汛抢险较大汛更为危险。因此，防凌的中心在于组织群众守堤防漏为主，而以破冰为辅。在坐弯迎溜河道狭窄的地段，要有重点地加强领导，危急情况时党政干部均须上堤。在开冻之前应对大堤进行检查，准备堵漏料物，组织有堵漏经验的人员进行查堤堵漏工作。重点河段组织人工打冰和炸药破冰，紧急时组织人力抢加子埝，保证堤防安全。

渤海区党委指示发展航运

1月24日 渤海区党委指示：济南解放后黄河从分割到统一，黄河水道畅通，黄河修工从无石源到拥有大量石山，治黄采石、运石成为可能。各县应抓紧封冻农闲时机，计划未来的运料需要，有组织、有计划地扶持民间造船，发展黄河航运。同时，应建立航运行政管理制度。

渤海区党委下达《治黄干部调配限制的通知》

1月27日 渤海区党委下达《治黄干部调配限制的通知》，规定黄河干部

一般不转业，调动办事处主任一级的干部须由区党委、行署批准。

渤海行署、河务局联合发出黄河防凌工作指示

1 月 29 日 渤海行署、山东省河务局联合发出《关于黄河防凌工作的指示》。指出防凌工作的中心在于组织群众守堤防漏，并规定了防凌措施、办法等。

河务局召开春修工程会议

2 月 17～20 日 山东省河务局在滨县山柳杜召开各县办事处主任会议，讨论春修工程计划，布置春修前的准备工作及石料运输问题，并检查各县发动造船情形。

萧英任济南治河办事处主任

2 月 20 日 济南治河办事处代主任崔光进调局另有任用，萧英任主任。

冀鲁豫黄委会召开修防处主任、段长联席会议

2 月 20～27 日 冀鲁豫黄委会在菏泽召开修防处主任、段长联席会议。总结了 1948 年治黄工作，布置了 1949 年治黄任务，确定了“修守并重”的治黄方针，改复堤中的征工制为包工包做制和征工包做制。

第三、第五修防处合并

2 月 25 日 冀鲁豫黄委会决定：将第三、第五修防处合并为第三修防处，刘传朋任主任。

《黄河大堤植树暂行办法》公布

3 月 1 日 渤海行署、山东省河务局公布《黄河大堤植树暂行办法》，令沿河县、区、乡政府及治河办事处切实遵照，广为宣传动员，根据公私两利精神，组织群众普遍栽植。

黄河航运公司成立

3 月 8 日 山东省河务局为提高造船和航运效率，经请示山东省人民政府批准，成立黄河航运公司，领导造船厂、航运所、航运队等部门，并与航运科合并办公。秦子敬兼经理，王克义任副经理。

泺口石料处改为黄河石料公司

3月8日　将泺口石料处改为黄河石料公司，王锐夫为经理，沙涤平为副经理。以上两公司均按企业单位进行经营管理。

上旬，为加强石料运输工作，河务局决定设立泺口运料站。

渤海区治黄总指挥部成立

3月16日　渤海区治黄总指挥部成立。王卓如任总指挥，江衍坤、钱正英任副总指挥。

河务局迁址至杨忠县姜家楼办公

3月25日　山东省河务局由滨县山柳杜迁往杨忠县神庙区姜家楼办公。

山东省政府任命河务局正、副局长

4月4日　山东省政府公布任命各厅、部、局负责人。任命江衍坤为河务局局长、钱正英为副局长。

治河机构与当地政府商讨平阴、长清民埝问题

4月7日　根据华东、华北政府电示：对平阴、长清民埝处理，由两区治河机关与当地政府共同商讨解决。同日，在第四修防处驻地八里庄共同商讨并达成了协议。对民埝基本上采取放弃的方针，同意以两岸临黄堤为准，两岸堤距需宽3500米以上，原则上凡在3500米以内的民埝不准加修。

河务局召开领导干部管理工作会议

4月11日　山东省河务局召开各县办事处主任及所属单位负责人会议，传达贯彻中共华东局及渤海区党委《关于克服无纪律、无政府状态，加强组织纪律性的决议》，并作出相应之决定。

河务局写出《治黄工作报告》

4月29日　山东省河务局写出《治黄工作报告》，总结三年来人民治黄在组织建立、工程建设上的伟大成就，并提出了今后治黄的意见。

冀鲁豫行署颁发《保护黄河大堤公约》

5 月 冀鲁豫行署颁发《保护黄河大堤公约》,主要条文为:禁止铁轮大车顺堤通行,禁止擅自在堤上挖土,禁止在堤上割草和牧放牛羊,禁止在堤上种植;防止坏人砍伐树株和拔坏树苗等。

河务局颁发《黄河春修土工立功条例》

5 月 12 日 山东省河务局颁发《黄河春修土工立功条例》,规定了立功条件、评功奖励办法,以及对破坏捣乱分子的惩治规则。

山东省政府颁发河务局公章

5 月 22 日 山东省政府颁发本局铜质关防一颗,文曰:山东省黄河河务局关防;木质方形公章及长戳各一颗,文曰:山东省黄河河务局(以下简称山东省河务局),自即日起启用。

冀鲁豫黄委会召开黄河防汛会议

6 月 3～6 日 冀鲁豫黄委会在菏泽召开黄河防汛会议,确定了"掌握重点、全线防守"的防洪方针。会上还印发了《1949 年防汛办法》和《防汛查堤及抢险办法介绍》等文件。

河务局拟订工程队评定技术等级及工资标准

6 月 7 日 山东省河务局拟订工程队评定技术等级及工资标准,并规定了评定条件和办法。

河务局向省政府报送 1946～1948 年开支决算

6 月 9 日 山东省河务局编送 1946～1948 年开支粮款决算,报请省政府准予核销。总计三年支出现金 34.8 亿元(北海币),麦粮 177.6 万斤,秋粮 4191.3 万斤,木柴 72.6 万斤,马草 209.5 万斤。

春修工程全部竣工

6 月 10 日 黄河春修工程全部竣工,共完成培修大堤 36 段,修筑戗堤 40 段,培修险工坝基 314 段,修筑辅道土牛填筑洞穴隐患等共计完成土方 206.9 万立方米。险工整修完成秸埽 518 段、砖石坝 1151 段,耗用石料 5 万立方米、砖 1.8 万立方米、秸料 1704.7 万斤。同时完成堤防植树 10.3 万株。

山东省政府决定组建济清联合防汛指挥部

6 月 11 日 山东省政府为加强防汛工作的领导,决定由济南市政府、长清县政府、山东省河务局共同组成济清联合防汛指挥部,由市民政局局长胡亦农任指挥,济南治河办事处主任萧英、长清县政府杜光轩任副指挥。26 日省人民政府指示将济清防汛指挥部调整扩充,由济南市警备司令廖容标任指挥,济南市长姚仲明兼任政治委员,胡亦农任副指挥,指挥部设政治、工务、秘书处。

黄河水利委员会成立大会在济南举行

6 月 16 日 华北、中原、华东三解放区在济南召开黄河水利委员会(以下简称黄委会)成立大会。华北委员王化云、张方、袁隆(因公未到),中原委员彭笑千、赵明甫、张惠僧,华东委员江衍坤、钱正英、周保祺参加了会议,一致推选王化云为主任,江衍坤、赵明甫为副主任。会议通过以防洪为重点,建立电讯,加强联系,提高治黄技术,建立报告制度等决议。会议由山东省政府郭子化副主席主持,中财部黄剑拓、华北政府邢肇棠讲了话。黄委会举行第一次委员会议,三区委员分别报告了今年春厢、运石、防汛工作布置等,讨论了治黄工作方针及任务、黄委会组织规程(补充)、确定住址等,并作出决议。20 日会议结束。

山东省政府公布河务局科级干部名单

6 月 17 日 山东省政府公布河务局科长级干部名单:干部科长赵昆山,秘书科长崔光进,工程科长周保祺、副科长武克明,供给科长董立志、副科长孙见斋,航运科长秦子敬,黄河水利工程专科学校副校长周今生,航运公司经理秦子敬(兼)、副经理王克义,黄河石料公司经理王锐夫、副经理沙涤平。河务局在编职工 216 人。

山东省政府批准周保祺为革命烈士

6 月 22 日 山东省河务局工程科长兼技术室主任周保祺,患脑溢血病逝于济南,23 日将其灵柩迎至泺口,24 日由江衍坤局长主持公祭。山东省政府念其主持治黄工程设计,周详筹划,指挥修防不辞辛劳,对黄河安澜贡献很大,病故之前仍在坚持工作,特于 30 日明令表扬并批准为革命烈士。

陈允恭工程师任技术室主任

7 月 陈允恭工程师接任技术室主任。

河务局召开防汛工作会议

7 月 8～14 日 山东省河务局在姜家楼召开各办事处主任会议，总结春修布置防汛工作。提出 1949 年防汛任务为确保 1937 年洪水不决口。

关于重视防汛工作加强领导的联合通知

7 月 11 日 渤海区党委、行署发出《关于重视防汛工作加强领导的联合通知》，指出黄河是中国人民的大患，素称多变善决，必须严肃对待治黄工作。在黄河汛期，防汛抢险就是沿黄地区生产工作中最重要的环节之一。各县立即根据河务局布置的防汛工作要求，作出本县的防汛计划，县委、县政府应将黄河防汛工作列入重要议事日程，对目前急需的工程、料物应即布置执行，坚守河防，保卫生产。

渤海行署任命田浮萍等职务

7 月 13 日 渤海行署令：蒲台治河办事处主任田浮萍升任黄河河务局垦利分局副局长，惠济治河办事处副主任李秀峰调任蒲台治河办事处副主任，利津治河办事处副主任张汝淮调任河务局垦利分局秘书科长，河务局技士沈思齐升任历城办事处副主任兼工程股长。

中共山东分局等发出黄河防汛工作紧急决定

7 月 27 日 中共山东分局、山东军区、山东省政府联合发出《关于黄河防汛工作的紧急决定》。决定指出黄河防汛工作为山东省今后三个多月中严重战斗任务，沿黄各级党政军民、领导机关及河务部门应对所属防段负责，各县市立即组织防汛指挥部，党政负责人及驻军首长必须亲自参加领导；并决定成立渤海防汛总指挥部，江衍坤为总指挥，王卓如为政委，钱正英为副总指挥，除统一指挥渤海全区防汛工作外，受省政府委托指挥济南市和长清、历城县的防汛工作；号召沿黄党政军民迅速动员起来，完成防汛一切准备，坚守河防，保卫济南，保卫渤海平原。

《山东省黄河防汛及抢险奖惩办法》颁发

7月28日 山东省政府颁布《山东省黄河防汛及抢险奖惩办法》,规定了立功标准、记功评功、奖励办法及惩处条例等,并规定批准奖惩最高机关为黄河防汛总指挥部。

渤海区黄河防汛总指挥部宣布成立

7月29日 渤海区黄河防汛总指挥部(以下简称渤海区黄河防总)宣布成立,即日开始办公。

垦利宋家圈大堤东端新修民埝决口

7月30日 垦利宋家圈大堤东端新修民埝决口,初决口门仅30米、水深4米,乃由机动工程队配合2500名民工,由东西两坝头同时进占抢堵。但因适值大雨连绵,洪水续涨,料物不济,取土困难,口门刷深至8.5米,金门占被冲走,节节退让,口门扩宽至80米,不得已暂停抢堵。该地滨临海口,荒无人烟,仅淹耕地约6万亩。

渤海区黄河防总要求充实各级防汛组织

8月2日 渤海区黄河防总连夜发出代电,要求各县指挥部抓紧水落空隙,充实各级防汛组织,进一步发动群众,所有参加防汛的干部分配进村,以一天时间检查整顿群众防汛队伍。各地补修加高工程亦限10日内完成。

河务局7月份防汛工作报告

8月12日 山东省河务局7月份防汛工作报告称:今年黄河洪水提前到来,7月份即接连涨水二次,泺口水位达到30.24米;大量增加河内底水对防汛很不利;又加6月份在济南召开黄委会成立大会,7月8日始开会布置防汛工作,准备不够充分,工作难免被动。经过两次涨水,险工埽坝尚无大变化,主要是上游各县埽坝高度不足,正在加修中。北岸大堤自济阳县沟阳家以下,南岸齐东田家拐子以下均高出1937年洪水位1.5米以上;其以上大堤高度不足,也已开始加高。为节省民力,规定险工大堤超高在1.2米以上者,平工堤顶超高在0.7米以上者暂不加高。

渤海区黄河防总发出秋汛工作纲要

8 月 21 日 渤海区黄河防总发出秋汛工作纲要，进行秋汛动员；全面进行工程检查，做到领导心中有数；检查整顿群众防汛组织，整理备防料物及器具；健全防汛工作制度，进一步推动立功运动。

历城、章历两县治河办事处独立办公

8 月 25 日 历城、章历两县治河办事处正式分开办公，各负责任。陶廷佐任历城县治河办事处主任，纪源仍任章历县治河办事处主任。

渤海区黄河防总作出三秋期间防汛工作指示

8 月 27 日 渤海区黄河防总根据山东分局及渤海区党委《关于秋收秋耕秋种的指示》，对“三秋”期间黄河防汛工作补充指示：(1)各县大堤与险工必要的修补工程，应切实掌握及时完成，勿拖延时间，勿浪费民力；(2)平工大堤警戒线为泺口水位 30.5 米，在警戒水位以下除垦利特殊堤段外，平工之查水民工一律撤防；(3)险工警戒水位为泺口 29.5 米，在警戒水位以下各险工常备民工可酌量减少；(4)紧紧掌握水情变化，及时组织快收快耕快种，保证防汛秋收两不误。

河务局编辑出版《黄河快讯》

9 月 8 日 山东省河务局编辑出版《黄河快讯》，每 5 天一期，经山东邮政管理局登记认定为第一类新闻纸。

黄河流域连降大雨出现洪峰

9 月 14 日 由于黄河流域连降大雨，泾、渭、汾、洛等支流及伊、洛、沁、汶等河同时猛涨，陕州站出现洪峰，流量 12500 立方米每秒。15 日，黄河洪峰进入山东，泺口水位上涨至 31.35 米，济南、齐河等地各险工相继出险，汛情紧张。山东省政府郭子化副主席、山东军区傅秋涛副政委、袁也烈副司令员等亲赴泺口，召集防汛指挥人员研究部署防汛措施，并到杨庄、北店子等险工视察河防工程。同时决定从部队、机关、学校抽调 1.7 万人，编为 4 个总队上堤防汛抢险，确保河防和济南市的安全。

渤海区黄河防总指示紧急号召干群投入防汛斗争

9月17日 渤海区黄河防总发出指示：目前紧张抢险时期，为我河防胜败的紧要关头，号召参加防汛的全体干部、工人、军人、群众发挥一切力量和智慧，争取防汛胜利，为人民立功；开展火线政治工作，特规定火线立功条件及评功办法。

渤海区黄河防总通知各地继续坚守堤防

9月18日 渤海区黄河防总通知：上游水势开始降落，17日12时陕州流量降至7700立方米每秒，但中游水势未退，工情紧急万分。由于寿张、梁山民埝相继决口，水势减缓，但泺口水势还将持续上涨，今后几天仍是严重关头。特通知各地17～19日3天内必须保持全面动员状态，充分警觉，临时加修子埝土牛的民工，完成计划后仍继续加土牛，暂不准复员，保证堤上有充足的机动力量。现在大堤几乎全部临水，一处疏漏即将毁坏全部河防，各级干部保持高度责任心，克服疲劳，勤加检查，各处大堤在任何情况下，须保证出水一米。

黄河洪峰到达泺口防汛进入最紧张状态

9月22日 黄河洪峰到达泺口，17时泺口最高水位达32.33米，洪峰流量7410立方米每秒，超过了1937年最高水位0.21米。山东全河防汛进入最紧张阶段，沿河党政军民全力以赴，有35万人投入防汛抢险战斗。

河务局调查统计洪水漫滩损失情况

9月23日 据山东省河务局调查统计，黄河左岸自齐河李家岸以下，右岸自济南北店子以下至海口，大堤共长1096里，于22日泺口出现最高水位32.33米后，洪水漫滩，大堤临水堤段即达1064里，淹没滩地村庄169处、人口37108人、耕地63920亩，倒塌房屋35间。

黄河第六次涨水

9月30日 黄河第六次涨水，12时泺口水位32.07米。

黄河司令部转为黄河航运大队

10月1日 中华人民共和国成立，原属军队编制的黄河司令部本日在孙口召开大会，正式宣布奉命转业，组成黄河航运大队，为治黄事业继续发挥重要作用。

渤海区黄河防总作出撤防决定

10 月 13 日 渤海区黄河防总通知:泺口今日 12 时水位已回降至 30.45 米,平工已基本脱离危险期,目前除继续坚持必要的防守外,应迅速组织上堤群众复员,并积极领导抢种小麦,抽空进行总结评功。为此特决定:(1)一般地区自 14 日起全部撤防;(2)堤脚串沟水仍与大河相通的,堤身隐患多、背河漂水严重的堤段,酌留力量继续防守;(3)积极处理河滩积水,帮助群众种麦;(4)险工仍须警觉最后阶段变化,暂不撤防;(5)干部暂不回去,抓紧总结评比。

河西、齐禹县黄河修防段划归山东省河务局管辖

10 月 26 日 山东、平原河务局联合通知河西、齐禹县黄河修防段划归山东省河务局管辖。本日由山东省河务局派孙见斋科长前往办理接交手续。时河西修防段段长为王鹏,齐禹修防段段长为翟少青。

沿河军民战胜黄河归故首次大水

10 月 31 日 沿河党政军民艰苦奋斗,战胜了黄河归故后首次大水。本年汛期黄河共发生 7 次洪峰,以 9 月 14 日花园口站洪峰流量 12300 立方米每秒为最大。22 日泺口水文站水位最高达 32.33 米,洪峰流量 7410 立方米每秒。超过 1937 年最高水位 0.21 米,创泺口水文站 1919 年建站以来的最高水位。由于秋汛连续三次涨水,泺口水位在 30 米以上持续 59 天,千里河防大水迫岸盈堤,险情丛生,防汛抢险十分紧张。为确保堤防安全,中共山东分局、山东军区、省政府立即做出紧急决定,动员沿河党政军民、工厂、学校全力以赴,集中人力、料物,投入防汛抢险斗争。在各级党委政府的坚强领导下,迅速调集干部 31118 人,部队 8989 人,防汛民工 293734 人,工人学生 11212 人,各种车辆 14723 辆,船 1000 多只,投入紧张持久的防汛抢险战斗。由于堤防工程遭受战争破坏严重,虽经修复,仍卑薄残缺,料物也十分缺乏,谷家、张辛、麻湾、王庄、前左等多处险工埽坝蛰陷入水,各处险工出险 1465 处,平工堤段出现漏洞 582 处,渗水陷坑等险情 2414 处。9 月 10 日夜,济阳县沟阳家险工背河出现大漏洞,有决堤危险。工程队工人戴令德发现后不顾个人安危,奋勇下水,以身体堵住漏洞,并呼喊工人群众赶到抢堵后才转危为安。从入伏到 9 月,经 35 万名防汛员工严密防守,奋勇抢护,及时抢修加高了堤防埽坝,共抢修土方 67 万立方米,动用砖石 7.2 万立方米、秸柳料 5136 万斤、麻袋 17.1 万

条、木桩 8.3 万根，终于战胜了解放后的首次大水，取得了防汛斗争的胜利。

河务局召开工程股长会议

11 月　山东省河务局召开工程股长会议，研究明年春修工程标准和冬修任务。规定大堤高度超出本年最高洪水位 1.9 米；规定主要埽坝高度与本年洪水位平，次要坝暂不加高，准备防汛时临时抢加。据此编列概算报局审核。冬修工程完成 1950 年土方任务的 1/4，约 200 万立方米。山东省河务局相继召开财务股长会议，布置冬运石料任务，决定全河完成石料 7.9 万立方米，并决定在河西、齐禹、长清、平阴等县发展造船。

河务局对航运机构进行整顿

11 月　山东省河务局对航运机构进行整顿，将航运公司撤销，所有航运工作由航运科单独负责。结束造船工作，撤销造船厂，今后以发展民船航运为主，精简渡口，加强航运队的领导，使之成为运料核心组织。

渤海行署同意河务局冬修工程计划

11 月 2 日　渤海行署同意山东省河务局所拟各县冬修工程计划，训令泺北清河、垦利专署及沿黄各县成立冬修指挥组织，加强领导，周密布置，切实督促检查，派坚强干部带领，保证工程质量，按期完成任务。

河务局在泺口设立直属仓库

11 月 23 日　山东省河务局为适应修防料物的供应工作，决定在泺口设立直属仓库。

河务局组织河口查勘队赴河口查勘

11 月 24 日　山东省河务局为研究河口治理工程，组织河口查勘队，赴河口地区进行查勘测量工作。

山东省政府决定河务局增设分局

11 月 25 日　山东省政府为加强河防领导，决定成立山东省河务局泺北、清河、垦利分局，各分局以行政区划为单位，泺北分局辖河西、齐禹、齐河、济阳、惠济五县办事处，清河分局辖高青、齐东、章历三县办事处，垦利分局辖惠民、滨县、蒲台、利津、垦利五县办事处。省政府任命泺北分局副局长赵登勋，清河分局局长石凤翙、副局长蔡恩溥,垦利分局局长田浮萍、副局长张汝淮。后由王筱湖任泺北分局局长。

长清、平阴二县成立治河办事处

12 月 5 日 鲁中南区长清、平阴二县成立治河办事处,管辖该县治黄设施和护滩工程。

截至本月,山东省河务局沿河各县已有长清、平阴、河西、齐禹、齐河、济南、历城、章历、济阳、惠济、齐东、惠民、滨县、蒲台、高青、利津、垦利等县治河办事处。河务局及所属单位共有干部 739 人,工程队工人 1214 人,船工 694 人,采石工 700 人,合计 3347 人。

渤海行署通知沿黄专署、县政府保证供给治黄秸料

12 月 5 日 渤海行署通知沿黄各专署、县,为保证供给治黄秸料,决定由各县征收一部分黄河秸料,群众交送秸料可抵交秋季公粮,自本月 10 日起运,明年 1 月 10 日前完毕。

河务局要求沿黄县治河办事处组织好料物接收

12 月 13 日 山东省河务局分配沿河各县秸料任务,要求各办事处立即商同县政府研究解决料价、运送、组织动员及做好收料准备,保证随到随收。

河务局举行安澜庆功大会

12 月 21 日 山东省河务局为庆祝解放后战胜黄河首次大水,在驻地惠济县姜家楼举行安澜庆功大会,到会功臣、各机关代表及来宾 2100 多人,当地群众 3000 多人。会期二天,附近群众万人以上参加了文娱晚会,盛况空前。

王广柱等被授予平原省劳动模范称号

12 月 25 日 在平原省治黄劳动模范代表会议上,山东省河务局王广柱、郑延良、陶绪宏、尹成法、朱承宽被授予平原省劳动模范称号。

1950 年

河务局发出《关于防凌工作指示》

1 月 16 日 山东省河务局发出《关于防凌工作指示》,要求各分局、治河

办事处加强领导,检查工程,切实掌握水情冰情变化,发动干部群众做好防凌准备,战胜凌汛。

黄委会召开治黄工作会议

1月22~30日 黄委会召开治黄工作会议。水利部副部长张含英参加了会议。会议讨论通过了1950年治黄工作方针和任务、1950年工作计划和预算草案、黄委会组织编制草案和工作制度等。

1950年治黄工作方针是:以防御比1949年更高的洪水为目标,加强堤坝工程,大力组织防汛,确保大堤不溃决。同时,对观测工作、水土保持工作及灌溉工程,亦应认真地迅速进行,搜集基本资料,加以分析研究,为根本治理黄河创造条件。

河务局召开春修工作会议

2月7日 山东省河务局召开春修工作会议,研究部署修堤整险工作。参加会议的有各分局和治河办事处负责人。江衍坤局长传达了黄委会1950年治黄方针与任务,并指出春修工作要贯彻"以工代赈"精神,与生产救灾结合起来,把灾民组织到驻地的民工队中,切实加强组织领导,把"以工代赈"的工作做好。

黄委会改组成流域性机构

2月13日 山东省政府通知称:按黄委会函转中央水利部转发政务院政水字第一号令,决定将黄河水利委员会改组成流域性机构,所有山东、平原、河南三省之黄河河务机构,统归黄河水利委员会直接领导,并仍受各省人民政府之指导。

河务局发出《关于1950年春修工作指示》

2月24日 山东省河务局发出《关于1950年春修工作指示》。指出春修工程存在很多困难,首先是工款不足,不能满足工程需要。其次是1949年大水对堤坝工程的破坏严重,必须修复。为此,必须十分强调提高技术和实行精密计算,把所有工程做到工精料省,没有浪费。应尽量减少次要的和附属工程,集中力量恢复和加强埽坝工程,坚决消灭大堤薄弱堤段和隐患,使河防强度保持一定标准,打下确保大堤不溃决的物质基础。

钱正英调华东军政委员会水利部工作

2 月 26 日 黄委会转政务院令，山东省河务局副局长钱正英调华东军政委员会水利部工作。

黄委会发出《关于加强春修工作指示》

2 月 27 日 黄委会发出《关于加强春修工作指示》。指出春修工程已全面开工，由于事前准备不足和缺乏及时检查，片面强调救灾，“上堤就有饭吃”。为此，各级领导必须立即检查纠正上述问题，克服任何单纯依靠行政命令的官僚主义作风，充实健全各级施工机构，切实做好群众的组织发动和上工前的准备工作，坚决避免准备不足贸然开工的现象。施工中要严格质量要求，加强组织教育，实行“包工包做”，开展立功运动，厉行节约，反对任何不负责任的浪费人力物力现象，胜利完成春修任务。

春修工程全面开工

2 月 28 日 黄河春修工程全面开工。堤防工程培修标准是：大堤顶高超出 1949 年洪水位 1.5 米，顶宽为 6～7 米，按此标准进行加高帮宽和修筑后戗。共动员民工 16 万人，按征工支差性质，每标准工日得 4.5 斤粮，多劳多得。6 月底春修竣工，共完成土方 376 万立方米，植树 19 万株，用工 349 万个工日，实用工款 134 万元。

整险工程共新修埽坝 159 段，改修加高 916 段，共用石料 14.7 万立方米、砖 1.2 万立方米、秸料 1218 万公斤、柳枝 472 万公斤，用工 37.6 万个工日，实用工款 275 万元。

在春修施工中，结合救灾，以工代赈，组织灾民 2.9 万余人参加修工，共得粮 175.6 万余斤，解决了部分灾民的生活问题。

黄委会颁发“山东黄河河务局”印章

3 月 29 日 黄委会颁发“山东黄河河务局”钢印，自此，山东省黄河河务局改称山东黄河河务局（以下简称山东河务局）。

仪顺江任聊城修防处主任

3 月 仪顺江任聊城修防处主任。

河务局进行黄河口测量工作

4月 山东河务局测量队及山东省农学院水利系实习师生共92人,进行黄河河口测量工作。共完成利津宁海至渔洼段万分之一地形,面积160平方公里,渔洼至海口段控制面积1300平方公里;并施测3条干支流流速、流量,搜集调查了河口地区土壤、淤淀、垦殖、河道变迁等资料,对河口治理提供了依据。5月22日结束。

河务局迁址至济南市

4月6日 山东河务局机关自惠济县姜家楼迁至济南市经五路小纬四路46号办公。

第三修防处改为菏泽黄河修防处

5月20日 平原河务局根据黄委会颁发之《平原黄河河务局编制草案》发出通知,于6月15日开始执行。第三修防处改为菏泽黄河修防处,下设工程、财务、秘书科,干部36人,杂务人员10人,共46人。

政务院作出《关于建立各级防汛机构的决定》

6月6日 中央人民政府政务院作出《关于建立各级防汛机构的决定》:以地方行政为主体,邀请各地人民解放军代表参加,组成统一的防汛机构。黄河上游防汛,由所在各省负责办理。下游山东、平原、河南三省设黄河防汛总指挥部,受中央防汛总指挥部(以下简称中央防总)领导,主任1人,由平原、山东、河南三省人民政府主席副主席中互推一人兼任,副主任3人,由其余两省人民政府主席或副主席及黄委会主任兼任。三省各设黄河防汛指挥部,主任1人由省人民政府主席或副主席兼任,副主任2人由各省军区代表及黄河河务局局长兼任,受黄河防汛总指挥部领导。

姜庄固滩工程开工

6月8日 章历县姜庄固滩工程开始打桩,共修筑四道透水柳坝,间距100米,姜庄下游1000米处,修做护滩柳箔500米,全部工程于6月底竣工,以固定土城子至刘园一带滩岸免生新险。

山东省黄河防汛指挥部成立

6 月 18 日 山东省黄河防汛指挥部(以下简称省黄河防指)成立,郭子化任主任,向明任政委,副主任为许世友、江衍坤。沿黄德州、惠民专区及济南市,分别建立专区(市)黄河防汛指挥部。

山东省政府召开黄河防汛工作会议

6 月 19～24 日 山东省政府召开黄河防汛工作会议。参加会议的有沿黄各专区专员、县长、河务局各分局长、各县治黄办事处主任。省政府杨希文秘书长首先传达了全国防汛会议精神,河务局江衍坤局长传达了《山东省1950 年黄河防汛工作草案》,具体部署了防汛工作。

黄河防汛总指挥部成立

6 月 26 日 黄河防汛总指挥部(以下简称黄河防总)成立,河南省主席吴芝圃任主任,山东省副主席郭子化、平原省副主席韩哲一、黄委会主任王化云任副主任。

黄河防总召开黄河防汛工作会议

6 月 26 日 黄河防总召开黄河防汛工作会议,河南、平原、山东省政府和河务局负责人参加。会议研究讨论了会前各省进行的堤防、河势、工情检查情况,制定了黄河防汛工作计划,研究布置了防汛工作。

齐河八里庄护滩工程开工

7 月 3 日 齐河八里庄护滩工程开工,河西、历城、齐河三县工程队员 110人,民工及船工 200 余人参加施工,共修筑透水柳坝五道,工程完工后汛期过水落淤良好,保护了滩岸不再坍塌。

黄河防总发布《关于防汛工作的决定》

7 月 4 日 黄河防总发布《关于防汛工作的决定》,指出:防汛工作应依靠群众,加强领导,建立统一的强有力的各级防汛指挥部,逐级分段负责,互相支援,全线防守,重点加强,掌握工情水情变化,经常反对麻痹思想,是战胜洪水的保证。下游堤防,应当维持堤距现状,不许缩窄,并尽量利用可以蓄洪的地方,必要时实行蓄洪,以济堤防之不足。废除民埝,应确定为下游治河政策之一。

寿张、梁山蓄洪问题:枣包楼、大陆庄段民埝堵复标准应限制在一般情况下,陕州流量1.5万立方米每秒上下,挡小水不挡大水。南岸金线岭、北岸寿张金堤,如遇较大洪水实行蓄洪时,必须尽力防守,不使溃决。

东平湖区及长平地区,有调节洪水的作用,在上中游水库未建之前,仍应利用此区蓄洪。

对防汛任务,确定以保证陕县流量1.7万立方米每秒时,不发生溃决。如遇更大洪水到来,则应采取紧急措施,加筑子埝,修培后戗,征集料物,动员军民,全力防守,争取胜利。

省防汛巡视团检查指导防汛工作

7月15日 山东省黄河防指组织防汛巡视团,由民政厅厅长谢辉、农林厅厅长宋文田分任正副团长。该团共分3个组,分别检查了各级防汛指挥部的组织领导、防汛准备、河势工情及防汛器材等情况,指导和推动了防汛工作的开展。

省黄河防指规定出险警号

7月18日 省黄河防指发出通知规定:平工警号为左岸敲锣、右岸敲钟,小险口哨两枚急吹,险工警号鸣钟。抢险地点的标志为白天挂红旗,晚上挂红灯。

黄河防总召开会议协商东平湖蓄洪问题

7月20日 黄河防总召集山东省水利局副局长张次宾、平原省水利厅厅长牛连文及工程师多人,在开封开会,对梁山东平湖蓄洪问题进行协商。一致同意局部利益服从全河利益之原则,做到有计划、有步骤地蓄洪。规定蓄洪区内两省运堤之修堵,以防1948年洪水为标准,具体问题作如下决定:

一、蓄洪区内平原省运堤、山东省旧临黄堤,以陕县流量1.5万立方米每秒左右,相当安山附近1948年洪水位44.06米(青岛基点)为防守标准,如需蓄洪由黄河防总统一掌握,由地方政府动员群众开放。

二、山东、平原两省运河东西堤岸,已整修的维持现状,未整修的不再加修。若堤顶经洪水破坏,致低于1948年洪水位,或强度不能抵御相同于1948年洪水位时,可进行防守和抢护。

三、平原金线岭堤及山东新临黄堤,如遇较大洪水实行蓄洪必须坚决防守,不准溃决。

四、东平湖防汛,在黄河防总统一领导下,山东、平原两省成立防汛联络小组,以资互通情况,密切联系。

五、梁山候河及东平棘城新修拦水坝,有碍洪水下泄,影响蓄洪,由两省水利局会同两县政府动员拆除。

六、长清、平阴滩区有蓄洪作用,确定为蓄洪区,在不影响蓄洪条件下,根据处理民埝的方针,由山东河务局提出排水放淤工程意见,报黄河防总批准后执行。

王国华任山东河务局副局长

7月21日 山东省政府任命王国华为山东河务局副局长。

山东河务局所属机构更名

7月26日 山东河务局局务会议研究决定,将垦利、泺北、清河分局和济南治黄办事处改为惠垦、清济、齐蒲、济南修防处,任命田浮萍、石凤翙、徐化鲁为修防处主任;县治黄办事处改为黄河修防段,并颁发了各修防处、段印信。

中央防总公布《防汛奖惩暂行办法》

8月7日 黄河防总转发中央防汛总指挥部防总字第33号令:兹制定《防汛奖惩暂行办法》,自1950年8月1日公布施行,希各区、省流域防汛总指挥部遵照执行。

《消灭堤防隐患各种奖励与赔偿修正办法》颁发

8月10日 省黄河防指颁发了《消灭堤防隐患各种奖励与赔偿修正办法》。规定:凡密报民房内重大隐患经检查属实者,奖励小米50～100斤;凡自报民房内之隐患经检查属实,除按以上奖励外,并补助因挖填而损毁民房之拆迁费。凡在堤上捕大獾一只,奖励小米35斤,小獾奖励小米20斤。凡在堤上捕地猴、地鼠等有害动物,每只奖励小米2斤。凡居住堤顶之民房自愿拆迁者,住房每间补助小米150～250斤,敞棚每间补助小米100斤。

省政府巡视团检查指导防汛工作

8月14日 山东省政府组织巡视团,由王涛厅长带领干部27人,分7个工作组,分赴惠民专区沿河7个县检查防汛工作,传达布置进一步做好秋汛发动组织群众的指示精神，做好准备，战胜秋汛。

王化云一行查勘东平湖蓄洪工程

8月18日 黄委会主任王化云、副主任江衍坤，山东省水利局局长江国栋，平原省水利厅厅长牛连文，以及泰安、菏泽专署、梁山县政府负责人，共同查勘了东平湖蓄洪区工程情况后，于安山镇召开座谈会，讨论了东平湖蓄洪问题。后经黄河防总确定：达到1948年洪水位应确保运堤不决，达到1949年洪水位应坚决蓄洪。

特等治黄功臣于佐堂进京参加劳动模范代表大会

8月25日 在第一届全国工农兵劳动模范代表大会上，山东河务局于佐堂、李俊奎被授予全国劳动模范称号。特等治黄功臣于佐堂出席了全国劳模代表大会。10月11日，于佐堂由京返济，河务局机关全体职工及局直单位代表百余人集会欢迎。

綦家嘴引黄放淤工程竣工放水

8月31日 山东河务局在利津县綦家嘴首次试办的引黄放淤工程竣工放水。该工程系在大堤上建一引水涵洞，引水1立方米每秒，堤后修筑套堤，套堤上修一退水涵洞，大堤与套堤间洼地面积约53万平方米，用于放淤沉沙，改造盐碱地。套堤外挖排水渠80里，尾水排入徒骇河，解决了利津、沾化两县20万人的饮水问题。

江衍坤赴水利部参加会议

9月12日 山东河务局局长江衍坤、工务处处长陈允恭，赴北京水利部开会，研究1951年黄河春修、防汛经费问题。

中共平原省委决定建立三级黄河防汛指挥部

9月18日 中共平原省委决定建立省、专、县三级黄河防汛指挥部，菏泽黄河修防处主任刘传朋任菏泽地区黄河防汛指挥部指挥长。

山东省政府发布巩固堤防、消灭隐患禁令

9月24日 山东省政府发出总河字第一号公告，为巩固堤防，消灭隐患，特将目前造成隐患、削弱堤防有关事项禁令如下：

一、沿河大堤堤脚内外两丈内,一律划为植树区。在此区域内,只准植树,不准耕种谷物。

二、大堤堤顶、堤坡一律禁止居民修房居住,原有居民亦须设法逐渐迁移。在目前亦不得再盖新房,更不得任意挖沟、凿洞开挖地瓜井、粪坑等,以免危害堤防。

三、所有大堤及各险工之套堤、堤顶、堤身,一律不准种植谷物及蓖麻子等作物,更不得窃用堤土,刨挖堤脚,违者从严处办。

山东河务局冬修工程启动

10 月 9 日 山东河务局发布冬修指示,1951 年土工预计为 500 万立方米,争取在冬季完成 150 万立方米。并草拟了 3 年修防计划,准备 3 年内山东境堤防完成能安全通过 10000 立方米每秒流量的工程标准。

山东河务局开展整风学习

10 月 16 日 山东河务局召开全体干部大会,由副局长王国华作整风动员报告。自即日起全局进入整风学习阶段,12 月份领导检查、总结工作,整风结束。

黄委会决定架设开封至济南通讯干线

10 月 20 日 山东河务局秘书处副处长王志远偕同电话技术人员,赴黄委会参加交通工作会议。决定于 1951 年春架设开封至济南通讯干线,并在道旭渡口建设过河飞线铁塔。

河务局召开石料采运会议

10 月 23 日 山东河务局召开石料采运会议,决定冬季完成 3 万立方米的石料采运任务。

沿黄各级防汛指挥部撤防

10 月 31 日 省黄河防指宣布黄河汛期安全度过,电告沿黄各级防汛指挥部撤防。黄河自入汛以来,先后出现 5 次洪峰,以 10 月 22 日秦厂洪峰流量 7200 立方米每秒为最大,25 日泺口流量为 6300 立方米每秒,水位 29.34 米。汛期,省政府、省防汛指挥部两次派出巡视团,深入沿黄各县,检查帮助做好各项防汛准备。沿黄各级政府发动群众,组织 21.59 万人的防汛大军,组织运料抢险船 1300 多只,发动组织群众检查大堤隐患,共发现处理獾洞、鼠穴等 20870 处。

冬修工程全面开工

11 月 16 日 黄河冬修工程全面开工。沿黄 13 个县、市共组织民工 11.7 万人,由干部 2500 余人带领投入冬修。冬修大部是大堤帮宽加高及险工帮戗和坝基土等,共计土方 124.9 万立方米。施工前由于各县派出干部进行思想发动和组织准备,上堤后开展了劳动竞赛,大部分县实行了发签记工、分挖土塘等多劳多得的办法,齐河段组织了 1400 余人的包工队实行包工包做。因此,开工后工程质量和工作效率较高,除个别县因下雪停工外,于 12 月 1 日相继竣工。

水利部召开全国水利工作会议

11 月 23 日 水利部在北京召开全国水利工作会议,总结 1950 年的工作,确定 1951 年全国水利工作的方针和任务。山东河务局副局长王国华赴京参加。

水利部协调东平湖蓄洪达成协议

12 月 9 日 水利部召集山东省水利局局长江国栋、平原省水利局办公室主任奉乐亭及黄委会主任王化云讨论东平湖蓄洪问题,达成下列协议:(1)黄河水位至 1949 年洪水位时,山东省新旧临黄堤之间及平原省运河西堤与金线岭之间两地区应同时开放蓄洪。(2)同意黄委会前所选定之平原梁山二道坡,及山东代表提出之山东东平旧临黄堤决口附近共二处,分别为平原、山东两省放水蓄洪地点。(3)放水部分堤顶高程,修至平于 1949 年洪水位,亦即青岛基点 44.86 米。(4)蓄洪放水堤段之长度,原则上暂以两省蓄洪面积大小比例规定其长短,亦即按五比一长度放水,具体数字应由黄委会决定。(5)放水部分堤防之断面亦应由黄委会分析研究具体规定。

吴德功等被授予平原省劳动模范称号

12 月 本年度,在平原省首届治黄劳动模范代表会议上,山东河务局吴德功、杨汝卿、董书福、樊培亮、李广朋、王贯一、高连生、张广太、井忠文、张少典、邹振旭被授予平原省劳动模范称号。

1951 年

黄委会召开首次委员会议

1 月 9 日　黄委会于开封召开第一次委员会议。全体委员听取了王化云主任关于 1950 年治黄工作及 1951 年治黄方针、任务、工作计划和预算草案的报告，一致同意通过。

杨汝卿等被授予平原省劳动模范称号

1 月 12 日　在平原省第二届治黄劳模代表会议上，山东河务局杨汝卿、陈培德、李继彬、徐春山、仲伟秋、张栋臣、万基全、李宗才、张士瑞、周树月、王绍禹、芦建忠、李书臣、赵春和、赵家顺、崔子卿、李玉亭、陈云锋、董福臣、刘广恩、李书田、甘明德、郑延良被授予平原省劳动模范称号。

山东省政府发出《关于加强防护黄河凌汛的指示》

1 月 20 日　山东省政府发出《关于加强防护黄河凌汛的指示》。指出：近日来，黄河已大部分封冻，凌汛的威胁是严重存在的，各级人民政府要足够重视，并抓紧时机充分做好防凌的组织准备工作，以期战胜凌汛，保障黄河安全。

山东省召开黄河安澜总结表彰会议

2 月 1 日　山东省及济南市联合举行庆祝 1950 年黄河安澜大会，会议总结了治黄工作，表彰了治黄功臣模范。会上山东河务局局长江衍坤作了 1950 年治黄工作总结，布置了 1951 年治黄任务。山东省政府郭子化、李澄之副省长，省农林厅宋文田厅长、济南市政府张东木副市长到会讲了话。

利津王庄凌汛决口

2 月 3 日　利津王庄凌汛决口。黄河凌情严重，全河自京汉铁路桥以下，封冻长 600 余公里，冰厚 0.1～0.4 米，总冰量约 5300 万立方米。1 月 27 日气温回升，平原省境黄河开凌。29 日夜济南、章丘河段亦开凌，仅一天一夜自泺口至利津长 400 余里的河道全部开冻，满河淌凌。30 日上游来冰卡在前左一号坝，前左以下仍固封未开。一日之间冰凌向上游插塞，前左以上 20 余公里河道尽成冰山，积冰达 4000 余万立方米，滩地亦被冰凌壅塞，水流不能下泄，利津河段水位猛涨。2 月 2 日水位上涨已超过 1949 年洪水位 0.83 米，大堤仅出水 0.2～0.3 米,大块冰凌爬上堤顶,形成罕见的凌汛险情。

自黄河开冻后,沿黄各级防汛指挥部已布置防汛队伍上堤防守,昼夜巡堤查水。山东河务局爆破队亦赶往前左进行爆破冰凌,利津、垦利两县党政干部及修防处段负责人均亲自上堤带领群众防守,抢修子埝,两岸连续发生漏洞和渗水险情 13 处,均经及时抢堵才转危为安。

2 月 2 日夜 11 时,利津王庄险工以下 300 余米处,查水民工发现背河有 3 处漏洞出水,当即鸣警告急,民工 300 余人、工程队员 30 余人共同奋力抢堵。因临河水面尽为冰凌覆盖,无法找到洞口,背河抢堵无效;且天寒地冻,取土艰难。工程队员张汝宾、于宗五等冒险在临河破冰抢堵,发现一个大旋涡,正用麻袋秸料抢堵时,背河堤坡塌陷,继而临河堤坡塌陷,最后堤身塌陷 10 余米,抢险的工程队员张汝宾、乡长赵文举、后张窝村长刘朝阳等 10 余人均陷入口门,3 日晨 1 时 45 分溃决成灾。在抢堵漏洞中,工程队员张汝宾、村长刘朝阳、民工赵永恩 3 人不幸牺牲。

王庄决口后,口门迅速扩展为 216 米,过流约 600 立方米每秒,溃水入徒骇河,泛区宽 14 公里、长 40 公里,淹及利津、沾化两县 122 个村庄,受灾人口 85415 人,倒塌房屋 8641 间,死亡 6 人。

同日,山东河务局局长江衍坤、惠民专署专员陈梅川当即赶往利津王庄,组织抢救安置工作。

山东省政府、黄委会等查勘工情,组织抢救安置工作

2 月 4 日　山东省政府派孟东波秘书长偕农林厅厅长宋文田、水利局局长江国栋、省生产救灾委员会秘书长胡亦农及救济工作干部赶往王庄。

黄委会主任王化云带领工程师多人也星夜赶往王庄,查勘工情,指导抢救工作。并立即在利津成立抢救委员会,设立收容所 6 处,粥厂 1 处,华东军政委员会拨来救济粮 200 万斤,调集船只 358 只、干部 218 人,开赴灾区进行抢救安置工作。

王化云在济南研究王庄堵口方案

2 月 4 日　黄委会主任王化云,来济南视察黄河及主持研究利津王庄堵口方案。同日,山东省生产救灾委员会组织工作组,前往黄河决口地区,帮助当地政府研究救济灾民等问题。

刘钟瑞视察黄河决口抢救情况

2 月 6 日　水利部派司长刘钟瑞,来山东省视察黄河决口抢救情况及研究堵口方案。

孟东波等现场查勘决口情况拟订堵口方案

2 月 12 日　山东省政府秘书长孟东波偕同水利部司长刘钟瑞、黄委会主任王化云等 20 余人,赴利津王庄查勘决口情况,并拟订堵口方案。

山东省政府发出加强黄河春修工作指示

2 月 17 日　山东省政府发出《关于加强 1951 年黄河春修工作的指示》。指出山东过去 4 年来的治黄工作已获得巨大成绩,但是黄河历史上有记录的非常洪水,依然严重威胁着沿河人民的安全,以防泺口流量 9000 立方米每秒洪水为目标的修防工作,仍是山东人民今后 3 年内的艰巨任务,必须在春修中大力加强堤坝工程。

指示要求沿河各专署、县政府应成立统一指挥机构,将春修工作统一布置,最迟于 3 月 15 日前开工。春修民工遵照政务院指示仍为征工义务性质,沿黄各县年龄在 18～55 岁男子均有出工义务。对劳力负担要公平合理,严密组织,开展爱国主义劳动竞赛,贯彻质量效率并重的精神,推行按方给资、多劳多得的工资政策,事前做好充分准备。开工后,及时交流经验,表扬模范,鼓励劳动热情,胜利完成任务。指示重申废除民埝为政府既定方针,希各级政府切实检查,禁止修筑。

山东省政府颁发拆迁沿堤民房赔偿等办法

2 月 17 日　山东省政府颁布《奖励消灭黄河堤身隐患及拆迁沿堤民房赔偿办法》,自即日起施行。

黄河春修工程会议召开

2 月 18～23 日　山东河务局召开了黄河春修工程会议,参加会议的有沿黄各专署、县政府负责人,黄河修防处、段负责人。会议研究拟订了春修工作计划及具体实施步骤,确定以防御泺口流量 9000 立方米每秒为标准,春修复堤整险土方 427.9 万立方米,需人工 573 万个工日,分两期进行施工。

汴济电话干线山东段开始实施

2 月 24 日　山东河务局组成 130 人的电话架线队,27 日进行线路测量,3 月 6 日开始汴济电话干线山东段的架设工程,于 6 月底竣工。同时施工的道旭至北镇铁塔和过河线路,于 8 月底竣工。

山东省生产救灾委员会拨粮救灾

2 月 26 日　山东省生产救灾委员会,为黄河决口拨发给惠民专署小米 300 万斤,救济灾民。

《黄河快讯》扩版改为《山东黄河》

3 月 1 日　山东河务局为加强山东治黄事业的宣教工作,决定将《黄河快讯》扩版改为《山东黄河》,仍为 5 天一期。

山东河务局召开春修政治工作会议

3 月 11 日　山东河务局召开各修防处秘书科长、工会主任、修防段工会主任会议,传达布置春修中职工考绩制度、立功表模等政治工作,到会共 53 人,会议历时 4 天。

黄河春修复堤工程全面开工

3 月 14 日　黄河春修复堤工程全面开工,上堤民工共 16 万人,领导施工的干部 1000 多人,共计完成修堤土方 566.9 万立方米。

堤防培修标准为保证泺口流量 9000 立方米每秒不溃决,右岸大堤济南至高青堤顶高出 1949 年洪水位 2 米,高青以下高出 1949 年洪水位 1.5 米;左岸大堤长清至滨县一般高出 1949 年洪水位 2 米,滨县以下高出 1949 年洪水位 1.5 米。大堤顶宽平工为 7 米,险工为 7～10 米。

整险工程,各险工主坝彻底翻改为石坝,坝顶高出 1949 年洪水位 1.4 米。共修整埽 434 段、坝 1391 段,其中翻修石坝 141 段,埽改石坝 80 段。

护滩工程以章历土城子至济阳葛家店一段河道为重点进行整治,以透水柳坝为主体工程。另外,尚有齐东大郭家、齐河八里庄、济阳邢家渡、滨县张肖堂等处,共完成透水柳坝 56 道,坝基 3 道,柳石垛 24 处。以上两项工程,共用石料 18.4 万立方米、秸料 742 万公斤、柳枝 322 万公斤、木桩 2.3 万根。

山东河务局成立护滩工程施工所

3 月 15 日 为进行章历段土城子至济阳葛家店护滩工程,山东河务局成立护滩工程施工所,并召开会议进行了施工安排。

山东省政府发出《关于王庄黄河堵口工作的决定》

3 月 15 日 山东省政府发出《关于王庄黄河堵口工作的决定》,要求堵口工程必须于大汛前完成。并决定由本省及黄委会共同组成堵口委员会,王化云为主任委员,江衍坤、陈梅川为副主任委员,负责领导堵口事宜。在工地成立堵口指挥部,以江衍坤为指挥,陈梅川、马静庭为副指挥,沿黄各专县政府直接听从指挥,组织人力物力支持堵口工程。

山东省政府布置春修及堵口事宜

3 月 21 日 山东省政府召开沿黄有关专(市)县及修防处、修防段负责人会议,布置春修及堵口事宜。

利津王庄堵口工程开工并迅速合龙

3 月 21 日 利津王庄堵口工程开工,根据山东河务局提出的堵口计划,中央拨款 480 万元,责成山东省政府组成堵口指挥部负责施工。经积极筹备,调集技工和民工 7000 余人,于本日开工。堵口工程由原口门东西坝头修做裹头,接续相向分正、边坝进占,正坝抛柳石枕合龙,边坝下占合龙。合龙后修复口门大堤,并修筑相应的加固工程。4 月 1 日两坝开始进占,昼夜抢堵,6 日晚两坝占工完成,7 日晨 7 时合龙占到底,9 时抢堵闭气。复堤工程于 5 月 20 日全部完成。

堵口工程共修做土方 24 万立方米,耗用秸料 140 万公斤,石料 4200 立方米,木桩 1.2 万根,用工 24.8 万个工日。从决口到堵口合龙,历时 64 天,灾区水退迅速,麦苗返青,损害较小,春耕春种未受太大影响。

山东河务局召开春修工作会议

4 月 13 日 山东河务局召开春修工作会议,总结一期春修工作,布置二期春修任务,至 18 日结束。

山东河务局调整工程队编制

4月18日 山东河务局为加强工程队的领导,结合春修集中施工,对各修防段工程队的编制和人员进行了调整。在修防段长领导下设工程队,队员不足100人者设队长、副队长各1人,事务长1人;队员在100人以上200人以下者,增设办事员1人;超过200人者再增设事务员1人。队以下分班,每班队员14人。经调整后共设14个工程队,1413人。

江衍坤赴水利部汇报利津分洪泄水方案

4月19日 山东河务局局长江衍坤赴水利部,研究利津分泄洪水方案,以解决利津凌汛危机问题。26日返济。

山东河务局组织交流修做埽坝技术

4月27日 山东河务局为交流修做埽坝技术经验,特组织由各修防处、段干部和工人等组成的47人参观团,赴长清、济南、利津等市(县),实地参观。

山东省政府批复黄河施工挖压农作物暂行办法

5月10日 山东省政府批复山东河务局《关于整修黄河堤坝挖压农作物及土地暂行处理办法》,令即遵照试行。

江衍坤一行赴京参加防汛会议

5月12日 山东河务局局长江衍坤等一行赴京参加防汛会议。25日返济。

政务院财政经济委员会发出《关于预防黄河异常洪水的决定》

5月17日 政务院财政经济委员会发出《关于预防黄河异常洪水的决定》。为预防黄河异常洪水,避免严重灾害,在中游水库未完成前,同意平原省及华北事务部提议在下游各地分期建设滞洪分洪工程。第一期工程以陕州流量23000立方米每秒洪水为防御目标,在沁河南堤与黄河北堤中间地区、北金堤以南地区、东平湖区,分别修筑滞洪工程。第二期工程以陕州流量29000立方米每秒洪水或更大洪水为防御目标,在平原省阳武、原武一带,结合放淤,修筑蓄洪工程,既能改善该区沙碱土地,同时并可分蓄黄河过量洪水。

山东省政府召开黄河防汛会议

6 月 3 日 山东省政府召开黄河防汛会议，参加会议的有沿河各专署专员、军分区司令员和黄河修防处主任等 30 余人，会期 2 天，讨论部署了 1951 年黄河防汛工作。并宣布成立了省黄河防指，郭子化任主任，向明任政委，贾若瑜、江衍坤任副主任。

华东军政委员会发出《关于防汛工作的指示》

6 月 5 日 华东军政委员会发出《关于防汛工作的指示》。要求各级人民政府应即建立和健全防汛组织，并以防汛作为今后 4 个月水利工作的首要任务。动员广大群众迅速组织巡堤抢险的基干队伍及必要时支援的后备力量，同时防汛必需器材应迅予准备。各级防汛机构必须深入检查，切实做到有组织有准备地战胜洪水。

同日，华东军政委员会第六十一次行政会议通过了《华东区防汛办法》，并公布施行。

黄委会召开黄河防汛会议

6 月 8 日 山东省政府秘书长杨希文、山东河务局局长江衍坤赴开封参加黄河防汛会议。

江国栋赴黄委会研究有关工程问题

6 月 12 日 山东省水利局局长江国栋赴开封黄委会，研究东平县境临黄堤加高工程及其经费问题。

山东省防汛委员会召开首次委员会议

6 月 16 日 山东省防汛委员会召开第一次委员会议，通过了 1951 年防汛计划及防汛工作的指示。

山东河务局及山东黄河总工会联合召开劳动保险会议

6 月 21 日 山东河务局及山东黄河总工会联合召开劳动保险会议。各县段工会主席、秘书股长 47 人参加，会期 5 天，研究在黄河工人中贯彻劳动保险条例的具体措施。

省黄河防指发出《关于汛期政治工作的指示》

6月30日 省黄河防指发出《关于汛期政治工作的指示》,对汛期政治工作的组织领导、深入动员组织群众、开展护堤抢险立功运动、干部的考绩制度等提出了新的要求。

山东河务局召开锥探大堤工作会议

7月4日 山东河务局召开锥探大堤工作会议,各修防处、段负责人和工程技术人员参加,具体研究布置开展锥探大堤消灭隐患工作。

苗海南赴沿黄各地检查防汛工作

7月6日 山东省政府副主席苗海南偕同山东河务局副局长王国华,赴沿黄各地检查防汛工作,于12日结束回省。

山东河务局决定废除长清民埝

7月11日 山东河务局召开局务会议,讨论决定废除长清民埝问题,所报三处串沟,在不妨害河防条件下,可以由群众堵合,但不得借故修复民埝。

山东省政府发出加强防汛工作的紧急指示

7月29日 山东省政府发出《关于进一步加强防汛工作的紧急指示》。

山东河务局要求大力开展大堤锥探工作

7月31日～8月1日 山东河务局召开局务会议,研究确定大力推广锥探消灭隐患工作,要求各修防处、段列为中心工作,派专人掌握大力组织进行。各修防处组织训练锥探技术力量,并请河南河务局支援教员,经过培训作为技术骨干开展锥探工作。

黄河进入防汛紧急状态

8月7日 省黄河防指宣布黄河进入防汛紧急状态,泺口水位涨至30米以上,省黄河防指发出紧急指示,号召沿河党政军民全力以赴,做好准备工作。

黄河龙门洪水暴涨

8月15日 黄河龙门洪水暴涨,19时流量达25000立方米每秒。省黄河防指连夜电令各专区防汛指挥部通知各县立即动员起来,做好一切准备,迎战此次洪水。

沿黄各县负责人上堤防汛

8 月 16 日 中共山东分局、山东省政府根据黄河防总的水情预报,召开紧急会议作了研究,并发出紧急指示,沿黄各县负责人立即上堤领导群众严密防守。并派省财委副主任王卓如,偕同山东河务局副局长王国华赴各专县指挥部检查防汛工作。

黄委会组织协商东平湖滞洪区运用问题

8 月 16 日 黄委会在开封召集山东、平原两省代表会议,协商东平湖滞洪区的运用问题,获得一致处理意见。即:当黄河在陕州达到相当流量,必须在东平湖第一滞洪区蓄洪时,由黄河防总决定开放时间,通知山东、平原两省黄河防指,转达当地防汛指挥部执行。关于扩大第一滞洪区问题,如遇黄、汶并涨,第二滞洪区尚不需开放,而第一滞洪区需要扩大面积时,由黄河防总通知安山联防指挥部,转达山东、平原两省当地防汛指挥部同时开放。

山东河务局召开凌汛分水工程会议

9 月 27 日 山东河务局召开凌汛分水工程会议。到会的有惠民专区副专员周今生,黄河总工会主任吕华,惠垦修防处主任田浮萍、副主任张汝淮及河务局科长、工程师以上干部共 45 人,会期 2 天。会议研究确定了小街子凌汛分水工程的施工问题。

减凌溢水堰工程处成立

10 月 1 日 山东河务局召开局务会议,决定成立山东黄河河务局减凌溢水堰工程处,工程处主任陈允恭、副主任王志远。

利津县小街子黄河凌汛分水工程开工

10 月 5 日 利津县小街子黄河凌汛分水工程全面开工。兴建凌汛分水工程,是为了在黄河凌汛期间,配合破冰、爆破等措施,有计划地利用分水工程分泄洪水,减除对下游威胁。并利用溢水堰引水,解决垦利、广北一带灌溉和饮水问题。参加施工的有:河务局工程队,垦利、博兴、广饶、利津、惠民、滨县、沾化、齐东、高青等 9 个县民工 7.1 万余人。工程包括小街子溢水堰、临河围埝、背河顺堤、溢水区修筑左右新堤和挑挖引河、护村围埝等。溢水堰为陡坡式,堰长 200.6 米、宽 52 米,堰顶高程 12 米,堰身修横格墙 6 道、纵格墙 23 道为骨干,格子内砌乱石上铺混凝土块,上下游砌排乱石以护底,最大溢水量为 1000 立方米每秒。为结合利用黄水灌溉农田,堰身中间留有 10 孔宽 38 米的引水闸。右堤自堰后起至垦利县五区梅锦张屋子止长 35.2 公里,左堤在冯家屋子以上利用黄河右堤,新堤自冯家屋子起经寿光圩子、民丰社至垦利义和庄止长 15.7 公里,为结合饮水灌溉,挑挖新引河渠一条。

溢水堰工程于 12 月 5 日竣工,共计修筑土方 268 万立方米,石料 1.7 万立方米,水泥 1044 吨,实用工 194.6 万个工日,实用工款 188.7 万元。

省黄河防指发出防汛评奖办法

10 月 22 日 省黄河防指发出防汛评奖办法,要求各县指挥部于 10 月底评定完毕。25 日局务会议决定安澜庆功大会以县段为单位召开。

黄河汛期安全度过

10 月 31 日 黄河汛期安全度过。入汛以来,黄河先后出现较大洪水 7 次,其中以 8 月 17 日秦厂 9300 立方米每秒洪峰为最大,19 日洪峰到艾山,流量为 6060 立方米每秒,大部堤段水位超过 1949 年洪水位 0.4 米左右。由于后续洪峰的到来,9 月 12 日泺口流量最大达 5800 立方米每秒,水位 28.97 米,为入汛以来最高水位;山东省河道大部漫滩,水深 1～3 米。

大水期间,惠民、利津、齐河等县相继发生险情,尤以前左一号坝发生坍塌最为严重。山东河务局江衍坤局长、陈允恭处长亲往查勘,确定紧急抢护措施,专、县防汛指挥部负责人均亲临现场,领导群众抢险。各级防汛组织在大水时均由干部带领群众分段负责,昼夜巡堤查险。

为巩固堤防,汛期全面展开锥探大堤消灭隐患的群众运动。从河南请来富有锥探经验的技术工人,分赴各修防处、段传授技术,介绍经验。各修防处举办锥探训练班,培训骨干力量。共计完成锥探 243.5 万眼,发现与处理了各种隐患 3840 处。

山东河务局进行机构整编

11 月 山东河务局进行机构整编,局设秘书、人事、工务、财务 4 处;另有航运科、长平办事处,石料厂。沿河设清济、济南、惠垦、齐蒲 4 个修防处,处内设秘书、工务、财务 3 科。沿河县设修防段,段内设秘书、工务、财务 3 股及工程队。整编后全河职工为 3713 人。

韩其隆等被授予山东省劳动模范称号

12 月 本年度,在山东省工农兵劳动模范代表会议上,山东河务局职工韩其隆、陈凤金、乔福禄被授予山东省劳动模范称号。

1952 年

山东河务局开展“三反”运动

1 月 10 日 山东河务局开展“反贪污、反浪费、反官僚主义”运动。整个运动分五个阶段进行,6 月底结束。

山东河务局发布《1952 年防凌工作计划》

1 月 15 日 山东河务局发布《1952 年防凌工作计划》,要求自即日起沿河专县恢复大汛时期的防汛指挥部和区、乡、村及群众防汛组织。各修防处组织爆破队,配备汽车及炸药听候调动。利津小街子凌汛分水工程,由修防段负责掌握,做好分水准备。

山东省政府对黄河两岸留地及确权发证作出规定

3 月 26 日 山东省政府发出通知,对黄河两岸留地及确权发证问题,作出如下规定:(1)黄河大堤背河堤脚以外 7 米,临河堤脚以外 10 米均归国有,作为植树护堤区域。(2)堤外,除所留地以外的土地,如属农民所有,即颁发土地房产所有证;如属国有,由群众耕种使用者,即颁发国有土地使用证;至于堤内所有土地,原即为国有,由原耕种者继续耕种,但不确权,可颁发国有土地使用证。(3)堤上禁止修建房屋、草棚及其他建筑物。已修建者,虽准暂住,但不能确权发证;因堤防需要迁移时,动员其迁移。

山东河务局发出春修工作指示

3 月 27 日 山东河务局发出《关于春修工作的几项指示》,指出现在已届春分,春修工作亟应抓紧进行。各修防处、段必须一面贯彻“三反”运动精神,同时进行春修,二者不准偏废。根据当前时间、人力情况,可分三期施工,锥探、整险、护滩工程亦应妥善安排,保证 6 月底全部完成。今后土方工程,基本上应采用包工包做办法,各地必须加强领导,施工中加强检查验收,以保证质量。

山东省政府发出大力开展黄河春修工作指示

4月2日 山东省政府发出《关于大力开展1952年黄河春修工作的指示》。指出黄河春修工作，由于各地集中力量进行“三反”运动，已较往年推迟。但此项工程关系极为重要，必须及时完成，否则，必将影响河防安全。因此，沿黄各级政府，均应立即克服一切困难，结合春耕抗旱工作，大力组织群众，很好地进行春修，不得稍有迟误。参加春修的民工，仍属征工义务性质，但要注意贯彻按方给资、多劳多得的工资政策，大力普遍推行包工包做。同时要认真负责地组织灾民修工，以工代赈，加强组织领导，使灾民做到有吃有赚，度过春荒。

山东省政府发出黄河防汛工作指示

6月7日 山东省政府发出《关于1952年黄河防汛工作指示》。指出：“保证泺口流量8500立方米每秒不生溃决”是山东省沿黄各级人民政府及广大人民的艰巨而光荣的战斗任务，要求沿河党政军民必须克服麻痹思想，立即动员起来，按期完成一切防汛准备工作。及至洪水上滩汛期紧张阶段，黄河防汛工作应成为沿河压倒一切的中心任务，全力以赴，不准黄河决口。

黄河防总作出《关于1952年黄河防汛工作的决定》

6月14日 黄河防总作出《关于1952年黄河防汛工作的决定》。要求沿黄各级防汛指挥部于7月1日前建立起来，修防工程尚未完成的，必须坚决按照工程计划于6月底完成，同时要进行一次全面的堤防险工大检查，发现弱点，即行补救，以策安全。为了巩固堤防，汛期必须继续组织力量，改进技术，普遍锥探，直到彻底消灭隐患而后止。溢洪堰、东平湖、沁黄滞洪区等处分滞洪水区域，必须做好准备，以便在必要时，经中央批准，坚决在预定地点开放，防止更大的灾害。

山东省黄河防汛指挥部成立

7月1日 省黄河防指成立，主任王卓如，副主任李澄之、何以祥、江衍坤、傅健吾。

黄河春修工程竣工

7 月 20 日　黄河春修工程竣工。该工程于 3 月 20 日开工,共分三期施工。上堤民工 16 万人、干部 4894 人。堤防培修共计完成土方 265.1 万立方米,植树 44.7 万株,翻修隐患 1708 处,整险工程完成石方 21.4 万立方米。

护滩工程重点修做齐河八里庄和高青堰里贾二处透水柳坝工程,其余修做柳石堆工程 15 处。

省黄河防指要求普遍锥探大堤

7 月 30 日　省黄河防指发出指示,要求各级防汛指挥部,自 8 月 1 日起,以 20 天的时间,将全省大堤普遍锥探一遍。经锥探发现的隐患,应组织力量进行翻修加固,确保质量。

山东河务局开展普遍锥探大堤消灭隐患群众运动

8 月 1 日　山东河务局各修防处、段全面展开普遍锥探大堤消灭隐患群众运动,共组织锥探队伍 44 个大队,179 个分队, 1152 个锥探小组,有干部工人 1100 人、防汛民工 5700 人参加锥探工作。共计锥探 332.3 万眼,发现各种隐患 523 处,完成回填土方 27.5 万立方米。此项工作于 8 月底结束。

山东河务局航运科等由省交通厅接管

8 月 9 日　根据山东省人民政府指示,决定将山东河务局航运科(不包括航运大队)及各修防段现任航运工作人员,由省交通厅统一接管。

省黄河防指发出《关于进一步加强防汛工作的指示》

8 月 18 日　省黄河防指发出《关于进一步加强防汛工作的指示》,要求在安全度过伏汛的基础上,克服松懈麻痹思想,将防汛工作更深入地推进一步,切实做好一切准备迎接可能到来的异常洪水,坚决战胜黄水灾害,保卫沿河农业丰收。

省黄河防指检查组检查防汛工作

8 月 26 日　为加强黄河防汛工作,省黄河防指派出检查组。由王卓如主任,李澄之、江衍坤副主任带领,沿黄河大堤,南岸从济南到道旭,北岸由垦利到泺口,检查了河势工情和各县的防汛准备工作,历时 7 天。检查组对群众防汛组织如何与生产相结合的问题，如何做到生产与防汛两不误以及劳力合理负担等问题，总结了各地的经验并提出意见，报告中共山东分局。9 月 23 日分局批转沿黄各地市县党委，要求详加研究，结合本地情况认真执行。

黄河大堤锥探工作先进经验座谈会召开

8 月　黄委会召开黄河大堤锥探工作先进经验座谈会，山东河务局齐东修防段马振西锥探小组在会上介绍了经验并操作表演。会议讨论总结了马振西小组的先进操作方法，供全河普遍推广。31 日，山东河务局发出通知，要求各修防处、段，积极开展学习马振西小组先进锥探经验和操作法。

黄委会组织专家查勘河口

9 月 17 日　黄委会派工程师徐德元、刘昭华、曹生俊会同山东河务局陈允恭总工程师、李宝太工程师等 9 人组成河口查勘队，由济南出发，于 20 日在垦利前左乘船经甜水沟出海。沿海边查勘至钓口后由神仙沟入河，又调查了宋春荣沟，于 10 月 7 日完成查勘任务。

此次查勘主要调查河口变迁、河口潮汐、河口推进、河口通航、三角洲淤积等情况，为今后河口治理和防洪提供资料。

毛泽东主席发出“要把黄河的事情办好”的号召

10 月 31 日　毛泽东主席视察黄河，发出“要把黄河的事情办好”的号召。

黄河汛期安全度过，宣布撤防

10 月 31 日　黄河汛期安全度过，防汛组织宣布撤防。今年黄河先后发生 7 次较大洪水，其中 8 月 12 日秦厂出现 6000 立方米每秒洪水为最大，15 日洪峰到达泺口，流量为 5100 立方米每秒，水位最高达 28.8 米。汛期黄河保持中水位时间较长，全河除个别险工如前左、小开河、宫家等险工发生埽坝根石蛰陷已随时抢护外，未发生重大险情。

平原河务局撤销所属机构移交山东河务局管辖

11 月 12 日　山东、平原河务局奉山东、平原省人民政府关于执行撤销平原省建制移交工作方案的指示，于 14～21 日在平原河务局办理交接工作。参加交接工作的有平原河务局张方局长、山东河务局王国华副局长，黄委会派财务处赵健华处长监交。

根据行政区划的规定,将菏泽修防处及其所属菏泽、鄄城、郓城、梁山 4 个修防段,聊城修防处及其所属寿张一、二修防段,东阿一、二修防段,濮阳修防处所属之濮县、范县、金堤 3 个修防段及梁山石料厂、运输第一大队,全部在册员工及财产一并交由山东河务局管辖。移交堤段长 380898 米,险工 29 处,计有职工 389 人,技工 440 人。

武克明等任职

11 月 武克明任齐蒲修防处主任,赵登勋任清济修防处主任,张剑秋任济南修防处主任。

东平湖管理机构划归山东河务局领导

12 月 12 日 山东省政府指示河务局立即派员前往接收东平湖全部机构。黄委会 22 日指示,自 1953 年 1 月 1 日起,东平湖管理机构正式划归山东河务局领导。

泺口等水文站改建为一等水文站

12 月 15 日 黄委会决定,自 1953 年起将泺口等水文站改建为一等水文站,以便充实力量,实行分区领导。

1953 年

水准基点改用大沽零点标高

1 月 山东河务局原采用的水准基点为青岛标高,本月起一律改用大沽零点标高,其改正值为青岛标高减 1.627 米。

田浮萍任惠民修防处主任

1 月 田浮萍任惠民修防处主任。

刘传朋等赴绥远省学习轰炸冰坝经验

1 月 7 日 山东河务局刘传朋、王维均等赴绥远省学习在防凌中使用炮击冰坝和飞机轰炸冰坝的经验。

齐蒲、惠垦修防处合并改称惠民修防处

3月18日　山东河务局经请示山东省政府、黄委会，并商得惠民地委同意，将原齐蒲修防处与惠垦修防处合并，改名为惠民修防处。辖惠民、滨县、利津、垦利、齐东、高青、蒲台7个修防段。

黄河春修工程全面开工

3月20日　黄河春修工程全面开工。在春修施工中，贯彻了以农业生产为中心，结合生产发动组织群众，自由结合，组成包工队，实行按方给资，多劳多得，提高了效率，增加了农民收入。春修土工总平均效率为4.66标方，较1952年提高41%。实行了逐坯验收，质量合格率95%以上。

整险工程由于贯彻了民主修工，依靠工人，发扬民主，开展合理化建议活动，推行了流水作业法，因而效率较1952年提高20%～30%，工程质量也均有所提高。

堤防工程经过历年培修，截至1953年，大堤标准一般均已高出1949年洪水位2米以上，平工堤顶宽为7～8米，险工堤顶宽为9～11米，险要堤段并筑有后戗。堤防培修完成土方541.3万立方米，植树145.8万株，翻修处理隐患1140处。整修埽坝完成石方18.3万立方米，共用秸料135.4万公斤、柳枝173.2万公斤。

刘传朋任山东河务局第二副局长

3月25日　黄委会转水利部令：任命刘传朋为山东河务局第二副局长。

黄委会核定山东河务局监察室编制

4月10日　黄委会转发中央政务院令，并颁发省(市)以上财经机关与国营财经企业部门监察室暂行通则。决定山东河务局监察室编制5人，各修防处、石料厂、航运大队设监察员1人。以上人员应在原编制内自行调整，不再扩大编制。

山东河务局召开局务会议

5月12日　山东河务局召开局务会议，主要研究测定技术定额工作、变更工程计划、1954年计划及1953～1957年计划概要。

黄委会检查工情及防汛工作

6 月 11 日 黄委会会同水利部组成检查组，根据中央 1953 年防汛工作指示，检查了豫鲁两省黄河险工埽坝及堤防工程的质量标准和防洪能力；调查了河道溜势的重大变化；检查了石头庄溢洪堰工程、东平湖滞洪区的准备工作，放水口门工程情况；检查了 25 个县的防汛工作。对防洪工程、滞洪准备、河势工情存在的问题提出了处理意见。

黄河河口进行人工裁弯改道

6 月 14 日 经黄委会批准，河口进行人工裁弯改道。于神仙沟与甜水沟之坐弯处，开挖引河长 119 米，上口宽 17 米，下口宽 10 米，16 日引河竣工。7 月 8 日引河过水，黄河改道由小口子入神仙沟独流入海，改道后较原河道缩短流程 11 公里。甜水沟、宋春荣沟均淤塞。

山东省防汛指挥部成立

6 月 20 日 山东省政府报请中央防总批准，成立山东省防汛指挥部（以下简称省防指），以王卓如为主任，傅健吾、穆林、江衍坤、张次宾为副主任。指挥部下设黄河防汛办公室、内河防汛办公室，已开始办公。

黄河防汛工作会议召开

6 月 20 日～7 月 3 日 山东河务局召开了各修防处主任、科长，修防段长、县治黄科长等参加的会议，以反对官僚主义的精神，检查总结了春修工作，研讨布置了防汛工作。对干部群众特别强调思想教育，克服麻痹侥幸思想，贯彻有备无患精神，要求在 7 月底前做好一切防汛准备工作。

山东省政府副主席晁哲甫在会议上讲话指出：菏泽、聊城区段是黄河的“豆腐腰”，是防守重点堤段，必须克服官僚主义作风，深入发动组织群众，胜利完成防汛任务。

黄河防总召开防汛工作会议

6 月 27～29 日 黄河防总于开封召开防汛工作会议，出席会议的有河南省政府吴芝圃主席、山东省政府秘书长袁子杨、黄委会主任王化云及河南、山东河务局负责人等 50 余人。王化云主任在会议上提出了关于 1953 年黄河防汛工作的决定草案，经过讨论通过了有关防汛的各项措施。

江衍坤率队检查防汛工作

7月8～20日 山东黄河防汛工作检查组,在江衍坤副主任带领下检查了菏泽、聊城专区的黄河防汛与滞洪工作准备情况,并与两地委和有关县委具体研究了寿张、梁山滞洪区准备工作中存在的问题和应采取的具体措施。

黄河防总发出《关于1953年黄河防汛工作的决定》

7月9日 黄河防总发出《关于1953年黄河防汛工作的决定》。决定指出:7年以来的治黄工作,在党和人民政府的领导下,依靠人民群众,完成了近1亿立方米土方的堤防培修工程,完成了170万立方米石料的整险工程,建成石头庄溢洪堰,以备蓄滞部分洪水。同时过去6年的汛期中,防汛任务艰巨,战胜了洪水,取得了与洪水斗争的经验,这些都为战胜可能到来的异常洪水创造了有利条件。但是,黄河的自然情况是十分复杂的,下游河道由于冲淤变化难测,险工不定,大堤隐患时有发现。汛期洪水危害极大,道光二十三年洪水,据推算陕州流量约为36000立方米每秒,大大超过1933年的洪水。下游河道淤积严重,据20个大断面的测量,年平均淤高0.1～0.2米。根据以上情况,为了保卫农业增产和人民生命财产的安全,防汛任务应以防御1933年陕县洪水位299.14米为目标,依此推算下游的保证水位:花园口为93.6米,泺口为31.0米,保证不改道、不溃决。在发生异常洪水时,应及时开放滞洪区,以蓄滞部分洪水,为此,山东、河南两省应做好滞洪工作。

山东省政府发出《关于1953年黄河防汛工作指示》

7月10日 山东省政府发出《关于1953年黄河防汛工作指示》,指出1953年黄河防汛任务为保证1933年陕州站洪水位299.14米不溃决,并争取任何情况下不决口,以保证群众安全和国家建设。有关防汛措施,省防指已拟订详细计划,业经省政府同意颁发各地认真执行。

省防指制定《1953年黄河防汛办法》

7月12日 省防指制定《1953年黄河防汛办法》,发至沿黄区大队以上单位执行。内容包括查水办法、汛期摸水制度、防汛警号等规定。

黄河防总发出《关于战胜八月初旬洪水的报告》

8月16日 黄河防总发出《关于战胜八月初旬洪水的报告》。指出7月下旬由于陕州以下及伊洛、沁河流域普降暴雨，8 月 3 日秦厂出现 11200 立方米每秒洪峰。同时汶河暴涨，东平湖水位涨至 43.33 米(青岛基点)，高于 1949 年水位 0.13 米。因干流两峰连续，黄、汶并涨，艾山卡水，下游高水位持续时间很长。艾山、泺口、利津流量在 6000 立方米每秒以上均持续 100 小时以上，高村一带大堤仅出水 0.4 米，下游两岸汛情十分紧张，全河出险 55 处，发生漏洞 106 处，菏泽朱口刘庄险工发生埽坝坍塌等险情 39 处。

为战胜此次洪水，沿河各级党政领导干部均亲临堤线指挥，组织群众严密防守。朱口刘庄抢险时，省、专、县指挥部负责人均亲临现场指挥，黄委会赵明甫副主任也亲率抢险队赶往支援，经 2.6 万余干部群众四昼夜抢护才转危为安。当东平湖汛情紧张时，运河两堤及宋金河堤遭受狂风暴雨侵袭，堤身塌去一半甚至三分之二，经专、县指挥部率 2000 名群众奋勇抢护，保住了堤防。

为迎接可能到来的更大洪水，在战胜此次洪水的基础上，继续深入发动、组织群众，补救工程弱点，消灭隐患，加强警惕，争取防汛全胜。

黄台山石料厂等实行企业经营

8 月 22 日 山东河务局黄台山石料厂、泺口航运大队，经黄委会批准自 1953 年起实行企业经营。

山东黄河战胜伏秋大汛 7 次洪水

9 月 28 日 省防指作出 7、8、9 月份防汛工作综合报告，指出黄河防汛工作，由于“三反”运动的开展和各级党政领导的重视，沿河群众与全体防汛员工的努力，已战胜了伏秋大汛 7 次洪水；特别是战胜了 8 月 3 日秦厂洪峰流量 11200 立方米每秒的洪水，8 日泺口流量 6860 立方米每秒，最高水位 30.00 米，这是继 1949 年之后又一次新的胜利。同时在工作中亦有不少新的发展和进步。主要表现在：(1)紧紧抓住以农业为中心，通过生产进行防汛工作，纠正了过去生产防汛不协调的现象。(2)实现了防汛生产的统一领导，增强了领导力量。(3)在防汛工作中贯彻了“三反”精神，领导作风已有显著的转变。(4)在组织群众方面，取消了长期防汛员，改设了乡中队副，群众防汛队伍以民兵为基础，吸收有经验的治黄积极分子组成基干班，作为平工防守主力。另以互助组为基础组织防汛班，做到生产防汛两不误。

报告对加强秋汛工作提出了要求：继续反对麻痹思想，纠正半途收兵现象；巩固与提高群众防汛队伍，重点加强基干班和一线防汛班的教育；帮助群众排除滩地积水，争取多种小麦；搞好防汛总结选模工作。

黄委会作出开展增产节约运动决定

10 月 22 日 黄委会作出《关于贯彻中央水利部开展增产节约运动指示的决定》。要求各级领导必须亲自动手,搞典型、抓经验,把增产节约运动由点到面地开展起来。各级要抽一定数量的干部,深入现场,调查研究,在做好冬修和编制 1954 年计划中贯彻增产节约精神。刘传朋副局长带领检查组深入各段,检查贯彻。

山东河务局调整所属机构

10 月 31 日 根据行政区划的调整及黄河修防工作之需要,山东河务局下属机构进行了调整:

(1)设泰安修防处,辖章丘、历城、长清修防段及平阴管理段;东平湖工程管理处改为东平湖修防处,下设东平、湖堤、金线岭修防段。(2)济南修防处,因章丘、历城两段划归泰安,组织机构须缩小,仍保留原处名称。

试办虹吸引水工程

12 月 山东省水利厅、水利科学研究所在利津县佛头寺试办虹吸引水工程。安装直径 0.77 米钢制虹吸管 2 条,引水约 2 立方米每秒,供 6 户试验站灌溉用水。1957 年停用后拆除。

山东河务局召开全年工作总结大会

12 月 15 日 山东河务局召开全年工作总结大会。参加会议的有各修防处主任、科长、修防段长、股长、分段长,沿黄各县治黄科长等 250 余人。会议于 1954 年 1 月 7 日结束。

会议传达贯彻了全国水利会议精神,全面总结了 1953 年各项工作的成绩、缺点和经验教训。在总结工作提高认识的基础上,研究布置了 1954 年工程计划和防凌工作,并根据行政区划的调整和紧缩行政编制的精神,研究了修防机构的调整和干部调配工作。

刘传朋兼任监察室主任

12 月 19 日 山东河务局报经山东省政府同意,第二副局长刘传朋兼任监察室主任,免去徐世荣监察室主任之职。

1954 年

山东省政府发出《关于黄河防凌工作的指示》

1 月 3 日 山东省政府发出《关于黄河防凌工作的指示》。指出黄河现已进入凌汛期,这是黄河河防所特有的紧张艰巨的战斗时期,沿黄各专署、县应即在完成冬季生产、互助合作、粮食工作三位一体的中心任务中做好防凌准备工作,以便冰凌到来时,集中力量与冰凌战斗,保护河防安全。

黄河安全度过凌汛

2 月 11 日 黄河凌汛安全度过。1 月下旬气温降低,全河普遍淌凌。1 月 25 日,神仙沟和保林村一带开始插封,31 日插封至前左,2 月 6 日利津河段插封。在章丘屋子和义和庄险工形成 3 处冰坝,冰凌壅塞,水位抬高,利津以下大部漫滩,孤岛地区全部漫水,有 15 个村庄 800 余人被水围困,经抢救全部脱险。

自 2 月 6 日开始,惠民修防处调配利津、垦利两段工程队,组成 30 人的爆破队,重点爆破前左和义和庄冰凌,打通溜道。另有 4 个工程班在利津张家滩、王庄打冰、将冰凌插塞处全部打开。2 月 10 日气温回升,11 日冰凌全部开通,凌汛安全度过。

黄委会发出关于治黄任务的决定

2 月 12 日 黄委会发出《关于 1954 年治黄任务的决定》。指出 1954 年的治黄工作,在 8 年胜利的基础上,已由修防转入治本的过渡阶段,1954 年的治黄工作应以黄河流域规划、下游修防,邙山、芝川水库技术设计准备工作及水土保持工作为中心,集中力量,大力推进。

对下游修防任务,确定在黄河水库工程未完成前,为防御陕县 1933 年同样洪水不决口、不改道,避免大的灾害,保卫国家建设,必须继续加强与进一步改进工作。在修堤工作上要结合生产救灾,继续贯彻“包工包做,按件计资”的工资政策;合理调整工资,推广长期包工制,改进工具与操作技术,保证质量,提高效率。在整险工作上,要认真推行联系合同与流水作业法,改进埽坝基础,防止根石走失,加强抗洪能力。在防汛工作上,要大力组织防汛,贯彻以农业生产为中心,在统一领导下使生产与防汛密切结合起来,并做好滞洪、蓄洪准备工作;注意民埝政策,进一步消灭隐患,提高警惕,加强戒备,防止任何麻痹侥幸心理。

中外专家查勘黄河

2月　为了编制黄河综合利用规划设计文件,由水利部副部长李葆华、燃料工业部副部长刘澜波、黄委会主任王化云,苏联专家组组长柯洛略夫、地质专家奥加林、施工专家阿哥拉克夫、水文专家巴郝吉阿洛夫、灌溉专家郭尔涅夫、水工专家谢列万诺夫、航运专家卡米利尔和中国水利专家张含英组成的黄河查勘团一行,从兰州上游的刘家峡到黄河入海口,进行了重点的实地查勘。6月底结束查勘工作回到北京。

杨克民等任职

2月　杨克民任菏泽修防处主任,史峻岩任东平湖修防处主任。

山东省政府颁发治黄征用土地具体规定

3月2日　山东省政府颁发《关于在黄河修工中征用土地的具体规定》。黄河岁修工程需征用土地,由各县修防段于每年编列需征用或挖压的土地青苗亩数计划,经县政府、县委批准,并送局汇总报省政府备查。同时还规定了对被挖压占用之土地的赔偿办法及标准。

山东省政府发出《关于开展黄河春修工作的指示》

3月9日　山东省政府发出《关于开展黄河春修工作的指示》。指出在黄河未根治前,为了防御1933年同样洪水不决口、不改道,避免大的灾害,保卫国家建设,继续大力加强堤防工程是十分必要的。全年黄河春修土方计划任务为623.8万立方米,整险石料需13.3万立方米,秸料需447.6万公斤。沿河各级政府对此应有足够的重视,加强领导,保证完成任务。

山东河务局继续开展增产节约运动

3月9日　山东河务局发出《关于继续贯彻增产节约运动的指示》,要求1954年黄河岁修工程,应以争取达到全部工作量的4%作为节约的奋斗目标。加强施工管理,深入核实工程计划,严格财务管理,降低材料消耗,妥善安排工程队参加施工,精打细算,节约开支,把增产节约运动持久地开展下去。

山东河务局出版《春修工作通讯》

3 月 19 日 山东河务局报经山东省政府批准,出版内部业务指导刊物《春修工作通讯》。

中共山东分局批转废除黄河滩地民埝报告

5 月 28 日 中共山东河务局党组报送农委并转中共山东分局《关于废除黄河滩地民埝问题的报告》。6 月 8 日分局批转了这个报告。

山东省政府发出《关于加强黄河防汛工作的指示》

5 月 31 日 山东省政府发出《关于加强黄河防汛工作的指示》,要求各级政府必须加强黄河防汛工作的领导,把做好防汛工作列为夏秋农业生产的重要任务之一。根据省防汛计划,结合当地情况,作具体安排,结合夏季生产完成各项防汛准备,汛期应集中力量领导群众战胜洪水。

省防指召开防汛工作会议

6 月 1～10 日 省防指召开防汛工作会议,各修防处主任、科长及省属有关单位代表参加,部署黄河防汛工作。会议根据中共山东分局、省人民政府《关于加强黄河防汛工作指示》的精神,研究确定黄河防汛任务,以保证陕县 1933 年同样洪水情况下不决口、不改道,保卫群众生产安全和国家计划的顺利进行。会议强调克服麻痹思想,贯彻有备无患的精神。要求沿河各县在 7 月上旬将各项防汛工作准备就绪。

黄河防总召开黄河防汛会议

6 月 14 日 黄河防总在吴芝圃主任的主持下召开了黄河防汛会议。经过 5 天讨论,大家一致认为对防御 1933 年同样洪水的任务必须坚决完成,同时对防御比 1933 年更大的洪水亦应提出临时防御的措施,以保卫国家建设。山东省政府王卓如副主席参加了会议。

黄河防总作出防汛工作决定

6 月 19 日 黄河防总作出《关于 1954 年黄河防汛工作决定》。指出:8 年来黄河堤防工程已大大加强,沿河人民取得了与洪水斗争的经验,这是战胜洪水的有利条件。但是,必须认识到黄河治本彻底解决防洪问题,需要很长的时间；黄河水情相当复杂，变化规律还不能完全掌握；堤防工程弱点尚未完全消除，大堤隐患仍未彻底消灭，河床逐年淤高，河势亦不断变化，因而就给下游防洪带来了长期性、复杂性和危险性，这些困难必须引起重视。1954 年防汛任务仍以防御陕县 1933 年的洪水位 299.14 米的洪水为目标，努力争取防御更大的洪水，不发生严重溃决。

黄河防总检查下游防汛工作

6 月 19 日～7 月 11 日　黄河防总派出防汛工作检查团，深入到河南、山东两省沿黄 8 个专区、27 个县和 3 个滞洪区，检查了河势工情和黄河防汛工作布置准备情况。检查团由江衍坤副主任率领，省防指负责人李澄之参加检查。

春修工程全部竣工

7 月 10 日　春修工程全部竣工。本年修堤工程以帮宽加固增修后戗为主，菏泽、聊城和东平湖为重点，共计完成土方 623.3 万立方米，实用民工 231 万个工日，整修与新修埽坝 1753 段，共用石料 11.6 万立方米、柳枝 217.6 万公斤、秸料 56.5 万公斤、木桩 2.3 万根、铅丝 12.5 吨。并重点锥探 122.4 万眼，发现与翻修隐患 491 处。

在施工中普遍推行了"包工包做"，并实行精工壮工和长期包工，连续三期包工的民工队占 70%。运土工具大力发展了胶轮车和木轮车，消灭了抬筐和挑篮等落后工具，夯实用硪全部改用碌碡硪。由于上述改革，工程质量和效率均有显著提高。

省防指检查组检查河势工情

7 月 10 日　省防指黄河防汛办公室组成 4 个检查组，分赴沿河检查河势工情变化和发展趋势，以便主动采取防御措施。

北金堤等滞洪避洪工程竣工

7 月 20 日　黄河北金堤滞洪区，山东省聊城专区濮阳、范县、寿张县避洪工程竣工。此项工程共修筑护村围埝 243 个，全长 166 公里；修建避水台 68 个，急救台 42 个，可保护 361 个村庄 5 万人滞洪时的安全，共计完成土方 174.1 万立方米，开支工款 53.7 万余元。全部工程于 6 月 15 日开工，共动员民工 4 万余人，20 天抢修完成，工程质量经检查大部合格。

加强防汛准备,迎接黄河秋汛

8 月 4 日 省防指发出《为进一步加强准备,迎接黄河秋汛的指示》。指出目前伏汛即过,秋汛将到,防汛工作已进入更紧张的阶段。根据当前防汛准备工作情况,从领导到群众,麻痹侥幸思想依然普遍存在,从防御异常洪水出发加强准备的观念非常薄弱,各项准备十分不足,以致洪峰到来,防汛组织尚未建立,工作十分被动。各级领导必须以高度对国家、对人民负责的态度,以防御异常洪水为目标,从最严重情况出发,在检查总结伏汛工作的基础上,从思想上、组织上、工具料物上加强准备,根据河势工情检查结果,迅速研究拟出防守方案,做好一切准备,迎接可能到来的洪水。

赵明甫率队检查黄河防汛工作

8 月 5 日 黄委会副主任赵明甫率领工作组,到东明、菏泽、鄄城、梁山、寿张、东阿等县段,了解防守情况,检查河势工情,帮助指导各地防汛工作。13日结束回郑。

黄汶洪水并涨,东平湖告急

8 月 13 日 因黄汶洪水并涨,洪水注入东平湖,湖水暴涨,湖堤仅出水0.2 米,全线告急。同时黄河和大清河又出现洪峰,省防指决定开放东平蓄洪区蓄洪。7 时 50 分爆破黑虎庙分洪口分洪。蓄洪前后,当地党委政府组织大批干部投入群众的迁移抢救工作,做到了人畜无一伤亡。

防御异常洪水紧急措施方案颁发

8 月 26 日 省防指制订《1954 年防御异常洪水紧急措施方案》,报经中共山东分局、省政府批准,发至沿黄各专区、县防汛指挥部贯彻执行。规定:秦厂发生 26000 立方米每秒洪峰时,必须在河南长垣境内的九股路及石头庄放水滞洪;秦厂发生 23000 立方米每秒洪峰时,必须在长垣石头庄、濮阳习城寨等地分洪;秦厂发生 20000 立方米每秒洪峰时,必须在山东境内范县后张庄滞洪,以保全下游两岸大堤,免生溃决改道的危险。要求有关各专、县防汛指挥部按照上述措施方案,做好分洪滞洪的一切准备工作,保证方案的实施。

黄河连续出现 6 次洪峰,河湖汛情紧张

8 月 28 日 由于黄河连续出现 6 次洪峰,艾山以上超过了 1949 年洪水

位，东平湖超过 1949 年洪水位 0.72 米，湖堤出水仅 0.2 米，河湖汛情紧张。为防御更大洪水，做到有准备、有对策，山东省政府发出《关于当前滞洪、蓄洪工作紧急方案的通知》，要求聊城、菏泽、泰安专署和濮、范、寿、梁山、东平县政府，应立即健全滞洪蓄洪指挥部，充实骨干，加强领导，立即动员组织蓄洪区群众，做好迁移准备工作；检查避水工程和放水口门，安置地区做好住房、生活安排，保证分洪蓄洪时安全转移。

山东省政府批准生产自救和补偿救济工作意见

10 月 8 日 山东省政府批转民政厅《关于蓄洪区、河床区生产自救和补偿救济工作的意见》，通知各有关专署、县府研究执行。东平及恩县蓄洪区实行蓄洪，对保障黄河、运河的堤防安全起了很大作用，但当地人民受灾严重，应迅速查清灾情，按规定的标准，对灾户予以补偿救济；大力帮助他们恢复生产，开展生产自救运动。

黄河安全度过汛期

10 月 31 日 黄河汛期安全度过，省防指宣布撤防。黄河自入汛以来，秦厂出现 6000 立方米每秒以上洪水 11 次，其中 10000 立方米每秒以上洪水 3 次，尤以 8 月 5 日 15000 立方米每秒洪水为最大。继 8 月 5 日洪水后，由于山陕间及陕县以下干支流经常涨水，9 月 5 日秦厂又出现 12500 立方米每秒洪峰。上述洪水进入山东河道，由于艾山卡水，高水位持续时间较长，两岸滩地普遍漫水，大堤出水仅二三米。8 月 6 日高村站最高水位 61.61 米，洪峰流量 12600 立方米每秒；15 日泺口站最高水位 30.37 米，洪峰流量 7290 立方米每秒。同时，由于黄汶洪水并涨，8 月 13 日东平湖安山水位 42.97 米，超过了 1949 年洪水位 0.72 米，黄湖堤防出现严重险情。

洪水到来，省政府副主席王卓如、中共山东分局穆林部长、河务局副局长王国华等均亲临堤线指挥防守。各专区、县党政领导和干部 5270 多人上堤，带领防汛队伍 12 万人昼夜巡堤查水，抢险堵漏。济南牛角峪发生过水漏洞，东阿牛屯背河普遍渗水管涌，齐河南坦出现渗水脱坡，菏泽刘庄、范县邢庙、郓城杨集、利津大白滩等处屡次出险，全河共发生各种险情 700 余处，均经干部群众奋力抢护脱险。东平湖 140 余里堤线，连续发生塌坡掉蛰险象，大部分堤段遭受风波袭击，2.5 万余干部群众昼夜抢修了子埝挡水。由于黄汶并涨，湖水位继续上升，湖堤仅出水 0.2 米，省防指决定，开放东平蓄洪区蓄洪，于 8 月 13 日在黑虎庙破堤分洪，蓄洪后通过生产救灾，迅速恢复了生产。

门金甲任山东河务局副局长

12 月 3 日　黄委会报请水利部批准，任命山东河务局办公室主任门金甲为副局长。

山东省政府发布黄河防凌工作指示

12 月 24 日　山东省政府发布《关于黄河防凌工作的指示》。指出防凌工作是黄河河防上极为紧张艰巨的战斗任务，沿河各级政府必须百倍警惕，做好充分准备，尽最大努力克服困难，战胜黄河凌汛。山东河务局拟订的黄河防凌工作计划业经省政府批准，希各地认真贯彻执行。

惠民地区是防凌重点，应即整顿恢复防汛队伍，各县区乡均须加强防汛指挥机构。利津、垦利一带凌汛分洪区，应做好宣传教育和迁移救护准备。小街子凌汛溢水堰应由专区指挥部组织专职机构管理，打冰、爆破等行之有效的措施，应继续贯彻执行。同时，应进一步发动职工群众，改进防凌办法，以减轻凌汛威胁。

1955 年

东平湖修防机构调整

1 月 2 日　山东河务局为调整东平湖修防处所属组织机构发出通知：(1)建立运西堤修防段，人员编制 25 名，修防处兼管运西堤之职责撤销；(2)建立汶上修防段，编制人员 8 人；(3)扩大东平修防段组织；(4)缩减金线岭段的编制。以上机构于 2 月底调整充实起来，以迎接春修任务。

黄河下游全部封冻

1 月 14 日　黄委会发出通知：黄河下游已全部封冻，应提高警惕，及时掌握凌情发展和气候变化，重视全河封冻的特殊情况。对上游先开冻，下游仍固封的情况，进一步研究防御对策。开河后须大力组织群众打冰，并结合爆炸、炮轰等方法，解决卡冰壅水问题。在卡冰漫滩偎堤的堤段，加强堤线的巡查和防守。对可能卡冰壅水严重的堤段，可做加修子埝的准备。小街子溢水堰工程，应进行检查，做好准备，以保证使用时发挥其最大效能。

黄委会要求加强凌汛防守工作

1月22日　黄委会发出加强凌汛防守的通知,要求在春节期间应提高警惕,加强凌汛防守准备工作,重要堤段的防守干部及有关人员应照常办公,并要密切注意气温及凌情变化,及时采取措施,保证防凌斗争的胜利。

山东河务局布置防守和破冰工作

1月27日　据报河南省境内黄河开凌,山东河务局布置各修防处、段立即动员起来,做好防守和打冰爆破工作。全河爆破队开赴责任河段爆破冰凌,打通溜道。济南军区和空军部队派出炮兵和飞机前往利津河段轰炸冰凌,以助开河。山东河务局爆破队携带爆破器材,随凌追击,打通卡封河段。

黄河凌情告急

1月29日　黄河凌情告急,中共山东省委、省政府紧急通知各专、县采取措施,全力以赴,防御凌汛。为加强领导,省委农村工作部副部长张竹生、办公室主任修琪到山东河务局坐镇指挥。当晚省委书记处书记、省政府副主席李士英带领大批干部赶往惠民地区指挥防凌斗争。

舒同批准小街子溢水堰分水

1月29日晨　山东河务局向中共山东省委书记舒同报告凌汛紧急情况,建议开放小街子溢水堰分水。舒同同意并通知惠民地委负责实施。同时,山东河务局刘传朋副局长带领爆破队随凌追击。

1955年黄河封冻较历年为早,1月初自郑州铁桥以下至河口全河封冻,结冰也较往年厚,总冰量达5000万立方米,且封河时流量甚小,泺口仅80立方米每秒左右,凌汛情况极为严重。1月下旬气温上升,开凌异常迅速。27日河南全河开冻,28日开到山东,29日3时开到利津,一天多开凌400余公里。此时利津以下气温很低,冰凌仍然固封,因而大量冰凌壅塞在利津王庄至麻湾30公里河道内,堆积成冰山冰坝,大块冰凌壅上大堤和险工坝顶。在开凌前后经集中所有爆破队加上炮兵全力炸冰,空军派飞机多次投弹轰炸,同时开放了小街子溢水堰分水。终因冰水量大宣泄不及,水位急剧抬高,利津一带超过保证水位1.5米,部分堤段水与堤平,两岸堤防险情频出。29日连续发生20处漏洞,刘家夹河堤身出漏塌陷17米,均经奋力抢护脱险。

利津县五庄凌汛大堤溃决

1 月 29 日夜　利津县五庄堤段出现漏洞，时值七级大风，气温骤降，灯火全灭，600 余工人民工奋力抢堵，四图村农民赵荣岗、赵锡纯在堵漏中因大堤塌陷牺牲。最后用沉船法抢堵无效，于 30 日 1 时大堤溃决。五庄决口处形成两个口门，共宽 585 米。溃水顺 1921 年宫家决口故道，经徒骇河入海。

山东省政府研究抢救安置灾民工作

1 月 30 日　山东省政府召开紧急会议，研究五庄凌汛决口后的抢救安置灾民工作，并立即拨出 60 亿元救济安置灾民生活。以民政厅为主组成 3 个工作队，由王子彬副厅长带领前往灾区参加抢救工作。卫生厅派出两个防疫队，粮食厅迅速调运粮食 1000 多万斤，安排灾民生活。

惠民地委、专署立即组成救灾委员会领导救灾工作。并决定受灾县、区全党动员，全力以赴，抢救安置灾民。地委、专署负责人带领大批干部，调集 100 多艘船只，帮助灾区人民搬家。

五庄决口，共淹及利津、沾化、滨县村庄 380 个，人口 17.7 万，被淹土地 83 万亩，倒塌房屋 5355 间，有 80 人死亡。决口后，中央内务部谢觉哉部长由山东省副省长刘民生陪同，前往灾区视察和慰问。

东平蓄洪区排除积水恢复生产

2 月　为及早排除东平蓄洪区积水恢复生产，黄委会、治淮委员会、东北大伙房水库、江苏无锡水利队等地支援了大型抽水机 180 余部，派来技术人员协助安装抽水设备和排水工作。每昼夜向东平湖抽排积水 180 万立方米。4 月底完成 10 万亩积水排除任务。

黄委会召开治黄工作会议

2 月 12～18 日　黄委会在郑州召开治黄工作会议。总结了 1946～1954 年的治黄工作，根据全国水利会议精神，研究确定了 1955 年的治黄任务。根据“治标与治本相结合”的方针，继续加强下游堤防，增修临时防洪措施；三门峡水利枢纽积极准备，争取按设计程序如期施工；伊、洛、沁河水库在两年内编出规划；大力进行水土保持工作；引黄淤灌与引黄发电应按计划完成。

利津县五庄决口堵复

3月13日 利津县五庄黄河堵口工程,经6000余员工7昼夜奋战,胜利堵合。利津五庄决口后,为争取桃汛前堵合口门,使灾区群众早日恢复生产,山东省人民委员会(以下简称山东省人委)决定由山东河务局与惠民专署建立堵口指挥部,制定计划,积极筹备,尽早完成堵口任务。经月余筹备就绪,首先采取措施堵闭了东口门,并在西口门做了3道抛石挑溜坝,为早日堵合创造条件。3月6日6000余员工按计划从东西正坝开始进占,9日东西边坝开始进占,11日正坝抛枕合龙,边坝下占合龙,并继续进行修筑后戗与加固,13日堵口工程全部完成,并举行了发奖大会。

黄委会颁发《河产管理暂行办法》

4月 黄委会制定了《河产管理暂行办法》,公布执行。办法规定:凡黄河所有柳荫地、各种树木、土地、房屋、庙基、砖瓦窑、池塘(水坑)、苗圃等均属河产管理范围,应由各基层单位成立河产管理委员会,负责管理养护好现有河产;并在维护大堤的原则下,根据可能扩大生产,以绿化堤防、养护大堤、培养财源、增加国家收入。

泺口等水文站、水位站实行双重领导

4月1日 黄委会决定自即日起,将泺口水文站及所属艾山等5个水文站,苏泗庄等10个水位站,前左实验站及所属钓口观潮站、罗家屋子水位站,实行双重领导。除业务由黄委会负责外,其他行政、干部等均划归山东河务局领导。山东河务局决定自4月1日起,对泺口水文站、前左实验站作为直属单位进行领导。

中央防总发出1955年防汛工作指示

4月25日 中央防总发出《关于1955年防汛工作指示》,要求各级领导机关和水利部门,必须从思想上认识我国洪水灾害的严重性和防汛斗争的长期性、复杂性,从最坏的情况出发,提高警惕,及早动手,进行各项防汛准备工作。

张剑秋等任职

4月 张剑秋任泰安修防处主任,张汝淮任济南修防处主任(同年10月,张汝淮调任惠民修防处主任)。

山东河务局会同有关单位对汶河进行查勘

5 月 3 日　山东河务局会同治淮指挥部、山东省水利厅、济宁专署,泰安、菏泽、东平、汶上、济宁、嘉祥等县水利局,共同组成汶河查勘组,对汶河下游河道、堤防、闸坝工程、历年洪水情况,进行了实际查勘和调查了解。研究了东平湖蓄洪对内河的影响,提出了防洪的具体措施意见。查勘于 12 日结束。

黄河防总发出 1955 年防汛工作意见

5 月 20 日　黄河防总发出《关于 1955 年防汛工作几项意见》的通知,要求各级防汛指挥部切实贯彻有备无患精神,做到黄河在发生任何类型洪水情况下,均有对策有准备。凡现有工程可以防御的洪水是确保问题;凡超过现有工程可以防御的洪水,是避重就轻问题。根据确保重点的要求,尽先开放大功、石头庄、罗楼、大陆庄,尽量利用南北金堤、东平湖蓄滞洪水和大河排洪能力,保证木栾店至越石坝、京汉铁桥至东坝头南北两岸大堤、北金堤及济南市的安全。大力开展堤防加固工程,消灭隐患,处理弱点,加宽培厚,进一步巩固堤防。

黄河下游防汛会议召开

5 月 20 日　黄河下游防汛会议在郑州召开。会议根据中央防总 1955 年防汛工作指示精神,确定 1955 年防汛任务仍以防御秦厂 25000 立方米每秒洪水为目标,保证不发生严重决口和改道;对于超过现有工程防御标准的各种类型洪水,根据“避重就轻,舍小救大”的原则,拟订和通过了防御措施方案。

同时,黄河防总宣布成立,河南省吴芝圃省长任主任,山东省副省长王卓如、黄委会主任王化云任副主任。

牟汉华任山东河务局副局长

5 月 24 日　中共山东省委组织部令:经省委常委会议批准,牟汉华提任山东河务局副局长。

中共山东河务局党组向省委报告黄河防汛工作

5 月 28 日　中共山东河务局党组向中共山东省委报送《关于 1955 年黄河防汛工作措施意见》,内容包括黄河防洪任务、山东河道基本情况及抗洪能力、1955年防洪主要措施及存在的问题等。省委同意并批转沿黄专(市)、县。

黄河防汛抢险技术座谈会召开

6月1~6日 黄委会在郑州召开了黄河防汛抢险技术座谈会。会议由副主任江衍坤、李赋都主持,参加会议的有河南、山东河务局及其所属修防处、段技术负责人、工程师和富有防汛抢险经验的老工人。会议中,各单位介绍了战胜8次大汛中巡堤查水、埽坝抢险堵漏等技术,黄委会河防处介绍了各大河流防汛抢险的技术、经验。经过讨论,最后由黄委会汇编出版了《黄河防汛抢险技术手册》。

山东黄河防汛工作会议召开

6月4~10日 山东省人委在济南珍珠泉召开山东黄河防汛工作会议。参加会议的有沿黄各专(市)、县、河务局及所属各修防处、段负责人。会议传达讨论了省人委《关于黄河防汛工作指示》和防汛工作计划。赵健民省长作了总结讲话。

山东省防指成立

6月9日 山东省防指成立,赵健民任主任,李澄之、穆林、胡炳云任副主任。下设内河防汛办公室,宋文田任主任,张次宾、薛翰亭任副主任;黄河防汛办公室,王国华任主任,刘传朋、门金甲任副主任;滞洪分洪办公室,王子彬任主任,杨东山任副主任。

黄委会到基层检查指导防汛工作

6月11日 黄委会为了解黄河下游河道形势的变化及堤防加固、春修工程进展情况,分析发展趋势及汛期可能出现的新情况,指导防汛工作,派出检查组赴河南、山东沿河检查工作。河南、山东河务局亦派工程人员参加检查。

江衍坤到黄委会工作

6月18日 黄委会转水利部令:免去江衍坤副主任所兼山东河务局局长职务。江衍坤副主任已于5月19日到黄委会工作。

山东省人委发出加强黄河防汛工作的指示

6月30日 山东省人委发出《关于加强1955年黄河防汛工作的指示》,

确定黄河防汛任务仍以防御 1933 年同样洪水为目标,保证不发生严重决口和改道。对于超过现有工程防御标准的各种类型洪水,即应根据避重就轻、舍小救大的原则,利用下游一切可能的防御条件,有计划、有准备地采取临时滞洪、分洪措施,以争取主动,缩小灾害,保卫社会主义建设。省防指拟订的黄河防汛工作计划,希沿河各级政府认真贯彻执行。

春修工程竣工

6 月 30 日 春修工程竣工,计岁修土方完成 819.7 万立方米,利津五庄堵口复堤土方完成 39.6 万立方米,临时防洪措施工程完成土方 754.9 万立方米,整险完成石方 16.8 万立方米。

全国人大通过根治黄河水害和开发黄河水利的规划

7 月 30 日 中华人民共和国第一届全国人民代表大会第二次会议通过《关于根治黄河水害和开发黄河水利的综合规划的决议》,批准国务院所提出的《关于根治黄河水害和开发黄河水利的综合规划》的原则和基本内容。

水利部要求解决防凌的治本问题

8 月 31 日 黄委会转发水利部函:“关于山东防凌问题,我部同意在今年岁修中先有重点地加强堤防,并将防凌的治本问题列入整个黄河治本工作中研究解决。”关于防凌除有重点地加强堤防外,要求山东河务局拟出临时防凌措施报黄委会。并同意在 1956 年试制破冰船两艘进行试验。

山东河务局印发《堤防养护暂行实施办法(草案)》

10 月 14 日 山东河务局印发《堤防养护暂行实施办法(草案)》。共分总则、护堤组织和任务、依靠群众发展河产与河产收入分红、检查与奖惩、附则五章。

小街子凌汛溢水堰扩建工程开工

10 月 20 日 利津小街子凌汛溢水堰扩建工程开工。该项工程的扩建,主要因 1951 年兴建之溢水堰工程设计分水能力偏低,堤防单薄,故决定将原溢水堰及分水区各项工程加强,提高分水能力,以满足凌汛分水措施的要求。惠民专署 10 个县出动 4.7 万人参加施工,进行溢水区南、北顺堤的加高培厚、挖深引河,溢水堰护底修补及部分村庄护村埝的修筑。共计土方 200 万立方米,于 11 月中旬全部竣工。

黄河安全度过汛期

10 月 31 日　黄河汛期安全度过。入汛以来,秦厂站先后发生 5000 立方米每秒以上洪水 10 次,其中 6700 立方米每秒洪水为最大。但因河床淤高,到达山东省菏泽、聊城河段部分滩地串水漫滩,个别险工出险,各级防汛指挥部布置防汛队伍上堤防守抢护,汛期安全度过。

山东省试办虹吸引黄灌溉工程

12 月　山东省试办虹吸引黄灌溉工程,在历城王家梨行、济南杨庄、广饶路家庄建成 3 处,共安装钢制虹吸管 7 条,设计引水流量 5 立方米每秒,灌溉面积 2 万亩。其中杨庄虹吸主要引水济清,并可灌田 1 万亩,王家梨行虹吸主要用于放淤固堤。

山东河务局召开防凌技术座谈会

12 月 17 日　山东河务局召开防凌技术座谈会,参加会议的有惠民、德州、济南、泰安修防处及所属段、工程大队等单位负责人。会议交流了有关打冰撒土、打封口、爆破冰凌冰坝以及凌汛抢险技术等方面的 7 个典型经验。经过座谈讨论,总结了防凌技术方面的经验教训,肯定了有成效的做法,要求各单位继续加强调查研究,努力钻研防凌技术。会议于 22 日结束。

山东河务局制定《山东黄河七年规划纲要》

12 月 31 日　山东河务局制定《山东黄河七年规划纲要》,规划内容包括:(1)在三门峡水库建成前,必须加强堤防,保证黄河不发生严重的决口和改道,并积极进行汶河的流域规划,兴修汶河水库,争取 1959 年基本上解决汶河洪水灾害;大力进行小型淤灌及排涝工程。(2)在三门峡水库拦洪后,积极进行位山水利枢纽的兴建,以解决黄河的冰凌灾害,同时进行黄河河道的整治工程。(3)在 1962 年前,兴办小型灌区灌溉面积 400 万亩,大型灌区灌溉面积 899 万亩。(4)泺口水利枢纽完成技术设计。

黄委会表彰劳动模范和先进集体

12 月　本年度,在黄委会召开的首届职工劳动模范代表会议上,山东河务局吴邦彦、董福启、高恩绂、张德缘、王克祥、杨逢金、李俊奎、韩方冉、李占信、李丰年、张新华、罗庆三、王恩宝、张玉德、苗武俭、魏竹山、甘明德、吴月桂、李心忠、仲伟秋、张宗成、袁根喜、郭其文、马延峰、邢本荣、鄢明良、王如明、李锡忠、朱承宽、郭昭贵、郭德三、于佐堂、刘法、张广太、田思德等被授予黄委会劳动模范称号；梁山修防段第三整险小组、范县修防段工程队钻探小组、东阿第一修防段工程队二组、长清修防段第三整险小组、齐河修防段工程队郑德仁班、黄台山石料厂安全生产小组被授予黄委会先进集体称号。

1956 年

山东省人委发布做好黄河防凌工作指示

1 月 7 日　山东省人委发布《关于做好黄河防凌工作保卫农业生产的指示》。指出历年黄河冰凌为患，对山东人民生命财产安全和生产建设的威胁极为严重，沿河各级人民委员会应将黄河防凌工作作为一项重要的政治任务，加强领导，遵照省防汛指挥部制定的防凌工作计划，充分做好发动组织群众及工具料物准备，采取打冰、爆破等措施，促使冰水由原河道下泄。必要时果断地主动分洪，充分发挥小街子溢水区的作用，以缩小灾害。

王国华任山东河务局局长

1 月 16 日　中共山东省委组织部通知，中央政治局会议批准王国华任山东河务局局长。

山东省人委通过《关于举办虹吸引黄灌溉工程的报告》

1 月 24 日　山东省人委第十一次会议通过山东河务局《关于举办虹吸引黄灌溉工程的报告》。报告指出：在农业合作化运动与农业生产高潮的推动下，积极举办投资小、见效快、受益大的虹吸引黄灌溉工程，扩大水浇地面积，以增加棉粮生产，既是群众迫切要求也是可行的。经山东河务局与水利厅召集有关专、县研究拟订初步规划为：山东黄河拟设虹吸引黄工程 34 处，共安装虹吸管 166 条，可引水 150～200 立方米每秒，灌田 450～600 万亩。拟分二期进行，第一期选择条件好、收益大的举办 25 处，安装虹吸管 103 条，引水约 100 立方米每秒，争取四月底完成。工程完成后除济清、济运和解决部分地区群众饮水外，约可灌田 230 万亩。第二期工程于 1957 年春季完成。

此项工程采取“民办公助”的办法，规定渠首工程、干渠主要分水闸、节制闸、公路桥涵以及沉沙和干渠土方工程，大车路桥涵由国家投资，支、斗、农、毛渠土方及其附属建筑物由受益群众负担。为加强领导，除山东河务局建立引黄灌溉办公室外，各专区、市建立引黄灌溉办公室，县建立灌溉管理委员会，负责施工管理等工作。

黄河凌汛结束

1月28日　黄河安全度过凌汛。入冬以来山东河道大部封河，封河段占全长的72%，一般冰厚为0.1～0.2米，总冰量约5000万立方米。为战胜凌汛，开凌前自齐河、济南以下普遍组织群众打冰撒土，历城至济阳壅冰河段，重点爆破打通溜道，扫清行凌障碍。惠民地区从蒲台麻湾至利津王庄一段河道为重点，进行打冰与爆破。在开河前后，由于豫、鲁两省气温同时上升，上下游气温差异不大，形成顺利开河的自然条件，再加上积极采取了上述措施，取得了防凌斗争的胜利。

门金甲等调黄委会工作

2月20日　中共山东省委农村工作部批复同意，门金甲、孙见斋、徐世荣调黄委会工作。

首次全国水利施工会议召开

3月　水利部第一次全国水利施工会议在北京召开，山东河务局局长王国华出席会议，并介绍了手推胶轮车运土的经验和在修堤工作中执行包工包做的经验。会议研究了12年施工规划，交流了各地的施工经验，以及1956年全面推行计划管理和加强施工管理问题。

撤销德州修防处，变更部分修防段隶属关系

3月3日　山东河务局根据行政区划的调整，撤销德州修防处，将齐河修防段划归聊城修防处领导，济阳修防段划归惠民修防处领导。

山东河务局调整部分修防段及隶属关系

3月23日　山东河务局发出通知，根据行政区划的调整，将原濮县修防段改为范县第一修防段，范县修防段改为范县第二修防段；齐东修防段改为齐东第一修防段，高青修防段改为齐东第二修防段；蒲台修防段改为博兴修防段；原利津东岸增设广饶第一修防段，垦利第一修防段改为广饶第二修防段；利津西岸改为利津第一修防段，垦利第二修防段改为利津第二修防段；将长清

修防段改为齐河第一修防段，并由泰安划归聊城修防处领导；齐河修防段改为齐河第二修防段。

黄委会发出春修工作指示

3 月 28 日 黄委会发出《关于 1956 年春修工作指示》。根据“宽河固堤”的方针和目前堤防实际情况，春修应以“加固为主，培修为辅”，重点做好加固工程，确保质量。在施工中推行计划管理，改进工具和操作技术，执行《土工施工技术规范》，保证按计划完成任务。

李民任聊城修防处主任

3 月 李民任聊城修防处主任。

汶河管理处撤销

4 月 11 日 中共山东省委农村工作部函复同意撤销原汶河管理处，由黄河泰安修防处负责汶河修防工作。

山东省人委批转《关于引黄灌溉工程进行情况的报告》

4 月 17 日 山东省人委批转山东河务局《关于引黄灌溉工程进行情况的报告》。指出沿黄第一期虹吸引黄灌溉工程计划安装虹吸管 115 条，渠系土方达 4030 万立方米，动用民力 1000 余万工日，工程完成后除济清、济运外，预计可灌田 235 万余亩。由于事前考虑不足、缺乏经验，工作中出现了不少困难。因此，希各部门、沿河有关各级党委予以大力支持。要求工业部门保证及时完成虹吸管的加工任务；交通运输部门解决器材料物的运输问题；河务局、水利厅主动联系，具体加强施工的技术指导；沿河各有关专署、县人委切实加强领导和检查，解决施工中人力组织、准备工具等问题，以保证这一任务的实现，发挥灌溉效益。

山东省人委通过开展小型农田水利工作规划

4 月 27 日 山东省人委第十四次会议讨论通过了《山东省开展小型农田水利工作规划纲要》，其中虹吸引黄及大型渠道灌溉，今后两年内发展到 700 万亩。

山东省人委批转《关于黄河造林护堤的规划意见》

5月15日 山东省人委转发山东河务局《关于黄河造林护堤的规划意见》。指出山东河务局为加速黄河绿化工作提出的《关于黄河造林护堤的规划意见》是可行的,现予转发希即知照。

黄河防总召开黄河防汛会议

6月5日 黄河防总在郑州召开黄河防汛会议。山东省副省长张竹生、河务局局长王国华参加会议,会议研究了防洪任务及措施意见。

黄河防总发出防汛工作指示

6月6日 黄河防总发出《1956年防汛工作指示》。指出当前国家正处在社会主义建设高潮时期和黄河进入治本工程新阶段,努力做好黄河防汛工作,战胜洪水,对保卫农业生产和社会主义建设成就具有重大政治与经济意义。防汛任务仍以保证秦厂百年一遇的洪水不决口、不改道;并在三门峡水库未拦洪前,对于超过现有工程防御标准的特大洪水,亦应预筹临时措施,做到在发生任何类型洪水的情况下,均能有对策、有准备,努力防止发生严重灾害。因此,必须继续贯彻执行"有备无患,及早动手"的方针,结合农业生产,做好全年防汛工作。

山东省防指成立

6月14日 山东省人委公布山东省防指成立,并开始办公。主任赵健民,副主任李澄之、张竹生、胡炳云。下设内河防汛办公室,主任宋文田,副主任薛翰亭、鲁介夫;黄河防汛办公室,主任王国华,副主任牟汉华;滞洪分洪办公室,主任吴德钟,副主任施中俊。

黄河防总检查河势工情

6月19日 黄河防总派出河势工情检查组,进行黄河下游秦厂至泺口河段河势变化防洪工程及南四湖的调查,发现河势下延、出新险及河床淤积严重等新情况,并对各分洪口门及堤防工程薄弱环节,以及南四湖分洪路线等问题提出了处理意见。

山东省人委发出加强防汛工作领导的紧急通知

6 月 22 日 山东省人委发出《关于加强防汛工作领导的紧急通知》。指出黄河已发生第一次洪峰，汛期已提前到来，各级领导机关必须切实而又迅速地加强对黄河防汛和内河防汛工作的领导。从严重情况着想，提早做好一切防汛准备，做到有备无患，以免汛情到来陷于被动。在汛情紧张时，应即以防汛作为压倒一切的紧急突击任务，集中力量确保河防安全。

汶河划归黄委会统一治理

6 月 29 日 山东省人委转发水利部通知，汶河划入黄委会统一治理，并由山东河务局接管。10 月 25 日山东河务局向黄委会提出了《关于汶河管理划入黄河流域，今后治理开发由黄委会统一安排的请示》。

金堤修防段建立

7 月 19 日 山东河务局为加强金堤的管理与养护，将范县第一、第二修防段之所属分段撤销，建立金堤修防段。

山东河务局召开工资改革会议

8 月 4 日 山东河务局召开工资改革会议，参加会议的人员有各修防处、段负责人，秘书科长，秘书股长，会计及厂、队负责人。9 月初工资改革完毕。

黄委会同意修建职工疗养所

8 月 11 日 黄委会批复，同意山东河务局修建 50～60 张床位的职工疗养所。

山东河务局召开修防处主任会议

9 月 15 日 山东河务局召开各修防处主任会议。主要讨论研究黄河防汛、虹吸工程、机构编制等问题，并征求意见，会议于 26 日结束。

逐步撤销分段充实修防处、段人员

9 月 22 日 山东河务局下达《关于逐步撤销分段适当加强处、段的意见》。确定：济南修防处的分段全部保留；齐河二段、济阳、惠民、滨县、利津一段、博兴、广饶一段等 7 个修防段保留部分分段；其余各段分段全部撤销。并规定了撤销的时间、方法和干部的安置措施。

山东河务局总结1956年修防工作

11月10日 山东河务局对1956年修防工作进行了全面总结。在堤防工程中，根据“宽河固堤”的方针，修堤土方以加固为主，培修为辅；共组织15万人施工，完成土方743万立方米，整险完成石方11.2万立方米，植树59.9万株。在施工中全面推行了包工包做，调动了民工积极性，土工效率平均达6.67标方。

在防汛工作中深入发动群众，组成防汛队伍24万人，加强了防汛抢险技术训练，贯彻了防守责任制，县、区、社、队逐级制定责任段的防守计划，做好各项防守准备。本年汛期来得早，6月13日秦厂出现首次流量为3500立方米每秒的洪峰，6月27日又出现8300立方米每秒的洪峰，高村至泺口间大部滩地串水漫滩，专、县防汛指挥部及时作了防守部署，此后水情工情均较平稳，黄河汛期安全度过。

在堤防管理养护工作中，普遍推行了由农业社分段包干养护的办法，农业社确定长期护堤员和护堤班，具体负责管理养护工作。堤上植树收益分配，签订合同，明确权利和义务，对护堤和增加社队收益、减轻负担均较有利。

山东河务局调整堤防岁修民工工资标准

11月26日 山东河务局对现行堤防岁修民工工资标准，参照地方水利工程及农村社会工资水平进行了调整，在原有基础上稍加提高。拟订的调整方案报经黄委会于12月22日批准，自1957年起执行。

打渔张引黄闸竣工

11月30日 打渔张引黄闸竣工，并举行了放水典礼。参加施工的干部、工人和当地群众1500多人参加了庆祝大会。水利部何基澧副部长在会上致辞说：山东打渔张引黄灌溉工程，是根据根治黄河综合规划的方针举办的第一期灌溉工程，工程的兴建不仅对开发灌溉广饶、博兴两县324万亩土地有着很大作用，同时也为下游举办引黄灌溉工程培养了干部和积累了经验。放水典礼由山东省人委副省长王卓如剪彩。

于涌泉任泰安修防处主任

11月 于涌泉任泰安修防处主任。

第一期虹吸引黄灌溉工程竣工

12 月 5 日 山东举办的第一期虹吸引黄灌溉工程基本竣工。共计完成虹吸工程 24 处,安装虹吸管 117 条,完成各种建筑物 1450 座,完成渠系土方 2760 万立方米,尚有部分尾工 1957 年春施工完成。

这 24 处虹吸工程是菏泽地区的刘庄、苏泗庄、国那里;聊城地区的位山、艾山、官庄、南坦、王家窑、大王庙;济南市的北店子、曹家圈、老徐庄、小鲁庄、盖家沟;泰安地区的傅家庄、霍家溜;惠民地区的白龙湾、张肖堂、刘家夹河、路家庄、刘春家、大道王、沟阳家、佛头寺。一期虹吸工程除解决沿黄数十万人的饮水外,灌溉面积可达 300 万亩。工程竣工后试放了水,并冬灌小麦 54834 亩。

黄河防凌工作会议召开

12 月 10 日 山东省人委召开黄河防凌工作会议。参加会议的有泰安、惠民专署、济南市及齐河、历城以下各县负责人,黄河各修防处和齐河、历城以下修防段负责人。省直交通、民政、邮电、气象等部门也派员参加了会议。会议讨论了 1957 年黄河防凌工作计划和措施意见,研究部署了防凌工作。15 日会议结束。

全河第二届工代会与首届先进生产者代表大会召开

12 月 17 日 黄河第二届工代会与首届先进生产者代表大会在郑州召开,山东河务局出席代表 98 名。会议听取了治黄工作及 1956 年先进生产者运动情况的报告,交流了先进经验,并进行了奖励。会议于 25 日结束。

李俊奎等被授予全国先进生产者称号

本年 在全国先进生产者代表会议上,山东河务局李俊奎、张广太被授予全国先进生产者称号。

袁根喜等被授予全国农水系统先进生产者称号

本年 在全国农业水利系统先进生产者会议上,山东河务局袁根喜、郭其文被授予全国农业水利系统先进生产者称号。

高恩绂等被授予山东省先进生产者称号

本年 在山东省第一届先进生产者代表会议上，山东河务局高恩绂、鄢明良、张振坤、王汝明、袁佃山、张宗成、卢宗功、王克祥、邵长增、张业仁、孙成业、韩方冉、朱承宽、张洪兴被授予山东省先进生产者称号。

刘举安等被授予河南省先进生产者称号

本年 在河南省首届先进生产者代表会议上，东明修防段刘举安、姬广兴、王言佩被授予河南省先进生产者称号。

1957 年

爆破队在炸冰作业中发生重大伤亡事故

1 月 24 日 山东河务局直属爆破队在济南曹家圈险工下首施行炸冰作业中，不幸于下午 1 时许发生了严重伤亡事故。事故发生后，河务局局长王国华，副局长刘传朋与省、市委负责人，省、市工会、劳动局以及公安、检察等部门立即赶赴现场检查，并派急救车抢救。据查当时有 20 余人分组在冰上作业，其中一组正在布设药包连接电线时，因电源未截断，以致三个药包通电爆炸，当场炸伤 8 人(重伤 4 人，轻伤 4 人)，其中重伤 2 人在送医院途中死亡，另 6 人经医院抢救脱险。

黄委会发出《黄河下游防凌工作意见》

1 月 26 日 黄委会发出《黄河下游防凌工作意见》，要求河南、山东两河务局密切关注凌汛发展的严重情况，做好凌情观测，密切上下联系，掌握时机，进行打冰和扫除流冰障碍。小街子溢水堰做好迁移运用准备，以便适时分凌。

黄河安全度过凌汛

2 月 27 日 黄河凌汛安全度过。1 月中旬自郑州铁桥以下至海口全河封冻，冰厚 20～30 厘米，总冰量达 8700 万立方米，从冰厚和冰量上看都是凌汛最严重的一年。1 月下旬气温上升，河南省境河道封冰首先解冻，大量冰凌插塞在寿张孙口和齐河李溃河段形成冰坝，拦阻了上游来冰。这时下游气温仍低，冰凌未开。由于孙口冰坝拦冰，延长了开河时间达一月之久，使下游冰凌在气温升高后不断融化分段开河。有关部门组织 1000 余人的爆破队进行爆破、打冰，并派飞机、炮兵轰炸，促使冰凌顺利下泄，安全度过了凌汛。

山东河务局党组扩大会议提出治黄新任务

3 月 2 日　山东河务局党组召开扩大会议，除党组委员外，吸收各修防处主任、黄委会田浮萍处长等参加。王国华传达了黄委会会议精神，主要是总结了人民治黄 10 年来取得的伟大成绩，提出了保证黄河不决口、根除黄河水害、利用黄河水资源支援沿黄工农业生产等任务。

山东河务局在上海订制破冰船

3 月 12 日　山东河务局局长王国华等去上海中华造船厂，商定制造适合黄河防凌使用的破冰船两艘。

山东河务局修订统一施工定额

3 月 19 日　山东河务局根据黄委会通知，1956 年建筑安装统一施工定额砌石工程、土方工程及运输工程施工定额修订本，业经水利部批准公布执行，将统一施工定额修订本转发给修防处、段遵照执行。凡统一定额未包括的工程项目，另编制临时补充定额一并下发，参照执行。

王国华参加三门峡枢纽工程开工典礼

4 月 13 日　山东省人委派河务局局长王国华参加黄河三门峡水利枢纽开工典礼大会。

东平湖规划工作开始

5 月 14 日　山东河务局党组会议研究了东平湖的规划问题。决定成立综合组、坝址组、航道组，进行规划工作。

山东省抗旱防汛指挥部恢复办公

5 月 17 日　山东省人委公布山东省抗旱防汛指挥部（以下简称山东省防指）恢复办公。指挥部及各办公室负责人名单为：指挥赵健民，副指挥张新村、李澄之、张竹生、胡炳云。黄河防汛办公室主任王国华，副主任刘传朋、牟汉华。

山东河务局防汛技术座谈会召开

5月23日　山东河务局召开了防汛技术座谈会，参加会议的有各修防处、段负责人和工程技术人员，会议交流了防汛抢险技术和巡堤查水经验。

山东省人委同意河务局精简机构方案

5月29日　山东省人委编制委员会函复河务局关于精简机构紧缩编制方案，同意局机关设人事室、秘书室及工务科、财务科、行政科、党委等部门，编制名额确定干部107人，公勤人员可按省事务管理局所拟比例执行。上述意见请报黄委会批准后执行。

黄河防总发出《1957年防汛工作指示》

5月30日　黄河防总发出《1957年防汛工作指示》。特别指出黄河防汛面临的新形势和新问题，由于下游堤防的加强和三门峡工程的兴建，以及黄河还没有发生过特大洪水，在干部群众中滋长着一种新的麻痹思想等不利因素，必须引起各级领导的重视，深入发动群众，及早动手，充分做好一切准备工作。要求在异常洪水的情况下，利用一切可能，争取不发生严重决口和改道，保卫社会主义建设。

山东黄河防汛会议召开

6月1日　山东省人委召开山东黄河防汛会议，研究讨论了防汛工作的方针与任务，讨论修订了黄河防汛工作计划，部署了防汛工作。

山东省人委发出加强黄河防汛工作指示

6月10日　山东省人委发出《关于加强黄河防汛工作的指示》。要求各级领导重视几年来全国各大河流接连出现异常洪水的情况，注意黄河汛期可能出现的异常洪水。在三门峡水库未拦洪前，必须尽心竭力做好防汛工作，及早动手，加强全面准备，保证秦厂百年一遇的洪水不决口、不改道；并在此基础上争取发生任何类型洪水都有对策、有准备，努力防止发生严重灾害。

吴楼河道观测队成立

6月19日　山东河务局局务会议研究决定，建立吴楼(梁山县)河道观测队，内外业干部40人。原测量队编制紧缩为40人。

黄河防总检查防汛工作

6 月 22 日 黄河防总组织了防汛工作检查团,检查了河南、山东两省防汛及滞洪准备工作。具体检查了堤线、险工、分洪口和滞洪区围村埝、避水台等工程,对防汛工作进展情况和存在的问题,与各级防汛指挥部共同研究加以解决,对防汛工作推动很大。检查工作于 7 月 15 日结束。

黄河春修工程竣工

6 月 30 日 山东黄河春修工程竣工。春修堤防工程仍以加固为主,主要进行菏泽临黄堤和聊城北金堤帮宽和下游堤段的加固工程。各地共组织包工队 9 万人参加施工,共计完成土方 526 万立方米,整险工程完成石方 6.7 万立方米。春修中开展了增产节约运动,通过复核工程,缩短运距,划定土塘土路,减少挖压土地面积等措施,堤防岁修节约投资 54.3 万元。

山东黄河监察室及保卫科撤销

8 月 22 日 黄委会通知,撤销山东黄河监察室。根据紧缩机构的精神,山东河务局研究决定撤销本局保卫科,并将疗养所与卫生所合并,改称山东河务局卫生所。

黄委会组织查勘河口

10 月 21 日 黄委会水文处会同水利科学研究所、山东河务局、泺口水文站、前左水文实验站等单位技术人员 11 人,组成河口查勘组,从济南乘船顺河下航,查勘了河口三角洲;并由河口出海,查勘了河口两侧淤积情况,于 29 日结束。

山东河务局进行锥探灌浆试验

10 月 29 日 山东河务局为了提高密锥灌浆的效果,解决灌浆不实和棚眼等问题,组织压力灌浆试验小组,在济南修防处附近的废堤进行了试验。经用自由灌浆和压力灌浆的质量对比,选用不同土质和不同水土比,以及开挖检验干密度测定和颗粒分析等方法,综合分析出了试验成果。试验于 11 月 22 日结束。

黄河安全度过汛期

10月31日　黄河汛期安全度过。入汛以来黄河干流出现9次洪峰。7月份由于黄河中游干支流域大雨集中,即连续出现7次洪峰,尤以19日两次洪峰秦厂流量12600、13000立方米每秒为最大,演进至山东河道,两峰汇合,造成空前未有的高水位。7月20日,高村站流量12400立方米每秒,水位62.32米,仅低于保证水位17厘米,孙口超过保证水位16厘米。7月25日,泺口站流量9630立方米每秒,水位31.26米,超过保证水位26厘米。洪水特点是,洪峰水位高,流量大,陡涨陡落。汶河流域7月份也连降暴雨,临汶站19日出现洪峰流量6220立方米每秒,超过戴村坝以下河道排洪能力2000立方米每秒以上,造成古台寺等处漫决,稻屯洼蓄洪。由于黄汶洪水并涨,东平湖全线吃紧,安山水位两次涨到44.06米,超过保证水位56厘米。黄河洪水期间,正值山东西南地区遭受严重涝灾,在中共山东省委领导下,沿河党政军民全力投入防汛抢险达半月之久,共有解放军指战员12648人、防汛队员66707人上堤防守。特别是东平湖最紧张时,3万人昼夜抢加子埝挡水,水涨堤高,从领导到群众下了最大决心和力量,在两次超过保证水位半米以上的险恶情况下,保住了堤防。在堤坝工程方面,由于历年培修加固,1955年后,重点堤段修做了加固工程,经过汛期大水考验,未发生严重险情,取得了防汛胜利。

黄委会发出黄河下游防凌工作指示

11月3日　黄委会发出《关于黄河下游防凌工作的指示》,指出战胜凌汛是一项艰巨的斗争任务。尤其新中国成立以来凌汛在山东利津两次决口,应引起各级领导高度重视。继续贯彻"依靠人力战胜凌汛"的方针,加强冰情水情观测,继续采取防、泄、分相结合的对策,积极推行打冰、爆破等措施。已制成的两艘破冰船,可选择适当河段进行破冰试验。在下游排冰严重不畅、情况不得已时,要坚决执行分水减凌措施,以缩小灾害。

两艘破冰船由上海驶抵泺口

11月15日　山东河务局委托上海中华造船厂首次制造的两艘黄河破冰船——克凌一号、克凌二号,由上海驶抵泺口码头,拟于黄河凌汛破冰使用。该船长31米,内装四百马力柴油发动机,可破30～40厘米厚的冰层。

山东省人委指示做好黄河防凌工作

11 月 28 日　山东省人委发出《关于做好黄河防凌工作的指示》。要求沿河各级人民委员会应将黄河防凌工作作为一项重要的政治任务，切实加强领导，认真总结以往防凌斗争中的经验教训，依靠群众做好组织准备工作，采取一切可能的措施，从各方面积极努力，力争免除灾害。

山东黄河防凌工作会议召开

12 月 10～15 日　山东省人委召开山东黄河防凌工作会议，参加会议的有惠民、泰安专署、济南市及齐河、历城以下各县负责人，黄河各修防处、段负责人和省直有关单位代表 100 余人。会议研究部署了防凌工作，要求沿黄各级政府把防凌工作列为冬季工作的一项重要任务，切实加强领导，召开专门会议进行部署，事前做好各项准备，落实各项防凌措施，确保凌汛安全。

山东省人委通知各灌区应即开征水费

12 月 19 日　山东省人委批转水利厅《关于 1957 年新投入生产的各大型灌区应即开征水费和停止补助的报告的通知》。1956 年冬和 1957 年春先后新建成并同时开始放水灌溉的各大型自流灌区、机械抽水灌区和虹吸引黄灌区等 20 余处，根据 1957 年全国灌溉管理工作会议精神，从 1958 年开始，立即实行自给自足，国家不再补助。其所需岁修养护管理费、人员供给等开支，均应从所收水费中自行解决。水费自 1958 年 1 月 1 日开始征收。

黄委会批准调整民工工资标准

12 月 21 日　山东河务局以全国统一施工定额为基础，参照农村民工工资每工日 0.75 元、济南郊区民工每工日 1 元的标准，适当考虑部门和地区间的平衡，拟订民工工资调整方案，报经黄委会批准，自 1958 年开始执行。

1958 年

国家计委、经委同意提前兴建位山枢纽工程

1 月 13 日　山东河务局向中共山东省委报送了《关于请示提前修建位山水利枢纽工程意见的报告》。省委、省人委旋即报请中央拟争取 1961 年至迟 1962 年上半年完成全部工程，并立即建立位山枢纽工程筹备机构，着手施工

前的准备工作。4 月 25 日省委转达国家计委、经委批复,同意山东提前兴建位山枢纽工程。

山东河务局撤销历城修防段

1 月 18 日　山东河务局决定撤销历城修防段,其所管堤线划归济南修防处管理。

山东省防指部署河道破冰防凌

1 月 26 日　山东河道封冻,冰厚一般为 0.1～0.2 米,封冻段总长 291 公里,占河道长的 57%,总冰量达 1809 万立方米,河谷蓄水 1.86 亿立方米。下旬气温开始回升,省防指部署沿河各地进行打冰、破冰。全河爆破队员 1000 余人,在济南杨庄至博兴麻湾间陡弯狭窄河段,采取炸药爆破,打通溜道 27 段;在齐河席家道口至利津罗家屋子平顺河道,采取人工打冰沟撒土 200 公里;重点卡封河段用炸药爆破方格,为开河造成弱点,防止冰凌卡塞;罗家屋子以下,集中四个爆破队将封冰炸碎,疏通溜道;破冰船两艘在垦利义和庄以下河段破冰 58 公里,破冰 511 万平方米,打通了义和庄至前左一段河道的封冰。由于采取了上述措施,凌汛顺利度过。

陈允恭因病逝世

2 月 19 日　山东省人民代表、山东省人委委员、山东河务局总工程师陈允恭因病治疗无效逝世。省人委于 21 日在青年公园举行公祭。

山东黄河首届先进生产者代表大会召开

2 月 26 日　山东河务局与黄河山东区工会联合召开山东黄河首届先进生产(工作)者及工会积极分子代表会议。到会的除先进代表 93 人外,还有各修防处主任与工务、财务、治黄科科长,修防段长与工务、财务股长,基层工会主席及专职干部共 200 余人。河南河务局也派代表参加了会议。张竹生副省长到会作了治黄动员报告,区工会主席崔纪明传达了工代大会精神,修防段先进典型介绍了经验。最后评选出 17 个先进单位、93 名先进生产(工作)者和积极分子并发了奖。会议于 3 月 7 日结束。

黄河春修工程全面开工

3 月 23 日　黄河春修工程全面开工。春修任务以菏泽、聊城修防处较大，济南修防处重点修做加固工程。险工坝岸以加强根石为主。施工前强调了精工壮工和准备不好不开工的要求，共上堤民工3.4万人，7月上旬相继竣工，共计完成土方410万立方米，完成石方6.2万立方米。在施工中，全面推广了胶轮车和铺路板运土的经验，除个别段外，全部使用胶轮车运土，共用胶轮车15800辆，铺路板10万多米，土工效率有较大提高。

黄河位山工程局成立

3月31日 中共山东省委、省人委宣布成立山东省黄河位山工程局。4月14日，山东省人委宣布山东省黄河位山工程局局长为王国华、副局长为刘传朋、刘习斌、李克胜。

黄委会统一审批沿黄两岸建闸工程

4月7日 水电部电告黄委会及河南、山东省人委，针对黄河下游两岸相继开口建闸举办蓄灌工程，今后为了合理分配黄河水量，并保证堤防的安全，下游两岸引水开口应由黄委会统一掌握，较大引水闸应由黄河设计院统一设计，一般的引水涵闸也应经黄委会审批。涵闸工作中技术处理较复杂的应报部审批。施工方面希黄委会多加检查，保证工程质量；已完工的工程由黄委会统一管理。

钱正英来山东视察黄河

4月9日 水电部副部长钱正英等来山东视察和讨论黄河下游治理规划及位山枢纽工程的兴建问题。山东省水利厅副厅长江国栋等参加。15日钱正英副部长向中共山东省委汇报了查勘情况及意见，省委负责人谭启龙、赵健民、王卓如参加并听取了汇报。

水电部组织检查黄河下游防汛工作

4月16日 水电部组织山东、河南河务局，江苏、湖南、湖北、河南、山东、河北、辽宁、黑龙江、内蒙古、淮委等省区及流域代表共30人组成黄河防汛检查团，检查黄河下游堤防、涵闸、滞洪区、河势险工、滩区治理等重点工程。5月5～8日检查团在济南举行座谈会，水电部工程管理司司长刘德润做了总结发言。

位山枢纽第一期工程开工

5月1日 位山枢纽第一期灌溉工程,位山引黄闸和灌区工程开工,参加施工的有菏泽、聊城、泰安、济宁四个专区40个县的60余万民工。第一期工程包括位山引黄闸、大店子分水闸、沉沙池和灌区渠道排水系统及各级建筑物,全部土方1.2亿立方米。引黄闸全长116米,闸高10.5米,共10孔,每孔净宽10米,设计引水流量780立方米每秒,在无坝引水情况下,可引水200立方米每秒左右。控制灌溉面积为700万亩,可灌溉东阿、齐河、茌平、禹城等县部分农田。10月1日引黄闸竣工放水,并举行了3万多人参加的放水典礼大会,山东省副省长张竹生代表省委、省人委祝贺引黄闸建成放水。

黄河防汛工作会议在郑州召开

5月21～26日 黄河防总在郑州召开了黄河防汛工作会议。参加会议的有河南、山东河务局局长,各修防处主任、部分段长,菏泽、聊城、惠民专区的负责人,共50余人。会议传达了周恩来总理在三门峡会议上的讲话,讨论了黄河防洪任务,确定以防御百年一遇洪水、秦厂流量25000立方米每秒不决口、不改道;并做到对任何类型的更大洪水有对策、有准备,争取在超过原保证水位0.3～0.5米的情况下不滞洪、不成灾。

中共山东省委、省人委发布防汛工作指示

5月28日 中共山东省委、省人委发出《关于1958年防汛工作指示》。防汛工作总的要求是,基本上消灭普通水灾,并积极拦蓄洪水发展灌溉。在黄河防汛方面,要坚决实现国家和黄委会提出的:保证秦厂百年一遇25000立方米每秒洪水不决口、不改道,对超过现有工程标准任何类型的洪水,有对策、有准备,尽力防止发生严重灾害;要在去年保证水位的基础上,普遍提高0.2米,争取任何类型的洪水不发生溃决。

山东省防指成立

5月29日 山东省人委公布山东省防指成立。指挥赵健民,副指挥张新村、李澄之、张竹生、方正,秘书长修琪、李建修、亓象岑。下设抗旱防汛、黄河防汛、滞洪、水利物资供应4个办公室。黄河防汛办公室主任王国华,副主任刘传朋、牟汉华、赵登勋。

马扎子引黄闸竣工放水

6 月 6 日 齐东马扎子引黄闸竣工放水。该闸为钢筋混凝土涵洞,共 11 孔,每孔净宽 1.2 米,设计引水流量 27.8 立方米每秒,控制灌溉面积 110 万亩。

王化云等来山东查勘黄河

6 月 11 日 黄委会主任王化云、副主任韩培诚,水电部办公厅副主任肖秉钧来山东查勘黄河,讨论黄河下游治理规划。山东省副省长张竹生,水利厅厅长张晋、副厅长江国栋,山东河务局局长王国华、副局长刘传朋参加。27 日在山东宾馆进行座谈讨论,听取了山东方面的意见。

山东河务局局属部分修防机构变更

6 月 16 日 山东河务局根据行政区划调整,决定撤销泰安修防处,其所属章丘修防段划归局直属段;撤销历城修防段,原该段堤线划归济南修防处领导;撤销平阴管理段,设立石料收购站;将利津二段改为分段,划归利津一段领导,利津一段改为利津修防段;广饶一段改为广饶修防段,广饶二段改为分段,划归广饶修防段领导;范县一段改为分段,划归范县二段领导,范县二段改为范县修防段。其他修防处、段组织形式原则上不变。经过整编后,原编制人员 2221 人紧缩为 1677 人。

刘楼等 7 处虹吸引黄灌溉工程建成

6 月 20 日 山东黄河沿岸相继建成虹吸引黄灌溉工程 7 处,共安装虹吸管 28 条,灌溉面积为 69 万亩。包括惠民白龙湾,滨县张肖堂,利津宫家、小李,章丘胡家岸,寿张刘楼,齐河王庄。

黄寨引黄闸竣工放水

6 月 20 日 东明黄寨引黄闸竣工放水。该闸为钢筋混凝土涵洞,共 3 孔,每孔净宽 1.6 米,设计引水流量 20 立方米每秒,控制灌溉面积 20 万亩。

山东省防指紧急动员防汛防涝

7 月 1 日 山东省防指发出《关于防汛防涝的紧急动员令》。指出近日山东省东南、西南大部地区普遍降雨,个别地区出现暴雨。据气象预报,这些地区还将普降大雨，要求全省党政军民紧急动员起来，迅速投入防汛、防涝的紧张战斗。必须在全省范围内，普遍进行一次防汛工作大检查，对黄河、卫运、沂、沭等主要河防负有防守责任的专员、县长应亲自上堤，逐段检查堤防险工，保证在任何特大洪水情况下有对策、有准备，不准决口成灾。

黄河防总发布洪水预报

7月17日 黄河防总电示：黄河中下游降暴雨，干支流相继出现洪峰，预计18日2时花园口将出现22000立方米每秒洪峰。这次洪水与1933年相似，是解放以来之最大洪水，情况相当严重。因此，两省应立即做好石头庄、张庄的分洪准备工作。如果情况不再发展，可全力防守，争取不分洪。

花园口水文站出现22300立方米每秒洪峰

7月17日17时 黄河花园口水文站洪峰流量22300立方米每秒，为黄河水文记录上的特大洪水。

中央防总指示黄河防总及河南、山东省防汛指挥部，领导两岸人民坚决战胜黄河特大洪水，不准黄河危害人民。

中共山东省委作出加强防守和分洪准备的决定

7月17日 根据黄河出现的特大洪水和黄河防总既定分洪方案，中共山东省委决定：(1)范县张庄分洪区和东平九区蓄洪区立即进行准备工作，滞洪区财物及妇孺老弱立即动员迁移，在18日2时以前迁移完毕；聊城、泰安地委派书记赴滞洪区亲自指挥，山东河务局副局长牟汉华即赴范县张庄掌握分洪口门准备工作，准备执行黄河防总命令。(2)沿河地、县委及各级指挥部立即全力以赴，准备好防守人力、料物，书记亲赴河堤指挥作战，保证战胜洪水，保卫黄河两岸丰收。(3)各级防汛指挥部严密注意水情分析研究，一切险工与薄弱堤段指定专人加强防守；沿河滩地居民迅速动员迁移，免受损失。以上决定沿河地、县立即贯彻执行。

黄河防总电示不使用分洪区滞洪

7月18日12时 黄河防总电示：花园口洪峰过后，后续洪水不大，汶河水不大，在高村以上宽河道和东平湖能够充分发挥蓄滞洪水作用情况下，不使用分洪区蓄滞洪水就完全能够战胜洪水，希两省防指部署防守，加强指挥，不达完全胜利不收兵。

中共山东省委、省人委作出不分洪全力以赴战胜洪水决定

7 月 18 日 中共山东省委、省人委根据水情预报,黄河花园口洪峰虽已回落,但寿张孙口上下及济南上下均将超出保证水位,山东河防将全面经受严重考验。根据堤防工程及防守准备情况,有充分条件不采取分洪措施,加强防守保证胜利。为此决定:范县寿张及东平九区停止滞洪区群众迁移工作;沿河各地、县、乡党委政府必须全党动员、全民动员,集中一切力量与洪水搏斗;此次洪水不分洪,来多大流量保多大流量,超过保证水位多少保证多少,坚决保证沿河人民安全和农业丰收。

根据省委、省人委指示,沿黄各地(市)、县紧急动员党政军民全力以赴,迅速组成 110 万人的防汛大军投入防汛抢险斗争。各级领导带领干部 13000 余人上堤,与群众一起昼夜进行巡堤查险,抢修加高堤防和抢护险情。

谭启龙到聊城检查特大洪水防守工作

7 月 19 日 黄河洪峰到达高村流量为 17900 立方米每秒,水位 62.96 米,超过保证水位 0.38 米。中共山东省委书记处书记谭启龙、农村工作部部长张新村到聊城地区检查黄河特大洪水的防守工作。

舒同等视察济南段防守情况

7 月 20 日 中共山东省委第一书记舒同、书记处书记白如冰,省人委副省长刘民生、李澄之、余修、苗海南视察了济南段防守情况。舒同书记对黄河防汛工作作了重要指示:(1)堤防险工要普遍检查。除黄河大堤要加高加宽外,所有险工责成专人负责,备好充足的防汛器材,保证此次洪峰安全度过。(2)采取有效措施,保护好黄河铁桥,确保津浦铁路正常通车。(3)立即动员滩地居民迁移,免受意外损失。(4)济南市委应进一步加强防汛工作领导,保证战胜此次洪水。

同时,上海、广州、天津、江苏、东北及山东各地,调来大批物资支援黄河防汛。共计木材 7250 立方米、草蒲包 76 万个、麻袋 18 万条、木桩 2 万根、提灯 1200 打、铅丝 233 吨。

舒同召开紧急会议研究防洪措施

7 月 21 日 中共山东省委第一书记舒同主持召开紧急会议,研究防御黄河洪水问题。山东河务局局长王国华汇报了水情及布防情况,谭启龙书记根

据聊城地区防守情况,提出了意见。会议研究了在不分洪的情况下保证安全的措施。

省防指命令全力以赴确保大堤安全

7月21日 山东省防指发布命令:黄河全线防汛指挥部要立即采取积极有效措施,全力以赴,保证洪水位与大堤顶平持续半月不出险、不决口。限令昼夜突击抢修河堤,一切薄弱堤段要抢修培厚后戗3米;一切险工要加高加固;一切大堤要抢修加高1米子埝;一切抢险的石料、土料、柳枕、麻袋要加倍准备;一切堤段要普遍检查,发现问题,迅速解决;一切防汛队伍要编成严密的战斗组织,明确职责,严加防守。任何麻痹大意,疏忽职守,以渎职论处。

济南市防汛指挥部举行战胜特大洪水动员会

7月21日晚 济南市防汛指挥部、济南市人民广播电台举行"全民动员,战胜黄河特大洪水"广播大会,济南市刘乃殿市长作了动员报告,号召全市人民紧急动员起来,投入黄河防汛斗争。并增调10万人上堤,抢修子埝,普遍加高2米,以防御特大洪水。

各修防处进行堤防险工涵闸工程普查

7月21日 山东河务局通知各修防处普遍进行堤防、险工、坝岸、护滩、虹吸、涵闸等工程的调查、鉴定工作。这是新中国成立后第一次搜集全面系统的黄河工程资料,普查逐项工程,登记建卡,作为河工档案保存,为治黄服务。

李葆华等视察防汛工作

7月23日 黄河洪峰到达泺口流量11900立方米每秒,水位32.09米,超过保证水位1.09米。水电部李葆华副部长、黄委会江衍坤副主任,从郑州乘专机来山东视察黄河防汛工作,并视察了泺口铁桥和泺口险工防守情况,对当前防汛工作作了重要指示。

继续加固堤防,以战胜更大洪水

7月25日 中共山东省委、省人委发出《关于动员全省人民再接再厉继续加固黄河堤防,准备战胜更大洪水的决定》。指出:全省沿黄各地人民在党的总路线的光辉照耀下,书记挂帅,全民动员,以坚忍不拔、英勇顽强的战斗精神经过9昼夜的奋斗,在不分洪的情况下,战胜了山东黄河空前未有的特大洪水。显示了山东人民抗拒自然灾害的无比力量。但在防汛工作中也暴露出一些缺点,现在是7月下旬,黄河防汛仅是开始,必须再接再厉,继续加固堤防,限于8月10日前完成加固加高工程;整修埽坝,添补器材,准备料物,保证秦厂25000立方米每秒洪水不分洪、不决口;在秦厂发生29000立方米每秒洪水时,充分利用位山水库工程削减洪峰,使艾山以下水位不超过现有堤顶。大力发动群众防守,坚决保证不分洪、不决口、不改道,彻底战胜再次特大洪水。

周恩来总理听取山东省防指防汛工作汇报

7月26日 中共山东省委根据黄河发生特大洪水的情况,为确保防洪安全,提出提前修建东平湖水库以滞蓄洪水的意见。经电报中共中央同意,特派省防指秘书长李建修、省水利厅副厅长孙贻让去北京汇报。27日上午周恩来总理接见并听取了李建修关于山东人民战胜特大洪水的情况和提前修建东平湖水库的意见,水电部李葆华、钱正英副部长参加并听取了汇报。周总理十分关心山东黄河防汛问题,详细询问了水情、工情、组织防守和泺口津浦铁路大桥的情况,当即做出抢修东平湖水库的决定。

中共中央决定修建东平湖水库

7月26日 山东省人委向国务院报送了《山东省关于防御黄河29000立方米每秒洪水提前修建东平湖水库工程规划要点和施工意见》。黄河三门峡水库建成后,伊、洛、沁河的洪水仍然威胁山东河防安全,中共中央决定修建东平湖水库工程,要求提前于1958～1959年建成。主要工程项目包括:修筑东平湖水库新堤,培修新临黄堤,张坝口老运河堵塞,库堤修筑石护坡等。同时修建进、出湖闸及干流拦河坝等工程。

《大众日报》发表战胜更大洪水的社论

7月27日 《大众日报》发表题为《欢呼胜利,再接再厉,准备战胜黄河更大洪水》的社论。黄河花园口出现的22300立方米每秒特大洪水,由于各级党政机关的坚强领导和书记挂帅,全民动员,以及四面八方的大力支援,经过百万防汛大军历时9昼夜的英勇顽强的战斗,山东省黄河全线已战胜空前未有的特大洪水,再一次显示了共产领导下的沿黄人民抗拒自然灾害、征服大自然的巨大力量。

为了迎接和战胜更大洪水,希望各级领导机关和全省人民,继续鼓足干劲,再接再厉,准备战胜黄河更大洪水。

山东省人委召开紧急会议,研究修建东平湖水库问题

7月29日 山东省人委召开防汛紧急会议,传达了国务院批准修建东平湖水库的决定,专门研究了抢修东平湖水库的组织领导、人力动员、料物后勤供应等问题。并认为由于工程施工时间紧迫,又处于汛期,必须以做好防汛的战斗姿态,突击抢修,争取提前完成水库施工任务,以防御黄河更大洪水。

张竹生赴梁山部署抢修东平湖水库事宜

7月30日 山东省副省长、省防指副指挥张竹生和秘书长李建修亲赴梁山布置抢修东平湖水库事宜,并立即成立东平湖水库工程指挥部,于31日在梁山召开了菏泽、聊城、济宁、泰安4个专区和有关县的负责人会议,具体研究布置了施工任务。

山东省人委号召恢复生产和做好灾民安置工作

7月30日 山东省人委发出《关于迅速恢复发展灾区生产和做好灾民安置工作的紧急通知》:由于黄河出现的特大洪水,沿河滩地150余万亩大部淹没,不少房屋倒塌,沿黄各级政府应发动群众,大力开展生产救灾工作,对过水作物要挖沟排水,扶苗培土,加强管理,提高收成。对从滩地移出的灾民,切实解决吃饭、居住、疾病医疗等困难并就地组织生产。积涝地区,应抓紧排水抢种,做到人人有住处,户户有安排。

黄河防总讨论制定防御更大洪水措施

8月1~3日 黄河防总召开紧急会议,讨论与制定了防御更大洪水的紧急措施,确保防汛斗争的彻底胜利。措施包括扩建东平湖,使东平湖的蓄水量增加一倍以上;黄河下游正在施工的引黄灌溉工程,要加紧施工,争取早日完成放水,以尽量削减洪峰;防洪措施要从更坏处着想,堤坝高度不够标准的要加修;从全河出发,严密地、坚决地防守,保证黄河在任何情况下都不发生洪水灾害;和铁路部门协作,保护好郑州和泺口铁桥;改进防汛中的交通电讯和洪水预报工作。

中央防总电贺征服黄河特大洪水

8月2日 中央防总电贺河南、山东两省防汛指挥部及黄河两岸全体防汛员工征服了黄河特大洪水。并勉励保持高度警惕,继续做好各项防汛工作,

严防洪水再度袭击，确保全年防汛的彻底胜利，确保两岸人民的生命财产和秋季大丰收。

东平湖水库围堤工程开工

8 月 5 日 东平湖水库围堤工程开工。来自菏泽、聊城、泰安、济宁四个专区 21 个县的 23.3 万多民工，日夜两班施工，于 11 月底竣工。计培修新堤 76 公里，完成土方 1700 余万立方米。东平湖水库是位山枢纽工程组成部分，经过扩建后库区面积为 632 平方公里，总库容 40 亿立方米，防洪库容 35 亿立方米。

周恩来总理视察黄河泺口铁桥

8 月 6 日 周恩来总理视察了黄河泺口铁桥。陪同周总理视察的有中共山东省委第一书记舒同、书记处书记谭启龙、裴孟飞和济南铁路管理局党委书记李振。视察时周总理就如何使泺口铁桥经受住黄河更大洪峰的问题做了重要指示。

黄河堤防加高加固工程完工

8 月 20 日 山东黄河千里堤防加高加固工程完工。为保证秦厂 25000 立方米每秒洪水时不分洪、不决口，对山东全河堤防加修子埝，薄弱堤段加修戗堤，险工坝岸进行加高加固，经 20 万民工抢修完成，共计完成土方 380 万立方米，石方 6 万立方米。

黄委会召开治黄技术促进会

8 月 21 日 黄委会、黄河工会联合召开了治黄技术革命促进会，并举办了治黄技术革命展览会。参加会议的有治黄战线上的技术革新先进集体代表和个人，以及各基层单位的负责人共 256 人。黄委会副主任江衍坤在会上作了关于治黄工作的报告，黄河工会主席吕华作了关于治黄技术革命运动开展情况的报告，最后由黄委会陈东明秘书长做了大会总结。会议于 27 日闭幕。

中共中央发出《关于水利工作的指示》

8 月 29 日 中共中央发出《关于水利工作的指示》。指出在贯彻执行“小型为主、以蓄为主、社办为主”的水利方针时，应该注意到：在以小型工程为基础的前提下，适当发展中型和必要的可能的某些大型工程，并使大、中、小工程相互结合，有计划地逐步形成为比较完整的水利工程系统。

打渔张引黄灌区工程提前竣工

8月30日　打渔张引黄灌区工程提前竣工，灌区工程配套灌溉面积512万亩。该工程于1956年4月动工，共计建成防潮闸、干渠、渡槽和大中型建筑物692座，农渠以上建筑物2万多座，完成土方1亿立方米，石方18.3万立方米，国家投资3970万元。灌区工程当年发挥效益，灌溉夏秋作物65万亩、棉花23万亩，冬浇小麦24万亩，夏秋作物增产五成到一倍。

中共山东省委、省人委作出实现全省水利化的决议

9月26日　中共山东省委、省人委作出《关于实现全省水利化的决议》。要求全面开发黄河水利，完成位山及王旺庄水利枢纽，并在刘庄及泺口枢纽的两岸及王旺庄枢纽北岸修建进水闸及其灌区工程，扩大东平湖反调节水库及在黄河两岸兴建8处大型蓄黄水库，改善提高虹吸引黄工程，共计划引用蓄存黄河水源200亿立方米。1960年全部完成山东省黄河各枢纽进水闸等工程，年计划引用黄河水量200亿～300亿立方米。

黄河口开发利用座谈会召开

9月29日　山东省水利厅与南京水利科学研究所共同主持召开了黄河口开发利用问题座谈会，省交通厅、农业厅、水产局、河务局、水科所、气象局、地质局、黄海水产研究所、前左水文实验站等单位工程技术人员参加。会议研究了黄河河口段的特性、能否利用通航、发展渔业等，河口三角洲的淤积情况及下游河道整治后可能发生的变化，防潮闸的淤积问题及海潮对防潮闸的影响等。会议听取了各单位代表的意见，于1959年底提出研究报告及利用意见，报送黄委会。

山东河务局合并为水利厅直属局

10月15日　山东省水利厅党组报送中共山东省委《关于黄河河务局机构及今后任务的请示报告》称：山东河务局已于10月份与水利厅合并，为水利厅直属局，受水利厅与黄委会双重领导。下属各修防处、段机构不变。

国务院批复河务局与水利厅合并

10月20日　国务院批复山东省人委《关于水利厅与黄河河务局合并为

水利厅的请示》。两机构合并后,仍设立山东省水利厅黄河河务局(以下简称山东省河务局),受水利厅与黄委会双重领导。黄河河务局的任务,仍负责黄河岁修、防汛、管理养护及黄河灌溉管理。

王国华、刘传朋职务变更

10 月 26 日 山东省人委第 43 次会议通过任命:王国华兼任山东省河务局局长,刘传朋任山东省黄河位山工程局局长。

山东人民战胜黄河特大洪水

10 月 31 日 山东人民战胜了黄河特大洪水,取得了防汛胜利。黄河于 7、8 两月连续出现 5000 立方米每秒以上洪峰 12 次,10000 立方米每秒以上洪峰 5 次,其中 7 月 17 日花园口站 22300 立方米每秒的洪水,为黄河水文记录上前所未有的特大洪水。汛期水情特点是:雨量充沛,洪水量大,洪水总量达 458.3 亿立方米,占全年总水量 610 亿立方米的 75%,超过了历年的记录。

7 月特大洪水,在兰考东坝头以下,迫岸盈堤,在山东部分危险堤段洪水位接近堤平,险工坝岸普遍水漫坝顶,各水文站大都超过保证水位。洪峰到达各站的最高水位流量为:7 月 19 日高村站流量 17900 立方米每秒,水位 62.96 米,超过保证水位 0.38 米;20 日孙口站流量 15900 立方米每秒,水位 49.28 米,超过保证水位 0.8 米;22 日艾山站流量 12600 立方米每秒,水位 43.13 米;23 日泺口站流量 11900 立方米每秒,水位 32.09 米,超过保证水位 1.09 米;25 日利津站流量 10400 立方米每秒,水位 13.76 米。大堤一般出水 1 米左右,堤根水深达 3~4 米;东平湖水位达 44.81 米,超过保证水位 1.31 米,个别堤段水高于堤,靠抢加子埝挡水,波浪仍越堤而过,汛情十分紧张。

洪水到来之前,中共山东省委、省人委紧急指示沿黄各级党政领导上堤,迅速做好防御特大洪水的准备。洪水到来后,省委第一书记舒同、书记处书记谭启龙及省防指负责人均亲赴大堤指挥防守,各级党政军民全力以赴,迅速调集 110 万防汛队伍上堤严密防守。昼夜抢修了一米高的子埝 600 公里,险工坝岸加高 2000 多段,抢护各种险情 1290 段次,其中抢堵漏洞 18 处,管涌渗水 109 处。

水情紧张时,人民解放军出动陆海空军部队参加防汛抢险和抢救滩区群众。全国各地支援大批防汛物资。经过 9 个昼夜奋战,排除了无数艰险,战胜了特大洪水。此后,对黄河连续发生的几次洪水,坚持不懈地严密防守,安全度过了汛期。

位山枢纽第二期工程陆续开工

11 月 黄河位山枢纽第二期工程陆续开工。本期工程主要兴建位山拦河闸、东平湖水库出湖闸、围堤石护坡和位山回水区堤防培修工程。拦河闸共 16 孔,每孔净宽 10 米,设计流量 6000 立方米每秒;陈山口出湖闸共 7 孔,每孔净宽 10 米,出湖泄量为 1500 立方米每秒。参加建闸施工的技工、民工 15000 人。

苏联专家视察黄河及位山枢纽工程

11 月 26 日 苏联专家罗辛斯基、奥斯特洛乌莫夫、哈尔杜林、罗卡契夫由黄委会李赋都副主任、山东省水利厅江国栋副厅长陪同,视察了山东黄河及位山枢纽工程,对黄河下游河道演变和治理、枢纽泥沙等问题进行了研究,提出了一些意见。

国务院任命王国华为水利厅副厅长

12 月 20 日 国务院全体会议第 83 次会议通过,任命王国华为山东省水利厅副厅长。

山东省河务局部分机构变更

12 月 26 日 山东省河务局根据行政区划的调整,对组织机构进行了调整,并报告黄委会。局机关撤销办公室,新设秘书科、闸坝管理科。附属单位黄台山石料厂、泺口航运队、菏泽石料采运队划归水利厅器材处领导,测量队划归位山工程局领导。

金堤、范县两段合并为范县修防段,寿张一、二段和东阿第一修防段合并为寿张修防段,齐河一、二段合并为齐河修防段,滨县、惠民段合并为惠民修防段,金线岭段、运西段合并为湖堤修防段,原菏泽修防处改为济宁修防处,惠民修防处改为淄博修防处,东阿第二修防段改为茌平修防段,济阳修防段改为临邑修防段,利津修防段改为沾化修防段,齐东第一修防段改为邹平修防段。撤销齐东第二修防段,其所属堤段按行政区划分界,分别划归邹平、博兴修防段。

吴曰贵等被授予山东省先进生产者称号

12 月 本年度,在山东省第二届先进生产者代表会议上,山东省河务局吴曰贵、李善宝、张玉德、邢本荣、邵振友、孙德宝、董庆才、赵庆彬、汝永庚、刘发、翟云旭、扈印华、王庚祥、崔炳南被授予山东省先进生产者称号。

1959 年

山东省河务局召开防凌技术座谈会

1 月 5 日 山东省河务局在邹平台子召开防凌技术座谈会,有修防处、段的工务科长、股长参加,历时 3 天。山东省水利厅副厅长兼河务局局长王国华在会上作了迅速做好防凌准备的动员报告。会议交流了防凌经验,具体研究了防凌技术措施和加强凌汛观测工作、为凌汛服务等技术问题。

山东省河务局召开防凌工作有线广播会议

1 月 6 日 山东省河务局召开黄河防凌工作有线广播会议,山东省水利厅副厅长兼河务局局长王国华讲话,介绍了当前气象及封河情况,就对防凌的认识以及防凌措施、器材准备等提出意见和要求。

水电部批准黄河位山枢纽工程施工设计

1 月 16 日 山东省水利厅党组向水电部报送《关于兴建黄河位山枢纽工程施工安排的请示报告》,枢纽工程包括:拦河坝、进出湖闸、排凌闸、拦河电站、位山电站、出湖电站、顺黄船闸、出湖船闸、灌溉引水闸、分水闸、东平湖水库及其堤防修复等 20 余个项目。该项枢纽工程设计文件,业经水电部批准,并列入国家计划,于 1959 年兴建,到 1960 年全部完成。

位山引黄闸管理所建立

1 月 16 日 山东省人委批复山东省河务局,同意建立位山引黄闸渠首管理所。

位山库区水文实验总站建立

2 月 23 日 黄委会决定以吴楼河道观测队为基础建立位山库区水文实验总站,负责位山枢纽上下游和东平湖区的水文测验工作。并将泺口、艾山、团山、孙口四个基本流量站划归该总站领导。同时建议山东省水利厅,将戴村坝、位山两水文站也划归该总站领导。该总站业务行政由黄委会水文处负责领导,并接受河务局的领导。

春修施工会议召开

2月23～27日　山东省河务局召开各修防处主任、段长、工务和财务科长会议，研究布置春修施工问题。会议明确春修任务以集中解决堤身薄弱环节，消灭堤身隐患为重点，采取加固措施，以提高堤防的防御能力。整险工程重点加强，一般维修。土方工程包括：东平湖新堤加固165万立方米，位山回水区土方270万立方米，出湖闸引河开挖土方等共计560万立方米。

利津流量站划归前左实验站领导

3月5日　黄委会水文处通知，决定将利津流量站划归前左实验站领导。

山东省河务局机关迁址到山东省水利厅办公

3月24日　山东省河务局迁往青岛路山东省水利厅所在地办公。

韩家墩引黄闸竣工放水

3月25日　滨县韩家墩引黄闸竣工放水。该闸于1958年9月1日开工，工程结构为钢筋混凝土开敞式。闸分4孔，每孔净宽8米，设计引水位13.5米，引水流量240立方米每秒，控制灌溉面积400万亩。当年建成渠系工程可灌面积100万亩。3～9月底引水3亿立方米，浇地70.3万亩，其中浇麦田32.7万亩，改碱6.6万亩，当年增产粮食3000万斤。

黄委会召开引黄灌溉分水会议

3月25日　黄委会在郑州召开引黄灌溉分水会议，确定冀鲁豫三省1959年黄河枯水季节分水比例为1:2:2。并规定当秦厂流量在800立方米每秒以上时，底水扣200立方米每秒；800立方米每秒以下时，底水扣100立方米每秒。根据协议计算，山东省可利用水量为200立方米每秒发展灌溉。

水电部专家组研究位山枢纽工程规划方案

3月26日　水电部专家工作组在位山工程局召开位山枢纽规划现场会议。出席会议的有专家工作组组长、北京水科院副院长张子林，黄河勘测设计院韩培诚副院长及工程设计人员，省水利厅、位山工程局及有关部门负责人50余人。苏联专家考尔涅夫、卡道姆斯基、希列索夫斯基赫等参加了会议。首先由黄河勘测设计院及位山工程局分别就位山枢纽工程规划修正方案、位山工程施工情况作了汇报，随即组织了枢纽布置、运河穿黄、模型试验三个小组，对黄河设计院提出的方案进行了研究，并实地查勘了枢纽一带河道形势、建闸、穿黄位置等。经各组讨论后向会议作了汇报，苏联专家代表考尔涅夫作了综合发言，张子林组长对会议讨论情况作了总结。会议对位山枢纽提出了三个方案，建议进行此三方案的模型试验后再作论证。对京杭运河穿黄位置认为在枢纽坝上平交穿黄较好，也提出三个方案，一致认为十里堡方案较好，穿黄闸设在国那里和林楼。以上方案进行模型试验后于 8 月 1 日提出正式报告，黄河设计院在相应时间内提出初步设计报水电部审批。

黄河春修工程开工

4 月 黄河春修工程陆续开工。堤防工程根据 1958 年特大洪水考验和暴露出的弱点，春修主要任务是采取各种加固措施，集中解决堤身的薄弱环节和隐患，增强堤防质量，提高防御标准。春修任务包括：堤防加固，位山回水区堤防培修，东平湖山口围埝。上堤民工 4 万人，于汛前完成土方 534 万立方米。石方工程任务大，以东平湖围堤石护坡砌石工程为重点，险工坝岸以加固根石为主，一般不加高，共计完成整险石方 3.2 万立方米，东平湖石护坡完成石方 95.9 万立方米。

黄委会批复山东省河务局机构人员编制调整意见

4 月 4 日 黄委会批复同意山东省河务局机构人员编制调整意见，新编制人数为 2288 人，所属修防处、段调整为：

济宁修防处所辖菏泽、鄄城、郓城、梁山、湖堤、汶上修防段及采运队；

聊城修防处所辖范县、寿张、茌平、东平、齐河、临邑修防段及位山引黄闸渠首管理所；

济南修防处所辖历城、章丘修防段；

淄博修防处所辖邹平、博兴、广饶、惠民、沾化修防段；

东平湖修防处。

刘庄引黄闸竣工放水

5 月 1 日 菏泽刘庄引黄闸竣工放水。该闸是 1958 年 10 月 6 日开工的，工程结构为钢筋混凝土涵洞，共 25 孔，每孔净宽 2.5 米，设计流量 250 立方米每秒，控制灌溉面积 750 万亩。截至冬灌，共引水 5492 万立方米，浇地 25.1 万亩。

《黄河防汛巡堤查水办法》印发

5月1日　山东省河务局制定《黄河防汛巡堤查水办法》。经全省防汛会议讨论后修订印发各级防汛机构执行。内容包括：(1)防汛队伍的组织及任务；(2)关于上堤防守人数的规定；(3)巡堤查水办法；(4)防汛工具料物的配备；(5)警号标志及报警办法；(6)几种堤病及险情鉴别；(7)加强检查工作。

山东省防汛工作会议召开

5月7～14日　山东省人委召开了全省防汛工作会议。会议由省委常委张新村主持，首先传达了全国防汛会议精神和邓子恢副总理对防汛会议的指示，讨论了黄河、内河防汛工作计划；同时对1959年的水利建设工程也作了布置。对黄河防汛任务，确定以1958年花园口22300立方米每秒洪水为保证任务，以花园口1958年型25000立方米每秒洪水为争取防御目标。在争取目标以内，除充分利用东平湖蓄洪外，不采取其他分洪措施。

黄河防总召开黄河防汛会议

5月11～13日　黄河防总在郑州召开黄河防汛会议。到会的有河南、山东两省及沿黄各专署负责人，河南、山东省河务局及修防处负责人。会议由总指挥吴芝圃主持，讨论了《1959年黄河防汛工作方案》，研究确定了以防御秦厂1958年型30000立方米每秒洪峰为目标，贯彻"全河一盘棋，全河一条心，争取防汛全部胜利"的精神，分别拟订了防洪措施方案。会议传达了邓子恢副总理对黄河防汛的指示：黄河的分洪措施还需做准备，北金堤一定要守好。总之，一定要保证不决口。

赵登勋、武化善任山东省水利厅黄河河务局副局长

5月20日　山东省人委第三次会议通过任命：赵登勋、武化善为山东省水利厅黄河河务局副局长。

黄河防总发出《1959年黄河防汛工作指示》

5月21日　黄河防总发出《1959年黄河防汛工作指示》，指出做好防汛工作，保证黄河不发生严重的决口和改道，有着特殊的政治与经济意义。

加强东平湖石护坡工程和防汛工作

5 月 25 日 中共山东省委、省人委发出《关于加强东平湖水库石护坡工程和防汛工作的通知》,责成山东省东平湖工程指挥部兼管防汛工作,日常工作由副指挥刘传朋、程勉、夏子凡具体负责。指挥部根据东平湖防汛运用计划,准确掌握情况,适时控制运用,以利防汛安全。对省已确定的工程和防汛所需劳力和车船工具,责成济宁、聊城地委负责解决,尽力赶修湖堤石护坡工程。省委确定由济宁、聊城地区各调 1 万人,带齐工具,常年施工,洪水未来之前赶修工程,洪水到来参加防汛。

国务院研究黄河防汛和东平湖水库问题

6 月 5 日 国务院邓子恢副总理主持会议,研究黄河防汛和东平湖水库问题。农村工作部副部长陈正人、水电部副部长钱正英、黄委会副主任江衍坤,河南、山东省副省长彭笑千、邓辰西,山东省水利厅副厅长王国华、主任工程师包锡成参加了会议。邓副总理听取了黄委会及河南、山东省负责人的汇报后,研究确定黄河防洪任务以保证花园口流量 25000 立方米每秒、争取防御 30000 立方米每秒洪水为目标;东平湖水库按二级运用作蓄洪准备,石护坡工程增派部队支援施工,投资由中央安排。

山东省防指决定滩区生产堤及工程建设标准

6 月 17 日 山东省防指作出《关于黄河生产堤及滩地工程的决定》。指出滩地生产堤和引水渠堤的修筑,缩小了河道的排洪能力和容量,对防洪不利,必须贯彻黄河防总防小水不防大水的原则。经山东省防指研究决定,生产堤及滩地渠堤均以防御高村流量 8000 立方米每秒为宜。如遇超过此标准的洪水,根据具体情况需要破除时,由山东省防指下达破除命令,各专、县防汛指挥部必须坚决贯彻执行。破口宽度一般不少于总长度的 20%,应多开缺口,以免水流集中,危害堤防安全。

中共山东省委、省人委指示做好防汛工作

6 月 23 日 中共山东省委、省人委发出《关于做好防汛工作的指示》。对黄河防汛任务,要求保证秦厂洪峰流量 25000 立方米每秒安全度过汛期,争取防御 30000 立方米每秒的洪水。在这个基础上做到在任何类型洪水情况下,有准备、有对策,保证不发生决口和改道。

东平湖石护坡工程基本完工

6月30日 东平湖水库石护坡工程基本完工。这项工程是沿新湖堤临水坡修筑砌石护坡,以防御蓄洪后风波的侵袭。计划修至47米高程,砌石护坡长69公里,共需石料95.9万立方米。1958年11月23日开工,参加施工的有梁山、东平、汶上三县民工6万人。为保证安全度汛,中共山东省委决定从济宁、聊城增调民工2万人,解放军部队6500人,于汛前赶修石护坡,暂砌至46米高程,砌修长度为61.3公里。由于加强了施工领导和人力,汛前基本完工,部分尾工留待汛后完成。

抢险技术现场会在泺口召开

7月9～13日 山东省防指黄河防汛办公室在泺口召开了抢险技术现场会,观看了济南修防处堵漏抢险演习,听取了济南修防处和齐河修防段1958年特大洪水抢险堵漏的经验介绍,讨论了防汛抢险的各种技术措施,研究了当前防汛工作。

黄河防总要求豫鲁两省制订北金堤内渠堤破除方案

7月11日 黄河防总发出《关于制订北金堤滞洪区内金堤水库堤线以及影响泄洪较大的渠堤破除方案的通知》。指出在北金堤滞洪区修建的金堤水库及大小渠堤,滞洪后严重影响洪水下泄,甚至威胁北金堤的安全。要求河南、山东省防汛指挥部拟订水库格堤、顺堤和渠堤的破除方案,原则上在确定滞洪后,库堤渠堤应于分洪口门破除的同时坚决破除,破除方案报送黄河防总。

位山枢纽工程规划研讨会召开

7月21日 山东省水利厅在位山工程局召开了位山枢纽规划会议。出席会议的有水电部、交通部、黄河勘测设计院、省建委、省水利厅、位山工程局等单位工程技术人员47人。会议根据位山枢纽第一阶段模型试验资料,研究讨论枢纽布置方案及运河穿黄问题。关于枢纽布置方案提出集中在南岸布置和北岸布置两种意见,关于运河穿黄方案提出湖西线和湖中线,关于枢纽下泄流量提出6000立方米每秒和8000立方米每秒两个指标,关于进湖闸位置多数认为十里堡较好。对上述意见,会议确定由黄河勘测设计院进一步加以论证比较,提出阶段报告,经上级审查决定后于9月底完成初步设计,11月完成技施设计。

山东省人委公布防汛物资借调试行办法

7月23日 山东省人委为保证防汛物资供应,加强借调物资的使用管理,制定了《1959年借调各部门、机关、团体、大专院校防汛物资的试行办法》并公布执行。办法规定:驻在济南的省直各部门、机关、团体、大专院校等单位存有能用于黄河及内河防汛的机电照明设备、起重与运输设备、燃料容器及麻袋、蒲草包等器材物资,均应进行登记,必要时借调使用,用后付款。

菏泽刘庄堤段发生重大险情

8月20日 菏泽刘庄堤段发生重大险情。由于黄河自濮阳南小堤以下突然摆动,溜势下延,刘庄险工下首至后郝寨间1500米均着大溜,滩岸坍塌严重,有300米一段距大堤仅二三十米,直接危及堤防安全。险情发生后,省水利厅副厅长王国华、菏泽专署副专员程勉立即赶往刘庄指挥抢险。黄委会亦派工程局副局长田浮萍到达刘庄,共同商定抢险措施。在菏泽地、县委领导下建立刘庄抢险指挥部,调集干部工人730人、民工6.3万人,调运100万公斤料物投入抢险。抢险中抛护了大量柳枕和铅丝笼,抢修新坝11道,修圈堤1道,9月14日抢护脱险。

黄委会查勘研究于林湾治理问题

8月28日 为查勘研究黄河于林湾的治理问题,黄委会派工程局副局长田浮萍会同省水利厅副厅长王国华、菏泽专署副专员程勉和河南新乡修防处主任苏金铭等,实地查勘了于林湾和王密城湾的河势变化情况,研究讨论了这段河湾的治理意见。

邓子恢致电慰问刘庄抢险干群

9月1日 国务院邓子恢副总理来电,对参加刘庄抢险的干部工人民工进行慰问。并指示黄河汛期仍未结束,为确保黄河大堤安全,希考虑当流量超过10000立方米每秒以上的防御措施,并有所准备。

李民任山东省河务局副局长

9月14日 山东省第二届人民委员会第五次会议通过了李民为山东省河务局副局长的任命(列赵登勋之后)。

黄委会考察东平湖围堤渗流情况

9月16日 为研究东平湖水库围堤渗流问题,黄委会水利科学研究所邀请苏联专家鲁布契可夫,由李延安副所长陪同,实地考察了东平湖水库围堤渗流情况,对围堤渗流的观测研究、处理措施等提出了建议。

毛泽东主席视察黄河泺口险工

9月20日 下午4时左右,毛泽东主席在中共山东省委书记、省长谭启龙的陪同下,到济南泺口视察了黄河。毛主席乘车到了泺口镇西边的黄河大堤上,下车后向西慢慢走去,走到泺口险工西段43号石坝时,问:“这是什么?”随行人员答:“这是险工”,并向毛主席汇报了险工的作用。毛主席听后走向坝头,一直走到石坝前沿,仔细地看了看,接着详细地询问了黄河的情况,并问:“黄河水有多深?夏季水有多大?”随行人员一一作了回答,毛主席听了以后说:“黄河水还可以充分利用。”

由险工石坝上折回,毛主席顺黄河大堤继续前行,一直走到离泺口镇三四里的一个小村庄附近,群众闻讯都从家里跑了出来,毛主席亲切地向他们挥手告别。

河口开发利用座谈会召开

9月29日 山东省水利厅主持召开了黄河河口开发利用问题座谈会,省交通厅、农业厅、水利厅、气象局、地质局、水产局、河务局、黄海水产研究所、水利科学研究所、前左水文实验站等单位的负责人和工程技术人员参加。这次会议为拟订黄河河口开发利用规划听取了各方面的意见。12月17日,山东省水利厅向黄委会报送了《关于开发黄河河口轮廓规划意见》。

山东省河务局召开冬季工作会议

10月6日 山东省河务局在济南召开冬季工作会议。到会的有各修防处主任、科长和修防段长、股长。会议讨论了1960年工程标准及冬修工程计划,黄河绿化与发展河产的新五年规划,财务器材的清理保管及制度的改进意见,防汛总结评比与结束工作意见。会议于11日结束。

位山枢纽第三期工程开工

10月15日 黄河位山枢纽第三期工程开工。这期工程是根据中共山东省委、省人委关于位山枢纽今冬完成大河截流的指示兴建的。主要工程项目有十里堡、耿山口、徐庄3座进湖闸以及防沙闸、顺黄船闸、截流大坝、东平湖水库进湖围堤和引河开挖等。来自菏泽、聊城、济宁、济南四个专区(市)19个县20万民工参加施工。这期工程完成后,位山枢纽工程基本建成。

十里堡、耿山口、徐庄进湖闸是控制黄河洪水进入东平湖水库的主体工程。耿山口进湖闸(6孔)、徐庄进湖闸(5孔)两闸总过水能力为2860立方米每秒。拦河截流大坝位于黄庄西侧,截流工程设计采用双坝由左岸下埽进占办法抛柳石枕合龙。截流合龙后,黄河改道通过拦河闸控制下泄流量,配合进出湖闸的控制运用,起到防洪、防凌、灌溉和通航等综合利用的作用。

位山枢纽上游淤积测验队成立

10月23日 黄委会确定,1959年冬暂时撤销河湾一、二队,成立位山枢纽上游淤积测验队。孙口流量站迁至杨集。

黄河安全度过汛期

10月31日 黄河汛期安全度过。入汛以来,黄河花园口站先后出现5000立方米每秒以上洪峰7次,正在施工的三门峡水库对来自潼关站10000立方米每秒以上的4次洪水发挥了拦洪作用,削减洪峰流量1/4～1/2,使下泄流量保持在6000～8000立方米每秒,减轻了下游的防汛负担。8月最大一次洪水到达山东河道,孙口流量为8660立方米每秒,利津流量为7800立方米每秒,部分靠水堤段布置了防守。因三门峡拦洪的关系,洪水平均流速大,冲刷力强,下游河道溜势变化较大。濮阳南小堤以溜势下延,刘庄至后郝寨间滩岸坍塌发生新险,有6万防汛队伍上堤抢险18天,抢修新坝11道。东平湖堤遭受洪水风浪袭击,有12653米堤坡坍塌严重,经千余人抢护30天,修做柳枕护坡工程13公里,保住了堤防。在战胜历次洪水中,共抢护坝岸、护滩坍塌掉蛰等险情453段次,动用石料2.2万立方米,柳枝253万公斤,秸苇48.6万公斤,木桩2.4万根,用工10.6万个工日。

黄委会确定下游防凌"上分下泄"方针

11月11日 黄委会发出《关于1959年黄河下游防凌措施意见》。确定防凌采取"上分下泄"的方针,除运用历年来与凌汛斗争的一切有效措施和经验,使凌水顺利下泄外,在开河之际充分利用各引水工程引蓄水量,避免因来水下游冰凌卡塞不能下泄,壅高水位,影响堤防安全。下游破冰船破冰、炸冰、溢水堰分水等措施亦应及早准备，确保凌汛无虞。

梁山陈垓引黄闸竣工放水

11月28日　梁山陈垓引黄闸竣工放水。该闸为钢筋混凝土涵洞，共3孔，每孔净宽2.5米，设计引水流量30立方米每秒，控制灌溉面积30万亩。

山东黄河治理三年规划报国务院审批

12月8日　中共山东省委将山东省黄河治理三年规划意见报请中央国务院审批。为了及早完成黄河下游治理，山东省准备于1961年汛前全部完成4个枢纽工程、3个拦河电站及海口防潮闸工程。具体安排意见是：1960年汛前建成位山、王旺庄两个枢纽工程，完成28座闸、4座水电站及汶河6个水库和沿海防潮堤工程；1959年冬至1960年汛前建成苏泗庄、泺口两个枢纽工程。现位山、泺口、王旺庄枢纽设计要点业已编就送黄委会审批。

位山枢纽拦河坝截流工程合龙

12月9日　黄河位山枢纽拦河大坝截流工程，自11月25日开始进占，经2万余名员工奋战14昼夜，本月7日8时引河爆破过水，9日下午5时30分胜利合龙，黄河改经引河通过拦河闸下泄。12日在工地举行了庆祝大会，水电部、农业部、黄委会、河南等省的代表、当地群众及参加施工的职工3万多人参加了庆祝大会，热烈庆祝截流工程合龙的伟大胜利。中共山东省委第一书记舒同在会议上讲了话，并代表省委、省人委向位山工程建设者表示祝贺和慰问，对河南省的大力支援及全国各地的支持表示感谢，号召大家再接再厉，夺取位山枢纽工程全部胜利。

王国华向中共山东省委汇报治理黄河规划

12月13日　山东省水利厅副厅长王国华，在位山工程局向中共山东省委书记舒同和黄委会副主任赵明甫汇报了山东省治理黄河三年规划意见。提议在1961～1962年内完成苏泗庄、位山、泺口、王旺庄四个水利枢纽工程，黄河支流汶河水库工程；第三年在各枢纽之间完成杨集、望口山、马扎子三道拦河梯级工程；各枢纽两岸引黄灌溉面积，于1961年争取达到6000万亩；徒骇、马颊河治理，黄河海口治理于1962年完成。上述工程计划在1960～1962年内分期施工完成。

惠民县簸箕李引黄闸竣工

12 月 30 日 惠民县簸箕李引黄闸竣工。该闸是 6 孔钢筋混凝土箱式涵洞,设计引水流量 75 立方米每秒,控制灌溉面积 150 万亩。

张汝淮任淄博修防处主任

12 月 张汝淮任淄博修防处主任。

1960 年

王旺庄枢纽工程开工

1 月 1 日 黄河王旺庄枢纽工程动工兴建。它是黄河最末一级枢纽,约距河口 120 公里。主要工程有拦河坝、拦河闸、防沙闸、船闸及引黄闸。拦河闸建在滩地上,全长 280 米,共 24 孔,泄水能力为 6000 立方米每秒,最大下泄 8000 立方米每秒;拦河坝和防洪堤分别建在拦河闸两侧,与两岸大堤相接,第一期工程土方 700 万立方米,主要料物 200 万吨,于汛前完成。当日在工地举行了开工典礼大会,淄博地委第一书记王成旺在会上讲话,号召全体员工群策群力,献计献策,战胜严寒,保证按期完成施工任务。

山东省河务局组织堤防压力灌浆试验

1 月 6 日 山东省河务局根据几年来的经验,证明压力灌浆是消灭堤身隐患、加强堤身强度行之有效的方法,准备大力发展。为解决在施工方法及各项操作过程中存在的问题,制定一整套施工规程,决定在齐河、茌平、惠民修防段于春修开工前组织专门力量,按规定项目进行试验。除局派人参加齐河试验外,聊城、淄博两修防处派人参加。

山东省人委召开位山枢纽施工会议

1 月 10 日 山东省人委在济南召开位山枢纽施工会议,有菏泽、聊城、济宁、淄博、济南 5 个专区(市)及 15 个县的负责人参加。会议研究部署了位山枢纽第四期工程的施工问题,决定由上述地区 15 个县调集民工 15 万人,于 2 月份全面开工,麦前完成施工任务。主要工程包括十里堡进湖闸、顺黄船闸、冲沙闸及船闸引河开挖、拦河闸引河展宽、位山回水区大堤加固、湖东排渗、银山区排渗等工程,共计土方 1786.8 万立方米、石方 77.4 万立方米、混凝土

3.9 万立方米。

黄河第二届先进生产者代表大会召开

1 月 13～19 日 黄河第二届先进集体和先进生产者代表大会在郑州召开。出席大会的有来自黄河修防、水土保持、勘测设计、水文、水利科学研究等治黄战线上的先进集体和先进生产者代表 300 多人。水电部副部长钱正英到会作了指示,黄委会主任王化云作治黄工作报告。参加大会的山东省河务局代表 70 人,其中有创造半机械化锥探机和手摇捆枕器的惠民修防段张玉德,改进压力灌浆的齐河修防段刘长江,还有从事治黄工作 62 年、在位山截流中作出贡献的老河工薛儿龄。

东平湖徐庄进湖闸竣工

1 月 15 日 徐庄进湖闸完工。徐庄闸共 5 孔,跨度为 10 米,系钢筋混凝土和浆砌石混合结构,岩石基础,闸门为钢梁木面板,闸底板高程 39 米,当闸上水位 47 米时泄洪量为 1300 立方米每秒。该闸是 1959 年 10 月 21 日开挖基础的。

钱正英主持讨论泺口枢纽工程布设及施工方案

1 月 23 日 水电部副部长钱正英在济南山东宾馆主持讨论泺口枢纽工程布置及施工等问题。参加的主要人员有:水电部技术委员会副主任高镜瀛、水电总局总工程师李维弟、水利科学研究院副院长黄文熙,山东省副省长李澄之,省水利厅副厅长江国栋、张次宾、张瑨,位山工程局副局长刘习斌,省交通厅副厅长张云谢,淄博专署专员邢钧,黄河设计院副院长韩培诚等。经过两天讨论,钱副部长综合大家的意见,认为南北二方案无原则差别,责成施工设计部门立即对南、北方案在施工上进行详细安排。24 日晚,经施工、设计部门讨论,一致认为集中北岸施工分期不好安排,建议采用南方案,并请示钱副部长同意。

位山枢纽工程初显防凌作用

2 月 2 日 位山枢纽发挥防凌作用,安全度过黄河凌汛。黄河自 1 月 24 日封冻长 454 公里,总冰量达 1600 万立方米,冰厚一般为 10～25 厘米。1 月 26 日气温上升,河南省及菏泽地区河冰解冻。为安度凌汛,省防指布署做好一切防凌准备,同时决定运用位山枢纽控制下泄流量,利用东平湖水库蓄水春灌，并布置位山以上各引黄闸分水。在拦河闸的控制下，下泄流量在 90 立方米每秒左右，减轻了位山以下凌汛的威胁，配合其他防凌措施，安全度过凌汛。

苏联专家查勘泺口枢纽工程

2 月 5 日晚 黄委会泺口枢纽设计组负责人蒋徽寿在济南交际处向苏联专家巴甫洛夫（苏联农业部水利局设计院总工程师）、莫哈米笃夫（塔什干）汇报了泺口枢纽工程初步设计。6 日上午去工地查勘，下午专家发表了意见，认为第三方案较好。参加汇报和查勘的有：北京水利科学研究院副院长苏一凤，专家颜镜海、杜国翰，山东省水利厅副厅长江国栋，泺口工程局局长刘端、主任工程师包锡成，黄河勘测设计院韩培诚、龚时旸等。

调整山东省河务局系统部分机构

2 月 6 日 山东省水利厅党组报请中共山东省委农村工作部批复同意，调整黄河河务局系统部分组织机构，将河务局测量队、工程队合并为河道整治队，菏泽、聊城、济南、淄博各修防处增设生产管理科，鄄城、郓城、梁山、茌平、范县、寿张、齐河、广饶、惠民、沾化、临邑等修防段增设生产管理股，将东平湖修防处及所属各修防段、位山引黄闸渠首管理所划归位山工程局管理。

山东省河务局召开治黄工作会议

2 月 9 日 山东省河务局召开治黄工作会议，各修防处、段负责人等共 30 余人出席。会议主要是在总结 1959 年工作的基础上，研究讨论了 1960 年上半年各项治黄任务和今后三年治黄规划以及 1960 年科学技术发展计划，并提出了实现治黄工作全面跃进的措施。会议于 14 日结束。

山东省河务局向越南代表团介绍锥探和压力灌浆经验

2 月 15 日 山东省河务局向越南民主共和国代表团介绍了采用锥探和压力灌浆方法，消灭堤身隐患的经验。

黄河下游治理工作会议在郑州召开

2 月 23～29 日 黄委会在郑州召开黄河下游治理工作会议，总结交流治黄工作经验，研究和确定今后治理方针和任务。山东省河务局各修防处、段及大型涵闸管理所负责人等参加。

黄河泺口枢纽工程动工兴建

2月25日 黄河泺口枢纽工程动工兴建。上午10时1.8万名员工隆重举行了开工典礼大会。中共山东省委书记处书记邓辰西、省人委副省长李澄之、济南市委书记处书记秦和珍等参加了典礼大会。

王化云主持召开冀鲁豫三省灌区用水问题

2月25日 关于黄河下游枯水季节河南、山东、河北三省灌区用水问题，三省代表曾在北京进行研究，嗣后经水电部及中共河南省委指示，25日在郑州继续进行协商。会议由黄委会主任王化云主持，参加会议的有河南省水利厅副厅长冯智俊、河北省水利厅副厅长刘季兴、山东省水利厅副厅长王国华、水电部刘德润等。会议对当前的旱情和黄河水情进行了分析，认为河南、山东两省旱情是严重的，而且还在发展，1960年黄河枯水季节的水量据预报推算将较一般年份为少。在这一形势下，充分利用黄河水源，对保证黄灌区小麦丰收和顺利完成春播有重大意义。据此，会议统筹安排本年枯水季节三省用水问题，经协商确定：(1)黄河枯水季节三省水量的分配一律按2∶2∶1的比例，分配给河南、山东、河北三省。(2)黄河河口渔业用水在2∶2∶1之外包括输水损失为60立方米每秒。以上流量计算以秦厂站为准(具体执行时自花园口站向上推算，并以高村站验证)。(3)河北省4～7月水稻用水季节，在2∶2∶1的比数以外，尽量予以照顾。(4)由黄委会主持，三省派代表组成配水协作小组。小组任务如下：提供黄河水情预报；收集和交流各省灌区需水情报，制定配水计划；在特殊情况下，协商解决调剂各省的用水，并立即组成小组着手工作。(5)建议三省境内加强闸渠管理工作，统一调配各灌区的用水，在现有水源下节约用水，尽可能地多灌农田。

黄委会调查总结下游淤改工作

3月 黄委会水利科学研究所、工务处对黄河下游放淤进行了调查总结。据调查，聊城、菏泽、淄博专区及济南市区1960年以前已改良沙荒及盐碱洼地31.3万亩，还有434.8万亩尚待淤改。

泺口水利枢纽工程批准施工

3月15日 山东省黄河泺口水利枢纽工程局《关于泺口水利枢纽施工安排的报告》称：泺口枢纽工程是黄河综合利用重要阶梯之一，位于济南市北郊亓家庄和对岸齐河八里庄之间，综合利用效益大，经中共山东省委研究决定并报请中央批准，提前于上半年修建。本期施工的工程有：泄洪闸、拦河闸、北岸引黄闸、电站、船闸、拦河坝及相应的各闸引河开挖与河道整治工程。总计土方 1141.8 万立方米，抛砌石 25.3 万立方米，混凝土 9.6 万立方米。施工进度总的要求是：泄洪闸、拦河闸“七一”前完成，争取完成北岸引黄闸，并力争汛前截流；船闸及电站等于“十一”完成。2 月 25 日已动员 1.55 万人开挖泄洪闸基坑，3 月 8 日动员 5000 人开挖拦河闸基坑。

山东省河务局作出压力灌浆试验报告

3 月 16 日 山东省河务局根据 1957～1959 年各段利用压力灌浆消灭堤身隐患所收集的资料，作出压力灌浆试验报告，对泥浆稠度、使用压力大小、灌实遍数等总结出初步数据，供 1960 年大力开展此项工作时参考。

东平石料收购站更名为平阴石料收购站

4 月 21 日 山东省河务局根据行政区划的调整，将东平石料收购站改为平阴石料收购站。

打渔张灌区穿黄破堤引水入孤岛

4 月 26 日 山东省水利厅批准垦利县打渔张灌区八干在赵家屋子以下民埝穿黄破堤引水入孤岛，解决工农业用水。在破堤处修建节制闸，以便汛期洪水漫滩时关闸断流。要求加强施工质量，汛前完成。

乐陵修防段建立

4 月 26 日 山东省河务局报请中共山东省委农村工作部同意，建立乐陵修防段。

泺口枢纽船闸标准确定

4 月 26 日 山东省水利厅致函黄河勘测设计院，关于黄河泺口枢纽顺黄船闸标准问题，于本月 7 日江国栋副厅长请示水电部，经副部长钱正英指示，仍按济南会议所定标准，即长 130 米、宽 12 米、水深 2.5 米，通航能力 300 吨修建，请据以进行设计。

黄委会确定建闸审批权限

4月28日 黄委会通知河南、山东省河务局,加强在黄河下游堤防建闸的监督检查工作。近年来,黄河下游两岸兴建了许多引黄灌溉工程,对促进农业生产起着重大作用,必须积极兴办。但是在修建涵闸工程中也出现了一些问题。为此规定,各省沿黄破堤建闸统由黄委会审批,虹吸工程亦需经山东省河务局同意后始得兴建。

鄄城县苏泗庄引黄闸竣工放水

5月3日 鄄城县苏泗庄引黄闸竣工放水。该闸为5孔箱式钢筋混凝土涵洞,引水50立方米每秒,灌淤该县100余万亩盐碱地。该闸是3月1日动工兴建的。

水电部检查冀鲁豫三省用水情况

5月7日 水电部派出检查组会同黄委会,检查黄河下游三省用水协议执行情况。由水电部副司长刘德润及黄委会主任王化云主持,河南、河北、山东省水利厅及漳卫南运河管理局负责人参加。经检查认为:三月以来,黄河下游三省配水工作协议执行情况基本上是好的,对于三省农业抗旱、保证丰收起着很大的作用。但由于这是一项新工作,还缺乏经验,在抗旱用水比较紧张的时候,根据协议,三省引用的水量是不平衡的,并协商了解决的办法。

山东省防指发出《1960年防汛工作计划》

5月13日 山东省防指发出《1960年防汛工作计划》,确定黄河防洪任务,仍以防御花园口洪峰流量25000立方米每秒为目标。各河段的具体任务是:孙口水位50.1米;位山拦河闸前水位47米;东平湖蓄水位45.5米,按46米作准备;泺口水位31.5米。并对各类型洪水要有对策、有准备,确保堤防安全。在保证黄河不决口的前提下,充分利用涵闸、水库大蓄洪水、大淤盐碱地,同时运用灌区小坑塘等蓄水,做到蓄水与排水结合,抗旱与防汛结合,防洪与用洪结合,变水害为水利,确保农业大丰收。

山东省抗旱防汛工作会议召开

5月14～20日 山东省抗旱防汛工作会议在济南召开,参加会议的有:各专区专员、专区水利建设指挥部指挥,黄河各修防处主任、修防段长共197

人。会上传达讨论了全国防汛工作会议精神,研究部署了全省抗旱防汛工作。

汛前加紧修做河道整治工程

6 月 山东黄河河道整治工程,根据固滩、缩槽、逐步前进和尽量利用原有险工固定河势、保证涵闸引水的原则,采用树、泥、草等轻型工程和柳石垛等重型工程相结合的办法,于汛前在位山以上对重点河湾进行控制,使河势向有利方向发展。施工地点北岸有:范县段李桥、林楼,寿张段潘集、席胡同;南岸有:鄄城段双李庄、郓城段徐码头等处。位山以下对经常发生滩岸坍塌,对上下游险工河势变化有严重影响的河段进行了维护,个别地方开始逐步缩窄河槽。汛前完成施工的有:北岸临邑段邢家渡、任家岸、乐陵段小街子,惠民县王平口、纸坊、赵四勿,沾化段毕家庄,南岸济南张褚窝,章丘段东邢至河王庄、北刘,邹平段八里堡,博兴段翟家寺、刘春家,广饶段佛头寺等处。

博兴县刘春家引黄闸竣工放水

6 月 1 日 博兴县刘春家引黄闸竣工放水。该闸 3 月 7 日动工,系 3 孔压力箱式涵洞,设计流量 37.5 立方米每秒,最大引水量 69.5 立方米每秒,可控制原刘春家、大道王及打渔张灌区,灌溉面积 90 余万亩,并向盛产鱼、藕、苇、蒲等水产的麻大湖及大芦湖的养鱼场、共青团水库送水。

于林湾截流坝建成

6 月 3 日 于林湾截流坝建成,迫使大河仍归原河槽。1958 年 8 月黄河在下游濮阳境内于林湾河势变化,致使山东省菏泽县刘庄老险工脱河,下首又生新险,新修刘庄引黄闸不能引水,鲁西南 760 万亩土地不得灌溉。由于河势变化,下游滩岸不断坍塌,严重威胁着堤防安全。根据黄委会指示,由山东省组织劳力,筹料过河施工。截流坝全长 2000 米,顶宽 12 米,坝顶高程 63 米,并有 5～10 米宽后戗,戗顶高程 60.5 米,坝前修有 15 道丁坝。

于林湾截流工程汛后交濮阳段管理

6 月 18 日 黄委会副主任江衍坤主持会议,研究于林湾截流工程的防守与王密城湾截流工程的布局问题。豫、鲁两省河务局及新乡、菏泽两修防处负责人参加。协商同意汛后交濮阳段管理。10 月 16 日山东省河务局曾报请黄委会移交河南省河务局管理。1961 年 6 月 19 日中共中央批转水电部党组关于 1961 年黄河防汛问题的报告中指出:山东为保证菏泽灌区引水,于 1960 年在河南省境修筑的南小堤导流坝，隔河跨省防守不便，建议由河南接管防守。

中共山东省委公布省防指成员名单

6月22日 中共山东省委公布省防指组成人员名单：指挥谭启龙，副指挥张新村、方正、李建修、刘清训，秘书长江国栋，副秘书长张次宾、王国华。黄河防汛办公室主任王国华，副主任刘传朋、赵登勋、武化善。

王国华率团赴东平湖水库工地慰问

6月24日 中共山东省委、省人委决定组织慰问团，由水利厅副厅长王国华率领，赴东平湖水库工地，对解放军0221部队及民工进行慰问。并有吕剧团随同前往进行慰问演出。

黄委会组织试验研究东平湖围堤渗流问题

6月28日 为了确保东平湖水库围堤安全及水库的正常运用，黄委会于1959年10月提出《东平湖围堤渗流问题试验研究计划》。黄委会水利科学研究所从元月起在山东省水利科学研究所的协助下，结合地质勘探开展了此项问题的试验研究。仅对湖东围堤的渗流稳定问题进行了分析，分析结果证明，在许多堤段均有发生渗流破坏的危险，必须加以处理。

黄河防总规定破除生产堤标准

7月7日 山东省防指黄河防汛办公室根据黄河防总指示，本年在一般洪水情况下不破除生产提，并规定1960年黄河下游生产堤防御标准为花园口流量10000立方米每秒，如遇超过此标准的洪水时，应根据舍小救大，缩小灾害的原则，有计划地自下而上或自上而下分片开放，分滞洪水；如发生超过15000立方米每秒的洪水，生产堤应全部开放，结合本省情况规定如下：(1)1960年山东黄河生产堤修复标准，为便于掌握，其高程一般以防御1959年最高洪水为准，超高以不过1米为限，其断面大小仍按以往规定掌握。如现有生产堤超高在0.5米以上者，不再加高，可适当修整。(2)由于三门峡水库尚未完全建成，伊、洛、沁河支流汛期洪水也无法控制，故1960年汛期现有生产堤暂不向前推进；新修生产堤必须经专、县修防部门实际查勘，严格掌握排洪河道的宽度，以免影响排洪，危及对岸堤防安全。(3)生产堤防守以公社为主组织防汛队伍，修防单位协助指导；并制定出分段分片防守和破除措施计划，务于7月15日前报山东河务局，统一研究正式批复。

山东省防指决定向东平湖新湖放水

7 月 19 日 山东省防指做出东平湖水库开始蓄水运用的决定。据预报，7 月 20～21 日黄河中游普降中到大雨,可能产生 5000～8000 立方米每秒的洪峰。经研究需要在较大洪水未到达前,对新湖堤防试行放水考验,并利用蓄水依靠船只抢运石料,加修石护坡,为防洪蓄水创造更有利条件。东平湖防汛指挥部做好各项工程观测、破口及防守准备。

铁道部在泺口进行架桥通车演习

7 月 19 日 山东省防指通知王旺庄枢纽工程指挥部:7 月 22 ～25 日铁道兵某部在泺口进行架桥通车演习。在此期间位山拦河闸控制下泄流量 550 立方米每秒左右,供架桥通车演习之用。据此推算王旺庄临时拦河坝水位仍可到达 15.6 米以上,为确保堤防和施工工地安全,拦河坝应即进行破除准备。破除时间,应以不过高壅水,威胁堤防和施工安全为原则,由你部自行掌握。

垦利修防段建立

7 月 21 日 山东省河务局报请中共山东省委农村工作部同意,建立垦利修防段。

位山枢纽工程初次拦洪蓄水

7 月 26 日 位山枢纽工程初次进行拦洪蓄水。自即日起徐庄、耿山口进湖闸启闸,东平湖水库开始蓄洪。28 日梁山新库区开放。8 月 5 日原东平九区新库区开放,9 日新旧库区水位趋平,9 月 1 日十里堡进湖闸正式运用。三个进湖闸最大进湖流量 1250 立方米每秒,东平湖库区土山站最高蓄水位达 43.5 米。9 月 5 日闸门全部关闭,共蓄水 24.2 亿立方米。9 月 19 日后开始运用抗旱种麦。

沿黄地区灌溉广播电话会议召开

9 月 12 日 山东省水利厅召开沿黄地区灌溉广播电话会议。王国华副厅长作了报告,指出在当前旱情严重的情况下沿黄两岸引黄灌溉活动中存在的问题,并提出了对今后抗旱防汛方面的要求和意见。

平阴石料收购站隶属菏泽修防处领导

9月12日　山东省河务局通知平阴石料收购站，决定该站的任务是管理平阴地区的河道整治和石料收购工作，并帮助沿河各社大搞滩地灌溉。该站受菏泽修防处领导。

农业部、水电部检查冀鲁豫三省引黄灌区

9月28日　为了贯彻中共中央关于整修引黄灌溉渠道和平整土地的指示精神，农业部、水电部组成有黄委会及河南、河北、山东省水利厅派人参加的灌区检查组，对位山以上山东灌区进行了检查。1958年以来，先后建成引黄闸7座和位山、刘楼、彭楼、刘庄、陈垓及太行堤6个引黄灌区，设计灌溉面积为3103万亩。其中干、支、斗、农渠和建筑物建成，土地基本平整，一般可以达到灌溉自如的面积为1524万亩，约占设计灌溉面积的49.1%，称为保浇面积；其次干、支、斗渠和主要建筑物基本建成，土地没有平整，一般在抗旱保收或大水漫灌时也可以进行浇地的面积为780万亩，占设计灌溉面积的25.1%，以上这两种情况的面积为2304万亩，占设计灌溉面积的74.2%，称为有效面积。检查时对发现的在灌溉工程管理、灌区防碱和排水方面的问题，提出了改进意见。检查工作于10月28日结束。

王旺庄临时拦河坝开工

10月2日　王旺庄临时拦河坝开工，原计划利用1959年临时壅水坝的老坝基接长，中间河槽部分留60～80米，采用进占合龙，坝顶高程修至13米，稍低于一般滩面。16日土坝部分接近完成，尚未进占。因三门峡将提闸放水，决定留75米水门不再合龙。三门峡放水后，水位抬高，土坝两边裹头继续加高，11月上旬已加高至15米高程。

山东省河务局召开修防处主任会议

10月7～11日　山东省河务局召开各修防处主任会议，传达贯彻中共山东省委青岛会议精神，座谈治黄工作，检查一年来治黄工作所取得的成绩及存在的问题。

黄委会检查东平湖蓄水后的堤坝工程

10月11～18日　黄委会、山东省水利厅、位山工程局，对东平湖蓄水后

堤坝安全及滨湖浸没情况进行了检查,并对今冬和明年的工程要求进行了讨论。东平湖水库蓄水1个月证明,湖堤质量基本良好,尚未发生严重险情,抗过六级大风,但由于土方工作量大,施工时间紧,土方质量控制不严;砂石方未及时跟上,反滤未作,截渗帷幕不完整,堤后排水系统不够健全。因此,湖水位上升,堤后坡面坡脚发生逸水,湖东堤脚发生管涌。据9月地下水位调查,沿湖区2公里范围内,地下水位上升约2米,距地表1.5~2.0米,尤以梁山县城区为严重。由于东平湖是一大型平原水库,安危涉及苏、鲁两省,必须慎重对待。对维持水库蓄水位43.5米和提高到46米必要的工程措施提出了意见。

黄委会加强引黄涵闸量水工作管理

10月13日 黄委会为了及时掌握黄河下游用水情况和灌溉面积,以及各个水库灌区蓄水情况,以便进一步发挥黄河水的作用,为工农业建设服务,提出了《关于加强黄河下游引黄涵闸量水工作的意见》。要求豫鲁冀三省水利厅,应在每天上午8时将所辖各引黄涵闸、虹吸工程引水流量及东平湖蓄水情况电报黄委会。

三门峡开闸放水

10月20日 三门峡水库自9月中旬关闸蓄水,自20日后开闸下泄,流量为800~1200立方米每秒,最大1690立方米每秒。进入山东后杨集站流量为350~800立方米每秒,最大为1120立方米每秒;位山以下泺口站流量为300~800立方米每秒,最大为1170立方米每秒。

黄河安全度过汛期

11月5日 黄河汛期安全度过,山东省防指黄河防汛办公室初步进行总结。汛期水势平稳,花园口站先后出现14次洪峰,以8月6日第六次洪峰流量最大为4600立方米每秒。除位山以上因拦河闸壅水,回水区有20余公里堤段漫滩,22公里生产堤偎水,河势工情无大变化。惟菏泽刘庄因截流改道后,南小堤溜势外移,大溜与截流坝成直角,顶冲新工,形成小水小抢大水大抢的险恶局面。4000余人紧张抢险达两月之久,9月中旬才基本结束。

山东省水利厅报送引黄灌区开发利用情况报告

11月14日 山东省水利厅向水电部报送《山东黄河灌区开发利用情况及1961年2~6月灌溉用水计划的报告》。山东黄河灌区包括:菏泽、聊城、淄博、济南四个专区、市及济宁、昌潍专区的部分地区，共 36 个县(市)耕地面积 6000 余万亩，占全省耕地面积的 48%，区内人口 2000 余万，为山东省小麦、棉花的主要产地。几年来沿黄水利建设事业飞跃发展，位山枢纽、东平湖水库已基本建成运用，现已建成打渔张、马扎子、位山、刘庄、苏泗庄、陈垓、彭楼、刘楼、王集、盖家沟、簸箕李、刘春家、韩家墩等 13 座引黄涵闸，虹吸 34 处 148 条，设计引水能力近期为 1811 立方米每秒(其中涵闸 1669 立方米每秒，虹吸 142 立方米每秒)，远期为 3074 立方米每秒，现在实际运用 1000 立方米每秒左右。另外，还开发了张坝口、济平、湖滨灌区直接引用东平湖水库蓄水灌溉。目前引黄灌区设计灌溉面积为 5752.3 万亩。

三门峡准备关闸施工

11 月 17 日　山东省水利厅接水电部 9 日电：“三门峡两孔泄流至 11 月 20 日关闸施工，到 12 月 26 日复开闸泄水冬灌，1961 年 1 月 10 日再关闸蓄水并解决黄河下游凌汛问题。”为确保各引黄涵闸安全，使其发挥最大效能，通知各引黄涵闸抓紧三门峡关闸的有利时机，迅速进行全面检修，总的要求在 1961 年 2 月 10 日前整修完竣，以保证冬灌和春灌引水。

泺口枢纽工程停建

12 月 29 日　水电部副部长钱正英通知，泺口枢纽工程未列入 1961 年计划项目。泺口枢纽停建。

黄河发生断流

12 月　1960 年受三门峡水库下闸蓄水和沿程引水影响，山东黄河发生全境断流。高村站自 6 月 7～13 日断流 7 天；利津站由于王庄闸引水在河中修筑土坝将水拦住，3 月 4 日起开始断流，至 7 月 23 日恢复过流，共计断流 141 天。断流长度 682 公里。

薛九龄等被授予山东省先进生产者称号

本年　在山东省工交基建先进生产者代表会议上，山东省河务局薛九龄、刘恒万、张鸿庆被授予山东省先进生产者称号。

1961 年

王旺庄枢纽工程进行模型试验

1 月 2 日 根据水电部意见,王旺庄枢纽工程在修建船闸、电站前,须作模型试验,以观察水流情况及各闸分流时对船队航行的影响,并通过试验修正完善工程方案。由山东省水利科学研究所承担此项水工模型试验。

山东省河务局召开防凌会议

1 月 4～7 日 山东省河务局在位山召开防凌会议。参加会议的有各修防处主任,寿张、梁山、齐河、茌平修防段长及东平湖有关的修防段长,黄委会也派人参加。这次会议对防凌工作、位山库区运用进行了具体研究布置。

山东省水利厅印发防凌工作计划

1 月 15 日 山东省水利厅印发《1961 年黄河防凌工作计划》,要求沿黄地、市、县恢复大汛期的指挥组织,结合各地具体情况制定具体计划贯彻执行。

山东省河务局对治黄中平调社员的物资给予适当补偿

1 月 17 日 山东省河务局根据中共中央及中共山东省委指示,组织专门力量,对人民公社成立以来,在治黄工作中向沿黄各社、队及社员平调的一切财物劳力等,实事求是地进行了调查清理;并决定以每工日 0.6 元的工资标准,补偿 112.9 万元。

水电部召开冀鲁豫三省引黄春灌会议

1 月 20～23 日 水电部在郑州召开冀鲁豫三省引黄春灌会议,农业部,山东、河南、河北三省水利厅,黄委会,三门峡工程管理局、漳卫南运河工程管理局派员参加。会议对春灌任务,放水与分水,加强协作、防止纠纷,制定公约、共同遵守,以及加强管理等问题进行了研究,钱正英副部长作会议总结。

东平湖水库移民安置

1 月 30 日 中共山东省水利厅党组以《关于东平湖水库移民安置情况及今后意见》向中共山东省委报告时称:东平湖水库移民安置工作,在各级党委的重视支持下,已取得很大成绩,但仍遗留很多问题。据检查,东平湖水库原设计规划移民 57498 户,265360 人,自 1958 年动工到 1960 年汛期蓄水止,前后共迁出移民 49672 户,229071 人,现在居住在 43.5～46 米高程应迁未迁的还有 7826 户,36289 人。为妥善安置移民,中央先后拨给东平湖移民经费 5568 万元。

山东省河务局研究布置上半年工作

2 月 6～9 日 山东省河务局召集各修防处主任研究布置上半年治黄工作。是年防洪工程,上级批拨河务局水利事业粮 50 万斤,用于安全所必需的加固工程,根据以往的经验,切实做好工作,多快好省地完成春修任务,春修用粮必须根据各项政策认真执行。

黄河安全度过凌汛

2 月 23 日 黄河凌汛安全度过。自 1960 年 12 月 18 日受西伯利亚寒流影响,截至 12 月底,黄河封冻 318 公里, 冰量约 1000 万立方米。由于三门峡水库从 12 月 23 日泄流,31 日水头进入山东境,流量 200 立方米每秒,济南以上封冰滑动开凌。1961 年 1 月 9 日冷空气入侵,黄河二次封河,至月底封冻 330 公里,冰量 2000 万立方米。但三门峡水库自 1 月 7 日～2 月 8 日关闸蓄水,因此封冻期上游无河谷蓄水。自 1 月下旬气温逐渐回升,冰凌就地自融,2 月 19 日惠民归仁以上全河开通,23 日开至四号桩,畅泄入海,凌汛安全度过。

张坝口引水闸归位山工程局管理

3 月 10 日 山东省水利厅根据省人委《关于东平湖湖滨地区划归梁山县,平阴县划归菏泽专区隶属的通知》中第三条规定:“张坝口 50 个流量的引水闸由黄河位山枢纽工程局统一管理。”现该闸已建成并开始运用,由位山工程局接管。

黄委会要求继续加强防洪工作

3 月下旬 黄委会为贯彻中共中央对黄河防洪工作提出的“保持警惕,继续加强”的指示,召开了河南、山东两省河务局局长座谈会。会后组成调查研究小组,对河南、山东堤防管理、春修、花园口、位山枢纽、防汛料物的储备及滞洪区等情况进行了调查。

沿黄涵闸统归黄河系统管理

4 月 7 日 山东省水利厅向中共山东省委报告:位山枢纽已基本建成,泺口、王旺庄枢纽也做了许多工程,沿黄先后建成引黄闸 12 处。本着建、管、用统一的原则,除位山枢纽(包括东平湖水库)由位山工程局兼作管理外,其他已建成的刘庄、苏泗庄、陈垓、彭楼、王集、盖家沟、打渔张、韩墩、马扎子、刘春家、簸箕李等 11 处引黄涵闸,统由黄河系统管理。机构编制 324 人,行政经费等由河务局编列。

位山枢纽运用科研协作会议召开

4 月 12 日 位山枢纽运用科研协作会议召开,主要研究位山枢纽运用情况包括防洪方案、东平湖水库的渗漏研究及枢纽和河道泥沙淤积问题。

位山工程局检查各类涵闸

4 月 14 日 黄河位山工程局为充分发挥位山枢纽及东平湖水库防洪和兴利效能,会同河务局组织干部、工人,共同检查了十里堡、徐庄、耿山口进湖闸,次日接着检查了出湖闸、拦河闸、防沙闸、船闸,对各水闸启闭中检查发现的问题,提出了处理意见。

黄委会检查下游堤防工程

4 月 21 日 黄委会转中共中央防总电:“三门峡水库拦洪后,黄河下游仍然有出现较大洪水的可能,黄河大堤仍然是防守的重点。近几年来,黄河大堤的岁修做的不多,险工也有一些新的变化,为了充分做好防汛准备工作,确保黄河大堤的安全,请由你会尽速组织河南、山东两省对黄河大堤进行一次全面检查。”根据中央指示,黄委会于 27 日组成检查组,对下游堤防工程全面进行了检查,对发现的问题提出处理意见分交两局办理。

山东省河务局发出加强堤防管理养护工作的通知

5 月 10 日 山东省河务局根据各地陆续发生的破坏沿堤树株、防汛屋及护滩工程物料等情况,通知所属各修防处、段加强堤防管理养护工作。要求深入开展护堤护林宣传教育,建立健全组织,贯彻按级分段负责制与专人管理相结合的方法,贯彻护堤者奖,毁堤者罚的政策。

北方防汛会议在京召开

5月22日　中共中央在北京召开北方防汛会议。对黄河防汛作为重大问题,专门作了研究,并根据周恩来总理、谭震林副总理的指示,对各种可能的洪水情况和处理方案作了较详细的分析。6月9日谭副总理召集豫鲁陕晋冀五省省委负责人,各省水利厅及中央有关部门负责人,对黄河度汛方案进行了讨论,并取得了一致意见。位山工程局局长刘传朋、河务局副局长赵登勋参加了会议,6月10日闭会。

东平湖水库防汛指挥部进行汛前检查

6月10~12日　山东省位山枢纽东平湖水库防汛指挥部,组织有关单位人员对位山枢纽各涵闸进行汛前联合检查。检查以后对直接影响涵闸结构安全的问题进行了比较深入的讨论,并对汛期防守可能出现的问题做了分析估计,安排了相应的措施。

山东省防指及东平湖水库防汛指挥部成员名单公布

6月16日　中共山东省委、山东省人委公布省防指及山东省位山枢纽东平湖水库防汛指挥部组成人员名单:

山东省防指:指挥谭启龙,副指挥周兴、张竹生、方正、李建修、刘清训,秘书长江国栋,副秘书长张次宾、王国华。

黄河防汛办公室:主任王国华,副主任刘传朋、赵登勋、武化善。

山东省位山枢纽东平湖水库防汛指挥部:指挥张竹生,副指挥张次宾、刘方、刘传朋、李克胜、王光霞、郑统一、程勉、夏子凡、宫祥、张敏行。

中共中央发出《关于黄河防汛问题的指示》

6月19日　中共中央发出《关于黄河防汛问题的指示》。指示下游各省省委,决不能因为三门峡已经建成,黄河就万事大吉,必须认识治理黄河仍然需要一个较长的时间。新中国成立以来,国家对黄河堤坝每年应作的岁修工程和保护工程,以及保护的各项规定,必须继续贯彻执行,决不允许破坏。同时,在黄河沿岸和黄河防汛有关的堤坝沿岸,需要修建任何工程时,必须经过黄委会的审查,并报请水电部批准。

中共山东省委、省人委指示做好防汛工作

6 月 22 日 中共山东省委、山东省人委发出《关于做好 1961 年防汛工作的指示》。指出必须本着“从最坏处打算,向最好处努力”的精神,对各种类型的洪水,都要有对策、有办法、有准备。坚决实现“黄河保安全,水库不倒坝,内河不决口”的要求,力争做到洼地不积涝,山洪不成灾,干旱有水源,以保证人民生命财产和交通工矿的安全,力争农业有个较好的收成。

山东省防指检查黄河防汛工作

6 月 26～30 日 山东省防指召开会议,检查黄河防汛工作。到会人员有:各专区指挥部指挥、各修防处主任、位山以上沿河县长、修防段长。由张竹生副省长主持检查了前段防汛工作准备情况,贯彻中共中央北方防汛会议精神,落实了防洪工程,并对银山分洪、汶河洪水处理等问题做了研究。

防治土地盐碱化技术座谈会召开

6 月下旬 山东省水利厅、农业厅共同召集防治盐碱化技术座谈会。会议总结了山东省引黄灌区土地盐碱化的现状及发展趋势,并提出了防止和改造土壤的措施意见。

山东省防指印发《1961 年黄河防汛工作计划》

7 月 5 日 山东省防指印发《1961 年黄河防讯工作计划》。要求各专(市)、县防汛指挥部及位山、泺口、王旺庄枢纽工程指挥部、东平湖水库防汛指挥部认真研究贯彻,抓紧时机做好一切防汛准备工作。

鄄城营房发生险情

7 月 5 日 因濮阳殷庄大坝挑溜及马张庄大坝堵截串沟不能分流,迫使大溜右移引起滩岸急剧坍塌,鄄城鱼骨河势急剧下延,营房发生险情,威胁堤防安全。赵登勋带领干部赶赴工地研究抢护措施,鄄城段调集民工 2500 人进行了抢护。9 日,营房滩岸已塌至七坝基,险情日益恶化。12 日,省人委电请水电部、黄委会,立即拆除殷庄四坝及马张庄大坝。黄委会根据北京会议所确定的原则和密城湾治理协商会议纪要,绘制密城湾河道治导线图,发给河南、山东省河务局,作为拆除殷庄、马张庄工程之依据。

山东省水利厅要求加强王旺庄水文试验站观测

7月10日 山东省水利厅为保证王旺庄枢纽工程和防洪的安全，并为今后枢纽防洪灌溉运用提供水文泥沙资料，研究决定打渔张灌溉管理局所属的王旺庄水文试验站，应作为黄河下游汛期基本控制站，加强汛期的水文观测和报汛工作，并规定了观测项目和要求。

山东省水利厅就石头庄分洪问题致电钱正英副部长

7月13日 山东省水利厅对改变封丘倒灌为利用石头庄分洪问题，致电河南新乡地委并转钱正英副部长。经请示，中共山东省委认为：(1)石头庄分洪淹没土地、人口多，范、寿滞洪区移民困难很大，而且汛期已到，无充足时间做好滞洪区群众的思想教育及组织动员迁移准备工作。(2)山东境内金堤堤身单薄，隐患很多，又加上金堤河水库两年来蓄水灌溉对金堤临水坡脚破坏严重，均未得到修整，一旦蓄洪，金堤确实难保，若对金堤加固，既少劳力又缺料物，时间也不容许。(3)是否执行中共中央6月19日关于黄河防汛问题的指示中所确定的"坚决采取三门峡关闸的措施或扒开封丘县的贯孟堤，使黄水倒灌滞洪"，或是放弃封丘倒灌，采取石头庄分洪，请钱正英副部长权衡利害和可能再考虑一下，待中央提出方案后再研究。

山东省河务局要求恢复1957年建制意见

7月25日 山东省河务局党组接水电部党组下达河务局编制给中共山东省委的电报后，特报告申述：山东黄河自1946年人民治河以来，各级党委十分重视，建立了一套完整的组织机构和一支治黄职工队伍。省委多次指示黄河系统职工垂直管理，不准随意调动，因此11年中(1946～1957年)只有增加，未有削弱。但自1958年以来，由于水利事业的飞跃发展，黄河上修建了许多涵闸枢纽，认为黄河防洪问题已经解决，因而在机构上大并大减，局机关原3个处(室)9个科(组)裁并为5个科，6个修防处合为5个，30个修防段并为19个，人员由4197人陆续缩减为3225人。

鉴于以上情况，将黄河组织建制恢复到1957年状况是非常必要的。根据中共中央压缩机构的精神，人员编制虽不能恢复到1957年的数量，也应适当增加。并要求在整编中，将调出人员尽量归队，以适应治黄之需要。

三门峡排洪造成黄河口淤积漫滩

7 月 26 日　山东省防指致电黄河防总并中央防总，报告黄河口淤积漫滩情况。其内容是：三门峡水库 12 孔闸全开后，22 日罗家屋子流量达 3800 立方米每秒，相应水位 8.05 米，相当于 1958 年 7000 立方米每秒情况。罗家屋子以下大部漫滩，同兴村、北站一带淹没土地 10 万余亩，其中青苗 5 万亩。干部、群众约万人被水围困。当时惠民地委、专署及广饶、垦利、博兴等县负责人带领干部及 20 余只船前往抢救，至 24 日已基本脱险。这次黄河三角洲漫水，主要由于河道淤高，入海老河道淤塞，新河道口门狭窄，宣泄不畅所造成的。除由垦利县动员群众抢修子埝，对现有堤防适当加固加高，做好滩区群众的迁移安置外，拟请中共中央协助解决挖泥船疏浚新河道入海口门。29 日中央防总复电，经与交通部联系，因北方各港无挖泥船，南方各港船只调运不便，无法解决，请另行设法。

山东省防指批复大清河堤防培修标准

7 月 28 日　山东省防指批复大清河堤防培修标准，按防御尚流泽站 6000 立方米每秒洪水为标准，做足后再按防 7000 立方米每秒加修子埝。批准汶上修做土方 5.3 万立方米、石方 150 立方米，平阴修做 5.5 万立方米。两县调集民工 5000 人施工完成。

山东省防指等通知部署黄河防汛储备粮

8 月 4 日　山东省防指、山东省粮食厅发出《关于立即部署黄河防汛储备粮的紧急通知》。根据中共中央指示，本着有备无患的精神，确定在沿黄地区储备一批“黄河防汛专用储备粮”。这些粮食只准在黄河防汛时专粮专用，不准作一般供应。除遇有特殊的紧急情况，可由专区防汛指挥部批准动用，到粮食部门补办手续，并报省备案外，一般情况下，必须经省黄河防汛办公室和省粮食厅批准才能动用。

山东省水利厅等查勘河口

8 月 4 日　为进一步了解黄河尾闾河道和河口发展变化及其泄水情况，以便选择适当措施。根据中共山东省委指示，由省水利厅、河务局、惠民专区、垦利县及前左水文实验站等单位组成黄河尾闾查勘组，即日从前左出发查勘，11 日完成任务。查勘组认为黄河尾闾改道过程已经完成，新道已很通畅，泄水情况良好。无须采取措施,建议前左水文实验站对分流情况发展变化加强观测。

山东省河务局归黄委会领导

8月14日 水电部批复黄委会,同意河南、山东两省河务局仍归黄委会领导。

山东省河务局增设并调整部分修防处机构隶属关系

8月15日 根据行政区划调整,山东省河务局报经黄委会同意,建立德州修防处,将聊城修防处之齐河段,惠民修防处之临邑段划归该处领导。恢复泰安修防处名义,不设专职机构,其一切业务由济南修防处兼办。恢复建立滨县、高青、历城修防段。在平修防段改为东阿修防段。

水电部决定拆除河道违规工程

8月21日 水电部在北京召开解决山东鄄城与河南濮阳在黄河殷庄和马张庄修坝纠纷会议。山东省河务局赵登勋等4人前去参加。会议由钱正英副部长主持,经讨论决定:濮阳马张庄、殷庄工程,未经双方协议,对防洪不利,应予拆除。

山东省河务局补充人员编制

9月12日 根据水电部副部长钱正英指示精神,山东省河务局编制维持现有人数不变,截至12日实有职工2678人,中共山东省委及黄委会已通知有关单位在9月份调入河务局302人,月底达2980人。

水电部召集豫鲁陕水利部门研究黄河防洪问题

9月12日 水电部召集黄委会,山东、河南两省河务局,陕西省水利厅,三门峡工程局等,研究黄河防洪问题。山东省河务局赵登勋等4人参加。会议确定由黄委会组织山东、河南两省河务局参加,检查两省各滞洪区情况,进行大堤、生产堤测量工作。

山东省水利厅关于扩大东平湖泄量的请示

9月12日 山东省水利厅电请黄委会并水电部,为了扩大东平湖泄量,尽量泄空库容种麦,争取10月中旬使湖水位降至41米左右,露出种麦土地

10 万亩。因出湖闸泄量不足,拟在出湖闸以西老清河口门处破堤扒口,约使陈山口出湖闸泄流 180 立方米每秒扩大到 300 立方米每秒,在封冻前堵复口门。

山东省河务局开展整风学习的四点意见

9 月 14 日 山东省河务局分党组制定关于认真贯彻省委三级干部会议精神,开展整风学习的几点意见:(1)彻底解决对修防工作的错误认识;(2)解决好干部、职工之间和党内外关系问题;(3)认清形势,掌握政策,把党员、干部的政治理论水平提高一步;(4)解决好与农民的关系问题。

水电部等调研位山枢纽工程运用情况

9 月 16 日 水电部、交通部等单位组成位山枢纽调查小组,于 8 月 25 日～9 月 8 日对位山枢纽工程进行了调查,其后写出《关于位山枢纽的调查报告》。该报告略称:位山枢纽工程是 1958 年 5 月 1 日动工兴建的,历经三年,先后分五期工程,动员 80 万人,目前已基本建成并投入运用。

三年共建成大型建筑物 10 座,完成土方 5500 万立方米,石方 157 万立方米,混凝土 9.6 万立方米,直接用工达 5269 万工日。

自位山枢纽及东平湖水库基本建成以来,已发挥了一定的作用:(1)保证了位山引黄灌区引水,在近几年大旱期间,充分满足了位山灌区 200 万～300 万亩农田的用水;(2)东平湖水库 1960 年蓄水,在春季大旱时期,除供给张坝口、济平干渠引水灌溉外,并补充了位山以下河道流量,对位山以下引水有很大作用;(3)对位山以下防洪防凌发挥了蓄水调节作用。

目前存在的主要问题是:(1)枢纽的泄洪能力偏小;(2)枢纽泄洪时壅水过高,回水段淤积严重;(3)徐庄、耿山口进湖闸,因引河淤塞,影响进湖泄洪能力;(4)东平湖围坝质量有问题,蓄洪容量受到限制。

山东省河务局进行汛末河势工情勘察

10 月 10 日 山东省河务局印发《1961 年汛末河势工情勘察及固定大断面测量工作意见》,要求各修防处、段,结合 1962 年工程勘估工作抓紧进行,10 月底报局。

花园口出现洪峰

10 月 21 日 省防指向黄河防总并中央防总电报:黄河花园口于 19 日 24

时出现6550立方米每秒洪峰,为确保安全度汛,立即部署沿黄各级防汛指挥部加强防守,负责人先后上堤,并组织群众防汛队伍5000余人上堤防守。由于河道淤积,各站水位表现普遍较高,20日8时刘庄流量5300立方米每秒,水位59.93米;杨集流量4600立方米每秒,水位49.35米;孙口流量4400立方米每秒,水位46.57米;与1958年同样流量相应水位比较,均抬高0.5~0.6米。因此,位山以上滩地已大部漫滩,大堤及生产堤靠水,水深0.5~1米,有的生产堤冲毁,大水偎堤。由于此次洪水含沙量小,河势摆动变化较大,菏泽刘庄导流坝、鄄城营房、寿张陶城铺等处新险将继续抢险,现已增调民工和布置秸柳料物抢修工程以御洪水。唯上游各险工石料缺乏,人力调动较为迟缓。海口一带估计此次洪峰到达后,由于河口淤积水位抬高将全部漫滩,有20余万亩土地被水淹没,生产损失很大。有关专县已布置群众迁移和抢护农作物。洪峰已进入山东省,沿黄防汛紧张,建议三门峡不再加开闸门。

山东省河务局提出汶河治理归属意见

11月28日　山东省河务局关于汶河治理问题,提出自戴村坝以下大清河部分修防仍归黄河部门管理,经费由黄委会拨付。报请黄委会核示。

三年治黄工作基本总结

12月6日　山东省河务局作出三年(1958~1961年)治黄工作基本总结。认为自1958年以来,开展了更大规模的群众性的治黄运动,把治黄工作推向了一个新阶段。三门峡水库建成后,控制了黄河90%以上的流域面积,减少了发生特大洪水的机遇。山东省提前修建了位山枢纽和东平湖水库,减轻了位山以下洪水与凌汛的威胁,使下游防洪由被动防御转向主动控制,为综合利用开发黄河水利资源打下了基础。泺口、王旺庄水利枢纽也相继兴建,沿黄建成引黄涵闸13座,引水能力1668立方米每秒,为山东省鲁西北广大干旱地区发展灌溉创造了有利条件。

但是,在黄河治本和兴利工程飞速发展的形势下,对建设进程估计过于乐观,满足于防洪工程已经过1958年洪水的考验,忽视了泥沙淤积问题,普遍滋长了防洪到头的麻痹思想,因而在治黄工作中产生了一些问题,经验教训是极深刻的。主要问题是:

(1)三年来防洪工程失修,修防机构削弱,人员减少。堤防工程自1958年以来未进行必要的岁修,然而河道逐年淤高,排洪能力降低。在河道整治中,过早的采取缩窄河槽的措施,滩地上普遍修了生产堤,大搞滩区水利化,影响排洪。提出:“三年初控,七年永定,三槽两滩”的要求,并非目前人力物力所能办到的,已做的树、泥、草工程,经洪水考验已大部失败了。

(2)基本建设工程摊子铺的过大,人力、财力困难,泺口枢纽被迫停工。引黄灌区工程不配套,不能充分发挥效益,又加灌溉方法不合理,地下水位上升,土地盐碱化。东平湖水库过早的运用蓄水,引起基础渗漏,土地盐碱化、沼泽化扩大,给滨湖区人民生产生活造成困难。

(3)工程管理工作未引起足够重视,堤防工程和防汛物料发生破坏损失现象。

根据以上教训,提出了1962年的修防工作意见。

山东省河务局召开治黄工作会议

12月8日 山东省河务局召开治黄工作会议,各修防处主任、修防段段长,位山、泺口工程局、前左、位山水文总站,以及局直各单位负责人参加。会议总结三年来治黄工作,研究安排了1962年的治黄任务,讨论了工程管理和财务器材管理。同时部署了防凌工作。会议于15日结束。

山东省河务局调整部分修防段名称与管辖范围

12月18日 根据行政区划的调整,山东省河务局将沾化修防段改为利津第一修防段,广饶修防段改为利津第二修防段。原垦利修防段划分为垦利第一(左岸)、垦利第二(右岸)两个修防段。

山东省河务局与省水利厅分设

12月25日 中共山东省委研究决定山东省水利厅与黄河河务局机构分设,免去王国华水利厅副厅长职务。分设后的黄河河务局行政上受省人委和黄委会双重领导。党内成立黄河河务局党组,受中共山东省委直接领导。河务局分设后,由王国华任局长、党组书记,刘传朋任副局长、党组副书记。

1962年

河务局与水利厅正式分署办公

1月1日 遵照中共山东省委关于省水利厅与黄河河务局分设机构的通知,山东河务局自即日起正式分署办公。办公地址暂设青岛路水利厅大院南楼。同时接水电部通知,河南、山东两省河务局恢复原机构,仍归黄委会领导。

山东省人委通知做好黄河防凌工作

1 月 5 日　山东省人委发出《关于做好黄河防凌工作的通知》。要求沿黄各级政府,切实加强对防凌工作的领导,本着有备无患的精神,贯彻各项防凌措施,凌汛到来,加强防守。如遇严重情况,全力以赴,确保堤防安全。

三门峡泄流闸门全部关闭

1 月 11 日　水电部电示:为便于尾水渠进行清理工作和下游防凌需要,三门峡泄流闸门全部关闭一个月,希你们据此安排工作。三门峡关闸后,下游河道基本断流,未形成凌汛。

山东河务局机关调整机构设置

1 月 16 日　山东河务局与水利厅分设后,局机关分设工务、财务器材、人事处和办公室,工务处下设计划、河防、闸坝、水文 4 个组,财务器材处下设财务、器材两个组,人事处下设干部、劳工两个组和保卫科,办公室下设秘书组和行政科。中共山东省委农村工作部批准任命各处正副处长。

山东河务局召开工务会议

1 月 24～29 日　山东河务局召开工务会议,研究布置了 1962 年的施工规范、定额、统计报表,并落实工程计划。

水电部召开黄河防洪会议

3 月 1～8 日　水电部在郑州召开黄河防洪会议,研究讨论三门峡水库建成运用后,1962 年黄河防洪问题,山东河务局副局长刘传朋、主任工程师包锡成参加了会议。

东平湖部分修防段调整更名

3 月 14 日　山东河务局发出通知,决定将梁山湖堤第二修防段改为东平湖堤修防段,恢复汶上湖堤修防段,梁山湖堤第三修防段改为梁山湖堤第二修防段,并刊发了新印章。

范县会议决定引黄停灌

3 月 17 日　谭震林副总理在范县主持召开会议,研究引黄灌溉停灌问题。水电部副部长钱正英、黄委会副主任韩培诚、中共山东省委书记周兴、省水利厅厅长江国栋参加了会议。最后谭副总理确定:(1)由于引黄灌溉大水漫灌,有灌无排,引起大面积土地碱化,根本措施是停止引黄灌溉,不经水电部批准不准开闸;(2)必须把阻水工程彻底拆除,恢复水的自然流向,降低地下水位;(3)积极采取排水措施。

根据范县会议决定,山东省 13 处引黄涵闸自 3 月份起停灌,废渠还耕。

杨克民、张家忠任位山工程局副局长

3 月 17 日 山东省人委任命杨克民、张家忠为山东黄河位山工程局副局长。

中共山东省委召开常委会研究黄河防洪问题

4 月 3 日 中共山东省委书记处召开常委会专门研究黄河防洪问题。黄委会副主任韩培诚,省水利厅厅长江国栋、副厅长张次宾,山东河务局副局长刘传朋、牟汉华等列席会议。

山东省水利厅召开平原地区排涝改碱会议

4 月 9 日 山东省水利厅召开平原地区排涝改碱会议。根据中共中央范县会议精神,对停止引黄灌溉后应采取的措施及排涝、改碱、抗旱问题进行了讨论研究,会议确定:(1)停止引黄灌溉后,除打渔张、位山、刘庄北干渠、济平灌区、济阳沟阳家虹吸灌区渠道保留外,其他不再利用的各级渠道应废渠还耕;(2)工程废除后腾出的土地原则上应分给生产队耕种;(3)关于灌区建筑物,引黄涵闸保留交河务局管理,其他废除的渠道建筑物可以废除;(4)东平湖、太行堤、金堤河水库保留用于滞洪,其他平原水库原则上一律废除;(5)平原排水河道阻水工程应一律拆除或改建;(6)充分利用现有水井和提水工具,解决抗旱灌溉问题。

钱正英召集专家研究位山枢纽工程问题

4 月 13 日 水电部副部长钱正英在北京召集有关专家,研究位山枢纽工程问题。确定将讨论情况及 1962 年黄河度汛意见,报告周恩来总理及中共山东省委。

山东河务局召集工人座谈防汛问题

4月24～28日　根据中共山东省委指示，山东河务局召集黄河老工人座谈会，对黄河防汛问题进行了座谈讨论。参加会议的有薛九龄、于佐堂、刘寿图、刘九星、张善诚、张朝义、童福松、韩明义、赵洪彬、王正朝、肖安营、鄢明良、刘道修、桑永贵、马成让等，位山工程局及各修防处负责人也参加会议。通过座谈对黄河防汛问题及位山枢纽破除拦河坝后可能引起的河道险工变化等提出了意见和建议。

黄河水利工会山东区委员会恢复

5月14日　山东省总工会同意恢复黄河水利工会山东区委员会，对所属基层工会的财务、劳动保险等工作实行垂直领导。

黄委会印发引黄涵闸暂停使用期间管理意见

5月17日　黄委会发出《关于引黄涵闸工程在暂停使用期间的管理意见的通知》。对暂停使用的引黄涵闸，其原有管理组织不应撤销，并进行一次全面检查鉴定，做好经常的观测、检修、养护、保卫工作，特别注意汛期的防守抢护工作，保证工程的完整与安全。

王化云来济南研讨黄河治理问题

5月18日　黄委会主任王化云来济南，与山东省人委、水利厅、位山工程局、山东河务局负责人讨论位山枢纽工程改建与黄河度汛问题，并参加山东省防汛会议。

水电部批准建轻轨铁路运送防汛石料

5月19日　为解决惠民修防处防汛石料运输问题，山东河务局报请水电部批准，接通张（店）北（镇）轻轨铁路小营至王旺庄段11.7公里，此段铁路接通后，张店附近四宝山的石料，可由张店直达黄河岸边，然后转运各地。筑路铺轨工程于9月20日开工，12月底基本完成。

全省防汛工作会议召开

5月21～28日　全省防汛工作会议在济南召开，由副省长刘秉琳主持。会议根据中共中央和中共山东省委有关防汛工作的指示，研究部署了黄河防洪、内河防汛、大中型水库安全度汛问题，讨论通过了黄河、内河防汛工作计划。对本年防汛任务总的要求是：对各种类型的洪水，都要做到有对策、有准备，尽最大努力，确保黄河堤防不决口，水库不倒坝，把洪涝灾害尽量缩小到最低限度，力争全年农业有个较好的收成。

黄河春修工程竣工

5月30日 黄河春修工程竣工。春修工程主要集中在齐河、济南以上薄弱堤段的重点加固，共上堤民工4.6万人，完成土方394.1万立方米。整险工程因石料供应不足，于7月底完成石方5.4万立方米，重点是加强坝岸的根基。

山东河务局建立河道测验队

6月15日 山东河务局为加强位山以上河道的测验工作，决定建立河道测验队，住鄄城苏泗庄，该队直属河务局业务领导。

中共山东省委公布省防指组成人员名单

6月20日 中共山东省委公布省防指组成人员名单：指挥谭启龙，副指挥李予昂等7人；黄河防汛办公室主任王国华，副主任刘传朋、牟汉华。

刘澜波视察位山枢纽工程

7月6日 水电部副部长刘澜波由中共山东省委第一书记谭启龙陪同，视察了位山枢纽工程，并对1962年度汛提出了意见。

黄河防总下达防汛任务

8月1日 国务院同意黄河防总《关于1962年黄河防汛问题的报告》，并批转有关省执行。指出：三门峡水库建成后，控制了黄河流域面积92%，基本上解除了下游特大洪水的威胁。但库区淤积很快，下游河道排洪能力有所降低。根据上述情况，1962年防洪任务确定为：在中共中央的正确领导下，全河一条心，四省（陕、晋、豫、鲁）一条心，密切协作，上下兼顾，加强修防，运用好三门峡和东平湖水库，以防御花园口站洪峰流量18000立方米每秒的洪水为目标，保证黄河不决口。

范县毛楼护滩工程停止修守

8月2～4日　为处理毛楼护滩工程纠纷,根据中共山东省委指示,山东河务局局长王国华会同聊城、菏泽地委书记、范县、鄄城县委书记及有关修防处、段负责人参加,经讨论达成协议:毛楼工程停止修守,由聊城专署派员协同范县县委组成工作组监督执行。

山东省编制委员会批准山东河务局机构设置

8月29日　根据中共中央精简机构的指示,山东河务局组织编制方案,业经山东省编制委员会(以下简称山东省编委)批准公布执行。

一、山东河务局机关设办公室、工务处、财务器财处、人事处。办公室下设行政科、电话站、工人医院;工务处下设水文组、计划组、河防组及工程队、测量队、河道测验队;财务器材处下设器财组、财务组、航运队、黄台山石料厂及泺口仓库、平阴石料收购站;人事处下设党委办公室、保卫科、劳工组、干部组。

二、修防机构按沿黄行政区划设置:位山工程局、东平湖修防处、菏泽修防处、聊城修防处、德州修防处、泰安修防处、济南修防处、惠民修防处。修防处机关设秘书、工务、财务科。位山工程局下设办公室、工务处、财务处、政工处及拦河闸、徐庄、耿山口进湖闸、十里堡进湖闸、陈山口出湖闸管理所;东平湖修防处下设梁山湖堤第一、第二修防段,汶上湖堤修防段、东平湖堤修防段;菏泽修防处下设菏泽、鄄城、郓城、梁山修防段、采运队;聊城修防处下设范县、寿张、东阿修防段、位山引黄闸管理所;德州修防处下设齐河、济阳修防段;济南与泰安修防处合署办公下设章丘、历城修防段;惠民修防处下设邹平、高青、博兴、惠民、滨县、利津第一、第二、垦利第一、第二修防段。

位山库区水文实验站、前左河口水文实验站受黄委会、山东河务局双重领导。

山东省防指研究金堤河内涝排水入黄办法

9月1日　是日晚,山东省防指召开紧急会议,研究金堤河内涝排水入黄问题。由副省长栗再温主持,省水利厅、山东河务局有关部门负责人参加。经会议研究决定,金堤河排水采取挖引渠和机械扬水并举的办法,要求25日基本排完,便于被淹耕地种麦。经报水电部批准,于13日在张庄临黄堤破堤放水,排入黄河流量100立方米每秒左右,至23日基本排完。据预报黄河涨水,24日开始堵复临黄堤口门,10月2日堵复完毕。

钱正英主持研究黄河防洪方案

9 月 4 日 水电部副部长钱正英主持会议,研究黄委会及山东河务局提出的黄河防洪方案、今冬明春工程安排意见以及东平湖水库排水种麦、移民安置等问题。

山东河务局召开财务工作会议

9 月 5～11 日 山东河务局召开各修防处主任、位山工程局财务处长及财务科长、会计会议,讨论了清仓核资、财务管理、冬修准备及政治思想工作等。

山东河务局召开冬修工作会议

9 月 10 日 山东河务局召开黄河冬修工作会议,各修防处主任、工务科长,位山工程局、东平县水利局、泰安水建指挥部均派员参加,刘传朋副局长主持,研究安排了黄河冬修工程施工问题。

东平湖水库移民安置座谈会召开

9 月 25～29 日 山东河务局召开东平湖水库移民安置座谈会,邀请省建设厅、财政厅、商业厅、民政厅, 济宁、泰安、菏泽三专区及有关县的负责人参加。在检查总结几年来移民安置经验教训的基础上,研究了经费使用和建房计划问题。

山东省人委发出加强堤防工程养护的通知

10 月 10 日 山东省人委发出《关于制止破坏河道堤防,加强工程管理养护的通知》。要求各级政府经常地向广大群众进行河道堤防管理养护的教育,结合防汛责任段,分工划段,建立群众性护堤组织,确实做到汛期有人防守,平时有人管理。凡破坏堤防工程和堤上树草的,以及盗窃工程设备和料物者,应视其情节轻重,给予批评,或依法惩处。

山东省编委批准山东河务局工人医院编制

10 月 19 日 山东省编委批准同意保留山东黄河河务局工人医院,编制名额定为 30 人,暂设 80 张床位。

黄河防总部署总结防汛工作

10月22日　黄河防总电示：黄河防汛工作在中共中央和各级党政领导下，依靠群众充分准备，取得人民治黄以来连续16年防汛胜利，现届霜降黄河防总于24日停止办公。各级防汛指挥部应于结束前，认真总结防汛工作，开好总结会议。

黄河下游治理技术讨论会在郑州举行

10月23日　黄河下游治理问题技术讨论会由黄委会主任王化云主持，在郑州举行。参加讨论会的有水电部技术委员会、水管司、水利水电科学研究院、黄河勘测设计院、水利科学研究所、河南、山东河务局负责人和工程技术人员52人。会议对黄河下游河道治理问题、位山枢纽改建问题、东坝头工程问题、密城湾治理问题展开了学术讨论，讨论综合意见提交水电部、黄委会研究办理。会议于11月3日结束。

黄河安全度过汛期

10月31日　黄河安全度过汛期。汛期黄河花园口站出现较大洪峰5次，8月16日洪峰流量5990立方米每秒为最大，19日洪峰到泺口流量为5900立方米每秒，下游河道普遍冲刷，一般刷深0.2～0.3米。因河道冲刷溜势变化，菏泽刘庄、鄄城营房、范县于傅庄等险工发生各种险情55处342段次，均经及时抢护脱险。

张含英召集会议研讨位山枢纽破坝问题

11月22日　水电部副部长张含英召集黄委会、水利水电科学研究院、山东省水利厅、山东河务局负责人会议，讨论位山枢纽工程破除拦河坝问题。会议于29日结束。

山东河务局召开修防工作会议

12月18～27日　山东河务局召开了黄河修防工作会议，位山工程局、各修防处、段及直属单位负责人参加了会议。会议主要讨论冬修施工总结，1963年春修工程任务，安排采运22万立方米石料任务，布置1963年黄河防凌工作。同时对精简机构和人事工作也做了安排。

山东黄河冬修工程竣工

12月20日 黄河冬修工程竣工。是年冬修任务大,沿黄各级政府十分重视,派出大批干部深入发动群众组成施工队,黄委会派来40多人的工作队支援施工。自11月初开工,上堤民工最高达14万人,胶轮车6万多辆,实行包工包做,按方计资,共计完成土方490万立方米,整险石方1.8万立方米。

山东河务局召开人事工作会议

12月 下旬,山东河务局召开人事工作会议,各修防处秘书科长参加。会议传达了中共山东省委《关于中央组织工作会议传达提纲》;传达讨论了山东河务局前段精减工作总结及今后意见;关于今冬明春人事工作要点;关于加强劳动工资统计工作的意见;关于加强工资基金管理以及整顿职工劳动保护用品发放、使用、管理工作意见。

张汝淮任惠民修防处主任

12月 本年度,张汝淮任惠民修防处主任。

1963年

国务院同意1963年防御黄河凌汛措施

1月7日 国务院同意水电部关于1963年防御黄河凌汛措施,仍以三门峡水库蓄水拦冰为主,结合东平湖蓄水和堤防的严密防守解决凌汛问题的意见。但在三门峡水库关闸蓄水拦冰时,仍望采取可能的措施,减少已种麦田的淹没。

山东河务局召开财务器材工作会议

1月7～13日 山东河务局召开了各修防处、段及局直单位人员参加的财务器材会议,并对《财务器材管理暂行办法〈草案〉》进行了讨论。

山东省人委要求加强黄河防凌工作

1月14日 山东省人委发出《关于加强黄河防凌工作的通知》。要求沿黄各级政府加强防凌工作领导,切实做好位山枢纽和东平湖水库防凌运用的一切准备工作。凌汛到来,应本着统一领导、上下兼顾、分段负责的原则,认真贯彻各项防凌措施,使冰水安全下泄。

王国华向水电部汇报位山枢纽改建等问题

1月30日 山东河务局局长王国华等3人赴京,向水电部汇报位山枢纽工程改建,修建流长河闸、湖西排水沟、二级湖复堤工程设计,1963年位山及黄河基建计划等问题,以及黄河施工劳动定额执行情况和1963年定额意见。2月16日返回济南。

翟少青任德州修防处主任

1月 翟少青任德州修防处主任。

山东河务局迁址至东关青龙后街41号办公

2月9日 山东河务局由青岛路迁移至东关青龙后街41号办公。

山东省人委水利移民安置办公室成立

2月20日 根据国务院指示,山东省人委决定以省水利厅、山东河务局为主,省财政、民政、商业、交通厅参加,成立山东省人委水利移民安置办公室。任命刘海岩、牟汉华为副主任,办公室下设秘书与计划两个组。

四宝山石料采购站建立

2月27日 为解决惠民地区治黄石料供应问题,山东河务局报经省编制委员会批准,在淄博市四宝山建立山东河务局四宝山石料采购站,属惠民修防处领导。

黄委会决定改建郑州至济南电话干线

2月27日 黄委会决定从1963年开始改建郑州至济南电话干线。山东河务局确定成立临时架线队,负责改建任务,所需干部14人,电话工人27人,由菏泽、聊城、惠民、德州、济南修防处及位山工程局调配。

黄河安全度过凌汛

3月2日 山东河道冰凌全部融解入海。黄河于2月9日从河口封冻至位山枢纽以下范坡,封冻全长320公里,总冰量3363万立方米。2月2日中共中央决定三门峡水库关闸蓄水防凌,共关闸16天。下游河道流量由500立方米每秒减少到 100 立方米每秒，2 月中旬后气温回升，冰凌自上而下逐渐融化，凌汛安全度过。

水电部批复位山枢纽工程设计报告

3 月 6～30 日 水电部对山东河务局《关于位山枢纽工程三项设计的报告》，批复如下：

一、同意东平湖湖西排水沟按设计流量 50 立方米每秒开挖，并以 3 年一遇排涝标准进行校核，确定其工程规模。

二、同意东平湖水库流长河泄水闸按 50 立方米每秒设计，100～150 立方米每秒校核，闸底高程降至 36 米。

三、同意东平湖水库二级湖工程设计，最高运用水位和二级湖堤顶高程符合国务院批示。修建二级湖堤后，必须防止原有居民盲目迁回，新湖区汛期仍需滞洪，在黄汶特大洪水新湖区滞洪时，不能赔偿。

黄委会召开治黄工作会议

3 月 16 日 山东河务局副局长刘传朋等 11 人赴郑州参加黄委会召开的治黄工作会议。总结 1962 年治黄工作，布置 1963 年治黄任务。

东明修防段隶属关系由河南划归山东

4 月 1 日 根据行政区划调整，黄委会确定将河南河务局东明修防段划归山东河务局，隶属菏泽修防处领导。两局于 3 月 25 日交接完毕。

牟汉华、赵昆山任山东河务局副局长

4 月 24 日 中共山东省委农村工作部通知，省委会议决定牟汉华任山东河务局副局长，免去山东农学院党委副书记职务。赵昆山任山东河务局副局长。

水电部组织查勘位山枢纽工程

5 月 4 日 水电部副部长张含英、水科院副院长谢家泽、工程总局局长崔宗培、黄委会副主任李赋都及山东省水利厅厅长江国栋、山东河务局局长王国华、主任工程师包锡成等 11 人，到位山枢纽工程实地查勘，为北京技术讨论会作准备。同时查勘了南四湖。

垦利第一、二修防段合并为垦利修防段

5 月 7 日 山东河务局批准将垦利第一、第二修防段合并为垦利修防段,左岸仍保留集贤分段。

王化云到山东处理殷庄大坝纠纷问题

5 月 13 日 黄委会主任王化云、处长田浮萍、办公室主任仪顺江来山东处理濮阳殷庄大坝工程纠纷。刘传朋副局长及菏泽修防处主任,河南河务局局长刘希骞及濮阳修防处主任等参加了查勘研究。

东平湖水库移民安置计划拟定

5 月 17 日 山东省人委水利移民安置办公室与山东河务局联合拟出《关于东平湖水库土地利用及移民安置规划意见的报告》,主要内容包括:(1)基本情况;(2)关于东平湖水库防洪运用方案;(3)移民安置规划意见。

山东全省防汛工作会议召开

5 月 18~26 日 山东全省防汛工作会议在济南召开,黄河各修防处、段负责人参加了会议。会上传达了全国防汛会议精神,分析了防汛形势,明确了任务,制定了黄河、内河防汛工作计划。副省长刘秉琳在会议总结中指出:1963 年防汛工作的首要任务是确保黄河安全,防御花园口 20000 立方米每秒洪水不决口,生产堤必须按照规定破口,保证安全泄洪。

水电部召集专家讨论位山枢纽改建方案

5 月 21 日 水电部根据周总理指示,召集水利专家在北京开会,讨论黄河位山枢纽改建方案问题。山东河务局副局长牟汉华、主任工程师包锡成、位山工程局副局长李克胜等参加会议。经过讨论多数同意破坝方案,恢复原河道的排洪排沙能力。

山东省人委公布省防指组成人员名单

5 月 24 日 山东省人委公布省防指组成人员名单。指挥:谭启龙,副指挥:刘秉琳、栗再温、穆林、李澄之、张竹生、傅健吾、张怀德,秘书长:江国栋,副秘书长:张次宾、王国华。

黄河防汛办公室主任刘传朋,副主任牟汉华、赵昆山。

沿黄涵闸和拦河枢纽工程归河务部门管理

6 月 10 日 根据黄委会《关于组织接受黄河下游沿黄涵闸虹吸和拦河枢纽工程的通知》,山东河务局与省水利厅会同有关专、县、修防处、段开始办理移交,10 月底全部引黄涵闸虹吸和枢纽工程交接完毕。除位山枢纽、位山、盖家沟引黄闸及大王庙虹吸原由山东河务局管理外,共接管 12 处涵闸和 35 处虹吸工程。为加强引黄涵闸和虹吸工程的管理,山东河务局增设闸坝组为专管机构。

牟汉华任山东河务局党组副书记

6 月 19 日 中共山东省委农村工作部通知:中共山东省委同意牟汉华任山东河务局党组副书记,赵昆山为党组委员。

黄河防总召开黄河防汛会议

6 月 25 日 黄河防总在郑州召开黄河防汛会议,河南、陕西、山东省委负责人参加了会议。会议着重讨论了防御各类洪水的措施,制定了 1963 年黄河防汛工作意见。目前下游堤防工程仅能防御花园口 20000 立方米每秒洪水,对超过这一目标的洪水,需要根据当时水情,考虑采取临时滞洪、三门峡关闸拦洪等措施,保证黄河不决口。

黄河春修工程全面竣工

6 月 30 日 黄河春修工程全面竣工。春修工程是根据黄河近期防洪任务与大堤培修标准进行的,土方任务较历年都大,有 20 万民工参加施工,共计完成土方 1289 万立方米。其中完成黄河培堤土方 900 万立方米,东平湖水库二级湖堤堵复土方 54 万立方米,湖西排水沟开挖土方 335 万立方米。工程竣工后,对于东平湖库区及滨湖地区群众发展生产将发挥工程效益。春修施工中加强政治工作和管理工作,贯彻按方计资和优质优酬工资政策,保证了工程质量,提高了工效。土工平均工效为 6.5 标方,硪工效率为 29 平方米。

菏泽专署发布保护河道堤防、涵闸的布告

7 月 12 日 山东省人委批转菏泽专署《关于由各县印发保护河道堤防、涵闸布告的通知》,要求各级政府都应该注意破坏河道堤防、涵闸的现象,及时纠正那种重建设轻管理的偏向,认真抓一下水利工程的管理养护工作。

山东省防指贯彻《关于破除生产堤的决定》

7月16日 山东省防指为贯彻执行黄河防总《关于破除生产堤的决定》,下达了《关于削平生产堤分洪口门的通知》。7月中旬刘秉琳副省长亲赴菏泽、聊城专区各县对生产堤口门破除工作进行了检查部署。8月上旬,副省长李澄之和山东河务局副局长刘传朋,进一步检查了沿黄各县防汛准备情况和生产堤口门破除工作。

黄河防总组织测量验收生产堤口门标准

7月30日 黄河防总发出通知,责成黄委会测量四队与河南、山东河务局共同组织测量验收生产堤预留分洪口门的标准。8月20日测量验收完毕,对破除不够标准的限期完成。

黄河防总到山东检查防汛工作

8月3日 黄河防总检查团来山东检查黄河防汛工作。山东河务局王国华、牟汉华、赵昆山等在南郊宾馆向检查团汇报了山东黄河防汛工作情况及河道工程问题。

黄委会确定黄河下游涵闸和枢纽工程管理编制

8月6日 黄委会发出《关于黄河下游涵闸和枢纽工程管理编制的通知》。确定位山枢纽和盖家沟闸、刘庄闸、王旺庄闸、韩家墩闸应由山东河务局直接管理,其余各闸由所在修防处管理。虹吸工程均由所在修防段管理。体制已经确定,不经批准不得下放。

济南、泰安修防处分设办公

8月8日 为便于济南市、泰安专署加强治黄工作的领导,同意济南修防处泰安修防处自8月1日起分设办公,泰安修防处住章丘北房家村。

流长河闸控制运用办法制定

8月13日 山东河务局召开局长办公会议,研究流长河闸控制运用办法。根据国务院对该闸批复精神,规定控制运用办法为:(1)不影响苏、鲁协议,即南四湖水位在32.5米时不放水;(2)7、8月份不放水;(3)新湖水位在41.5米以上不放水;(4)放水控制在50立方米每秒,如湖水位过高可适当多泄,但不超过湖西排水沟的排水标准。

黄委会颁发《闸坝工程管理通则》

8 月 17 日 黄委会颁发《闸坝工程管理通则》,自即日起试行。

山东河务局召开工程管理会议

8 月 24 日 山东河务局召开工程管理会议,各修防处、段、闸坝管理所负责人参加了会议。通过各单位管理工作典型发言和讨论,总结了几年来堤防、涵闸工程管理工作,交流了经验,研究制定了《山东黄河堤坝涵闸工程管理办法》、《引黄涵闸工程管理工作细则》、《山东黄河 1963 年至 1967 年植树造林规划》。

山东河务局颁发植树造林规划

8 月 29 日 山东河务局颁发《山东黄河 1963 年至 1967 年植树造林规划》。规划要求:根据国务院发展林业生产、绿化一切荒山荒地的指示精神,山东省沿黄堤防、滩地、荒碱及其他宜林地区,亦应充分利用一切有利条件,贯彻生产队为主,国家、集体、个人并举的方针,以发展河防林、用材林为主,有条件地积极发展经济林,并大力进行堤坡植草,提供修防用材,增加群众收益。按 5 年完成植树 1000 万株进行规划。沿黄堤防柳荫地、枢纽、涵闸渠首的绿化,采取国有队营的方式,其他地区可根据具体情况采取国队合营或社队经营等方式,按谁种谁有的精神进行规划经营。堤防绿化力争 3 年完成 1000 万株,4 年补齐,5 年扫尾,植树达到 1098 万株。

雷朝卿任菏泽修防处主任

8 月 雷朝卿任菏泽修防处主任。

水电部决定位山枢纽破坝

9 月 26 日 山东河务局召开局长办公会议,传达贯彻黄委会副主任韩培诚电话指示:水电部已决定位山破坝。当时在北京曾与谭启龙、苏毅然书记研究,同意 10 月份破坝。韩培诚于 27 日在位山研究破坝问题,赵登勋处长、包锡成主任工程师参加。

山东河务局召开修防工作会议

10月4～13日 山东河务局召集各修防处主任,工务、财务科长、位山局负责人会议,总结检查春修工作,传达讨论冬修工作计划。

黄委会召开下游堤防、闸坝工程管理会议

10月6日 黄委会在郑州召开黄河下游堤防、闸坝工程管理会议。经过大会典型报告交流经验,总结了工程管理工作,确定了任务,制定了《黄河下游堤防工程管理办法》、《闸坝工程管理规范》及观测办法等规章制度,为更好地开展工程管理工作打下了基础。

巴基斯坦代表团来济南参观黄河工程

10月9日 巴基斯坦水利工程师代表团一行5人,在团长、东巴基斯坦水利电力总局水利局局长阿巴斯率领下,由水电部崔宗培副局长陪同来济南参观黄河工程。在济期间由水利厅厅长江国栋接待,山东河务局副局长牟汉华、主任工程师包锡成参加,向代表团介绍了黄河过去和现在的治理情况,并陪同该团参观了济南、齐河黄河大堤、险工及泺口流量站。10日下午乘班机去南京。

林一山查勘位山枢纽工程

10月15日 长江规划办公室主任林一山来山东,由水利厅副厅长张兰阁、山东河务局主任工程师包锡成陪同,查勘了位山枢纽工程。

山东河务局决定调整职工工资

10月20日 根据国务院关于下半年进行一次调整职工工资的决定和职工升级面为40%的规定,山东河务局自9月份开始进行组织发动和评定工作,于10月20日结束,自10月份开始执行。调整工资后工资平均增长率为7.22%。

国务院同意位山枢纽破坝方案

10月21日 国务院批复同意山东黄河位山枢纽破坝方案,并同意东平湖水库采用二级运用,最高滞洪水位定为44.5米。位山枢纽工程建成后,对黄河防洪起到了一定的作用,增大了东平湖的滞蓄能力和有控制地蓄泄洪水。

但是,由于黄河泥沙问题未得到解决,枢纽工程壅高了水位,造成了河道的严重淤积,增加了堤防的防洪负担。为消除位山以上河道的继续淤积,改造枢纽工程是完全必要的。

流长河泄水闸建成放水

10月23日 东平湖水库流长河泄水闸建成并开始放水。该闸共8孔,每孔净宽2.5米,设计泄水能力50立方米每秒,主要为排泄新湖区积水种麦,解决库区移民的生产和生活问题,自竣工放水至年底已泄水3.3亿立方米,新湖区涸出土地24万亩,大部分种上了小麦。

黄河汛期安全度过

10月31日 黄河汛期安全度过。入汛以来花园口站共发生5000立方米每秒以上洪峰4次,9月24日5400立方米每秒洪水为最大。由于中水流量持续时间长,含沙量小,河道冲刷、河势摆动变化较大。位山以上范县彭楼、鄄城桑庄、梁山杨庄出现新险,东明林口坍岸严重,险工护滩出险688段次,经及时抢护脱险。

汶河发生1000立方米每秒以上洪峰5次,来水总量达24.57亿立方米,大于历年平均值72%。来水注入东平湖,老湖水位涨至42.97米,二级湖堤仅出水0.5米,连续出现漏洞3处,渗水管涌55处,经干部群众4000多人上堤防守和抢险,保证了堤防安全。

李克胜调鲁北水利工程局工作

11月1日 中共山东省委农村工作部通知,调黄河位山工程局副局长李克胜去省鲁北水利工程局工作。

黄河冬修工程18万民工参战

11月1日 黄河冬修工程开工。本年冬修任务比历年都大,为安排施工山东河务局于10月上旬专门召开会议研究部署。沿黄各级政府共组织民工18万人,胶轮车8.8万辆、拖拉机50余部投入施工。12月上旬工程全面竣工,共计完成修堤土方665万立方米,整修险工护滩完成石方5.4万立方米,植树195万株,同时完成了位山枢纽拦河坝破除工程和郑济电话干线改架水泥杆189公里。

冬修中加强施工管理,降低了土方单价,土方单价平均每立方米1.16元,管理费为基本工资的7%，比规定的11%降低了27%，共计节约106万元。

周恩来总理确定位山枢纽仍按破坝方案执行

11月5日 周恩来总理根据长江规划办公室主任林一山对位山破坝反映的意见，召集水电部、黄委会、长江规划办公室、河南、山东省负责人刘澜波、钱正英、张含英、林一山、王化云、赵明甫、彭晓林及山东省水利厅、山东河务局负责人江国栋、牟汉华等，讨论位山枢纽破除拦河坝问题，周总理确定仍按破坝方案执行。关于洪水处理问题，花园口站超过22000立方米每秒时，使用北金堤滞洪，由水电部决定。

波兰水利专家考察黄河护岸工程

11月中旬 根据中波科技合作决议，波兰水利总局派遣水利科研专家2人，前来济南参观黄河护岸工程。

国务院作出《关于黄河下游防洪问题的几项决定》

11月20日 国务院作出《关于黄河下游防洪问题的几项决定》。内容是：(1)当黄河花园口发生22000立方米每秒洪峰时，应利用东平湖进湖闸，分入东平湖4000立方米每秒，使艾山下泄流量不超过12000立方米每秒。艾山以下的堤防应按13000立方米每秒的排洪标准设计，分年完成培修加固工程。(2)当花园口站发生超过22000立方米每秒的洪峰时，应利用长垣县石头庄溢洪堰或者河南省内的其他地点，向北金堤滞洪区分滞洪水，以控制到孙口的流量最多不超过17000立方米每秒左右。在孙口以下，分洪入东平湖5000立方米每秒，使艾山下泄洪水仍保持在12000立方米每秒左右。(3)大力整修加固北金堤的堤防，确保北金堤的安全。(4)继续整修加固东平湖的围堤。

水电部批复1964年黄河下游防凌意见

12月5日 水电部对1964年黄河下游防凌问题，批复同意仍采用三门峡关闸蓄水措施解决。为预防万一，下游仍应提高警惕，并及早通知沿河有关各县、段加强防守，关于三门峡水库防凌关闸、开闸时间，届时应根据凌汛情况报部决定。

位山枢纽拦河坝破除工程完成

12月6日 根据国务院批准的位山枢纽破坝方案，由位山工程局组织施工,并于是日完成拦河坝破除工程,黄河恢复从原河道下泄。破坝工程包括:破除第一拦河土坝,开挖老河道黏土,加固牛屯等险工坝岸,修筑拦河闸引河围埝。

山东省人委通知灌区及排灌站征收水费

12 月 10 日　山东省人委发出《关于国营灌区及排灌站征收水费的通知》。凡是已修成并发挥效益的灌区及排灌站,除了遭到特大自然灾害,按规定实行减免外,都应当无例外地征收水费,按照 1963 年 1 月 20 日省水利厅、财政厅《关于进一步贯彻灌区收取水费的规定的联合通知》,认真做好征收水费工作。

位山工程局与东平湖修防处合并

12 月 13 日　黄委会批复山东河务局,位山枢纽改建后,为便利工作,同意位山工程局与东平湖修防处合并为位山工程局。仍保留东平湖修防处名义。原两单位编制 650 人减为 552 人。合并后下属修防机构、闸管所不动,增设流长河闸管理所。位山工程局迁往梁山县东平湖修防处驻地办公。

杜逢任等被授予山东省先进生产者称号

本年　在山东省工交基建先进生产者代表会议上,山东河务局杜逢任、戚福英、高贤节、戴凤臣、谯凤堂被授予山东省先进生产者称号。

1964 年

黄河入海流路改道钓口河入海

1 月 1 日　由于河口段冰凌有壅塞,罗家屋子水位超过 1958 年洪水位 0.32 米,河口地区普遍漫滩。山东河务局决定爆破罗家屋子以下 1100 米左岸堤防,黄河改道从钓口河入海。

黄委会颁发《黄河下游堤旁植树暂行办法》

1 月 9 日　黄委会颁发《黄河下游堤旁植树暂行办法》(试行)。办法中规定堤防植树应本着“临河防浪、背河育材”的方针,在大堤临背河柳荫地,废堤废坝,空闲地带以及沿黄各渠首闸附近,均可尽量栽植。树苗费与植树工资由国家开支，树权归国有。各地应因地制宜，全面规划，栽好管好。

刘传朋参加全国水利工作会议

1月18日 山东河务局副局长刘传朋等赴北京参加全国水利工作会议。2月10日会议结束。

山东河务局召开春修工作会议

1月27日 山东河务局召开黄河春修工作会议，各修防处、段负责人和工务、财务人员参加会议。为提高施工管理水平，会议通过典型发言和讨论，总结检查了1963年冬修工作中的经验教训，传达讨论了1964年黄河春修工作计划、土方工资调整意见，有关质量检查的补充规定和工地安全卫生工作意见，研究布置了春修施工任务。会议于2月3日结束。

黄委会发出黄河下游春修工作指示

2月1日 黄委会发出《1964年黄河下游春修工作指示》，要求各级领导充分重视春修，春修任务大，动员民工多，必须切实加强领导和施工管理，贯彻"精工壮工"原则，精干队伍，通过改良工具，改进劳动组合，按质按量完成任务。

河道观测队迁往历城县办公

2月10日 山东河务局直属河道队原设鄄城县，现根据观测任务的变动，决定该队迁往历城县坝子公社办公。

黄委会召开治黄工作会议

2月19日 黄委会召开治黄工作会议。会议传达贯彻了全国水利会议精神，王化云主任作了《1963年治黄工作基本总结和1964年治黄任务的报告》。会议于3月3日结束。

国务院批复《关于金堤河地区划界问题报告》

2月29日 国务院批复山东省人委《关于金堤河地区划界问题报告》，同意将范县、寿张两县金堤河以南地区划归河南省领导。并指出：(1)关于临黄堤防守，金堤修守用土和张秋闸运用等问题，国务院批转水电部的报告中已有原则规定。在金堤尚未整修加固之前，河南省应切实固守临黄大堤，保证安全。(2)在金堤以南滞洪,临黄堤与金堤间群众向金堤以北对口村庄转移时,由河南省统一负责动员教育和生产生活安排。

黄河安全度过凌汛

3 月 5 日　黄河封冰河道全部开通,凌期结束。是冬冷期晚,2 月 20 日山东河道封冻长 275 公里,总冰量 2818 万立方米。26 日气温回升逐渐开河。三门峡水库蓄水防凌,2 月 1 日关闸 8 孔,控制下泄流量 200 立方米每秒,12 日闸门全关。由于三门峡的控制,山东河道的流量逐渐减少,推迟了开河时间,冰凌融化,凌汛安全度过。

凌汛期间,由于河口淤高和冰凌壅塞,河口地区二次漫滩,大孤岛有 2600 多人被水围困,山东河务局副局长刘传朋及惠民专署副专员郭林赶往现场指挥抢险。

黄委会检查春修工作

3 月 11 日　黄委会副主任赵明甫来山东检查春修工作,具体检查了菏泽、聊城、东平湖等修防处春修施工情况。

恢复原范县、寿张金堤修防段编制

3 月 11 日　根据黄委会《关于大力加固北金堤的堤防,确保北金堤安全的指示》,山东河务局通知恢复原范县、寿张两金堤修防段,编制名额范县 40 人,寿张 70 人。

旧金堤作为第二道防线管理养护

3 月 19 日　黄委会批复同意将寿张颜营至齐河张拱辰旧金堤 90 公里,由寿张、东阿、齐河修防段负责管理作为第二道防线,同时建立沿河社队护堤组织,开展管理养护工作。在当前无收益时期,每公里每月可发给护堤生产队补助费 5 元。

流长河工地发生人员冻死冻伤事故

4 月 9 日　山东河务局电报黄委会,东平湖流长河闸上游引河开挖工程张庄工地上,有梁山拳铺公社民工 127 人,工棚扎在湖内低处。5 日夜 8 级大风和大雨,湖水淹没工棚,水深 1 米左右,6 日晨发现后,经奋力抢救大部脱险,仍有民工 9 人冻死,21 人冻昏。

山东河务局召开春修工作座谈会

4 月 11～14 日　山东河务局召开春修工作座谈会，总结交流了当前春修工作经验，摆问题、找差距，进一步推动春修工作。

水电部制定《堤防工程管理通则》

4 月 22 日　黄委会转发水电部制定的《堤防工程管理通则》，颁发各修防管理机构试行。

山东河务局确定东平湖水库运用方案

5 月 5 日　山东河务局召开局长办公会议，讨论东平湖水库运用方案。确定：(1)东平湖防洪运用服从黄河大堤安全，尽量不用或少用新湖滞洪。(2)孙口 13000 立方米每秒洪水时加强二级湖堤防守，13000 立方米每秒以上破二级湖堤。(3)建立机构，训练人员，做好破堤准备。

北金堤划界后有关机构调整

5 月 5 日　遵照国务院关于金堤划界问题的批示，黄委会召集河南、山东河务局负责人研究，将原属山东的范县、寿张两县金堤以南地区划归河南省；原临黄堤范县、寿张修防段交由河南河务局管辖；并确定山东河务局在北金堤建立莘县修防段和阳谷修防段。以上两修防段正式成立，并于 6 月 1 日开始办公。

山东省人委召开全省防汛工作会议

5 月 8 日　山东省人委召开全省防汛工作会议，对黄河和内河防汛工作进行了研究和部署。会议要求各级领导和水利部门的职工，认真总结以往的经验教训，分析掌握今年汛期的新情况、新问题，踏踏实实地做好防汛工作，保证黄河不决口，水库不倒坝，内涝少成灾；遇到旱灾，动员群众抗旱，减少损失。

黄委会通知破除滩区生产堤

5 月 15 日　黄委会发出通知，要求滩地生产堤仍继续贯彻执行 1963 年黄河防汛会议《关于黄河下游生产堤预留分洪口门的决议》，按设计标准全部破除，并将测量验收资料报黄委会。据此，山东省防指发出通知，对 50 处生产堤预留口门中，有 16 处尚未开挖的和 12 处开挖不够标准的，于 7 月中旬全部完成,7 月底由各专区指挥部组织验收报山东河务局。

山东河务局修订捕捉害堤动物奖励办法

5 月 28 日　山东河务局发出《修订捕捉害堤动物奖励办法的通知》。规定:捕捉獾狐等害堤动物,每只奖励人民币 5～10 元;捕捉地猴地鼠等害堤小动物,每只奖励人民币 0.3 元。原规定粮食奖励一律取消,以前印发的有关规定一律废止。

山东河务局开展工程普查鉴定

6 月 3 日　山东河务局发出《大力开展工程普查鉴定的通知》。要求各修防处、段于汛期组织力量,对堤防、险工、护滩、涵闸等工程,分别进行检查鉴定,对调查资料进行整理、绘图、登记建卡,分期分批在两三年内全部完成。

谭震林主持召开黄河防汛会议

6 月 10 日　谭震林副总理在北京饭店主持召开黄河防汛会议。水电部副部长刘澜波、钱正英,河南、陕西、山西、山东四省及黄河水利委员会负责人参加了会议。会上听取了黄委会主任王化云关于黄河防总 1964 年黄河防汛工作意见的说明,并进行了讨论,原则上通过了这个文件。会议确定黄河防洪任务仍以防御花园口站洪峰流量 22000 立方米每秒洪水为目标,保证黄河不决口。

山东省人委公布省防指组成人员名单

6 月 12 日　山东省人委公布了省防指组成人员名单。指挥为穆林,副指挥为李澄之、傅健吾、李瑜、张怀德、江国栋,秘书长为江国栋(兼)。指挥部下设办公室、内河防汛和抗旱办公室、黄河防汛办公室、物资交通办公室。

牟汉华查勘东平湖大陆庄分洪口门

6 月 17 日　山东河务局副局长牟汉华等 4 人去东平湖查勘大陆庄分洪口门,研究分洪工程布设问题。

黄河春修工程结束

7 月 10 日　黄河春修工程在沿黄各级党政的重视和领导下,经过 16 万民工和 400 多台拖拉机的紧张施工,按计划完成任务。共计完成土方 1150 万立方米。其中,完成黄河堤防培修和北金堤整修土方1020万立方米,东平湖水库二级湖堤培修土方81.8万立方米,整修险工和护滩工程完成石方15.5万立方米。

本年春修质量和效率都有提高。压实工具推广了拖拉机碾压,节约了开支,压实平方单价为0.036元,比硪工降低50%;土方单价平均每立方米为1.29元,比计划单价降低了2.8%,两项节约100余万元,粮食330万斤。

王化云到山东处理北金堤滞洪工程问题

7月16日　黄委会主任王化云、河南水利厅厅长彭晓林、河南河务局局长刘希骞来山东处理北金堤滞洪区南小堤和林口工程问题。山东河务局副局长刘传朋等前往范县、东明会同处理。20日王化云主任等来济南,应山东省人委邀请,汇报研究关于黄河22000立方米每秒洪水的防守问题。对东明县要求修筑林口护滩工程保护滩地生产问题,黄委会主任王化云与山东省人委秘书长陈梅川、菏泽地委书记狄生、东明县委郑子龙进行了研究,认为这段河道溜势变化不定,两岸尚无控导工程,非一处护滩所能解决,故先维护原有坝垛,待做出全面治理规划,再进行治理。

栗再温检查防汛工作

7月24~29日　栗再温副省长检查菏泽、聊城地区及东平湖水库的防汛准备工作,深入到各险工、河道、涵闸等工程,并听取各专、县负责人的汇报,对防汛工作中存在的主要问题提出了意见。

谭启龙等视察济南堤防工程

7月31日　泺口出现洪峰流量8500立方米每秒、水位30.34米的汛情。中共山东省委第一书记谭启龙,省长白如冰,书记处书记周兴、苏毅然、刘秉琳,副省长晁哲甫、穆林、李澄之等前往视察。济南市市长杨毅、山东河务局副局长刘传朋汇报了情况,并陪同检查了济南一带险工、大堤防守工作,慰问防汛员工。

谭启龙主持会议讨论黄河治理问题

8月15日　中共山东省委书记谭启龙主持会议,讨论黄河治理问题,为国务院讨论治黄问题作准备。省委负责人白如冰、周兴、栗再温,山东河务局副局长刘传朋、牟汉华、主任工程师包锡成等参加会议。

黄委会制定修堤土方工程拖拉机碾压试行办法

9 月 18 日 黄委会制定《黄河下游修堤土方工程拖拉机碾压试行办法》，要求各单位参照办理，并不断总结经验，提供修正补充意见。

山东河务局召开冬修工作会议

10 月 4 日 山东河务局召开冬修工作会议，各修防处主任、工务、人事科长参加。根据黄河防洪任务，堤防培修任务大，为争取主动，趁冬季农业生产空隙多做些工程。经过会议研究确定冬修主要进行堤防加高培厚和薄弱堤段加固，整修险工及东平湖石护坡。会议对建立政治机构问题做了部署。黄委会副主任江衍坤、省人委副省长穆林到会讲了话，特别指出冬修任务大、时间短，15 万人上堤，各级党委要加强领导，保证 11 月底完成任务。

水电部工作组查勘黄河防洪工程

10 月 6 日 水电部、黄委会及河南、山东河务局组成 15 人工作组，自洛阳孟津至黄河河口，对黄河下游河道、堤防、河口及滞洪区进行了查勘。工作组听取了各有关方面情况的介绍和治黄意见，对下游防洪问题提出六种措施方案，拟提交北京治黄会议讨论。查勘工作于 24 日结束。

黄河防总决定延长防汛期

10 月 20 日 黄河防总电示：现已接近霜降，由于黄河雨多水大，目前花园口流量尚在 5000 立方米每秒以上，且多处险工仍在抢险。为确保安全度过汛期，决定延长防汛期，各级防指继续保持警惕，注意防守，密切注意河势工情变化，根据水情另定撤防日期。

山东省人委批准修防工程安排意见

10 月 20 日 山东河务局《关于黄河修防任务及今冬明春安排意见的报告》，经山东省人委批准，并通知沿黄各专、县研究执行。根据国家计委对黄河下游近期加培大堤，整修险工计划的指示，以防花园口 22000 立方米每秒洪水为目标，位山以下防御 13000 立方米每秒洪水。共批准土方 4989 万立方米，石方 74 万立方米。具体安排意见为：(1)抓住农闲季节，计划完成土方 1892 万立方米，石方 27.8 万立方米。(2)加强工程管理。(3)引水淤碱。

近期黄河治理意见座谈会在济南召开

10月24～26日 近期黄河治理意见座谈会在济南召开。参加座谈会的有：黄委会、黄委会水利科学研究所、黄委会勘察设计研究院，山东工学院，山东省水利厅、设计院、基建局，山东河务局等单位代表30人。座谈会对国务院农办转发的《关于近期治黄意见的报告(讨论稿)》进行了讨论。

中共山东省委批准山东河务局建立政治部

10月29日 为加强山东河务局所属单位的政治工作，经中共山东省委批准建立中共山东河务局政治部。政治部下设办公室、组织处、宣传处、干部处。同时经中共山东省委批准建立山东河务局直属机关政治处。以上两机构均自11月1日开始办公。

黄河冬修工程开工

10月30日 黄河冬修工程开工，有民工13万人、拖拉机170台参加施工，至12月上旬竣工。共计完成土方567万立方米，险工护滩整修完成石方7.8万立方米，植树204万株。冬修竣工后，黄河堤防基本上达到防御花园口20000立方米每秒洪水的标准，东平湖水库二级湖堤培修完成45米高程的标准，大清河堤防完成防御尚流泽站7000立方米每秒的防洪标准，北金堤经过整修增强了滞洪后的防御能力。

战胜黄、汶较大洪水

10月31日 沿黄人民奋战40天取得了防汛斗争的胜利。汛期黄、汶河流域都是丰水年，黄、汶洪水数次相遇，高水位持续时间长。入汛后花园口站共出现5000立方米每秒以上洪峰7次，7月28日洪峰流量9400立方米每秒为最大。汶河共出现4000立方米每秒以上洪峰3次，9月13日戴村坝洪峰流量6700立方米每秒，为1949年后最大洪水。由于黄、汶河洪峰多次相遇，三门峡以上来水经水库调蓄后，形成了矮胖的峰型，以致艾山以下出现5次8000立方米每秒左右的洪峰，泺口流量在5000立方米每秒以上持续达100天。由于高水位持续时间长，大堤渗水管涌特别严重，共发生渗水堤段246段，管涌146个，险工坝岸出险3400段次，险情比1958年大水多。由于黄、汶洪水相遇，黄、清、湖堤三线防守，沿黄各地党政领导，亲临前线坐镇指挥，调干部4700余人及10万防汛队伍上堤分段防守，及时抢护险情。中共山东省委、省人委负责人谭启龙、白如冰、周兴、栗再温、李澄之等均亲临黄河视察。

山东河务局接管山东境内引黄闸管理所

11 月 6 日 接黄委会通知,山东境内刘庄、位山、盖家沟、韩家墩、打渔张引黄闸管理所,由山东河务局直接管理。经山东河务局研究并下达通知,上述各闸受所在修防处统一领导。

国务院召开治理黄河会议

12 月 5 日 国务院在北京召开治理黄河会议,研究讨论近期治黄意见、三门峡枢纽改建问题以及黄河中游水土保持规划等。山东省水利厅副厅长戴心宽、山东河务局副局长牟汉华和主任工程师包锡成参加了会议。18 日晚,周恩来总理在会上讲了话,批准三门峡改建,增建两条隧洞,四条管道,尽快建成,对黄河下游治理问题指示说:解决黄河下游的洪水和泥沙问题,在三门峡水库改建后更加迫切。为此,应在三门峡改建的同时,切实安排好下游的问题。首先继续加固堤防,巩固与改善现有的滞洪区,并进一步研究三门峡以下干支流水库和各种滞洪方案与河口治理的措施。在三门峡水库改建完成初期运用时,还应根据下游安排泥沙的能力,加强观测研究,逐步试排泥沙,防止下游河道突然变化,确保下游不发生决口改道。周总理还指示:为了改造黄河下游两岸的洼涝碱地,水利电力部应会同黄委会及豫鲁两省,首先查勘可以退水入黄的洼地,研究与试办淤灌工程和改种水稻。在进行这项工作中,必须不重复过去的错误,不造成下游或附近地区的涝碱灾害。

1965 年

山东河务局调整利津、垦利、梁山修防段

1 月 14 日 山东河务局根据行政区划的调整和上级关于紧缩组织机构的指示精神,经研究决定:(1)将原利津第一修防段改为利津修防段,原垦利段黄河北岸堤段归利津修防段管理。(2)撤销利津第二修防段,与垦利段合并为垦利修防段。(3)撤销梁山湖堤第二修防段,该段堤防划归徐庄闸坝管理所管理。(4)将梁山湖堤第一修防段改为梁山湖堤修防段。

山东河务局召开春修工作会议

1 月 17 日 山东河务局召开春修工作会议,检查总结冬修工作和布置

1965年春修任务。各修防处(局)主任、工务、财务科长及局机关各处、室负责人参加会议,会议于22日结束。

利用黄河泥沙进行淤背试验

1月23日 山东河务局召集局长办公会议,根据周总理在治黄会议上的讲话精神,研究确定利用黄河泥沙水力冲填淤背试验。经费从水利事业费勘测试验项目开支。

黄委会召开治黄工作会议

1月26日 山东河务局副局长牟汉华等赴郑州参加黄委会召开的治黄工作会议。返回济南后,于31日召开局务会议,进行传达研究。

山东河务局调整春修民工计件单价

2月9日 山东河务局发出《关于春修民工计件单价调整意见的通知》:(1)土工每标准方由1964年冬0.267元降为0.26元。(2)人工硪实按每平方米0.063元。(3)边锨工各修防处段掌握平均每平方米不超过0.0063元。(4)原属济南市郊的东郊、西郊及北园区,可高于上述标准5%,董家区仍与其他处段标准同。(5)其他仍按1964年春修规定办理。

黄河未封河

2月13日 山东河务局在结束防凌工作的报告中称:1948年以来,山东黄河因冬季气温高而未封河的年份有1950、1952、1954、1962年,1965年是第五年没有封河。

山东河务局组织参观黄河埽坝工程

2月15日 山东河务局组织局机关及各修防处、段的工程技术人员,对黄河埽坝工程进行参观学习,黄委会及河南河务局也派员参加,计参观险工24处,护滩工程9处。最后对险工护滩工程的平面布置、埽坝方位、形式、结构、裆距和摸水技术与埽坝改建等问题进行讨论,交流经验。于3月2日结束。

山东沿黄地区稻改座谈会召开

2月22日 山东省水利厅、农业厅、山东河务局在济南联合召开沿黄地区稻改现场参观座谈会。副省长李澄之主持会议，菏泽、德州、惠民 3 地区和沿黄 17 个县的负责人和工程技术人员参加会议。交流了引黄稻改方面的经验，参观了历城县引黄稻改的田间工程和低水位时机械提水的经验，落实了各地发展稻改的计划。本年引黄稻改共有虹吸工程 27 处（79 条管），引黄涵闸 4 处，落实稻改面积为 25.3 万亩。

山东黄河规划研讨会召开

3 月 13 日 山东黄河规划问题讨论会在齐河由中共山东省委书记处候补书记穆林主持召开，参加会议的有陈梅川、郑建民、吕振东、张次宾、牟汉华、修琪、孙贻让、包锡成、许建以及沿黄各地区负责人。会议对黄河三门峡水库建成后，花园口仍可发生 30000 立方米每秒以上洪水问题，特提出在位山以下开辟分洪道的规划进行了研究讨论。

河务局副局长

3 月 17 日 宣布：1964 年 5 月 6 日中共山东省委批准杨克民任山东 山东黄河位山工程局副局长职务。根据位山工程局情 研究，杨克民暂仍主持位山局工作。

勘山东黄河

3 月 19 日 水电部副部长张含英、黄委会主任王化云、北京水电科学研究院副院长谢家泽、武汉水电学院副院长张瑞瑾、山东省政府副秘书长陈梅川、山东河务局副局长牟汉华等组成下游查勘组。3 月 19 日起在菏泽、鄄城、郓城、梁山、东平、济南、济阳、齐河、聊城等地查勘。26～29 日在济南听取了省水利厅、山东河务局防汛工作及黄河治理意见的汇报。

黄委会同意改变部分堤段培修标准

4 月 1 日 黄委会通知改变部分堤段培修标准：（1）东阿位山至艾山左岸大堤，由于位山破坝和艾山卡水的影响，改按位山以上堤防标准修筑，即超高由 2.1 米改为 2.5 米，堤顶宽，险工由 10 米改为 11 米，平工由 8 米改为 9 米，临背河边坡均为 1∶3。（2）济南泺口至泺口枢纽两岸大堤培修标准，由于泺口枢纽现存工程的壅水影响，并考虑到济南市和津浦铁路的安全，改按齐河豆腐窝至泺口的堤防标准修筑；即堤顶宽平工由 7 米改为 9 米，险工由 9 米改为 11 米，超高、边坡均按原标准不动。

黄委会批准戴村坝工程整修

4月6日 黄委会批准整修东平县戴村坝工程。戴村坝总长433.9米，坝分玲珑、滚水、乱石三坝，兴建于明永乐九年，系汶河入大清河、小汶河之分水工程，曾于清光绪六年、三十年，民国22年，进行过三次较大的整修。后因年久失修，玲珑坝冲毁50米，乱石坝坝坡冲坏，滚水坝基础破坏。整修工程于4月10日开工，5月15日竣工。坝体砌石完成2010立方米，抛铅丝笼护底1540立方米，浇筑混凝土273立方米。

黄委会召开政治工作会议

4月10～20日 山东河务局副局长牟汉华及各修防处政治处负责人，去郑州黄委会参加政治工作会议。

钱正英察看山东水利和涝改工程

4月21日 水电部副部长钱正英和河南省水利厅副厅长刘亦凡，由山东省水利厅副厅长张次宾等陪同，到达聊城、阳谷、冠县、齐河等县察看水利和涝改工程。23日在济南由山东河务局副局长刘传朋汇报了三堤两河方案。

山东河务局召开政治工作会议

5月11～18日 山东河务局召开政治工作会议，各修防处、段、闸管所及局直单位的政工和工会负责人参加，研究布置了治黄工作中职工群众政治工作。

山东省人委召开全省防汛工作会议

5月19～25日 山东省人委在济南召开全省防汛工作会议，研究布置黄河和内河防汛工作。参加会议的有各专、市、沿黄各县及内河重点县负责人和黄河各修防处、段负责人。会议期间，省长白如冰，副省长穆林、李澄之均对防汛工作做了指示。

水电部安排黄河防汛工作

5月27日 水电部提出1965年黄河防汛工作安排意见，原则上仍应按照1964年国务院召开的黄河防汛会议上所决议的意见办理，艾山下泄流量仍按10000立方米每秒进行控制。但由于河槽刷深，东平湖进水能力降低，艾山下泄流量有可能超过 10000 立方米每秒,达到 11000 立方米每秒。因此,在部署防汛工作时,应按艾山下泄 11000 立方米每秒进行准备。

1964 年原安排当花园口站发生 22000 立方米每秒的洪水时,如果向东平湖分洪分不到 6000 立方米每秒,则利用北金堤滞洪区下端倒灌一两千立方米每秒。本年由于东平湖进水能力的限制,有可能提前使用北金堤滞洪区下端倒灌。关于使用标准,由黄河防总具体掌握。

山东省人委公布省防指组成人员名单

5 月 30 日 山东省人委公布省防指组成人员名单。指挥:穆林,副指挥:李澄之、傅健吾、李瑜、陈梅川、江国栋、张怀德,秘书长:张次宾,副秘书长:刘传朋。

黄河防汛办公室主任刘传朋,副主任牟汉华、赵昆山、武化善。

黄委会召开黄河防汛工作会议

6 月 15～17 日 河南、山东、陕西、山西 4 省黄河防汛工作会议在郑州召开。会议传达贯彻了国务院批转水电部《关于 1965 年黄河防汛工作安排的报告》,经过讨论通过了黄河防总《关于 1965 年防汛工作中几个具体问题的意见》,研究安排了防汛工作。

东平县王台闸改建工程竣工

6 月 20 日 东平县王台闸改建工程竣工。王台闸主要作用是控制大清河北堤以外 265 平方公里地区的涝水相机排入东平湖。原有两座涵闸年久失修,为确保防洪安全,促进农业生产,本次改建为开敞式砌石混凝土混合结构的泄水闸,共两孔,每孔净宽 3.5 米,最大泄水流量为 50 立方米每秒,该闸改建工程是 2 月 20 日开工的。

黄河春修工程竣工

6 月 30 日 黄河春修工程竣工。工程主要进行临黄堤、北金堤、东平湖等堤防加固,共上堤民工 12 万多人,完成土方 1110 万立方米。并完成了大清河王台闸改建工程。整险工程完成石方 14 万立方米。施工中全面推行了拖拉机碾压和带碾碾压,降低了压实单价。据统计,拖拉机带碾碾压台时工效为 630 平方米,每平方米单价为 0.021 元,比硪工单价降低 67%,仅此一项,即节约开支 40 万元,节约粮食 150 万斤。施工中使用废土,收上方和调整土场、缩短运距、减少挖地面积，以上共节约投资 130 万元，节约粮食 250 万斤。

山东黄河治理规划座谈会在济南召开

7月3日 山东黄河治理规划座谈会在济南召开。中共山东省委、省人委负责人谭启龙、白如冰、苏毅然、刘秉琳，省水利厅张次宾，省农办修琪，山东河务局牟汉华、赵昆山，以及长江流域规划办公室主任林一山、总工程师王源、王咸成等参加会议。经座谈讨论，对下游河道淤积问题、引黄渠道淤积问题、稻改、引黄改碱、下游防洪等问题交换了意见，对山东治黄规划提出了建议。

泺口至北镇电话干线改建工程完成

7月31日 泺口至北镇电话干线改建工程完成。该段电话干线长达 145 公里，由山东河务局工程大队和电话站为主，组成 170 余人的架线队，从 2 月下旬开始动工，将原有全部木质杆改建为混凝土杆。

东平县陈堤涵洞工程竣工

8月28日 东平县陈堤涵洞工程竣工。陈堤涵洞位于湖堤上，是为排除城关公社涝水，解除洪水对东平县城威胁和汛后排出湖内积水，降低湖水位，以利发展湖内生产而兴建的。系一座双向运用的两孔钢筋混凝土方形涵洞，排水流量为 21 立方米每秒。4 月 17 日破土动工。

王化云向中共山东省委汇报治黄问题

9月3日 黄委会主任王化云向中共山东省委汇报治黄问题。4 日到山东河务局听取工作汇报。5 日返回郑州。

黄委会召开政治工作座谈会

9月8～15日 黄委会政治部在郑州召开政治工作座谈会。出席会议的有山东、河南河务局，以及水文系统、勘测设计单位的负责人和部分基层单位的政工干部共 69 人。

这次会议主要是贯彻水电部政治工作会议精神，检查黄委会 1965 年春政治工作会议以来的落实情况，交流政治工作经验。会议期间黄委会副主任王生源作形势报告。

黄委会召开堤防加固工程座谈会

9 月 10 日 黄委会分别在郑州及济南召开堤防加固工程座谈会，各修防处工程技术人员参加，黄委会工务处副处长汪雨亭来济主持，会议主要内容是：进一步澄清堤防隐患情况，总结交流堤防加固施工经验，并对编制下游堤防规划提出意见和要求。14 日座谈会结束。

东平湖修防处政治处建立

9 月 21 日 山东河务局政治部发出通知，根据黄委会政治部指示，决定建立中共山东河务局东平湖修防处政治处。

山东沿黄地区稻改工作会议召开

9 月 22～28 日 根据中共山东省委指示，省水利厅、农业厅、山东河务局联合召开了全省沿黄地区稻改工作会议。参加会议的有沿黄各专、市和 26 个县(市)及部分社(区)的代表共 99 人，会议经过现场参观、大会发言、座谈讨论，交流了稻改工作经验，讨论了 1966 年稻改计划。

山东河务局召开冬修、政治工作会议

9 月 25～30 日 山东河务局召开冬修、政治工作会议。参加人员有：各修防处主任，工务、财务科长；政治处主任和部分政工干部计 31 人。会上传达讨论了政治工作总结和今后意见，以及今冬明春治黄工作计划。牟汉华副局长作了大会总结。

山东河务局安排重要防洪工程任务

10 月 4 日 山东河务局根据近期防洪标准，提出今冬明春的主要任务是：增修加固堤防、整修险工护滩、加固东平湖围堤、完成泺口至利津(北岸)电话干线改架工程。以上共计土方 1135.5 万立方米，采运石料 30 万立方米，整险石方 17 万立方米，植树 150 万株，虹吸管接长 53 条，共需 1498.8 万工日。

王亚波率团勘察山东黄河

10 月 5～7 日 水电部王亚波局长率黄河勘察团来济，7 日上午山东河务局副局长牟汉华向其汇报了治黄工作情况。

黄委会检查、鉴定涵闸虹吸工程

10月10日　根据黄委会关于抓紧进行涵闸虹吸工程检查并作出鉴定的通知，由黄委会工务处、规划设计处、地质处、黄科所及河南、山东河务局派员参加，对山东省刘庄、苏泗庄、十里堡、刘春家、簸箕李、韩家墩、打渔张、张庄等引黄涵闸进行了检查和鉴定。

黄委会颁发劳保用品发放使用管理试行办法

10月26日　黄委会颁发《所属单位职工劳动保护用品发放使用管理试行办法》。本着有利于安全生产、节约使用劳保用品的精神，对黄河地质勘探、地形测量、水文测验、修防及闸坝管理等单位计61个不同工种制定了所需配备的劳动保护用品和使用管理办法。

黄河安全度过汛期

10月31日　黄河汛期结束。汛期总水量仅为182亿立方米，相当于多年汛期平均总水量356亿立方米的51%，汛情平稳。全省共组织防汛队伍35万人，其中基干班13.4万人，抢险队6500人，共备秸料3880万公斤，修做了张庄分洪口门裹头工程，确定了二级湖堤黑虎庙、月河圈和五里堡三处分洪口，加固了度汛工程薄弱环节，共完成土方16.8万立方米，检修了各引黄涵闸，普查发现新隐患742处，核实老隐患528处，大都进行了翻修和压力灌浆，加固了堤防。各修防处、段共派出干部250多人，协助沿黄社队搞稻改20万亩，台田、水稻样板田80多亩，水稻一般亩产800斤左右。

牟汉华向黄委会汇报治黄工作

11月20日　牟汉华副局长等去黄委会汇报汶河治理规划，引黄涵闸、虹吸工程的维修，新建涵闸、迁建虹吸工程情况。返回途中在泰安专署交谈了汶河治理规划问题。

山东河务局进行机构整编

11月23日　山东河务局机关及所属单位机构整编如下。

一、河务局机关下设办公室、工务处、财务器材处、政治处、组宣处、干部处、保卫科，共137人。

局直属单位有：工程队、河道队、测量队、电话站、仓库、工人医院、干训班、平阴石料收购站，共 389 人。

二、各修防处、段为：

菏泽修防处及所属东明、菏泽、鄄城、郓城、梁山修防段；

聊城修防处及所属东阿、阳谷、莘县修防段；

德州修防处及所属齐河、济阳修防段；

东平湖修防处及所属梁山湖堤段、东平、汶上修防段；

惠民修防处及所属邹平、高青、博兴、惠民、滨县、利津、垦利修防段、四宝山石料收购站；

济南修防处；

泰安修防处；

位山工程局。

三、各闸坝管理所有：位山拦河闸、位山引黄闸、十里堡进湖闸、徐庄耿山口进湖闸、陈山口出湖闸、流长河泄水闸、刘庄引黄闸、苏泗庄引黄闸、陈垓引黄闸、黄砦引黄闸、盖家沟引黄闸、韩家墩引黄闸、簸箕李引黄闸、王旺庄引黄闸、马扎子引黄闸、刘春家引黄闸。

四、企业自给单位有：航运大队、菏泽采运队、黄台山石料厂。

以上全局编制人员共 3758 人。

水电部向国务院报告黄河下游防凌工作

12 月 11 日　水电部就黄河下游防凌问题报告国务院：在 1966 年春凌汛期间，为确保防凌安全，除依靠下游两岸群众积极做好防守准备，加强凌情观测和组织爆破外，必要时，还需要运用三门峡水库适时配合关闸蓄水防凌，按严重情况关闸 30 天考虑，需要库容 13.7 亿立方米，相应库水位不超过 326 米。凌汛期间，仍请有关部门注意保证库区和河口的安全。20 日，国务院同意水电部的报告，希即按此做好防凌准备工作。关于在必要时运用三门峡水库配合防凌关闸蓄水问题，责成水电部密切注意，严加控制。在确保防凌安全的原则下尽量压低蓄水位和缩短蓄水时间，力争避免或减少因水库关闸蓄水所引起的不利影响。

谢家泽来山东黄河考察行洪道方案

12 月 15 日　水电部水利水电科学研究院副院长谢家泽等来山东河务局考察行洪道方案。副局长刘传朋等作汇报。16 日由刘传明副局长陪同赴德州、惠民等地区实地查勘。27 日谢家泽副院长等离济返京。

山东河务局发出防凌工作通知

12 月 17 日　山东河务局发出《关于做好 1966 年黄河防凌工作的通知》。指出黄河河口泄水不畅，冰凌易于卡塞，防凌工作要贯彻有备无患精神，积极做好准备，加强冰凌观测研究，组织好爆破队，及时破除行凌障碍。各级党委、政府要加强凌汛的领导，确保凌汛安全。

山东省人委批转水库移民安置意见

12 月 30 日　山东省人委批转水利移民安置办公室《关于当前移民安置情况及今后意见的报告》。要求各地充分重视，加强思想教育，帮助他们从生产上扎根，才能做到妥善安置。希望各地坚持依靠群众，自力更生，贯彻谁受益谁负担的政策，切实把国家扶持的资金管好、用好，彻底解决老移民的问题。

1966 年

汶河纳入黄河系统统一治理

1 月 3 日　山东省人委农林办公室，报请国务院将汶河治理规划纳入黄河系统统一治理。省水利厅与山东河务局拟定了《汶河流域近期治理意见》，初步规划第三个五年计划期间，控制水土流失面积 85%，扩建现有 10 座大中型水库，新建 23 座中型水库，并整修堤防、疏浚支流、改造涝洼。计划投资 2970 万元。

截至 1965 年底，汶河上游已建成大中型水库 14 座（黄前、雪野、大冶、光明、杨家横、大河、山阳、小安门、尚庄炉等），百万立方米以上小型水库 27 座，设计总库容为 8.7 亿立方米，控制流域面积 2200 平方公里，占戴村坝以上流域面积的 27%。

黄河冬修工程竣工

1 月 14 日　黄河冬修工程竣工。共上堤民工 6.4 万人，胶轮车 4.2 万辆，拖拉机 130 台，完成土方 326 万立方米，石方 3.3 万立方米。

黄委会召开治黄工作会议

1 月 28～30 日　黄委会在郑州召开治黄工作会议。总结了 1965 年治黄工作，研究确定了 1966 年工作重点，同时安排部署了上半年政治工作任务。

山东河务局副局长刘传朋等3人参加,2月2日返济。

山东河务局召开治黄工作会议

2月14～20日 山东河务局召开治黄工作会议。到会的有各修防处、段、闸坝管理所及直属单位负责人79人。副局长刘传朋作了《1965年工作情况及1966年工作要点》的报告。会议通过充分讨论,首先对政治思想工作、工程管理、施工管理、引黄灌溉以及防汛工作进行总结,吸取经验教训,研究安排1966年各项治黄工作。

黄河安全度过凌汛

2月15日 黄河凌汛结束。山东河道自12月下旬开始封河,至1月14日封至梁山陈垓,封冻段长275公里,总冰量3104万立方米。11日由于气温回升和三门峡水库泄水600立方米每秒,位山至齐河封冻段一度开河,在济南曹家圈卡塞形成冰坝,后遇寒流,齐河以上二次封河。2月5日气温回升,冰凌逐渐融化,至本日封冻段全部开通。

牟汉华、杨晓初职务任免

3月5日 中共山东省委组织部公布:华东局1966年2月16日批准牟汉华任山东河务局政治部主任,免去其副局长职务。

杨晓初任山东河务局副局长(名列赵昆山之前)。

黄委会检查新建引黄涵闸工程

3月5～22日 黄委会派出检查组,对黄河下游新建引黄涵闸工程进行检查。在山东检查了佛头寺、土城子、宫家、睦里、辘轳吊、韩刘、葛家店等7处涵闸,对存在的问题和安全度汛等提出了意见。

水电部函复要慎重发展引黄灌溉

3月21日 水电部对中共山东省委上报的《关于恢复和发展引黄灌溉的报告》函复中共山东省委及黄委会,要积极慎重,所有引黄灌区均应编制规划设计,做好灌、排和田间配套工程,防止再次发生次生盐碱化。凡属黄河大堤引水工程均由黄委会所属机构负责管理。灌区以下由地方组成统一管理委员会,加强灌区管理和观测研究工作,保证管好用好。

中共山东省委农林党委任命河务局党组成员

4月16日　中共山东省委农林政治部农林党委决定:山东河务局党组书记刘传朋,副书记牟汉华、杨晓初。委员赵昆山、杨克民、孙田岗、武化善、崔纪明。

同日　农林党委决定,山东河务局政治部部委员会成员为:牟汉华、孙田岗、常延景、史维桢。

全国防汛和堤防管理会议召开

4月20日　水电部在武汉召开全国防汛和堤防管理会议,总结交流堤防管理经验,研究布置防汛工作。会前组织代表参观学习了河南、湖南、江苏、安徽省及上海市堤防塘坝管理工作经验。山东河务局有12人参加。

国家计委召开引黄灌溉和行洪道座谈会

4月20日　国家计划委员会林乎加、水电部规划局成润副局长来山东,在德州召开座谈会,讨论引黄灌溉问题和开辟行洪道方案。山东省人委穆林、刘众前、修琪、陈梅川,山东河务局刘传朋、包锡成等参加,讨论确定应做出引黄灌溉规划和防洪规划。

黄委会召开黄河下游分洪问题会议

4月25日　黄委会副主任韩培诚,水电部规划局成润副局长在南郊宾馆召开会议,研究黄河下游分洪问题。山东河务局刘传朋、牟汉华等参加会议。5月3日,成润副局长由刘传朋陪同赴惠民等地检查引黄灌溉情况。

垦利县胜利引黄闸建成放水

5月1日　垦利县胜利引黄闸建成放水。该闸建于佛头寺险工,为三孔一联涵洞式,每孔高、宽均为2米,设计引水流量为15立方米每秒,可供胜利油田工业和生活用水,并可灌溉土地20万亩。

山东省防汛工作会议召开

5月13日　山东省防汛工作会议在济南召开。参加会议的有各专、市、县负责人和黄河修防处、段负责人。会议研究部署了黄河、内河防汛工作,确定黄河防汛任务仍以防御花园口站20000立方米每秒洪水为目标,艾山下泄流量仍按 10000 立方米每秒进行控制,但由于河槽刷深,东平湖进水能力降低,艾山下泄流量有可能超过 10000 立方米每秒。因此,在部署防汛工作时,应按艾山下泄 11000 立方米每秒进行准备。会议于 25 日结束。

济南睦里闸建成放水

5 月 31 日 济南睦里闸建成放水。此处清光绪三十一年(1905 年)建有旧闸,因年久失修已成为防洪弱点,为满足防洪及济南市工农业引水需要,于 3 月 11 日动工重建。该闸为两孔钢筋混凝土箱式结构,引水流量 5～10 立方米每秒。

国务院召开黄河防洪会议

6 月 1 日 国务院在北京召开会议,研究黄河防洪问题。会议由谭震林副总理主持,周恩来总理到会作了指示。山东河务局牟汉华参加了会议。会议确定东平湖水库增建石洼进湖闸及出湖闸。4 日会议结束。10 日国务院批转了水电部《关于黄河下游防汛及保护油田问题的报告》。指出:山东利津以下两岸油田建设正大规模进行,但当地堤防质量较差,河道淤积抬高较快,而且凌汛决口机会也多,汛期如南堤发生险情,可考虑在北岸王庄临时破堤分洪。为了准备万一,可在汛前修筑部分避水台工程,同时做好防汛抢险和分洪的准备,尽最大努力,争取防汛斗争的胜利。18 日黄委会批复山东河务局同意修建避水台工程,投资 60 万元。

利津县宫家引黄闸竣工

6 月 10 日 利津县宫家引黄闸竣工。该闸为两孔钢筋混凝土箱式涵洞结构,高、宽均为 2 米,全长 50 米,设计引水能力为 10 立方米每秒,可灌利津县 17.3 万亩土地和供该地区生活用水。

章丘县土城子引黄闸竣工

6 月 10 日 章丘县土城子引黄闸竣工。该闸系钢筋混凝土箱式结构,设计引水流量 10 立方米每秒,可灌农田 5 万亩。

山东河务局召开文化大革命动员报告会

6 月 13 日 山东河务局召开职工大会,孙田岗代表局党组作了《关于深入开展无产阶级文化大革命》的动员报告。

济阳县葛家店引黄闸工程竣工

6月15日　济阳县葛家店引黄闸工程竣工。该闸系钢筋混凝土箱式结构,共两孔,孔径高、宽均为2米,引水流量10立方米每秒,设计灌溉面积20万亩。

山东省人委公布省防指组成人员名单

6月30日　山东省人委通知公布省防指组成人员名单。指挥:穆林,副指挥:刘众前、陈东梅、李瑜、王良、段锦州、张次宾,秘书长:张次宾(兼),副秘书长:刘传朋。

黄河防汛办公室主任:刘传朋(兼),副主任:牟汉华、赵昆山、武化善。

齐河县韩刘引黄闸竣工

7月10日　齐河县韩刘引黄闸竣工。该闸为三孔一联钢筋混凝土箱式结构,每孔高、宽各2米,设计引水流量15立方米每秒,可灌溉齐河县赵官等9个公社15万亩农田,并可输水至禹城县接济徒骇河。

石洼进湖闸设计领导小组成立

7月18日　山东河务局研究确定成立石洼进湖闸设计领导小组,调集技术人员进行设计工作。

开展引黄涵闸观测工作

7月19日　山东河务局发出通知,要求各修防处、段对引黄涵闸工程进行水位、闸基沉陷、闸基水平位移、基础渗流运动、伸缩缝、裂缝、流量及泄水能力、单位水样含沙量、地震等项观测,要求各管理单位对所观测资料及时整理,于8月5日前报局。

山东河务局召开生产点座谈会

8月5日　山东河务局召开生产点座谈会,各修防处及阳谷、东明、东平、齐河、垦利等段的蹲点干部参加。主要为交流经验,促进生产点的工作。

山东河务局选举产生文化革命筹备委员会

9月3日　山东河务局文化革命筹备委员会经选举产生,由11人组成。

主任委员:杨克民,副主任委员:李民,委员:赵凤吉等 9 人。

黄河安全度过汛期

10 月 31 日 黄河汛期安全度过。汛期平水丰沙,花园口站出现 4000 立方米每秒洪水 4 次,最大一次是 7 月 31 日,洪峰流量 7500 立方米每秒。汶河最大洪峰流量为 3500 立方米每秒。汛期总水量 311 亿立方米,来沙总量 16.7 亿吨。由于 4000 立方米每秒流量持续时间长达 127 天,河势变化较大,营房以上坍滩严重,距大堤仅 70 余米,经抢修 10 段石堆防护,李桥以下坍滩溜势下延,伟庄险工脱河。汛期抢险 455 段次,位山以上生产堤偎水,大堤有 64 公里靠水,组织群众上堤防守。由于汛前各级防汛指挥部对河势工情普遍检查,汛期加强观测,主动采取防护措施,保证了河防安全。

8 月中旬以后干旱少雨,抗旱引水 12 亿立方米,浇地 450 万亩。菏泽地区 8 个县抗旱引水种麦 260 万亩,保证了秋种。

山东河务局通知在临背河堤肩普植行道树

11 月 14 日 山东河务局通知各修防处,从冬季开始在临背河堤肩普植速生乔木行道树一行,要贯彻自力更生的精神,依靠沿河群众栽植,提高成活率。

罗马尼亚工程师考察黄河

12 月 12 日 罗马尼亚国家建设和城市规划委员会主任工程师苏培尔特,由水电部派员陪同,从北京乘机来济南。在济停留 3 天,考察了黄河堤防、护岸工程,并座谈了黄河建设成就、河道治理、技术经验等。还参观了济南附近的稻改情况。

引黄灌溉经验交流会召开

12 月 25 日 以山东河务局为主,黄委会、山东省农办有关部门参加,召开沿黄专、县水利部门引黄灌溉经验交流会议。与会代表 71 人。会议期间还参观了菏泽、德州、惠民三个专区沿黄 10 个县的引黄灌区配套工程,重点参观了苏泗庄、打渔张等灌区。座谈会延至次年 1 月 11 日结束。

石玉海等被授予山东省劳动模范、省先进生产者称号

本年 在山东省农业先进代表会议上,山东河务局石玉海被授予山东省

劳动模范称号;在山东省工交基建先进生产者代表会议上,山东河务局职工张文清、李德修、王福营被授予山东省先进生产者称号。

1967 年

山东黄河防凌工作会议召开

1 月 11 日 山东省防指黄河防汛办公室召集齐河、济阳、历城、章丘县人委负责人和济南、泰安、德州修防处及所属修防段负责人开会,分析当前黄河凌汛发展的严重情况,传达贯彻黄河防总关于做好防凌工作的指示,研究安排各项防凌措施和工作要求。

中共山东河务局党组专题研究防凌工作

1 月 16 日 中共山东河务局党组召开会议研究防凌问题。会议决定:(1)电告中共惠民地委,省委同意分洪的意见,由惠民地委执行;(2)勘察几个分洪口,立即进行工作;(3)已作爆破试验,以便及时分洪。

山东河务局革命委员会组成

2 月 16 日 黄委会山东河务局革命委员会组成(以下简称山东河务局革委会),行使原黄委会山东河务局的一切权力。

山东省召开农田水利会议

2 月 22～28 日 山东省农田水利会议在济南召开,参加会议的有各专、市和黄河修防处、段负责人共 61 人,省水利厅副厅长张次宾主持。会议针对山东连续三年大旱和当前 3000 万亩麦田和 5000 万亩春田严重干旱情况,研究安排抗旱措施,充分利用一切水源开展春灌和引黄灌溉。同时对农田水利、基本建设、黄河岁修工程等进行研究,以实现抗旱双保,夺取农业丰收。

山东黄河安全度过凌汛

3 月 3 日 黄河凌汛安全度过。黄河自上冬 12 月 24 日开始封河,至 1 月 20 日,全河封冻上至郑州铁桥以上孤柏嘴,全长 616 公里,总冰量 1.4 亿立方米,河谷蓄水 7.8 亿立方米。封冻段之长、冰量之大,河谷蓄水之多都超过了凌汛严重的年份。为战胜凌汛,中共山东省委、济南、山东军区及沿河各级党委政府积极采取各项防凌措施,组织 10 万防汛大军和 28 个爆破队,人民解放军空军和炮兵部队支援防凌。于1月下旬开始,全面进行重点河段的爆破,共爆破冰凌270万平方米,并进行了爆破冰桥冰坝的各种试验。同时,三门峡水库于1月20日起关闸,共关闸28天,蓄水达11.5亿立方米。

由于采取上述措施,2月4日齐河以上封冻全部开通,因三门峡关闸,大河流量仅200立方米每秒左右,齐河以下封冻逐渐融解,至3月3日,全部开通入海。

梁山县国那里引黄闸竣工

4月 梁山县国那里引黄闸竣工。该闸系三孔钢筋混凝土箱式结构,设计引水流量45立方米每秒,灌溉面积30万亩,是1966年12月动工兴建的。

国务院、中央军委发出《关于防汛工作的紧急指示》

4月20日 国务院、中央军委发出《关于防汛工作的紧急指示》。要求各省(区)、市防汛指挥部应即由有关军区负责组织,有防汛任务的专、县防汛指挥部,分别由军分区和县人民武装部负责组织。黄河防总由河南省军区负责组织,并由济南军区、陕西省军区分别指定一位负责人担任副指挥。防汛总指挥部组成后,应即报告中央防总。

对有关防汛工作,凡能抢得上的,应积极组织力量抢上去。汛前没有把握完成的分洪或引水工程,大堤不能扒开,防汛工程的检查落实工作,中央直属的由防汛总指挥部负责,地方大型工程由省(区)、市防汛指挥部负责。

戴村坝整修工程完成

5月15日 汶河戴村坝整修工程完成。因玲珑坝底部被淘空,下游斜坡冲毁,整修自4月2日动工,完成挖填土方16405立方米,砌石1101立方米,抛铅丝笼968立方米,浇筑混凝土370立方米。修复了坝面坝坡,坝上修筑了黏土截水墙。

黄河防汛工作会议召开

5月18～24日 黄河防汛工作会议在济南召开,参加会议的有沿黄各专(市)县人民武装部及各修防处、段负责人。会议传达贯彻了国务院、中央军委《关于防汛工作的紧急指示》,研究布置了黄河防汛任务和各类洪水的处理措施。

黄河防总发出《支援抗旱抢种工作通知》

6月24日　黄河防总发出《支援抗旱抢种工作通知》。针对黄河下游的旱情，要求河南、山东两省及所属各专、县防汛机构、各黄河修防处段、引黄涵闸、虹吸管理所要把防汛准备和抗旱斗争紧密地结合起来，充分利用引黄涵闸虹吸工程引黄抗旱。通过组织群众进行抗旱斗争，做好防汛准备工作，坚持既抓防汛，又抓抗旱，有汛防汛，无汛抗旱，誓夺抗旱防汛双胜利。

国务院、中央军委发出《关于保证做好防汛工作通知》

6月25日　国务院、中央军委发出《关于保证做好防汛工作通知》。要求：(1)各级防汛组织迅速建立健全起来，防汛职工必须坚守岗位做好工作，不得用任何借口擅离职守。(2)水文测站工作人员，必须按照规定及时间向所有原受报单位发报水情、雨情，任何团体、个人都不能对测报工作进行干扰，不得对测报设备、水文资料进行破坏。(3)任何团体和个人对堤防、水闸、水库等一切水利工程设施都有责任进行保护，不得用任何借口进行破坏。(4)邮电部门对防汛、报汛的电报和电话要迅速传递，不得借故拖延，紧急情况时，交通运输部门的车船应服从防汛指挥机构的统一调动。(5)防汛料物，任何团体、个人不能擅自挪用。

张桥引黄闸竣工

7月3日　邹平县张桥引黄闸竣工。该闸为三孔钢筋混凝土箱式涵洞，孔径高、宽均为2米，设计引水流量15立方米每秒，可灌溉农田18.5万亩。

石洼进湖闸竣工

7月　东平湖水库石洼进湖闸竣工。该闸系1967年2月水电部召开的东平湖水库进湖闸审查会议上，为增大进新湖能力决定修建的。于当年3月5日动工，全闸共49孔，每孔净宽6米，总宽344米，该闸首次采用灌注桩基结构，曾获山东省优秀科技成果奖。设计分洪能力为5000立方米每秒，分洪水位按闸上45.48米、闸下44.14米设计。

黄河汛期结束

10月31日　黄河汛期结束。是年黄河为丰水丰沙年，8、9月份山陕区间连降暴雨，龙门站先后出现17500立方米每秒和24400立方米每秒洪峰，经三门峡水库调蓄后，花园口站 9 月 13 日出现 7100 立方米每秒洪峰为最大，山东河道局部漫滩，道旭以下普遍漫滩，利津、垦利两县生产堤溃决，水偎大堤，淹地 30 万亩，爱林和一千二两公社被水围困群众 5200 余人，房屋大部倒塌。省民政厅派出工作组配合当地政府，对受灾地区群众做了妥善安置，人畜无伤亡。

9 月大水时，沿黄各级防汛指挥部调集干部 1300 人、群众防汛队伍 1.2 万人、人民解放军 2100 人上堤防守，抢护出险坝垛 1500 多段次，抢险用石 6 万立方米、柳枝 100 多万斤，取得了防汛斗争的胜利。

山东省防指发出做好防凌工作的通知

12 月 27 日 山东省防指黄河防汛办公室发出《做好 1967 年黄河防凌工作的通知》。指出三门峡水库两个隧洞工程正在施工，防凌运用受到限制，河口一带淤积严重，河势不顺，给防凌工作带来不利条件。因此，1967 年凌汛不能单纯依靠运用三门峡来解决，各级防汛组织要加强领导，积极采取行之有效的防凌措施，发动群众，严密防守，确保堤防安全。

1968 年

黄委会革命委员会在济南研究黄河防凌问题

1 月 2 日 黄委会革命委员会（以下简称黄委会革委会）及河务局革委会负责人在济南开会，研究黄河防凌问题。

黄河下游工作座谈会在郑州召开

1 月 16～24 日 黄委会革委会在郑州召开黄河下游工作座谈会。会议讨论了黄河下游近期治理规划和 1968 年治黄工作。

关于民工生活补助费标准的通知

1 月 28 日 山东河务局革委会转发了山东省革命委员会（以下简称山东省革委会）生产指挥部农林办公室《关于今冬明春水利基建岁修工程民工生活补助费等项标准的通知》。并补充规定，1968 年引黄经费纳入地方基建，主要用于干渠沉沙池新建和扩建土方工程及支渠以上较大建筑物。支渠土方与支渠以下建筑物，应大力发动群众自办，国家不予补助。还对民工生活补助标准、间接费标准等提出具体执行意见。

山东河务局革委会建立临时生产指挥部

2 月 16 日　山东河务局革委会临时生产指挥部建立，负责办理河务局的修防业务工作。

山东黄河安全度过凌汛

3 月 8 日　本年凌汛是多年来较严重的一年，自上年 12 月 8 日全河淌凌，14 日从河口张家圈开始插封，至本年 3 月 8 日解冻开河，10 日凌消，封河期长达 86 天，封河段最上至梁山蔡楼，全长 323 公里，总冰量 6374 万立方米，冰厚 0.2～1 米以上不等。在开河之前，爆炸冰凌，打通溜道，扫除流冰障碍，共完成爆破冰桥、冰坝和插冰严重河段 40 余公里。在开河时，人民解放军工程兵、炮兵、空军和黄河工程大队组成随凌追击队，凌头开到哪里即炸到哪里，于 3 月 8 日冰凌安全入海。

国务院对黄河下游凌汛极为关怀，周恩来总理曾多次听取汇报，并确定将三门峡水库运用水位由 326 米提高到 328 米，对保证凌汛安全起了重要作用。

河口流路改道清水沟工程动工

3 月 18 日　河口改道清水沟工程经国家计委批准动工。由惠民、昌潍地区调集民工 5 万人，胜利油田及马颊河工程局调挖土机等 163 台投入施工。共计完成清水沟引河开挖 8.7 公里，加修接长南大堤 28.6 公里；培修防洪堤 17.2 公里，培修保林以下生产堤 12.7 公里，完成土方 693 万立方米。

山东河务局革委会发出《春季治黄工作通知》

3 月 20 日　山东河务局革委会发出《春季治黄工作通知》，指出：(1)土方工程，应以堤防加固、消灭隐患和完成堤防标准不足部分为主，对堤防管理和绿化要加强领导；整险工程，积极完成维修加固；进行河道治理，应本着控制河势，固定险工，有利防洪，有利闸门引水的原则进行。(2)做好东平湖分洪准备，汛前完成石洼、林辛、国那里三闸尾工、二级湖堤改线，完成陈山口出湖闸底部工程。(3)做好引黄灌溉，今年的重点是加强管理，狠抓配套，充分发挥现有工程效益。(4)开展河口治理，改善河口地区防洪防凌条件。(5)积极开展黄河下游规划工作。

中共中央发出防汛工作紧急指示

5 月 3 日　中共中央、国务院、中央军委、中央文革发出《关于 1968 年防汛工作的紧急指示》。要求立即成立各级防汛指挥机构，黄河防总由河南省革委会负责组织，指定一位负责人任指挥，并由山东、山西、陕西省革委会，黄委会革委会分别指定一位负责人任副指挥，统一领导黄河防汛工作。全国防汛工作由中国人民解放军水电部军事管制委员会负责抓总。各级防汛领导机构及有关部门要立即组织力量，对有关防汛工程进行逐项检查，抓紧完成岁修工程，落实防汛措施。任何团体和个人对堤防、水闸、水库等一切水利工程设施，都有责任进行保护，不得用任何借口进行破坏。对水情、雨情要按时报汛，不得以任何借口延误。

山东省革委会颁发《1968 年防汛工作方案》

5 月 12 日　山东省革委会生产指挥部抗旱防汛指挥部颁发《1968 年防汛工作方案》。要求各地认真贯彻落实中共中央《关于 1968 年防汛工作的紧急指示》，做好防汛的政治思想动员和宣传教育工作，要从最坏处着想，向最好处争取，积极做好准备。要求黄河仍以防御花园口站洪峰流量 22000 立方米每秒，控制艾山下泄流量 10000 立方米每秒为标准，并力争战胜更大的洪水。东平湖的运用，要充分利用老湖，新湖与老湖分开，尽量减轻移民抢救任务。河口段应在保证油田和近海堤防安全的前提下，充分利用老河道行洪，必要时用新河道分洪。

山东河务局革委会组织调查引黄灌溉工作

5 月 28 日　山东河务局革委会派出调查组，对引黄灌溉工作情况进行了调查。据报告：自 1965 年复灌以来，新建引黄涵闸 10 座，引水能力为 163.5 立方米每秒。现全省共有引黄涵闸 22 处，虹吸管 140 条，设计引水能力 1877 立方米每秒，有效引水能力一般为 530 立方米每秒。引黄渠首并配提水轴流泵 114 台，引水能力为 70.11 立方米每秒。灌区配套工程，控制面积为 500 万亩，有效面积 303.6 万亩，保浇面积 120 万亩。

引黄灌区已发展到 6 个地(市)25 个县(其中 7 个非沿黄县)，同时出现了农业增产，灌而不碱的好典型。但由于复灌后，没有很好总结过去的经验教训，泥沙处理还是问题，不少灌区土地碱化有所发展，复灌后虽然明确引黄灌溉渠首由黄河部门负责，但灌区管理组织尚未解决，这是当前引黄灌溉中的关键问题。

山东省黄河防汛工作会议召开

6月6～8日 山东省黄河防汛工作会议在济南召开,沿黄各地(市)县,黄河修防处、段都派人参加会议。山东省军区司令员童国贵出席会议并讲话。

垦利“五七”引黄闸竣工

6月30日 垦利县“五七”引黄闸竣工。该闸自5月21日动工,设计流量8.5立方米每秒,引水入甜水沟,灌溉农田21.9万亩。可供军马场、黄河农场,建林、新安、西宋3个公社生产及生活用水。

东平湖防汛分洪方案实施计划拟订

7月5日 山东省东平湖水库防汛指挥部拟订1968年防汛分洪方案的实施计划。东平湖水库分洪运用是山东黄河保安全的关键措施,为充分发挥工程效益,指挥部对进、出湖各闸的运用时机、顺序、群众防守和移民安置等都做了研究安排。

山东河务局联合检查河势工情

7月21日 山东河务局革委会生产指挥部在省防汛会议结束后,派出人员配合有关专、县于6月上、中旬对河势工情进行一次联合大检查。参加检查的有革委会成员、工程技术人员、工人。采取边检查边落实行动的办法,对险工、护滩工程发现的问题都及时进行加固处理,对位山上、下河势变化,河口形势,以及堤防、涵洞、虹吸工程发现的问题,进行分析研究,提出对策措施。并报告黄委会革委会。

黄河岁修工程竣工

7月27日 据山东省防指《关于黄河防汛工作准备情况的报告》称:黄河岁修工程截至6月底完成土方120余万立方米、石方8万多立方米,并抓住三门峡水库关闸的有利时机,增修度汛石方1.7万立方米,新修和续建部分河势控导工程,对堤防薄弱堤段进行压力灌浆。东平湖二级湖堤改线及石护坡工程全部竣工,陈山口出湖闸完成浇筑任务,7月底完成底部工程。河口改道工程于6月20日完成,南大堤及防护堤培修和引河开挖共完成土方680万立方米。

林辛进湖闸基本完成

7 月 31 日 东平湖水库林辛进湖闸基本完成。该闸是 1967 年 2 月水电部召开东平湖水库进湖闸审查会议决定兴建的,目的是增加老湖分洪能力,减少新湖区运用机遇。闸型为桩基开敞式,全闸共 15 孔,闸孔净宽 6 米,设计分洪能力 1500 立方米每秒。1967 年 9 月开工,至本月底基本完成后,尚有两台启闭机制作和安装,拖转至 1969 年完成。

该闸于 1968 年 10 月 22 日至 11 月 20 日进行充水试验。充水分四级水位进行,闸上最高水位 46.53 米,相应闸下水位 40.02 米,最大水头差 6.51 米。经过充水试验,除闸门漏水外,闸的水平位移、沉降、渗压等基本符合设计要求。

小阎谭引黄闸主体工程验收

8 月 15 日 东明县小阎谭引黄闸主体工程完成验收。该闸为三孔涵洞,设计流量 20 立方米每秒,计划改良 17 万亩沙荒地,灌溉 37 万亩农田。该闸是 4 月 18 日动工兴建的。

牟汉华病逝

8 月 19 日 中共山东河务局党组副书记、政治部主任牟汉华下午在机关劳动,因脑溢血突然晕倒,当即送济南市中心医院,因抢救无效于次日 5 时 15 分逝世。

山东省军代表进驻山东河务局

8 月 26 日 山东省革委会、济南军区、山东省军区派军代表李东梅、田锦昌、杭虎威、胡焰 4 人进驻山东河务局。

清河门出湖闸竣工

8 月 31 日 东平湖水库清河门出湖闸竣工。该闸为桩基开敞式。全闸共 15 孔,每孔净宽 6 米,闸底板高程 36.5 米,闸顶高程 48.5 米,闸门泄水能力按湖水位 44.5 米,泄流 1300 立方米每秒。

山东河务局革委会成立

9 月 6 日 经山东省革委会批准,成立黄河水利委员会山东河务局革命委员会(以下简称山东河务局革委会),并于13日举行成立大会。革委会主任、军代表李东梅讲了话。

水电部军管会召开农田水利座谈会

10月5～18日　根据国务院指示,由水电部军管会,会同国家计划委员会、建设委员会、农业部、第八机械工业部、物资部、第一机械工业部,邀请冀、鲁、豫、晋、陕、内蒙古、辽以及北京等北方8省(区、市)革委会有关负责人,在北京举行座谈会。座谈农田水利及机电排灌方面的问题。山东河务局霍岳五出席。

国务院批复黄河河口规划方案

10月19日　水电部、石油部转达国务院《关于黄河河口问题的批复》:(1)根据你省提出的黄河河口近期规划方案,请在山东省革委会领导下,会同黄委会及九二三厂积极具体安排,以便在1969年汛前集中力量将清水沟地区的油田勘探清楚,到1969年汛期前后将河口暂时改道清水沟。三五年后,根据该地区淤高情况及油田勘探情况和开发需要,再改回现河道。(2)关于1969年黄河口工程具体计划及所需投资,请在省革委领导下,和有关部门研究提出,以便列入国家基建计划。

黄河安全度过汛期

10月31日　黄河汛期安全度过。汛期黄河径流总量接近常年偏丰,输沙总量接近常年偏枯。洪峰出现次数较少,下游河槽略有淤积,河势变化较大。高村至孙口淤积0.37亿吨,孙口至艾山冲刷0.52亿吨,艾山至泺口冲刷0.15亿吨,泺口至利津淤积0.26亿吨。位山以上河势变化总的情况是普遍下挫,老险工脱河,新险工发生较多。河口地区新挖引河是防守重点,两次较大洪水,险情都非常严重,但在人民解放军的积极帮助下,广大民兵和油田职工努力奋战,均先后脱险。

山东省编制黄河治理发展农业规划

11月15日　山东省革委会生产指挥部黄淮海规划组编制完成的《1969～1972年山东黄河干支流治理发展农业生产规划意见(草稿)》对开发黄河水利资源、发展引黄淤灌,提出具体要求:

一、全面配套是当前引黄灌区建设的重点。现有渠首工程潜力很大,因渠系不全,土地不平,不能发挥应有效益,必须依靠群众,自力更生,狠抓灌区配套,大搞农田基本建设,重点是整平土地和渠系配套。

二、引黄放淤。黄河两岸土地多是沼泽盐碱严重,放淤改碱是发展沿黄生产、解决群众生产生活的重大措施,也是成功的经验。在不影响排涝的前提下,大搞放淤,抬高背河地面,这是一项长期的任务。

三、滩区生产。黄河滩区有耕地 100 余万亩,土质好,水源近,有利于发展生产。临堤滩区低洼,有的已形成堤河串水走溜,对防洪和生产影响很大,要有计划地在两三年内淤平,扩大滩区耕地面积和减轻大堤防洪负担。

四、抗旱送水。根据黄河水量有限、水位不定的特点,必须准备两手,发展沿黄两岸生产,也应兼顾非沿黄缺水地区的抗旱用水。各灌区应在引水前做好沉沙安排,以防淤积河道。引黄济卫,初步选择由位山闸引水。

五、引水和扩大水源。引黄淤灌,闸后淤积地面抬高,自流引水日益困难,兴建扬水站已成必然趋势。利用东平湖老湖蓄水 4 亿~5 亿立方米,以补充黄河枯水流量。

六、加强灌区管理,是搞好灌区建设的重要问题。各灌区建立群众为主体三结合的管委会。开展群众性的引黄灌溉管理工作,达到统一管理,除害兴利,合理用水,充分发挥效益。

黄委会发出做好防凌工作的通知

12 月 18 日 黄委会革委会生产指挥部发出《关于做好 1968 年至 1969 年度黄河下游防凌工作的通知》。据预报,1969 年 1、2 月份黄河流量较常年偏大 32%~50%,黄河下游冬季气温则较往年偏低。据此预估本年度凌情仍会比较严重,为此提出:在防凌期间,必须建立和健全各级防凌领导机构,组织好群众防凌队伍,加强人防。对历年卡冰壅水的重点河段组织专门爆破队伍,同时应做好观测预报,掌握有利时机爆破冰凌。对滩区及计划分凌地区的群众要做好临时迁安准备,确保人民生命财产安全。

平阴县田山扬水站批准修建

12 月 26 日 黄委会革委会批复同意修建平阴县田山扬水站,灌区总面积 35.5 万亩,近期核定面积为 28.8 万亩,以解决平阴县和肥城县部分灌溉用水和山区群众吃水。设计引水流量一级站为 18 立方米每秒,二级站为 14 立方米每秒。

菏泽修防处隶属关系变更

12月31日　黄委会革委会转达水电部军管会12月29日关于菏泽修防处与地区水电革命委员会合并问题的批复意见:“鉴于该处既已与地方合并,可以暂时不予变更。并希及时调查总结菏泽处与地区合并的经验。”(该处于1969年6月4日重又划回黄河系统)

1969年

新修菏泽贾庄险工

1月4日　山东河务局革委会同意菏泽修防段新修贾庄险工工程,共修筑17座坝垛。

“五七”工程总队成立

2月6日　山东河务局革委会决定撤销局属工程大队、测量队、河道观测队、电话站、仓库等5个单位,合并为山东河务局革委会“五七”工程总队。

山东省防指紧急动员战胜黄河凌汛

2月11日　黄河凌汛严重。山东省防指深夜召开紧急电话会议,号召沿黄地区广大群众,紧急动员起来,全力以赴,战胜黄河凌汛。山东省军区副政委彭嘉珠传达了黄河防凌工作的部署意见。

山东黄河防凌紧急会议召开

2月21日　山东黄河防凌紧急会议在济南珍珠泉礼堂召开,沿黄各地(市)革委会及黄河修防处、段负责人参加。山东省军区司令员童国贵介绍了凌汛的严重情况,提出了防凌工作的措施和要求。并要求济南市和各地区要召集会议,把情况、任务、措施和要求迅速贯彻下去。

党政军民战胜黄河严重凌汛

3月18日　山东沿黄人民在解放军的支援下,经过70多天的艰苦奋斗,战胜了历史上罕见的严重凌汛。

黄河下游自1月初因受5次强大冷空气的侵袭,其间又有4次幅度较大的气温回升,形成了3次封河和3次开河的严重凌汛。其特点是冷期长、寒暖气流变化大，冰量大，水位高，开河晚。全河封冻两次出现总冰量1亿立方米，河谷蓄水8亿立方米，山东河道三次漫滩靠堤。三门峡水库为防凌蓄水，最高水位达327.72米，蓄水18亿立方米，淹没耕地13万亩。由于冰凌"三封三开"，在齐河李隤和邹平梯子坝形成两大冰坝，冰积如山，长达20多公里，因冰坝卡冰壅水，冰水漫滩靠堤持续30多天，水位超过了1958年洪水位，堤防出现渗水、管涌、漏洞等险情。

凌汛期间，沿黄各级防汛指挥部带领广大干部群众全力以赴投入防凌斗争。人民解放军驻鲁部队派出陆军、空军、炮兵、工程兵投入抢险、炸冰和抢救滩区群众。一支由工人、民兵组成的爆破队和炮兵部队，在冰天雪地里昼夜进行爆炸冰凌水坝，打通溜道，坚持战斗一个多月，完成数十万平方米的炸冰任务，为顺利开河创造了条件。

在2月10日深夜平阴滩区群众被冰水围困时，济南部队工程兵独立营广大指战员，冒严寒、涉冰水，连续奋战4昼夜，抢救出2万多群众，而共产党员、副连长张秀廷，共产党员、排长吴安余，共产党员、班长杨成启，共产党员、副班长王元祯，共青团员、副班长蒋庆武，共青团员、战士周登连、陆广德、阎世观、杨广佩，在冰水激流中因抢救群众献出了自己的生命。

3月12日　中共济南部队委员会、山东省革委会做出关于开展学习为人民战胜特大凌洪的济南部队工程兵某部独立营和张秀廷等9位烈士活动的决定。28日，济南部队领导机关、山东省革委会隆重举行庆功授奖大会，表彰独立营在战胜特大凌洪中的不朽功勋。

修建高青、续建孟口和段王护滩工程

4月23日　山东河务局革委会同意修建高青修防段和续建孟口和段王护滩工程。

黄台山石料厂迁建规划意见

5月6日　山东河务局革委会向黄委会革委会报送黄台山石料厂迁建规划意见。主要工程包括在历城县将山新建山场厂部和专用铁路。黄委会革委会于9月批复同意当年修铁路路基和开挖山场剥离层，征购土地，修建历城站至山场及赵庄码头至泺口东货场二段铁路专用线共长8公里。

黄委会革委会转发水电部《及早做好1969年防汛工作的通知》

5月6日　黄委会革委会转发水电部《及早做好1969年防汛工作的通

知》。通知主要内容为:(1)建立和健全防汛指挥机构,组织好防汛队伍。要求沿黄有防汛任务的地、县于6月16日前建立起防汛指挥机构,并开始工作。(2)抓紧完成岁修工程,做好堤防隐患处理。(3)做好沿黄涵闸度汛检查和处理工作。新建涵闸,汛前难以完成的,一律不准破堤修建。(4)做好水库拦洪分洪、滞洪准备工作。(5)切实做好防汛器材料物的准备工作。

东平稻屯洼修建避水台工程

5月8日 山东河务局革委会批准东平稻屯洼修建避水台工程。稻屯洼分洪区在46米高程以下计有村庄40处、土地7万余亩、3.5万人、蓄洪约2亿立方米。为保证蓄洪时群众的安全,修建避水台每人5平方米,土方87万立方米,按民办公助原则,投资40万元,一次安排到县,汛前完成。

石洼进湖闸进行充水试验

5月23日 东平湖水库石洼进湖闸即日起进行充水试验。分五级水位进行,最高水位46.89米,接近设计挡水位(47米),至6月13日充水试验结束。在充水过程中发现闸门封水不严,严重漏水;阻滑板与闸室底板接触而发生严重的挤压破坏;闸前止水有破坏现象。事后对发现的问题进行了处理。

山东省防指检查黄河防汛准备工作

6月10日 山东省防指黄河防汛组,为认真贯彻周恩来总理对江河堤防要全面地、逐段地进行检查,要做过细的工作的指示,组织3个检查组,分赴菏泽、惠民地区、东平湖及黄河河口,检查度汛工程、河道、堤防,了解各地防汛准备情况,对急需解决的石料供应、解放军支援东平湖迁移抢救工作、抢修度汛工程都采取措施,做了安排。

晋陕豫鲁四省会议研究黄河近期治理问题

6月12日 根据国务院指示,由刘建勋主持,在三门峡市召开了晋陕豫鲁四省会议,水电部副部长钱正英,黄委会及三门峡工程局革委会的主要负责人参加了会议。主要讨论了三门峡水库工程改建和黄河近期治理问题,同时部署了1969年黄河防汛工作。

会议确定:黄河近期治理必须高举毛泽东思想伟大红旗,依靠群众,自力更生,小型为主,辅以必要的中型和大型骨干工程,积极地控制与利用洪水泥沙、防洪、灌溉、发电、淤地综合利用,在措施上拦(拦蓄洪水泥沙)、排(排洪、排沙入海)、放(放淤改土)相结合,逐步地除害兴利,力争在 10 年或更多一点的时间改变面貌。

对黄河下游的治理意见是:(1)在近三年内应有计划地加固堤防,并积极进行堤背放淤;(2)治理三门峡以下支流,兴建洛河、汶河、沁河支流水库;(3)发展引黄淤灌;(4)整治河道;(5)结合油田开发,研究河口治理规划;(6)研究干流枢纽的改建和修建。

为贯彻上述会议精神,山东河务局革委会于 7 月 2 日召开了黄河近期规划会议,提出治理规划意见。

黄河防总发出防汛工作意见

6 月 13 日 黄河防总发出《关于 1969 年黄河防汛工作意见》,对黄河防洪任务,确定以防御花园口站 1958 年型洪峰流量 22000 立方米每秒,保证黄河不决口。对超过上述标准的各级洪水也要做到有准备、有对策。汶河防御尚流泽站洪峰流量 7000 立方米每秒,确保堤防安全。

对各类洪水处理安排上,上下游左右岸统筹兼顾,合理运用。花园口站 22000 立方米每秒及其以下各类洪水,应充分利用河道排泄,艾山下泄流量按 10000 立方米每秒控制,按 11000 立方米每秒准备,并根据黄、汶洪水量大小,运用东平湖、陆浑水库解决,张庄闸亦应准备必要时倒灌分洪。东平湖运用应先老湖后新湖,新湖运用水位按 44.0 米争取 44.5 米,确保湖堤安全。三门峡水库在预报花园口发生 22000 立方米每秒以上洪水时,应报请中央批准关闸运用,以配合下游防洪。当发生特大洪水各项措施难以解决时,应报请中央批准开放北金堤滞洪区,以策安全。

渤海湾地震波及河口等地区

7 月 18 日 当日 13 时 24 分,渤海湾发生七级地震。21 时 33 分、19 日 9 时又发生两次六级地震。地震波及黄河河口和沿黄邹平、高青、博兴、垦利、滨县、惠民、利津 7 个县。对黄河河口地区南岸麻湾以下、北岸宫家以下防洪工程均有不同程度的破坏。据统计,堤防 12 处、险工 3 处、涵闸 2 处遭受破坏,其中北岸四段以下、南岸渔洼以下破坏严重。大堤有断堤裂缝或顺堤裂缝,缝宽 1~5 厘米,堤顶蛰陷 0.5~1 米,堤坡滑坡;险工石坝裂缝,缝宽 1~2 厘米;佛头寺胜利闸石护坡裂缝,洞身接头处错位,韩改闸洞身蛰裂,两岸翼墙与闸身脱离,成倾倒之势,该闸已不能使用。

遭受地震破坏的工程,于 8 月 20 日前已全部加固处理完毕。

黄河防总检查山东黄河防汛工作

7月20日 黄河防总根据周恩来总理和李先念副总理对防汛工作的指示精神,组织3个防汛检查组,会同山东省、地、县主管防汛的负责人,对山东沿黄20个县的黄河防汛工作和河口地区地震对黄河防汛工程的影响进行了调查。对防汛中存在的问题会同各地研究解决。

黄河防总传达李先念对防汛工作的指示

7月21日夜 黄河防总电话传达李先念副总理对防汛工作的指示:长江决口并不是大水,是思想麻痹,中小水都可以决口,问题在于堤防。黄河修防处、段,要分工负责,认真进行检查,有问题进行处理,有什么问题解决不了要及时上报。

道旭引黄闸竣工

7月30日 博兴道旭引黄闸竣工。该闸为钢筋混凝土箱式三孔涵洞,设计流量15立方米每秒,设计灌溉面积26万亩,有6个公社受益。

王庄引黄闸竣工

8月4日 利津王庄引黄闸竣工。该闸为钢筋混凝土箱式四孔涵洞,设计引水流量30立方米每秒,最大允许引水流量50立方米每秒。可灌利津、沾化两县50万亩土地及供20万人吃水。

十八户引黄放淤闸建成

10月1日 垦利县十八户引黄放淤闸建成。该闸为钢筋混凝土桩基开敞式八孔闸,每孔净宽7.5米,中间有2个低孔引水灌溉;设计引水流量200立方米每秒,闸前开挖引渠长500米,以放淤改土为主,结合灌溉,必要时用于防洪防凌分水,设计淤灌面积60万亩。该闸是3月26日动工兴建的。

黄委会组织进行下游河势查勘

10月21日 黄委会革委会根据三门峡会议对黄河下游河道整治提出治理规划的要求,会同河南、山东河务局革委会及有关修防处、段组成河道查勘组,分段对东坝头至位山河段进行了河势查勘,调查研究河势变化,提出整治规划和工程措施。并对1969年冬及1970年的工程安排和河道整治规划进行了讨论,提出初步意见。查勘于 11 月 4 日结束。

山东黄河冬修工程全面开工

10 月 21 日 山东黄河冬修工程共安排防洪基建大堤加培土方 52.4 万立方米,另外还有岁修事业费 170.7 万元。各地共动员 2 万余人全面开工,于 11 月底竣工。

黄河安全度过汛期

10 月 31 日 黄河水情平稳,汛期结束。本年黄河是枯水丰沙年,汛期共出现五次洪峰,8 月 2 日花园口站 4200 立方米每秒洪峰最大,泺口站最大流量 3090 立方米每秒。但最大含沙量却达 323 公斤每立方米,平均含沙量为 61 公斤每立方米,为同期多年平均值的 163%。由于水少沙多,河道普遍淤积,引起溜势变化。

德州地区架设跨越黄河输变电工程

11 月 德州地区在黄河南岸傅家庄、北岸邢家村,架设济—临—德 11 万伏输变电工程跨越黄河铁塔。

位山水文总站等划归山东河务局革委会领导

12 月 6 日 黄委会革委会通知:位山水文总站、前左河口水文实验站划归山东河务局革委会领导。

山东治黄暨防凌工作会议召开

12 月 15 日 山东省革委会生产指挥部召开防凌和治黄工作会议。参加会议的人员有:沿黄地(市)、县革委会生产指挥部负责人,黄河修防处(局)、段及省直有关单位负责人。会议由省军区司令员童国贵传达了 1970 年治黄工作和防凌工作意见,要求大家充分估计凌情的严重性,发动组织群众,切实做好防凌准备,确保凌汛安全。

山东河务局革委会转发中央加强山林保护管理的通知

12 月 20 日 山东河务局革委会转发中共中央、国务院《关于加强山林保护管理,制止破坏山林、树木的通知》。认真执行国务院发布的《森林保护条例》,积极做好护林宣传教育工作,加强山林管理,同一切破坏森林的行为作斗争。

山东河务局革委会总结引黄淤灌工作

12月31日 山东河务局革委会对1969年引黄淤灌工作进行总结：截至目前，山东沿黄60个灌区已建成高产稳产田100万亩，灌区基本配套面积300万亩，有干渠控制面积500万亩。沿黄2400多个大队已有200多个大队粮食产量达到或超过农业发展纲要。全省沿黄有坑塘、涝洼、盐碱荒地约400万亩，约占总耕地的1/5，严重影响农业生产，对防洪也极不利。放淤改土6万多亩，增产效果很好。引黄淤背，加固堤防，目前重点险工堤段已淤背45公里，一般淤宽200～300米，淤高2～3米，经过凌汛漫滩水考验，对防止渗水管涌效果明显。

1970年

山东省防指要求切实做好防凌工作

1月1日 山东省防指通知沿黄各地(市)、县，认真贯彻执行《关于1970年黄河防凌工作的意见》，切实做好防凌准备工作。

山东省革委会生产指挥部批转治黄工作意见

1月20日 山东省革委会生产指挥部批转山东河务局革委会《1970年治黄工作意见》：(1)努力做好防汛防凌工作；(2)大力发展引黄灌溉；(3)进一步做好黄河近期治理工作。

山东黄河安全度过凌汛

2月18日 黄河封冰开通安全入海，凌汛结束。从1969年12月9日惠民地区黄河开始淌凌，16日起继续向上封河，22日即封到泺口铁桥附近。其后气温回升，又加三门峡水库自17日泄量增大为800立方米每秒，因而造成第一次开河。

1月4日，一次强冷空气入侵，从河口封冻直至河南省开封县黑岗口，共长436公里，总冰量8500万立方米，河谷蓄水最多达8.5亿立方米。冰厚位山以上一般在0.15米左右，济南、齐河一带为0.25米左右，惠民地区一般为0.3～0.4米，河口最厚0.8米以上，形成较严重局面。20日后，气温回升，菏泽地区开始融冰，27日开到济南市老徐庄，形成冰坝阻水，当晚冰坝即排到齐河南坦以上，冰坝长15公里，冰厚2～3米，最大冰厚达8.3米，总冰量约

2160 万立方米。北店子水位陡涨,最高水位比 1958 年洪水位高 0.19 米。冰坝以上近 20 公里滩地皆漫水,历城、长清和齐河 68 个村庄被水包围,受灾人口 37758 人,淹地 6.23 万亩。两岸堤防共出管涌 331 个,渗水 25 段,长 27 公里。

在此冰凌危急时刻,省、市负责人和两级军区负责人都亲临前线指挥,权衡轻重后,决定不炸冰坝,减少下游威胁。同时齐河、历城两县调集 1 万余人上堤严加防守。

由于三门峡水库闸门全关,大河水位从 1 月 30 日后,逐渐回落,形势大缓。进入 2 月后,气温连续上升,给开河创造了条件,又加三门峡水库 1 月 31 日开一深水孔泄流,水头 10 日到泺口,冰凌变化很大,形成顺利开河局面。

黄委会革委会批准续建东明等 4 处控导工程

3 月 4 日 山东河务局革委会报请黄委会革委会续建东明、菏泽贾庄至兰口、营坊和修建苏泗庄上首 4 处控导工程。4 月 10 日黄委会批准核定石料 14285 立方米,投资 75.2 万元。

黄委会革委会对河道整治工程设计审批作出规定

3 月 16 日 黄委会革委会对河道整治工程设计审批暂作如下规定:(1)位山以下河段,流路基本控制,工程布局大体已定。今后不论新修和续建河道工程,一律由山东河务局审批,新修工程报黄委会备案。(2)兰考东坝头以上河段,东坝头至位山河段,河道工程事关两省,为使两岸工程兴建协调起见,不论新修和续建工程,一律报黄委会审批。(3)年度计划以外,临时增加工程项目,均应报黄委会审批。

山东河务局革委会召开黄河绿化工作会议

3 月 19～23 日 山东河务局革委会在鄄城召开黄河绿化工作会议。参加会议的有各修防处(局)、段、所革委会负责人和分管绿化工作的同志,并邀请沿黄部分先进公社和护堤员代表共 54 人。

会议期间,学习了中共中央有关文件和鄢陵县、鄄城县的先进经验。并参观了鄄城、菏泽、东明部分堤段,还特别参观学习了全省林业先进单位菏泽县胡集大队。会议要求搞好育苗工作和黄河绿化工作。对植树绿化的要求是:黄河大堤(包括南、北金堤、大清河堤、东平湖堤、河口防洪堤)临背河柳荫地、临背堤肩、背河堤坡和临河设计水位以下堤坡种植乔木;临河柳荫地和临河设计水位以上堤坡也可乔灌结合,适当种植条料;临背堤坡(包括戗坡)全部种植葛巴草(或铁板牙草);废堤废坝、空闲地带除留有育苗的部分外,其他一律种树;大清河堤、河口防洪堤没有柳荫地,要提出种植规格要求,经县革委会同意后,充分发动群众植好管好;险工坝基,在不影响存料、抢险的情况下,都要发动群众植起树来;护滩工程、引黄闸附近,要作为堤防绿化的重点迅速进行。

水电部批准改建四宝山铁路支线

3月28日　山东省革委会生产指挥部通知:张北铁路的四宝山支线,是供应黄河下游防汛、抢险、引黄淤灌等石料专用线。张北铁路已改建为重轨铁路,四宝山支线已由水电部批准相应改建,全长4公里,投资36.5万元。该项工程的勘测设计、施工全部由张北铁路局负责。工程所需劳力由淄博市革委会予以安排。

九二三厂滨南至纯化输油管线穿越黄河

4月6日　经山东河务局革委会同意,九二三厂滨南至纯化输油管线在堤东李处穿越黄河北大堤,在小董家处穿越黄河南大堤。

山东河务局革委会提出今冬明春引黄淤灌意见

5月5日　山东河务局革委会根据黄河近期治理规划和省计划会议精神,对于今冬明春引黄淤灌工作提出意见,供各地讨论执行。

为充分利用黄河水沙资源,除害兴利,在“四五”期间,发展引黄淤灌1000万亩,配套齐全,能灌能排;分洪引黄放淤改土300万亩;引水沉沙淤背,险工重点堤段淤宽100米左右,一般平工堤段淤宽50米左右,高度与临河滩地平。据此,今冬明春的主要任务是:(1)大搞灌区工程配套;(2)渠首扬水站新建、续建与配套;(3)充分发挥现有工程的作用;(4)积极进行淤背,巩固堤防,放淤改土,发展农业生产。

向钱正英汇报黄河河口情况

5月8日、13日　水电部副部长钱正英在山东考察治黄工作时,前左水文实验站庞家珍等,分别在军马场和济南向钱正英副部长汇报了黄河河口情况。

一、河口水情沙情。三门峡建成运用期间,河口悬移质输沙量有所减少。但减少的属于非造床质。造床质的来量在建库前后保持相同。

二、三角洲的历史变化。1855～1964年河口较大变迁共11次,平均每七年半一次。整个三角洲海岸线平均每年外延 0.15 公里。

三、现行河道情况。(1)平面变化,向东移动。(2)河床冲淤变化,1964～1967 年为淤,1967～1969 年汛前为冲,1969 年汛前汛后为淤。(3)1967 年水位特高,原因是 1966 年汛期含沙量最大,1967 年来沙量最多。

四、滨海区情况。(1)潮汐情况。黄河三角洲滨海区的潮汐特征是受节点在神仙沟口外的旋转驻立波所控制。(2)风情、海流及余流。风矢量冬季为西北,春季为东北,夏季为东南,秋季为西南。海流,三角洲滨海区最大涨落潮流的流向基本与海岸平行。余流,黄河口滨海区的余流主要是风吹流,表层余流在偏南风作用下,由莱州湾口往神仙沟口外向西北流向渤海湾弯顶。(3)地形地貌。现河口至神仙沟口岸段等深线最为密集,面向两侧愈来愈疏,即现河口至神仙沟口的海岸坡度最陡、最深,向两侧则减缓、变浅。

山东省抗旱防汛工作会议召开

5 月 8～16 日 山东省抗旱防汛工作会议在泰安召开,山东河务局革委会及各修防处(局)、段负责人出席会议。会议期间,省革委会生产指挥部负责人穆林、省军区司令员童国贵、水电部副部长钱正英先后到会讲话。

钱正英向山东省革委会汇报黄河治理和引黄灌溉问题

5 月 18 日 水电部副部长钱正英、黄委会革委会副主任王生源在山东省考察黄河后,当日下午钱副部长向山东省革委会党的核心领导小组,汇报了有关黄河治理和引黄灌溉问题。

一、黄河河道据河务局整理资料分析的结果,杨房以上,17 年没有严重变化,有恶化的趋势,还不严重。但在杨房以下受到黄河河口的影响,向海延伸,水位抬高,比较明显。

二、当前突出的问题是河口。主要矛盾是我们要开发,它要摆动,摆动的范围越来越有限制。关于河口治理,可以罗家屋子 10 米为控制水位,超过了就分洪,暂不改道清水沟。今冬明春修筑东大堤,再修建南展宽工程,以后再在綦家嘴修个北分工程,利用南展北分延长河口寿命。

艾山以下窄河道有三个问题:一是防洪问题。二是凌汛问题。三是河口和整个河道的特点,总是逐渐抬高,速度可能快,可能慢。近期从上游减少泥沙不太现实,还得立足于下游取得相对稳定。解决的办法,一个是蓄,一个是排。从大方向看,山东黄河得展宽,解决河道窄的矛盾。再是淤背,解决临背悬殊,位山枢纽作为辅助措施,可以进一步研究。近期比较现实可能的,采取局部展宽着手,有的在南,有的在北,分期分段实施。

三、防汛问题。1958 年以后没来大水,干部、群众麻痹。

四、关于引黄灌溉,在“四五”期间改变面貌有三个问题:

(1)指导思想,要进一步明确黄河两岸旱涝碱三害的关系如何,要抓住主要矛盾,我看应以改碱为中心。过去在引黄中有三个倾向性的问题:①重水轻土;②重灌轻排;③重发展轻实效。

(2)在工程措施方面,值得注意的问题是:①要小型为主,土地平整,田间配套。②建议黄河两岸灌排统一规划。现在灌在黄河,排在地方。③渠首有个泥沙问题。沉沙池淤满了,不好办。④大量灌溉,水源有问题。

(3)组织领导问题。黄河修防,一条线要保持整体;两大片必须依靠块块,单靠黄河搞不好。现在是两大片、两个渠道管,一个管灌,一个管排。经费来源不一样,如何加强领导,建议省革委会考虑。

参加人员有:杨得志、李水清、袁升平、穆林、白如冰、杨介人。惠民地区辛晓村,九二三厂张成浩,省农办军代表刘玉轩,河务局杨晓初、包锡成、牟玉玮等。

齐河修防段试制成功黄河首只简易吸泥船

6 月　齐河修防段自力更生,土法上马,奋战 85 天试制出黄河上第一艘 32 吨位的钢壳机动吸泥船。据测验,每立方米水含沙量平均达 152 公斤,最高达 350 公斤。利用吸泥船淤背固堤的试验,取得显著效果,全河推广。

黄委会革委会确定重点观测河段

6 月 4 日　黄委会革委会关于河道观测认为以下几个河段进行重点观测是必要的,花园口至东大坝;贯台险工至左吕;芦井至苏阁;蔡楼至位山。要求流量涨落 1000～2000 立方米每秒,进行一次河势流向及断面测量。

黄委会革委会发出紧急通知要求做好通讯工作

6 月 24 日　黄委会革委会紧急通知,要从难从严、过细地做好电话通讯工作。在任何情况下,都要保证及时畅通,以适应防汛的需要。

水电部同意修做西河口堤防

6 月 29 日　水电部同意修做西河口上下堤防,利用十八户淤区和一千二分洪;十八户放淤工程加修第五条渠;十八户和一千二分洪口门迁移部分水深溜急的村庄及修做部分围村埝,分洪口门做好临时裹护准备。

刘乃武任济南修防处主任

6 月 刘乃武任济南修防处主任。

山东河务局革委会党的核心领导小组成立

7 月 7 日 山东省革委会党的核心领导小组批准于正方、张玉斌、杨晓初、赵昆山、王平山为河务局革委会党的核心领导小组成员,于正方任组长,杨晓初任副组长。于 8 月 5 日召开党的核心领导小组成立大会。各修防处(局)、段及直属单位革委会党员主任参加。杨晓初宣读了《中共山东黄河河务局革委会核心领导小组第一次会议纪要》。

德州地区调查北展区社会经济情况

7 月 25 日 德州地区治黄规划领导小组自 6 月 25 日开始,历时一个月,对北展区社会经济情况做了调查。滞洪区从贾市公社纸营东起,至济阳崔寨公社邢家渡西止,中心长约 39 公里,宽 1.7～4 公里,面积约 114 平方公里,区内有县城一座,自然村 126 个,人口 49440 人,其中非农业人口 3512 人,共有驻军、工厂、国家机关、企事业单位 69 个。

《山东黄河"四五"治理规划报告》编制完成

8 月 18 日 《山东黄河"四五"治理规划报告》编制完成,并报送黄委会。主要意见有:(1)充分利用水沙资源,发展引黄淤灌 1700 万亩,改土 220 万亩;(2)搞好防洪防凌工作,消除凌洪威胁,具体项目有改建位山枢纽、河口治理、展宽河道、淤背固堤、整治河道;(3)汶河治理。

刘传朋带队参加增产节约会议

8 月 25 日 刘传朋带领山东河务局革委会所属修防处、站的 13 名代表,赴郑州出席黄委会革委会核心领导组召开的增产节约会议,于 9 月 6 日返济。

黄河安全度过汛期

10 月 31 日 黄河安全度过汛期。汛期黄河、汶河都未发生大洪水,工情平稳。组织防汛基干民兵 15 万人,普通民兵 25 万人,基本上做到了思想、组织、物料三落实。同时对堤防、河道、涵闸做了全面检查,增强了度汛措施。在确保防洪安全的情况下，准许开闸引水，淤背123公里，淤地改土36万亩，并引水灌溉抗旱。

张文碧等检查山东黄河工程

11月8～13日 水电部军管会主任张文碧、副部长王英先、黄委会革委会主任周泉、副主任王化云等前来检查山东黄河工程。视察了菏泽地区、位山枢纽、齐河展宽、惠民地区及河口地区的工程情况。14日在济南国际旅行社由河务局革委会核心组副组长杨晓初汇报了山东黄河的“四五”规划。汇报后，张文碧强调防害应放在首位，引黄灌溉要接受以往的经验教训。

田浮萍任位山工程局局长

11月 田浮萍任位山工程局局长。

黄河平阴公路大桥竣工通车

12月1日 黄河平阴公路大桥竣工通车。这是山东黄河上第一座公路桥梁，全桥总长960米，桥型主跨采用二组96～112～96米的三孔连续下承式钢桁架，共长608米，滩地采用10孔30米预应力钢筋混凝土简支梁，桥面净宽9米，设计标准为载重汽—13，拖—60。通航流量9000立方米每秒，水位39.42米。设计防洪流量13000立方米每秒，设计水位41.24米。该桥自1969年动工，本日上午10时举行了通车典礼。

山东省革委会党的核心领导小组研究修建展宽工程问题

12月2日 山东省革委会党的核心领导小组召开会议，研究水电部军管会张文碧主任检查山东黄河工程提出的问题。对修建展宽工程因有不同意见，确定起草报告向国务院请示。参加会议的有省革委会负责人杨得志、张铚秀、白如冰、穆林、杨介人、刘玉轩及河务局刘传朋、包锡成等。

黄委会革委会通知做好防凌准备工作

12月4日 黄委会革委会通知做好防凌准备工作。具体要求为：(1)在省革委会的领导下，健全各级领导班子；(2)对卡冰河段，确保人民生命财产的安全；(3)加强凌情的测报工作；(4)对堤防、闸门、料物等设备要全面检查，齐全管用。

黄河防凌工作会议召开

12 月 16～21 日 黄河防凌工作会议在济南第六招待所召开。会上传达讨论了《1971 年黄河防凌工作意见》和《1971 年治黄工作意见》,黄委会革委会主任周泉参加了会议。会议期间,山东省军区司令员童国贵、副政委彭嘉珠先后到会讲了话。

黄委会革委会要求继续执行下游河道统一性测验规定

12 月 17 日 黄委会革委会要求对下游河道统一性测验规定仍需继续进行。除汛前汛后各测一次外,汛期中间可在冲、淤和河势变化较大的情况下,适当增加测次。

引黄淤背改土取得显著成效

12 月 31 日 本年度开展水沙综合利用,引黄淤背改土取得显著成效。首先通过济南修防处和齐河修防段利用机械提水、试制吸泥船引黄淤背改土取得经验,全面推广了机淤和自流放淤两种方法,完成淤背 124 公里,一般淤高 2 米、宽 20～100 米,加固了堤防;同时淤改盐碱涝洼地 30 万亩,抗旱浇地 700 万亩。

1971 年

山东黄河安全度过凌汛

2 月 24 日 黄河凌汛结束。由于气温偏高,封河时间短,冰薄量少。1 月 29 日到 2 月 9 日封河段上延至历城付家庄,封冻总长 200 公里,总冰量 2200 万立方米,为确保凌汛安全,三门峡水库自 2 月 13 日关闸蓄水,同时用人工炸冰和两艘破冰船破冰后,于 24 日疏通溜道冰凌入海。

山东河务局革委会调整修防民工工资

3 月 11 日 山东河务局革委会根据山东省革委会生产指挥部《关于民工工资和粮食补助标准几项规定》的通知精神,自 1971 年起,对黄河修防工程民工工资进行了调整。

一、中央投资的防洪、防凌、岁修及相应的附属工程调用民工,均按每定额工日发给工资 0.6 元。民技工工资,每定额工日 0.8 元。

二、中央投资兴建的引黄淤灌工程调用的民工，根据受益情况，每定额工日发给生活补助费0.2～0.4元。

三、民工、民技工因风雨误工和因病误工，每人每天发给0.4元生活补助费。

山东河务局革委会召开治黄规划座谈会

3月11日 山东河务局革委会召开治黄规划座谈会，各修防处、段及局直属单位负责人参加会议。会议传达贯彻了水电部治黄规划会议精神，总结了20多年来治黄工作的经验教训，讨论确定了山东黄河“四五”规划要点和1971年的基建计划安排。“四五”期间主要治黄任务是：(1)加强堤防管理；(2)重点展宽窄河道堤距；(3)搞好河口治理；(4)积极慎重地发展引黄淤灌；(5)继续整治河道。会议于25日结束。

山东省革委会通知加强引黄灌溉管理工作

3月29日 山东省革委会向沿黄各地、市、县革命委员会发出《关于加强引黄灌溉管理工作的通知》。要求加强对引黄灌溉工作的领导，迅速建立专管机构，对已建成的引黄工程，狠抓配套，做到有灌有排，保证做到灌而不碱，灌溉增产。引黄灌溉要处理好泥沙，与沉沙淤背改土结合，综合利用水沙资源，尽快把引黄灌区建设成旱涝保收高产稳产田。

黄委会革委会发出加强涵闸管理和安全度汛的通知

4月19日 黄委会革委会发出《关于进一步加强涵闸的管理和做好安全度汛工作的通知》。要求各地抓紧检查和分析涵闸的工程情况，针对存在问题，提出安全度汛措施，以确保安全。山东河务局革委会转发了这个通知，并要求切实做好涵闸的管理、运用、维护、养护和观测工作。

山东河务局革委会召开政治工作座谈会

4月21日 山东河务局革委会召开政治工作座谈会，各修防处负责人参加会议。主要内容有：(1)通过会议，增强开展“四好”运动的信心，并研究了措施；(2)讨论山东黄河机构编制意见；(3)关于干部问题。

山东省抗旱防汛会议召开

5月18日 山东省抗旱防汛会议在济南召开，到会的有各地、市、县、生产建设兵团、九二三厂等单位共 337 人。会议分别对黄河、内河防汛工作进行了讨论和部署。

李家岸分洪灌溉闸建成

5 月 20 日 齐河李家岸分洪灌溉闸建成,6 月 7 日放水。该闸是齐河展宽工程项目之一,为桩基开敞式钢筋混凝土结构,共 10 孔,高孔 4 孔,低孔 6 孔,每孔净宽 6 米,设计灌溉引水 100 立方米每秒。分洪分凌流量为 800 立方米每秒,该闸承担展宽区分洪分凌任务,并解决齐河、济阳、临邑、商河 4 县 100 万亩土地的灌溉用水。

撤销“五七”工程总队,组建工程队和直属仓库

5 月 21 日 根据修防任务的需要,山东河务局革委会研究决定,撤销“五七”工程总队,建立山东河务局工程队和山东河务局直属仓库。

历城引黄灌溉淤改稻改成效显著

5 月 26 日 《人民日报》报道,据水电部、黄委会、新华社联合调查组的调查,历城县从 1955 年起兴建引黄灌溉工程,截至 1971 年,先后建成 11 处引黄提水站,1300 多座涵闸桥梁和 1250 多公里长的排灌渠道,引黄改种水稻田 10 万亩获得了丰收,平均亩产达 550 斤,全县粮食亩产由过去的 150 斤提高到 1970 年的 430 多斤。同时进行引黄淤背固堤,截至 1970 年,已淤背 1220 万立方米,平均每方土投资比人工修堤节省 90%,并淤成粮田 3 万多亩,改造沿黄大片盐碱涝洼地为稳产丰产田。

转发李先念关于广西龙山水库出险的批示

6 月 3 日 水电部传达了李先念副总理《关于广西龙山水库出险的批示》:龙山水库出险,事先没有很好检查,望接受这一教训,所有水库应进行一次检查。山东省革委会抗旱防汛指挥部转发了李先念副总理的批示,要求各级防汛指挥部认真进行工程检查,确保度汛安全。

黄河防总召开黄河防汛会议

6 月 10 日 黄河防总在郑州召开黄河防汛会议。参加会议的有水电部、晋、陕、豫、鲁 4 省负责人及沿黄各地、市和修防处、段、水文总站负责人 212 人。10～18 日召开预备会议,研究制定《1971 年防汛工作意见(草案)》和《黄

河下游修防工作试行办法(草案)》。20～30 日为正式会议,讨论处理各类洪水措施,安排防汛工作。

河口东大堤培修工程竣工

6 月 30 日　经国家计划委员会批准的黄河河口东大堤培修工程竣工。东大堤主要保护孤岛油田的开发和河口地区农业的发展,全长 21.95 公里。由昌潍地区出工 1.8 万余人,惠民地区、胜利油田、军马场等出动拖拉机、推土机等机具 83 台于 5 月 14 日开工修筑,共计完成土方 239.7 万立方米。

小开河引黄闸竣工

7 月 13 日　滨县小开河引黄闸竣工。该闸为钢筋混凝土箱式涵洞,一联三孔,孔高 2.6 米,设计引水流量 25 立方米每秒,可灌溉滨县西部 30 万亩土地。于 4 月 3 日破堤动工。

黄河防总检查黄河防汛工作

7 月 17 日～8 月 4 日　黄河防总对黄河下游河南、山东两省沿黄地、县的防汛工作进行了全面检查。指出当前防汛准备工作中存在的主要问题是思想麻痹,准备不充分,行动迟缓,滩区生产堤和河道阻水工程尚未按要求破除。各地应采取措施,全面做好防汛工作。

阎谭引黄放淤闸竣工

7 月 22 日　东明县阎谭引黄放淤闸竣工。该闸为 12 孔钢筋混凝土箱式涵洞,设计引水流量 150 立方米每秒,控制灌溉面积 60 万亩,于 4 月 14 日动工兴建。

东关引黄闸建成

7 月　利津县东关引黄闸建成。该闸为钢筋混凝土箱式单孔涵洞,设计流量 1 立方米每秒,灌溉 3 万亩土地。

河口东大堤建成三道沟引水闸

8 月　胜利油田于河口东大堤建成三道沟引水闸一座,引水流量 5 立方米每秒,解决了孤岛油田用水问题。同年 12 月,济南军区军马场在东大堤建成单孔引水闸一座,引水 5 立方米每秒,解决军马场用水。

李先念批示《黄河下游修防工作试行办法》

8 月 2 日 水电部转发了《1971 年黄河防汛工作意见》和《黄河下游修防工作试行办法(草案)》两个文件。《黄河下游修防工作试行办法》经李先念副总理批示可先试行。

山东河务局革委会召开引黄淤背改土座谈会

8 月 2～7 日 山东河务局革委会召开引黄淤背改土座谈会。各修防处、位山局及部分修防段负责人参加。会议首先检查了淤背改土进度情况,交流了经验。一致认为截至目前淤背改土已做出显著成绩,已有淤背控制工程的 200 公里,开始放淤的 180 公里,沉沙总量 5000 万立方米,已淤改土地 60 余万亩,对加固堤防、改变沿黄生产面貌具有重要作用。对“四五”期间引黄淤背改土规划进行讨论,明确任务和要求。

山东河务局革委会召开计划工作会议

8 月 22 日 山东河务局革委会召开计划工作会议,会上传达了苏毅然在全省计划工作会议上的讲话及水电部副部长钱正英在全国设计革命会议上的讲话。刘传朋作会议总结。

水电部批准兴建垦利南展宽和齐河北展宽工程

9 月 14 日 水电部批准山东省革委会生产指挥部修建黄河垦利(南)展宽工程和齐河(北)展宽工程。同意今冬进行上述展宽工程新堤土方和新堤上建筑物工程,工程设计另行审批。

黄河南岸垦利、北岸齐河展宽工程,都是为解决济南以下窄河道的防洪防凌问题而兴建的。齐河展宽工程是展宽济南北店子到泺口窄河段的堤距,展宽堤距为 4 公里,滞蓄面积 106 平方公里,有效库容为 3.9 亿立方米。为了有控制地蓄滞凌洪,在展宽区上段临黄堤上修建豆腐窝分凌分洪闸,在中段临黄堤上修建李家岸分凌灌溉闸。在下段新堤上修建大吴泄洪闸,退水入徒骇河。为排泄展宽区内雨水及尾水和发展引黄淤灌,在新堤上修建王府沟、小八里、齐济河、大吴等排水闸,可排水 70 立方米每秒,引黄淤灌 120 立方米每秒。展宽区内迁移齐河县城及居民 43788 人,有的筑台定居,有的迁往背河居住,均由国家妥善安排。

垦利展宽工程是自博兴县老于皇坝起至垦利县西冯止,修筑新堤 38.5 公里，展宽堤距3.5公里，滞蓄面积123.3平方公里，滞洪库容为3.27亿立方米。控制分洪工程分别在麻湾、曹店、章丘屋子修建分洪(凌)、泄水闸，在展宽堤上修建大孙、清户、胜干、王营、路干等灌排闸，以解决展宽区内的排水和附近社队发展引黄灌溉和放淤改土。展宽区内居民48976人修筑村台建房安置。

山东河务局革委会编制完成“四五”治理规划

9月21日 山东河务局革委会编制完成《山东黄河“四五”治理规划(修订草案)》及《1972年基本建设计划(草案)》报送黄委会及省计划办公室。治黄规划本着“在下游确保黄河大堤的安全，不准决口，同时积极而有步骤地利用黄河的水和泥沙，为发展工农业生产服务”的原则精神，近期采取的防洪防凌措施是利用黄河放淤，有步骤地加固两岸大堤；试办山东窄河段的展宽工程，扩大河道的排洪和排凌能力；同时积极慎重地发展新灌区，解决现有灌区的碱化问题，“四五”期间基本实现每人一亩水浇地。

大崔引黄闸竣工

10月 惠民县大崔引黄闸竣工放水。该闸为单孔钢筋混凝土箱式涵洞，设计引水流量6立方米每秒，控制灌溉面积12万亩。

齐河北展宽工程动工兴建

10月20日 齐河北展宽工程动工兴建。今冬修筑新堤长37.78公里，由德州、聊城、泰安地区及济南市出工7万人分段包干施工，完成底部工程计土方786.8万立方米，明春继续施工。

黄委会革委会批复修做菏泽贾庄等三处河道整治工程

10月21日 黄委会革委会批复同意修做菏泽贾庄、鄄城郭集、东明新店集三处河道整治工程，其中郭集先做9～18坝。

垦利南展宽工程动工兴建

10月25日 垦利南展宽工程动工兴建。冬季施工的有新大堤培修及曹店分洪分凌闸、胜干、路干灌排闸。由惠民地区调集民工4.4万人参加施工。新大堤全长38.5公里，曹店分洪分凌闸为钢筋混凝土桩基开敞式，闸分五孔，设计分水流量1090立方米每秒。胜干、路干灌排闸均为钢筋混凝土箱式三孔涵洞,胜干闸设计流量为 15～30 立方米每秒,路干闸设计流量 12～25 立方米每秒。

黄河安全度过汛期

10 月 31 日 入汛以来黄河水情平稳,7 月下旬晋陕区间降雨。26 日龙门站发生 15200 立方米每秒洪水。经三门峡水库调蓄,出库流量 4800 立方米每秒,孙口以下各站流量只有 3000 立方米每秒左右。河口地区水位平槽,汛期安全度过。

田山头电力引黄灌溉工程建成

10 月 31 日 平阴县田山头电力引黄灌溉工程建成。该工程包括修建两座提水共 57 米的电力扬水站,凿通 2500 米长的分水岭隧洞,开挖绕山渠道 15 公里。设计提水 24 立方米每秒。灌溉平阴、肥城两县 35 万亩土地,并可解决山区 6 万多人的吃水问题。肥城、平阴两县人民奋战两年半,开挖土石方 200 多万立方米,建成了迄今山东黄河最大的电灌站。

高村水文站划归水文总站领导

11 月 29 日 黄委会革委会决定将高村水文站自 1972 年 1 月起划归山东河务局水文总站领导。

山东黄河防凌工作会议召开

12 月 21 日 山东省革委会生产指挥部主持召开黄河防凌工作会议。参加会议的有沿黄各地(市)县革委会、军分区和武装部的负责人,黄河各修防处段负责人。水电部、黄委会、三门峡工程局的有关人员也出席了会议。会议研究讨论了 1971 年黄河防凌的任务和措施。会议于 26 日结束。

1972 年

山东黄河下游治理规划座谈会召开

1 月 5～8 日 黄委会革委会召集河南、山东河务局革委会负责人,就编制黄河下游治理规划问题进行座谈讨论。对规划的编制工作确定以下内容:(1)防洪防凌规划包括山东展宽工程,河口治理,枢纽改建,伊、洛、沁、汶河支流水库;(2)引黄淤灌规划包括引黄灌溉、稻改、放淤改土等。重点落实“四五”

期间治黄任务。要求两局于4月提出规划由防汛会议审查。

山东河务局水文总站成立

1月6日　经山东省革委会生产指挥部党的核心小组批准,将河务局原位山水文总站和前左水文实验站合并为山东河务局水文总站,即日起在济南黄台山办公。

山东黄河安全度过凌汛

1月9日　黄河凌汛安全度过。本年凌汛有三大特点,一是封冻期短,开河早。上年12月21日开始封河,12月底封至开封市黑岗口,封冻总长252公里,总冰量2312万立方米。1月8日,东阿冰融开河。9日凌开入海。二是封河过程短开河顺利,凌汛期基本是7天封河3天开河。三是位山以上封冰河段长,冰量大,局部河段卡冰壅水,致使河南开封、封丘、濮阳、兰考及山东省东明、鄄城等县境内首次因凌汛滩地漫水,村庄被水包围,淹地12万亩。

水电部批复齐河展宽部分工程设计方案

2月13日　山东河务局包锡成、龙于江工程师去北京向水电部副部长钱正英汇报北展工程豆腐窝分洪闸设计问题。钱副部长同意闸的位置、底板高程和制造简易吸泥船淤房台。26日,水电部批复山东河务局同意齐河展宽工程设计中提出的近期滞蓄运用方式及新大堤设计堤线和标准。同意修建八里庄、赫庄、小八里、大吴、齐济河、王府沟等五座排灌闸和豆腐窝分洪分凌闸,改建利用八里庄老闸为退水闸。

齐河展宽新大堤培修工程开工

3月1日　齐河展宽工程新大堤培修第二期工程开工。由聊城、泰安、济南,德州四地市九个县出工14万人参加施工,于5月竣工。新大堤长37.78公里,培修标准与临黄堤同,共计完成土方1755.3万立方米,植树25.9万株,新建防汛屋40座。豆腐窝分洪分凌闸亦于4月12日动工兴建。

水电部批复垦利展宽部分工程设计方案

3月16日　水电部批复山东河务局,同意垦利展宽工程新大堤堤线和标准。并同意近期运用以分凌为主,结合造滩,加固新堤。同意在现有大堤上修建曹店分凌进水闸及新堤上修建清户、王营等五座排灌闸,在章丘屋子附近修建泄洪闸一座,麻湾分凌进水闸设计另批。

黄委会革委会发出《关于做好黄河下游春修和防汛准备工作意见》

3 月 16 日 黄委会革委会发出《关于做好黄河下游春修和防汛准备工作意见》。指出:近三年来下游河道淤积 22.6 亿吨泥沙,比以往多年平均多一倍,河床抬高,排洪能力降低。各级领导必须充分认识这一形势,抓紧完成春修任务,巩固堤防,做好各项防汛准备,确保防汛安全。

引黄淤灌经验交流会议召开

4 月 10 日 山东黄河引黄淤灌经验交流会议在济南举行。参加会议的有各修防处、段及位山局闸管所负责人,还有黄委会、河南河务局、省水科所及沿黄地(市)、县水利部门负责人,共 60 人。会议开始由山东河务局革委会党的核心小组组长于正方讲话,后到沿黄 12 个县进行参观,交流经验;最后在学习有关文件的基础上,总结引黄淤灌的经验,肯定了成绩,找出了差距。会议于 20 日结束。

水电部同意修建东银窄轨铁路

5 月 水电部同意修建东银窄轨铁路。中共菏泽地委研究决定,建立菏泽地区黄河东银窄轨铁路局指挥部,任命李景新为指挥长。

山东省防汛工作会议召开

5 月 12 日 山东省防汛工作会议召开,各地、市革委会生产指挥部和水利局、河务局各修防处负责人参加。会议讨论部署了黄河、内河防汛工作,要求贯彻"以防为主,防重于抢"的方针,全面做到"黄河保安全,水库不倒坝,河湖不决口,内涝少成灾或不成灾"。会议于 20 日结束。

丹麦学者来山东黄河考察

5 月 14 日 丹麦奥尔胡斯大学教授约翰斯·胡姆隆和夫人,由水电部派员陪同来山东黄河考察了东平湖滞洪区、黄河堤坝工程、引黄涵闸、虹吸、扬水站和引黄淤背、淤地、灌溉工程,20 日结束后乘机去南京。

潘庄引黄闸竣工放水

6 月 齐河县潘庄引黄闸竣工放水。该闸为九孔钢筋混凝土箱式涵洞,孔高宽均为3米，设计引水流量133立方米每秒，控制灌溉面积209.4万亩，于1971年10月动工兴建。

山东河务局革委会印发《黄河堤防绿化和收益分配办法》

6月15日　山东河务局革委会印发《黄河堤防绿化和收益分配办法》并公布执行。办法规定临黄堤、南北金堤、南北展宽新堤和险工，东平湖围堤、二级湖堤两侧柳荫地，从防洪固堤出发，本着临河防浪、背河取材的原则，大力开展植树造林。树株的养护管理，均由护堤社、队负责。收益分配，本着国有队营、收益分成的原则，对更新的成材树木，按国五队五分成，灌木条料国二队八分成。防洪抢险在堤上取用之木桩，按半数付给护堤社队材料费，柳料按价付款给护堤社队。

黄河防汛会议在郑州召开

6月17日　黄河防汛会议在郑州召开。到会的有晋、陕、豫、鲁四省及河务局、水电局、沿黄地、市防汛指挥部负责人。会议讨论修订了《黄河下游修防工作试行办法》和《1972年黄河防汛工作意见》两个文件，分析了治黄工作的大好形势及出现的新情况、新问题，研究制定了安全度汛措施。会议于25日结束。

山东黄河防汛办公室建立

6月25日　山东省革委会生产指挥部抗旱防汛指挥部黄河防汛办公室建立，并开始办公。

春修工程竣工

6月30日　黄河春修工程竣工。春修工程重点是堤防加固消灭隐患，大力开展引黄放淤固堤改土。共计完成岁修土方157.1万立方米，压力灌浆105万眼，植树180万株，险工护滩整修石方11.8万立方米，引黄淤背188.5公里，放淤沉沙1262万立方米，淤改土地7.3万亩。

山东河务局为山东省生产指挥部直属局

7月1日　国务院于1971年12月27日批转水电部《关于黄河水利委员会体制改革的报告》指出：山东河务局下放山东省，实行以地方为主的双层领导。据此，中共山东省委、省革委会机关编制方案，明确河务局是隶属省生产指挥部的直属局,自即日起正式启用:“山东省革命委员会黄河河务局”印章。

山东河务局机构调整

8 月 8 日 经山东省革委会生产指挥部批准,河务局机构作如下调整:局机关分设办事组、政工组、工务组、财供组;局直属单位设置:将山石料厂、航运大队、机修储运队、工程大队、水文总站、工人医院、电话站,自即日起按新设机构启用印信。

山东河务局设平阴黄河组、长清黄河段

8 月 9 日 经山东省革委会生产指挥部批复同意,设立平阴黄河组、长清黄河段,自即日起开始办公。

杨得志视察东明县高村险工抢险实况

8 月 31 日 山东省革委会主任、济南军区司令员杨得志视察了东明县高村险工抢险实况,并向参加抢险战斗的全体职工表示慰问。

刘传朋赴京参加北方抗旱会议

9 月 9 日 山东河务局副局长刘传朋、工程师包锡成去北京水电部参加北方抗旱会议。

阳谷、莘县建金堤引水涵洞三座

9 月 阳谷、莘县在金堤上建成引水涵洞三座。5 月 23 日阳谷县明堤涵洞改建竣工,为两孔砌石涵洞,设计引水流量 10 立方米每秒。8 月 10 日,莘县东池涵洞竣工,为两孔箱式钢筋混凝土涵洞,设计引水流量 5 立方米每秒。9 月 1 日莘县建成仲子庙涵洞,为两孔钢筋混凝土拱砌石涵洞,设计引水流量 7 立方米每秒。以上涵洞均为引金堤河水,灌溉堤外土地。

郝砦引黄闸竣工

9 月 菏泽县郝砦引黄闸竣工,该闸为三孔钢筋混凝土箱式涵洞,设计引水流量 20 立方米每秒,控制灌溉面积 47 万亩,是 3 月动工兴建的。

将山石料厂及铁路专用线建成投产

10 月 山东河务局将山石料厂及铁路专用线 8.85 公里建成投产。由于

黄台山石料厂料源枯竭，经黄委会革委会批准在历城县将山建厂采石，并修筑铁路专用线一条，经胶济、津浦铁路，将石料运至黄河赵庄码头。迁厂及铁路专用线是 1969 年 10 月开始施工的。

黄河北镇大桥建成通车

10 月 1 日 黄河北镇大桥建成通车。该桥为钢桁梁主桥和预应力引桥两部分组成，设计为汽—15，挂—80，双向两车道，全长 1394 米。

黄河下游河道整治经验交流会议召开

10 月 9 日 黄委会革委会召开黄河下游河道整治经验交流会议，河南、山东河务局及各修防处负责人、工程技术人员和清华大学等单位参加。首先，以 20 天时间从孟津至河口查看了宽窄河道的整治工程；然后组织经验交流和座谈讨论黄河下游整治近期规划，商定了 1973 年河道整治任务。会议于 11 月 10 日结束。

黄河下游河道整治，经过经验交流和座谈总结，认为 20 多年来，河道整治共修建控导护滩工程 110 处，坝垛 1612 道，共长 131 公里。位山以下河道已基本得到控制；位山至高村河段，节点控导工程已大体布设，河势得到初步控导；高村以上河段，修建了部分节点控导工程。这些工程对稳定河势、固定险工、护滩保堤、引黄淤灌都发挥了很大作用。事实证明，开展河道整治是除害兴利的必要措施。今后应全面规划，加强领导，有计划、有步骤地开展整治工作。

黄河“三废”污染调查总结会议召开

10 月 20 日 黄河“三废”污染调查 1972 年总结会议在济南召开。参加会议的有沿黄八省(区)卫生、水利等部门负责人和技术人员；中央卫生、冶金、燃化、水电、农林各部及黄委会的代表共 111 人。会议学习了毛主席、周总理对工业“三废”的多次重要讲话，修订了《黄河水系工业“三废”污染调查水质检验规程》，研究了《1973 年黄河“三废”污染调查协作方案》。

于正方等任职

10 月 28 日 经中共山东省委研究决定：于正方任山东省革委会河务局局长，杨晓初、刘传朋、赵昆山任副局长。

山东治理黄河成绩显著

10 月 29 日 《大众日报》报道,山东省全面治理黄河获显著成绩。黄河历史上“三年两决口”的险恶局面已得到扭转,丰富的水利资源正广泛地被用来为发展工农业生产服务。

在党的领导和国家统一规划下,20 年来全省人民在治黄斗争中投入 2.3 亿个工日 修做土方 3 亿多立方米、石料 700 多万立方米,加固加高了黄河堤防。新修改建险工护岸 3818 段,修做护滩工程 80 处,基本上控制了河道的摆动。河口地区修建了防洪堤和东大堤,去冬今春开始修建惠民、德州两地区窄河道展宽工程,为防洪防凌争取了主动。同时,积极发展引黄淤灌工程,现已建成引黄涵闸虹吸和扬水站 116 处,抗旱灌溉面积达 1800 多万亩,淤地改土 70 多万亩,发展水稻 130 多万亩,利用黄河泥沙放淤固堤,沉沙总量 5000 多万立方米,巩固了两岸堤防。

在防洪防凌斗争中,沿黄人民在各级政府的领导下,组成了坚强的防汛大军,战胜了 1958 年特大洪水和 1969 年和 1970 年连续出现的严重凌洪,取得了防洪防凌斗争的胜利。

隆重纪念毛泽东主席视察黄河 20 周年

10 月 30 日 为隆重庆祝毛泽东主席视察黄河 20 周年,山东省革委会发出通知,要求沿黄各地广泛开展纪念活动。河务局在珍珠泉礼堂召开了庆祝大会,并举办了治黄成就图片展览。

黄河安全度过汛期

10 月 31 日 黄河汛期结束。入汛以来黄河水情平稳,花园口站出现 4000 立方米每秒以上洪水两次。7 月 22 日洪峰流量为 4090 立方米每秒,9 月 2 日洪峰流量为 4240 立方米每秒。9 月 4 日高村流量 4330 立方米每秒,水位 62.15 米,较去年同流量水位抬高 0.3～0.4 米,罗家屋子水位超过了 1958 年洪水位。10 月实测河槽平均高程与 1971 年 10 月相比,艾山至利津平均抬高 0.4 米。由于河槽淤积严重,滩区生产堤大部分偎水,大堤部分靠水,东明高村险工两次出险,16 号坝塌入河内,经 40 多天抢护,保证了安全。

山东河务局印发切实加强安全施工的紧急通知

11 月 1 日 山东河务局印发《关于切实加强安全施工的紧急通知》,指出冬季施工中伤亡事故不断发生，必须引起各级领导重视，全面进行一次检查，认真总结经验教训，采取有效措施，保证安全施工。

东银窄轨铁路动工兴建

11月7日 东银窄轨铁路动工兴建。东银铁路的兴建，主要解决菏泽地区防汛石料的运输问题，设计运输能力为35万吨，从梁山县银山起至兰考县东坝头止，全长210公里，轨距为762毫米，沿南岸大堤铺轨，计划5年建成。本年动工的是从银山至鄄城董口104公里路基土方工程。12月底竣工，共计完成土方271万立方米，并建成小桥涵13座，改建大桥1座，完成徐庄、耿山口两座大桥的主体工程。

山东黄河防凌工作会议召开

12月21日 黄河防凌工作会议在济南召开。参加会议的有沿黄各地(市)、县生产指挥部、军分区、人武部、修防处、修防段及有关单位的负责人。会议分析了黄河防凌的形势，研究安排了1972年防凌措施。

旧城引黄闸竣工

12月24日 鄄城县旧城引黄闸竣工。该闸为五孔钢筋混凝土箱式涵洞，设计引水流量50立方米每秒，控制灌溉面积60万亩，是4月开工兴建的。

堤防河产收益良好

12月 据各修防处堤防管理工作报告统计，山东全河有护堤小组558个，护堤员2736人，护堤长度1282公里，其中临黄堤798.9公里。现有树株657.5万株，果树4.2万株。全年河产收益108万元，国家收入28.6万元。木材采伐8018.6立方米，国家分成4639.4立方米，条料943.5万公斤，果品8.5万公斤。平均每米大堤年收入0.87元，其中临黄堤年收入1.03元。

黄河断流

本年 自1961年至1971年期间11年黄河未发生断流。本年泺口站自6月20至24日断流5天；利津站自4月24日至6月28日期间发生两次断流，共断流15天，断流长度310公里。

1973 年

山东黄河安全度过凌汛

1 月 23 日 黄河凌汛安全度过。河口段于上年 12 月 16 日开始封冻至博兴王旺庄,25 日一度开河。1 月 2 日二次封河,上至惠民归仁险工,总长 137 公里。17 日气温回升,三门峡水库下泄流量 872 立方米每秒,致使下游河道形成 1000 立方米每秒凌洪,冰凌在利津宁海、东坝卡塞形成二道冰坝阻水,滩地过水行洪,利津王庄河段水位超过 1958 年洪水位 0.3～0.83 米,高水位持续 5 天,博兴以下漫滩,大堤有 120 公里偎水,出现渗水管涌险情 30 多处。惠民地区及有关各县调集干部群众 7300 人上堤防守。并调炮兵和爆破队集中爆破冰坝冰堆,开通溜道,三门峡水库也进行了控制,23 日冰凌入海。

山东河务局召开工程财务管理会议

2 月 14 日 山东河务局在济南召开了工程财务管理会议。各修防处、段,各闸管所及局直各单位负责人和工程、财务人员共 158 人参加。黄委会革委会、山东省革委会生产指挥部派员亲临指导。会议首先传达学习了全国水利管理会议精神和周恩来总理、李先念副总理对水利管理工作的指示,在总结交流经验的基础上,研究制定了工程大检查和堤防、涵闸等工程管理、财务器材管理办法,以及计划管理办法和施工管理的暂行规定,建立健全水利管理的各项规章制度。会议于 26 日结束。

山东河务局开展工程大检查

2 月 25 日 为贯彻全国水利管理会议精神,山东河务局自 3 月开始,以修防段为单位,由领导干部、技术人员和工人组成普查队,对堤防、险工、护滩、涵闸、虹吸、机电泵站等工程及管理组织、制度等进行全面检查,通过检查,发现问题,落实措施,写出总结,检查于 4 月底结束。

截至 1972 年底,山东黄河堤防总长度为 1310.634 公里。其中临黄堤左岸长 407.736 公里,右岸长 561.266 公里。修做加固工程长度 686.814 公里。占堤线长的 52%。现有护堤员 2736 人。发现与处理隐患 9.083 万处。临黄堤有险工 100 处,各种坝垛 3787 段,护滩工程 113 处,坝垛 1551 段。现有引黄涵闸 38 座,虹吸工程 61 处 190 条管,扬水站 48 处安装机组 203 台,总设计引水流量 2847 立方米每秒,控制灌溉面积 2246 万亩。1972 年实灌面积

1037.6万亩。沿黄引黄淤背长257公里,沉沙土方5487.6万立方米,淤地改土59.4万亩。

武从礼任泰安修防处主任

3月 武从礼任泰安修防处主任。

山东河务局召开锥探灌浆现场会

4月3日 山东河务局在齐河修防段召开由各修防处和部分修防段参加的锥探灌浆现场座谈会。代表们首先参观了齐河修防段锥探灌浆现场操作,座谈交流经验,着重研究了加强组织领导,开展技术革新,改革机具,保证锥灌质量和定额管理等项措施。

山东省抗旱防汛工作会议召开

5月15日 山东省抗旱防汛工作会议在济南召开。河务局及所属单位负责人参加。水电部王敬宏出席会议并传达了周恩来总理对防涝防旱不要丝毫松懈的指示。会议讨论安排了抗旱防汛兼顾、内河防汛和黄河防汛任务及工作计划,坚持确保“四坝”(黄河堤坝、河湖堤坝、水库大坝、海潮堤坝),搞好“两防”(防洪、防涝),做到黄河保安全,水库不倒坝,河道不决口,内涝少成灾,山洪少冲地。会议于21日结束。

黄河下游治理规划座谈会召开

7月5~12日 黄委会在郑州召开了黄河下游治理规划座谈会。参加会议的有河南、山东河务局、水利局负责人。会议讨论了黄委会拟订的《黄河下游近期治理规划意见》,研究了下游近期防洪方案、引黄淤灌规划和南水北调问题。要求河南、山东河务局于8月5日前提出规划补充意见。

山东河务局召开治黄规划和年度基建计划会议

7月23日 山东河务局召集各修防处、段及各地、市水利局负责人会议,讨论制定黄河下游七年治理规划意见和编制1974基本建设计划。会议于8月3日结束。

杨晓初等任职

8月29日 经中共山东省委研究决定:杨晓初任山东省革委会河务局局

长,党的核心小组组长,刘传朋任党的核心小组副组长,张汝淮任副局长、党的核心小组成员。

垦利南展曹店分洪分凌闸等工程竣工

9 月 垦利南展宽工程曹店分洪分凌闸、清户、路干、胜干灌排闸及王营、大孙排水闸先后竣工。曹店分洪分凌闸为桩基开敞式钢筋混凝土结构,设计分水流量为 1090 立方米每秒;其他五座灌排、排水闸均为钢筋混凝土箱式涵洞,建在展宽区新堤上,用以排泄展宽区内涝水,设计排水流量共 60 立方米每秒,清户、路干、胜干闸还可结合灌溉引黄流量为 90 立方米每秒。

山东黄河近期治理规划会议召开

9 月 10 日 山东河务局根据黄河下游治理规划座谈会的要求,经山东省革委会生产指挥部研究并主持召开了山东黄河近期治理规划会议,沿黄有关地市水利局和修防处负责人参加,讨论了黄河下游近期治理规划意见,制定了《山东黄河近期(1974～1983 年)治理规划意见(草稿)》。

黄委会颁发下游滩区修建避水台初步方案

10 月 24 日 黄委会颁发黄河下游滩区修建避水台的初步方案,要求河南、山东两省于今冬明春安排劳力,完成滩区避水台工程,保障滩区人民生命安全。避水台高程超过 1958 年实际洪水位 2～2.5 米,每人按 3 平方米修建。

黄河汛期结束

10 月 31 日 黄河汛期结束。今年水情特点是洪水小、含沙量大,河道淤积、水位高。汛期花园口站出现 4000 立方米每秒以上的洪峰 3 次。9 月 3 日洪峰流量 5890 立方米每秒为最大。9、10 月的五、六次洪水来自中游泾、渭河流域,最大含沙量每立方米为 403 公斤,为历年所未有的记录。高村以上河道主槽高于滩地,东明黄砦以上均超过 1958 年洪水位 0.2～0.4 米。东明焦园、长兴集一带生产堤冲决漫滩。东张集到黄砦有 35 公里大堤偎水,东明淹地 17.6 万亩。

豆腐窝分洪分凌闸等工程先后建成

11 月 齐河北展宽工程豆腐窝分洪分凌闸及展宽区王府沟、齐济河、大吴、小八里四座排水闸和赫庄、王窑干两座灌排闸、豆腐窝引黄淤灌闸先后建成。豆腐窝分洪分凌闸为桩基开敞式钢筋混凝土结构，闸分 7 孔，每孔宽 20 米，设计分洪流量 2000 立方米每秒，分凌流量 2000 立方米每秒。其他 7 座排水、灌排闸均为钢筋混凝土箱式涵洞，可排除展宽区内涝水和分洪后的尾水 70 立方米每秒。同时可引黄淤灌，引水流量共 120 立方米每秒，供展宽区淤灌改土和徒骇河以南地区灌溉用水，并能向徒骇河以北输送抗旱用水和补充地下水源，以利发展农业生产。

小八里排水闸是 1974 年 10 月竣工的。

黄河下游治理工作会议召开

11 月 22 日　黄河治理领导小组在郑州召开了黄河下游治理工作会议。参加会议的有河南、山东沿黄 13 个地、市，水电部及所属有关部门负责人和工程技术人员 100 余人。会议总结了治黄工作的主要成就和经验教训，针对下游出现的新情况、新问题，提出了下游治理的措施意见：(1)确保下游安全措施，首先大力加高加固堤防。五年内完成加高土方 1 亿立方米，十年内把险工、薄弱堤段淤宽 50 米，淤高 5 米以上，放淤土方 3.2 亿立方米。并抓紧完成齐河、垦利展宽工程，确保凌汛安全。其次，废除滩区生产堤，修筑避水台，实行“一水一麦”，一季留足群众全年口粮的政策。(2)发展引黄淤灌，今后三到五年内，建设高产稳产田达到 1200 万亩。(3)做好 1974 年防汛工作。(4)加速中游治理。会议于 12 月 5 日结束。

山东黄河水系污染调查结束

11 月 25 日　山东境内黄河水系污染调查结束。此次调查是根据国务院指示和沿黄河八省(区)工业“三废”污染调查的要求，以省卫生部门为主，河务局水文总站、沿黄各地市有关部门参加，分别于 3、5、8、10 月对黄河干支流进行了污染源调查和水质检验分析，调查结果显示，黄河干流山东段污染较轻，主要检出了砷，一般卫生指标在正常值范围之内。

黄委会革委会发出破除滩区生产堤意见

12 月 5 日　黄委会革委会发出《关于废除黄河下游滩区生产堤实施的初步意见》。指出：黄河滩区修筑的生产堤，对保护滩区生产起了一定作用，但由于生产堤挡水，加重了河槽淤积，排洪能力显著降低，给防洪带来严重威胁。因此从大局出发，应废除生产堤，滩区生产，采取“一水一麦”，一季留足全年口粮的政策。滩区可修筑避水台，以利安全度汛。

豆腐窝引黄闸竣工放水

12 月 30 日 齐河县豆腐窝引黄闸竣工放水。该闸为两孔钢筋混凝土箱式涵洞。设计引水流量 10 立方米每秒,控制灌溉面积 43 万亩,是 3 月开工兴建的。

1974 年

山东黄河安全度过凌汛

3 月 1 日 黄河凌汛安全度过。本年凌汛是两封两开,自上年 12 月 25 日河口开始封冻,2 月上旬延至河南原阳段,封冻河段总长 462 公里,总冰量 5004 万立方米。2 月中旬气温回升,陆续解冻,下游冰凌在簸箕李、王平口二段卡冰阻水,邹平、高青、惠民局部漫滩,有 84 公里大堤靠水,各级防汛指挥部组织了防守和抢救安置当地群众。惠民地区组织爆破队和破冰船破冰 290 万平方米,将窄河段封冰打通,为顺利开河创造了条件。20 日封冻全部开通。25 日后又遇冷空气影响,形成第二次封河,上段封至梁山路那里,封冻总长 87 公里。27 日气温回升,同时三门峡水库开闸泄流,3 月 1 日冰凌顺利开通入海。

国务院批转《关于黄河下游治理工作会议的报告》

3 月 22 日 国务院批转黄河治理领导小组《关于黄河下游治理工作会议的报告》,同意报告中对 1974 年黄河下游防洪工程计划的安排。从全局和长远考虑,黄河滩区应迅速废除生产堤,修筑避水台,实行“一水一麦”,一季留足全年口粮的政策。对薄弱的堤段、险工和涵闸要加紧进行加固整修。

续建东明马厂等护滩工程

4 月 3 日 黄委会批复同意续建东明马厂、菏泽兰口、鄄城老宅庄三处护滩工程和鄄城苏泗庄、郓城程那里险工续建工程,核定投资 66 万元。

山东黄河防汛会议召开

5 月 6 日 山东黄河防汛会议在济南召开。参加会议的有沿黄各地、县和黄河各修防处、段负责人,省直有关厅(局)、胜利油田、济南军区军马场、建设兵团等单位派员出席。黄委会王化云副主任出席会议并讲话。会议传达贯彻了国务院对治黄工作的指示和黄河下游治理工作会议精神,根据当前治黄工作存在的新情况、新问题,研究部署了1974年黄河防汛工作。会议于13日结束。

春修工程竣工

6月30日 山东黄河春修工程竣工。本年度春修任务大、项目多,自3月中旬开工,民工10万多人参加施工,共计完成土方2098万立方米。其中北展和南展修筑村台和麻湾闸续建等完成土方502万立方米。新修河口北大堤长19.4公里,完成土方285万立方米。黄河岁修工程共完成土方43万立方米,石方9万立方米,压力灌浆47万眼,植树72万株。

麻湾分洪分凌闸和胜干排水闸建成

10月 垦利南展宽工程麻湾分洪分凌闸及新建胜干排水闸建成。麻湾分洪分凌闸为钢筋混凝土桩基开敞式六孔闸,是展宽工程的主要分水闸,设计分洪流量为2350立方米每秒,分凌流量为1648立方米每秒。它是1972年10月动工兴建的。新建胜干排水闸为钢筋混凝土箱式三孔涵洞。设计排水流量21立方米每秒。

黄河安全度过汛期

10月31日 黄河汛期结束。本年汛期水枯沙少,来水来沙量约占多年平均值的一半。花园口站出现4次小洪峰,9月16日最大流量为4150立方米每秒。由于河道淤高,孙口以上漫滩,泺口以下串沟进水,局部漫滩,河口一带大部漫滩,罗家屋子水位8.81米,比1958年洪水高0.1米。靠水堤段,干部群众1700余人上堤防守,工情稳定。

汛前,各地(市)、县防汛指挥部贯彻执行国务院《关于黄河滩区应迅速破除生产堤修筑避水台的批示》。山东河道生产堤长543公里,计划破除216处,已破除158处,滩区修建避水台计划土方686万立方米,完成509万立方米。

黄委会革委会印发《黄河下游修堤工程质量的几项要求》

11月6日 黄委会革委会发出《黄河下游修堤工程质量的几项要求》的通知。指出:最近3~5年修堤工程量很大,必须加强管理,确保工程质量。

黄委会革委会发出《做好黄河下游防凌工作的通知》

11 月 16 日 黄委会革委会发出《做好黄河下游防凌工作的通知》。通知要求河南、山东两河务局认真落实各项防凌措施,山东河务局要做好齐河、垦利两个展宽区和东平湖老湖区分凌准备。

水电部批准黄河下游大堤加高初设方案

11 月 25 日 黄委会革委会根据 1973 年 12 月黄河治理领导小组召开的黄河下游治理会议精神,为确保黄河安全,编制了黄河下游大堤近期(1974～1983 年)加高加固工程初步设计,报经水电部批准,自本年度开始进行黄河下游第三次大修堤。

黄河下游大堤近期加高加固工程确定以防御花园口站 1958 年型 22000 立方米每秒洪水为目标,大堤埽坝等防洪工程均以上述目标洪水为设防标准;加高加固工程设计包括人工加高帮宽大堤、引黄放淤固堤、险工埽坝改建加高和涵闸改建加固。以上总计土方 4.8 亿立方米,石方 175 万立方米。混凝土 15.7 万立方米。总投资 4.5 亿元。上述任务分期在 10 年内完成。

山东黄河防凌会议召开

12 月 12 日 山东省黄河防凌会议在济南召开,沿黄各地(市)、县及修防处、段负责人参加。黄委会王化云副主任到会并讲话。会议研究了黄河防凌措施,部署了防凌工作。会议还讨论了《山东黄河十年(1974～1983 年)治理规划的实施意见》,安排落实了 1975 年各项治黄任务。会议于 18 日结束。

黄河断流

12 月 1974 年泺口站自 6 月 27 日至 7 月 5 日断流 9 天,利津站自 5 月 15 日至 7 月 11 日发生两次断流,共断流 18 天,断流长度 316 公里。

1975 年

山东河务局召开春修施工座谈会

1 月 10～18 日 山东河务局为完成黄河春修施工任务,召集各修防处负责人和工程、财务干部座谈讨论了如何搞好施工管理,保证质量,做好施工前一切准备工作等措施,交流了经验,落实了任务,明确了做法。会后印发了春修施工座谈会议纪要。

山东河务局印发填筑土方工程施工技术试行规定

2月21日 山东河务局拟订了《山东黄河填筑土方工程施工技术试行规定》,印发所属单位参照执行。

东银窄轨铁路开始铺轨

4月14日 黄河东银窄轨铁路开始铺轨。施工指挥部成立180人的铺轨专业队,至9月底完成40公里的铺轨任务,同时完成桥梁五座和厂、站建设及国那里京杭运河铁路桥梁的安装任务。

山东省抗旱防汛工作会议召开

4月23日 山东省抗旱防汛工作会议在泰安召开。会议对黄河、内河防汛工作统一做了研究部署,同时对河道水库的管理和清除阻水障碍物的工作进行了讨论和安排。会议于30日结束。

安全生产会议召开

5月17日 山东河务局召开安全生产会议。局属各单位负责人参加。会议首先传达学习了中共中央《关于加强安全生产的通知》及国务院批转全国安全生产会议纪要。检查总结了几年来贯彻安全生产的经验教训,讨论部署了今后安全生产的措施意见。

春修工程竣工

5月18日 黄河春修工程竣工。工程是3月上旬开工的,上堤民工10.1万人,完成大堤加高帮宽85公里,修做土方700万立方米。

黄河防汛石料列入国家物资运输计划

5月24日 水电部、铁道部发出关于黄河防汛石料运输问题的意见。为保证黄河防汛石料的需要,郑州、济南铁路局要将黄河防汛石料列入国家物资运输计划,做到每年按季度均衡运输,并保证完成计划。

黄河防汛会议召开

5月27日 黄河防汛会议在郑州召开。晋、陕、豫、鲁四省负责人和黄河河务局所属单位、下游沿黄地市革委会负责人参加。会议研究部署了 1975 年防汛工作,讨论总结了废除滩区生产堤和实行“一水一麦”政策的情况和经验。会议于 6 月 2 日结束。

国那里引黄闸加固改建竣工放水

7 月 梁山县国那里引黄闸加固改建竣工放水。该闸是钢筋混凝土箱式三孔涵洞,底板及顶板浇筑钢筋混凝土加固,设计流量 45 立方米每秒,灌溉面积 30 万亩。

河口北大堤建成一座单孔引水闸

7 月 济南军区军马场在河口北大堤建成一座单孔引水闸,引水流量 5 立方米每秒,供军马场用水。

平阴石料收购站撤销

7 月 14 日 山东河务局决定撤销平阴石料收购站。今后由用料单位直接与平阴县三类物资站办理购运手续。

阿尔巴尼亚学者来泺口水文站考察

8 月 23 日 阿尔巴尼亚两位科学工作者,来山东黄河泺口水文站,考察了解同位素测沙仪现场实测情况。于 26 日乘机去南京。

黄委会召开冬修工作会议

9 月 20 日 黄委会召开冬修工作会议。河南、山东河务局及修防处负责人参加。首先传达学习了国务院《关于黄河特大洪水问题的报告》的批示,明确了加速堤防建设保证防洪安全的重要性,讨论安排了今冬明春黄河修堤任务,要求从今冬开始掀起一个黄河修堤新高潮,在两三年内完成防御花园口站 22000 立方米每秒洪水设防标准的土方任务。

十里堡闸坝管理所更名

10 月 22 日 山东河务局批复位山工程局,同意将十里堡闸坝管理所改为山东河务局梁山进湖闸管理所。

山东引黄淤背固堤闯出一条新路

10月22日 新华社报道，山东省黄河沿岸人民和治黄职工经过反复实践，利用黄河泥沙淤背固堤，取得显著成绩，从而为搞好黄河的堤防工程建设闯出了一条新路。山东境内800公里长的黄河大堤，已有360多公里的堤段采取淤背的办法进行了加固，平工淤宽50米，险工淤宽100米，一般淤高2～3米，到1974年年底统计，沉沙落淤量达8000多万立方米。

山东黄河抗洪抢险获得重大胜利

11月5日 黄河抗洪抢险斗争胜利结束。本年汛期出现洪峰次数多、水位高、持续时间长，花园口站共出现13次洪峰，其中7000立方米每秒以上洪峰二次均发生在10月份，10月4日出现的7710立方米每秒洪峰为最大。洪峰进入山东河道，主要站最大流量是：高村7400立方米每秒，艾山7060立方米每秒，泺口6300立方米每秒，利津6500立方米每秒。鄄城旧城以上和济阳大柳树店以下近400公里河段水位超过了1958年洪水位，为新中国成立后出现的历史最高洪水位记录。10月份二次洪峰在山东河道6000立方米每秒以上持续达半月。4000立方米每秒以上持续40天，惠民地区防汛持续到立冬，为历史少见。

由于水位高、持续时间长，山东河道普遍漫滩，有772公里大堤靠水，堤根水深一般为2～3米，有100公里大堤发生渗水险情，全河出现管涌320多个，大堤裂缝81段长5383米，风浪坍坡16段长31公里，利津四段以下民埝坍坡严重处坍至临河堤肩。险工坝岸出险449段次，此次洪水滩地受灾严重，有975个村、40多万人被水围困，倒塌房屋95000间，淹死32人，牲畜200多头，损失粮食3800万斤。

为确保防洪安全，中共山东省委多次召开常委会议研究防守措施，决定沿黄各地党政机关全力以赴组织防守，迅速调集干部1万多人，防汛队伍15万人上堤防汛。省委、省革委会、济南军区、省军区负责人均亲临河防前线检查河防和工情，人民解放军投入了防汛抢险和滩区救护群众，各机关企业单位支援抢险物资，保证了防汛所需，战胜了各次洪水。

山东河务局内设机构调整

11月10日 山东河务局根据中共山东省委组织部关于机构调整意见，将原设办事、工务、政工、财务器材组，分别改为办公室、工务处、政治处、财务器材处。

刘连铭任菏泽修防处主任

11 月 18 日 中共山东省革委会生产指挥部农林办公室核心小组[1975]农办核字第 12 号文任命刘连铭为省革委会黄河河务局菏泽修防处主任。

黄河水文总站划归黄委会领导

12 月 8 日 黄委会研究决定,将河南、山东两局水文总站隶属会领导,名称为:黄河水利委员会郑州水文总站,黄河水利委员会济南水文总站。河道测验仍由两局负责。

水电部召开黄河下游防洪座谈会

12 月 13～18 日 水电部在郑州主持召开了黄河下游防洪座谈会,参加会议的有水电部、石油化工部、铁道部、黄委会以及河南、山东两省革委会负责人。遵照国务院领导同志要严肃对待特大洪水的批示,研究和讨论了黄委会提出的关于防御黄河特大洪水的方案和 1976 年紧急度汛措施。经过会议讨论,一致认为黄河下游花园口站还有可能发生 4.6 万立方米每秒洪水,在第五个五年计划期间,建议采取重大工程措施,逐步提高下游防洪能力,努力保障黄、淮、海大平原的安全。钱正英副部长同意东平湖水库增建司垓闸,齐河展宽工程增建大吴泄洪闸。并确定 1976 年汛前河口改道清水沟流路。

崔振华任河务局副局长

12 月 18 日 中共山东省委研究决定:崔振华任山东省革委会黄河河务局副局长,党的核心小组副组长。

山东省革委会生产指挥部通知加速明春黄河复堤工程

12 月 22 日 山东省革委会生产指挥部发出《关于加速明春黄河复堤工程的通知》,要求沿黄各地(市)、县革委会重视河道严重淤积,排洪能力显著降低,加速培修黄河大堤,是确保黄河安全的应急措施,必须紧急动员起来,在两三年内完成近期规划的修堤任务,保证完成明春 3200 万立方米的复堤任务。

山东黄河防凌会议召开

12 月 24～29 日 山东省革委会生产指挥部主持召开黄河防凌会议,研究安排各项防凌措施。同时传达贯彻水电部、黄河防总召开的黄河下游防洪座谈会精神，对1976年防汛的应急措施做了具体安排。

济阳县邢家渡引黄闸竣工放水

12月25日 济阳县邢家渡引黄闸竣工放水。该闸为六孔钢筋混凝土箱式涵洞，设计引水流量50立方米每秒，控制灌溉面积90万亩，是1974年3月7日开工兴建的。

向国务院报送《关于防御黄河下游特大洪水意见的报告》

12月31日 水电部和河南、山东省革命委员会向国务院报送《关于防御黄河下游特大洪水意见的报告》，指出：当前黄河下游防洪标准偏低，河道逐年淤高，远不能适应防御特大洪水的需要。今后黄河下游防洪应以防御花园口4.6万立方米每秒洪水为标准，拟采取"上拦下排，两岸分滞"的方针，建议采取重大工程措施：(1)在三门峡以下兴建干支流水库工程，拦蓄洪水；(2)改建北金堤滞洪区，加固东平湖水库，增大两岸分滞能力；(3)加大下游河道泄量，增辟分洪道，排洪入海；(4)加速实现黄河施工机械化。

黄河断流

12月 本年泺口站6月22～24日断流3天；利津站自5月31日至6月26日期间发生两次断流，共断流11天，断流长度278公里。

1976年

惠民修防处增设机修储运队

1月6日 山东河务局批复惠民修防处，同意增设惠民修防处机修储运队，人员编制在现有职工中调剂解决。

朱永顺等职务任免

2月21日 中共山东省委决定：朱永顺任山东省革委会黄河河务局局长，党的核心小组组长；杨晓初任副局长，党的核心小组副组长（列崔振华之前），免去河务局局长、党的核心小组组长职务。

齐兆庆任黄河河务局副局长

3 月 22 日 中共山东省委决定:齐兆庆任山东省革委会黄河河务局副局长,党的核心小组成员。

张季农来山东检查黄河工程

4 月 10 日 水电部张季农副部长来山东检查黄河工程。

山东省防汛工作会议召开

4 月 21~30 日 山东省防汛工作会议在济南召开。会议传达贯彻全国防汛和水库安全会议精神,研究部署黄河和内河的度汛措施。

山东河务局召开春修施工负责人会议

4 月 27 日 山东河务局召集各地、市、县春修施工指挥部负责人开会。就春修工程进展情况,如何善始善终地把春修工程搞好,全面完成任务,搞好清工结账政策兑现等问题进行了讨论和安排,山东省军区负责人到会讲话。

国务院批复防御黄河下游特大洪水意见的报告

5 月 3 日 国务院批复原则同意水电部、河南、山东省革委会提出的《关于防御黄河下游特大洪水意见的报告》。并指出黄河安危,事关重大,希望你们在抓紧规划设计的同时,切实做好今年的防汛工作,提高警惕,确保河防安全。

河口流路改道清水沟入海

5 月 27 日 由于原钓口河流路泥沙淤积延伸,泄洪排沙能力降低,壅高水位,对防洪防凌和油田安全均为不利。经水电部、国家计委批准,于 1968 年 6 月即开始进行改道的准备,先后完成引河开挖长 8750 米,修建防洪堤、东大堤、北大堤,接长南大堤等工程,完成土方 1257 万立方米。1976 年 4 月开始进行改道截流工程,三门峡水库关闸控制泄流 700 立方米每秒,各引黄涵闸引水 300~600 立方米每秒,为截流改道创造了有利条件;于清水沟引河上端西河口隔堤破口 4 处,东大堤破口 9 个,罗家屋子原河道截流昼夜施工,5 月 20 日上坝截流合龙,本日黄河改道清水沟入海,较原钓口河流路缩短流程 37 公里,为新中国成立后第三次有计划的人工改道。

山东河务局组织参观黄河下游防洪工程

5月27日　山东河务局召集所属单位负责人，在胜利油田集合，首先参观了黄河河口、南北展宽区、东平湖水库及淤背固堤等防洪工程，了解当前防汛面临的新形势、新问题，然后具体研究落实防御大洪水和特大洪水的措施。会议于6月5日在梁山县结束。

陈山口出湖闸管理所更名

5月28日　山东河务局批复位山工程局，同意将陈山口出湖闸管理所改称平阴出湖闸管理所。

水电部召开陕、晋、豫、鲁四省黄河防汛会议

6月19日　水电部袁子均司长在济南主持召开陕、晋、豫、鲁四省黄河防汛会议。黄委会革委会主任周泉、山东河务局副局长崔振华等参加。会议讨论了防御黄河下游特大洪水方案，研究确定1976年防汛任务为：确保花园口站22000立方米每秒洪水大堤不决口，遇特大洪水时，尽最大努力，采取一切办法，缩小灾害。

山东黄河春修工程全面竣工

6月31日　春季山东黄河修堤工程全面竣工，超计划完成任务。本年春修任务大，上工人数多，是新中国成立以来规模最大的一次修堤，计划土方3700万立方米，有39个县45万民工、1500台拖拉机、推土机参加施工。各地（市）、县建立施工指挥部，贯彻按劳分配多劳多得工资政策，完成土方4100万立方米，质量合格率达95%以上，土工效率平均每工日达到6个标准方。

春修工程项目包括加高加固黄河大堤和北金堤，东平湖水库围坝加固，河口改道截流工程，以及继续完成南北展宽工程。

刘洪彬任惠民修防处主任

8月12日　中共山东省革委会黄河河务局核心小组[1976]黄核字第16号文通知，中共山东省革委会生产指挥部农办核心小组[1976]农办核字第22号文任命刘洪彬为省革委会黄河河务局惠民修防处主任。

东平湖水库蓄洪运用实施意见

8 月 30 日　黄委会革委会根据国务院批复同意的《关于防御黄河下游特大洪水意见的报告》,对提高东平湖水库蓄洪运用的具体措施,由黄河规划办公室编制了实施意见,函送河务局进行设计,在三年内完成围坝加固、涵闸改建和库区群众避水撤离等工程。

张季农来山东检查黄河防汛工作

9 月 5 日　水电部张季农副部长来山东检查黄河防汛工作。

山东黄河滩区生产救灾会议召开

9 月 26～29 日　山东省革委会生产指挥部主持召开了黄河滩区生产救灾会议。针对汛期黄河滩区群众受灾情况,研究了黄河滩区当前的生产救灾、排水种麦工作。对救济粮款、化肥、种子、排水机械等做了具体安排。

山东省革委会生产指挥部发出搞好滩区建设的通知

10 月 27 日　山东省革委会生产指挥部发出《关于切实搞好黄河滩区生产救灾和建设的通知》。要求沿黄各级政府加强领导,发动组织群众排水种麦,把省增拨的救济款统销粮管好用好,安排好社员生活。对滩区生产建设要进行全面规划,充分利用黄河水沙资源,改造滩区,尽快把滩区建设成高产稳产田。按照防洪标准,逐步把避水台、村台修筑起来,实行"一水一麦",一季留足群众全年口粮的政策。

黄河安全度过汛期

10 月 31 日　黄河安全度过汛期。本年汛期花园口站发生七次洪峰,8、9 月出现的两次 9000 立方米每秒以上洪峰为最大,在山东河道除个别堤段外,都超过 1958 年的洪水位。洪峰到达各站的最高流量水位为:8 月 31 日高村站流量 9090 立方米每秒,水位 62.86 米;9 月 3 日孙口站流量 9100 立方米每秒,4 日水位 49.19 米;5 日艾山站流量 9100 立方米每秒,水位 42.64 米,泺口站流量 8000 立方米每秒,水位 32.14 米;8 日利津站流量 8020 立方米每秒,水位 14.71 米。800 多公里大堤全部靠水,高水位持续一个多月,全河处于抗洪抢险紧张局面。党中央、国务院多次询问防守情况,及时作出重要指示。省委及济南军区、山东省军区负责人亲临第一线检查指导,沿黄党政军民全力以赴，投入抗洪抢险斗争。调集干部1.1万多人带领防汛队伍22万人上堤防守，人民解放军派来9个团和5个舟桥连参加抢险和抢救滩区群众。

菏泽刘庄、鄄城苏泗庄、梁山路那里、阳谷陶城铺等79处险工和31处护滩有826段坝岸发生墩蛰等险情，大堤有80多公里渗水，并出现管涌7025个。均经及时抢护脱险。

黄河滩区有949个村庄、49.6万人被水包围，淹地118万亩，倒塌房屋14.8万间，死亡25人。人民解放军舟桥部队及当地政府及时组织滩区群众迁移和妥善安置。

聊城、菏泽修防处设立引黄科

12月7日　为加强涵闸虹吸和扬水站吸泥船的管理，山东河务局同意聊城、菏泽修防处设立引黄科，编制名额3～5人。

南防洪堤分段和北大堤分段建立

12月15日　山东河务局批复惠民修防处，同意建立垦利修防段南防洪堤分段和北大堤分段。人员由修防处调剂解决。

章丘屋子泄水闸建成

12月　垦利南展宽工程章丘屋子泄水闸建成。该闸建于展宽区末端黄河大堤上，是展宽区分洪分凌运用后的主要退水闸，将水排回黄河，系钢筋混凝土桩基开敞式16孔闸，设计泄水流量为1530立方米每秒，1973年10月开工兴建。

簸箕李引黄闸改建竣工

12月　惠民县改建的簸箕李引黄闸竣工。该闸为钢筋混凝土箱式6孔涵洞，设计流量75立方米每秒，灌溉面积55万亩。

十八户闸引黄放淤改土效果显著

12月　垦利县十八户引黄放淤闸建成后，于1970年放淤区灌排渠系工程完成，为上窄下宽的条渠放淤方式，共设5个条渠和1个块淤区，条渠上游宽500米、渠尾宽3000米，三、四条渠大于上述宽度。自1970年开始引黄放淤，至本年底共引水12.7亿立方米，落淤总量5438万立方米，淤改土地8万亩，一般淤厚0.5～1米，效果良好，将原来沙碱涝洼地改造为良田。

黄河断流

12 月　1976 年利津站 5 月 19～24 日断流 6 天,断流长度 166 公里。

1977 年

黄河分洪道工程规划设计办公室开始办公

2 月 1 日　根据国务院 1976 年 5 月 3 日《关于防御黄河下游特大洪水意见报告的批复》精神,山东省黄河分洪道工程领导小组确定,建立分洪道工程规划设计办公室并开始办公。山东省农林办公室通知要求各级党委要切实加强对规划工作的领导,地区建立分洪道规划设计工作组,省直有关单位要有人分工负责此项工作,提出的规划意见,经党委讨论后,报省黄河分洪道工程领导小组。

山东黄河分洪道工程是防御黄河特大洪水的重要措施,初步设想从东阿陶城铺附近开始,另筑一道新堤,新堤和现有黄河大堤之间作为分洪道,约长 330 公里,宽 5 公里。一般洪水利用现河道行洪,特大洪水时,利用分洪道分泄部分洪水,排洪入海,以减轻洪水对下游的威胁,确保安全。

山东河务局印发涵闸工程管理试行办法

2 月 14 日　山东河务局印发《山东省黄河涵闸工程管理试行办法》,为进一步加强工程管理作出了明确规定。内容包括:(1)涵闸的管理范围、任务;(2)涵闸的运用;(3)涵闸维修、观测;(4)虹吸工程的管理等。

山东河务局印发施工拖拉机碾压(暂行)定额

3 月 4 日　为加强施工管理,确保工程质量,山东河务局印发《黄河施工拖拉机碾压(暂行)定额》的通知。通知要求修堤土方工程,土料压实干幺重必须达到每立方米 1.5 吨。由于土质、含水量等的差别,碾压遍数可在工地实际试验确定。工资定额标准:每台班产量定额按 2700～2800 平方米,工段长度 100 米以内者,每台时定额为 338 平方米,每平方米工资单价 2.49 分。100 米以上者,每台时定额 350 平方米,每平方米工资 2.4 分。

山东黄河春修工作会议召开

3 月 6～9 日　山东黄河春修工作会议在济南召开,参加会议的有沿黄各地(市)、县春修指挥部负责人,各修防处、段及政工、工务、财务负责人。这次会议主要是检查春修准备工作情况,研究落实春修任务,交流1976年春修施工经验。

山东黄河凌汛结束

3月8日 黄河山东段封冻全部开通,凌汛结束。本年凌汛的特点是封河早、开河晚、封冻期长,河口插封严重。12月27日河口段开始封河,至1月底封冻段延至开封黑岗口险工,全长404公里,总冰量7104万立方米,一般冰厚20~30厘米,河口冰厚60厘米,且插封段多。由于卡冰壅水,垦利、利津、博兴、滨县10万亩滩地上水,大堤有80公里偎水。

为保证凌汛安全,采取了蓄、分、泄相结合的措施,三门峡水库及时关闸蓄水,下游引黄涵闸开闸分水,河南、山东两省日平均引水420立方米每秒,总引水量达9亿立方米。同时,组织46个爆破队,在泺口以下窄河段爆冰9.8公里,打通溜道,从而保证防凌斗争的胜利。

山东河务局印发施工管理暂行规定

3月14日 为加强施工管理,确保工程质量,山东河务局印发《关于黄河施工管理的暂行规定》,在施工中试行。规定要求做到:施工有设计,质量有检查,技术操作有规程,劳动、消耗有定额,经费开支有标准,竣工有验收,善始善终地完成施工任务。

济南、德州修防处增设引黄科

4月9日 为加强涵闸、虹吸、扬水站和吸泥船的管理运用适应治黄事业发展的需要,山东河务局批复济南、德州两修防处同意增设引黄科。

山东省防汛工作会议召开

5月9日 山东省革委会召开全省防汛工作会议。检查春修及度汛保安全工程完成情况,研究部署内河和黄河防汛工作。会后省革委会转发了关于1977年内河和黄河防汛工作意见。

恢复测量队建制

5月25日 山东河务局根据治黄勘测任务的需要,报经山东省计划委员会同意,恢复测量队建制,编制名额50人,在历城县黄台山办公。

越南考察组来山东考察黄河堤防

6 月 11 日 越南河堤海堤考察组一行 5 人,来山东考察了解黄河堤防加固和管理情况。在济南、齐河、济阳堤段参观了引黄涵闸、扬水站、吸泥船淤背、压力灌浆和堤防管理处理隐患等情况,于 17 日离济。

黄河防总要求确保通讯畅通

6 月 14 日 黄河防总办公室发出通知:各级防汛指挥部要把通讯工作当作防汛工作的重要任务之一,严格岗位责任制,确保通讯畅通。汛期通讯要为防汛让路,通讯人员要认真遵照短途服从长途、下级服从上级、一般服从紧急、普通服从防汛的原则。本年汛期仍需租用地方电台,以备万一,特别要保证郑州至庙宫、北坝头至鄄城跨河通讯畅通。

麻湾等分(泄)洪闸管理所变更

6 月 17 日 山东河务局批复惠民修防处,同意将麻湾、曹店两分(泄)洪闸管理所合并,建立博兴麻湾分洪闸管理所和垦利章丘屋子泄洪闸管理所。

惠民修防处增设引黄科

6 月 17 日 山东河务局同意惠民修防处增设引黄科,以加强引黄涵闸、虹吸和吸泥船的管理运用。

黄委会革委会发出加强河道堤防管理的通知

6 月 24 日 黄委会革委会通知河南、山东河务局及所属修防处、段,指出近几年来黄河下游河道堤防工程管理工作存在不少问题,如在堤上建房,在堤脚建石灰窑厂、砍伐堤上树木、偷盗防汛石料、破坏防汛屋的门窗等现象不断发生。有的社队不仅修复了生产堤,而且加高加宽增修长度和格堤,对防洪十分不利。对以上问题希望各级党委和修防部门加强领导,对破坏堤防的行为展开坚决斗争,凡有碍滞洪和排洪的阻水工程要加以清除,健全各项规章制度,把堤防管理工作切实搞好。

山东省革委会农林办通知清除河道行洪障碍

6 月 25 日 山东省革委会农林办公室通知沿黄各地(市)、县革命委员会,指出目前黄河滩区还有 40 多处、总长 178 公里的生产堤和阻水工程严重

影响河道排洪,为确保黄河防洪安全,特提出:

一、沿黄各地(市)、县,立即对黄河滩区、东平湖区生产堤及其他阻水工程,进行一次认真检查,重申国务院关于废除生产堤的指示,对贯彻不力或拒不执行的,要批评教育,追查责任。

二、对目前新修的生产堤按规定尽速废除,对正在修筑的生产堤要立即停止,限期破除。

三、安排好滩区群众生产和生活,检查落实"一水一麦",一季留足群众全年口粮的政策。

河口南防洪堤退修新堤竣工

6月30日 黄河河口南防洪堤退修新堤竣工。由于黄河改道清水沟后,原防洪堤下段靠水出险,经水电部批准退修长13.5公里新堤一段及堵串土坝一道,共计土方127万立方米,由垦利、沾化等县调集民工1.3万余人,于5月上旬开工修筑。新堤竣工后。原防洪堤12公里以下堤段,今后不再修守。

山东黄河春修工程竣工

7月13日 山东黄河春修工程竣工。本年春修沿黄地、市共安排29个县,18.8万多人参加,共计完成土方2000余万立方米,其中修堤土方1360万立方米,南展村台192万立方米,淤背围埝及坝基加高等杂项土方450万立方米。施工中推行大工段、大土塘、大面积碾压和平衡上土的施工方法,工程质量合格率一般在95%左右。拖拉机碾压工效从1976年每台时310平方米提高到450平方米,提高1/3,工程造价有所降低。

陈垓引黄闸改建工程竣工

7月24日 梁山县陈垓引黄闸改建工程竣工。该闸因河床淤高已不能适应防洪和安全引水的需要,改建工程于3月21日开工,为钢筋混凝土箱式三孔涵洞,设计引水流量30立方米每秒,灌溉面积24.5万亩。

山东黄河防办召开防汛工作电话会议

7月26日 山东省防指黄河防汛办公室召开电话会议,分析了当前防汛工作情况,提出了今后工作的意见。指出:7月由于中游普降大雨,三门峡第一次洪峰入库流量达14600立方米每秒,虽经三门峡调蓄,出库仍达8270立方米每秒。这次洪水进入山东省后,有15个滩地进水,淹地23.5万亩,水围村庄126个,受灾人口7万多。在河势工情方面有49段险工坝头、34段护滩石堆出险。汛期组织防汛队伍80余万人,其中基干班16万多人,抢险队2万多人,对防汛队伍进行了技术训练,做到了严阵以待。对今后防汛工作,针对当前存在的主要问题指出:

一、为适应防御大洪水需要,应进一步进行组织发动。把二、三线的防汛队伍也组织好、准备好;

二、要按国务院指示,做好破除黄河滩区、东平湖区生产堤工作;

三、对没有完成的度汛工程和被这次洪水冲毁的工程抓紧时间进行加固抢修;

四、防汛石料问题,根据中共山东省委指示,由省工交办公室召集济南铁路局、省交通局等单位协助解决运输。

跨齐河东张村铺设黄河水底电缆

8月20日 山东河务局经研究同意山东省邮电管理局跨齐河县东张村铺设黄河水底电缆。今后黄河大堤加高、培厚等需电缆拆迁或抬高改建时,应由邮电部门负责。

位山工程局增设建筑安装队、机运队

9月10日 山东河务局批复同意位山工程局增设建筑安装队和机修运输队。建筑安装队编制200人,机修运输队150人,由局批准的民技工专业队中解决。

包锡成进京汇报黄河分洪道工程规划

9月19日 山东省黄河分洪道工程规划设计办公室副主任包锡成去北京向水电部部长钱正英、副部长张季农等汇报《山东省黄河分洪道工程规划报告》。黄委会王化云、杨庆安参加。钱正英部长认为工程规模、投资很大,河口规划、北岸直流入海方案等都是可取的。确定由规划设计院组织有关部门现场查勘审查。

水电部设计院和黄委会革委会组织查勘三门峡至入海口河道

10月22日 水电部规划设计院和黄委会革委会共同组织查勘组,对黄河自三门峡至入海口进行了查勘和研究。参加查勘的还有山西、河南、山东三省黄河和水利部门的代表,清华大学,武汉水利学院,长江规划办公室,淮河水利委员会,水电部第四、第五、第十一、第十三工程局和科研院的代表共 56 人。沿途边查勘边研究,重点讨论了以下问题:(1)关于桃花峪、小浪底工程选点问题;(2)山东黄河分洪道工程查勘审查意见;(3)关于南水北调穿黄工程;(4)关于北金堤滞洪区退水等问题。查勘于 11 月 25 日结束。

黄河安全度过汛期

10 月 31 日 黄河安全度过汛期。本年汛期黄河是枯水丰沙年,花园口站总水量 168 亿立方米,较常年偏少 20%;输沙量 16.5 亿吨,较常年偏多 73%。花园口先后发生 7000 立方米每秒以上洪峰 3 次,以第三次洪峰流量 10700 立方米每秒为最大。洪峰进入山东河道,由于洪水含沙量大,河道淤积严重,高村以上高滩进水,削峰作用显著,高村站洪峰流量削减为 4900 立方米每秒,东明、菏泽、郓城、鄄城大部漫滩偎堤,各县组织 4000 多人上堤防守,有 9 处险工护滩 44 段坝岸出险,均经及时抢护脱险。

汛期抓住含沙量大的有利时机,完成机淤固堤土方 1450 万立方米。

山东黄河科技工作会议召开

11 月 5~10 日 山东黄河科技工作会议召开。各修防处、局直单位及部分修防段负责人参加。会议传达了中央《关于召开全国科技大会的通知》及山东省科技会议精神,讨论了《山东黄河八年科技工作发展规划(草案)》,研究安排了各单位制定科技发展规划、落实科研项目,动员全河职工向科学技术现代化进军等问题。

李先念批示水利建设问题要彻底解决

11 月 26 日 李先念副主席批示:水电部水利司李伯宁同志所谈《水利建设上值得十分注意的问题》,建议印发计划会议同志阅。希望各省、市、区的同志不只是一阅了事,而应当将此件带回去,认真讨论,切实调查研究,一项一项地彻底解决。

李伯宁提出 28 年来全国修建了大量水利工程,这些工程中有不少没有配套,没有充分发挥作用,充分挖掘现有工程的潜力比搞新工程要多快好省。当前在水利工作中"重建设,轻管理;重工程,轻实效;重骨干,轻配套"的思想长期没有解决。建议今后将"水利管理"列专项户头,列入国家劳动计划、劳动指标内下达各省。

大吴泄洪闸建成

11 月 齐河北展宽工程大吴泄洪闸建成。该闸为钢筋混凝土桩基开敞式结构,闸分 9 孔,每孔宽 8 米,设计泄洪流量为 300～500 立方米每秒。为展宽区分洪运用后的主要泄洪退水闸,是 1976 年 4 月动工兴建的。

山东黄河防凌工作会议召开

12 月 8～10 日 山东黄河防凌工作会议在济南召开。沿黄各地(市)、县革委会和修防处、修防段省直有关单位及济南军区、山东省军区、黄委会负责人参加。会议研究安排了 1978 年防凌工作,要求做到:大力发动群众,组织好以民兵为骨干的防守队伍;济南军区、省军区要做好紧急情况下支援防凌的准备;在充分运用好三门峡水库蓄水防凌的同时,认真落实好各项防凌措施;加强气象、冰凌、水情的观测,全面掌握各种情况的变化;建立强有力的指挥机构,在党委统一领导下,夺取防凌斗争的全面胜利。

水电部批复北金堤滞洪区排洪方案

12 月 27 日 水电部基本同意北金堤滞洪区滞洪后高水自流入黄、底水抽排的方案。并提出:(1)同意高水部分利用张庄闸结合临时扒堤自流退入黄河。至于临时扒堤所产生的问题应进一步研究,采取措施。(2)同意底水、涝水结合引黄北调抽排方案,扬水站抽排流量为 200 立方米每秒,站址应尽量避免与分洪道、分洪闸等工程干扰,并请抓紧时间进行扬水站设计。

1978 年

山东河务局召开吸泥船经验交流会

1 月 4 日 李先念副主席对黄河吸泥船作重要批示:“很好,继续总结提高。”为贯彻落实李副主席批示,山东河务局在齐河李家岸闸管所召开吸泥船总结提高经验交流会。参加会议的有各处(局)的业务部门负责人,各段主管机淤固堤工作的副段长和技术员,吸泥船的主机手,共计 189 人。会议学习交流了吸泥船机泵使用管理的基本知识和实践经验,落实了 1978 年机淤任务和措施,会议于 25 日结束。

山东河务局设立科技处

1月20日　山东河务局报经山东省革委会农林办公室批复同意设立科技处。

杨克民任位山工程局局长

1月　杨克民任位山工程局局长。

山东河务局改属黄委会建制

2月6日　为有利于统一防汛指挥,发展治黄事业,水电部征得山东、河南两省同意,经国务院批准,山东、河南两省河务局及所属修防处、段,改属黄委会建制,实行以黄委会为主的双重领导。业务领导、干部调配等由黄委会负责,党的关系、政治运动仍由地方党委负责。

山东河务局要求加速绿化黄河堤防

2月16日　党中央向全党全国人民发出大办林业、绿化祖国、加速林业生产的动员令。山东河务局发出通知,要求各修防处、段加速绿化黄河,重点是已按1983年防洪标准完成加高帮宽和完成近期机淤固堤任务的堤段。要抓住今春植树关键季节,发动群众,集中时间,把树种好。

黄委会召开治黄工作会议

2月17日　1978年治黄工作会议在郑州召开。会议传达学习了中央六号文件,听取了王化云主任的治黄工作报告,总结工作,交流经验,肯定成绩,找出差距,研究了在新形势下如何加快治黄速度;为落实1978年的各项任务,讨论了近期治黄目标和远景设想。同时,传达了全国科技规划会议和全国水文系统学大庆、学大寨会议的精神,制定了八年科研规划和1978年科研计划。会议于27日闭幕。

山东河务局召开“双学”先进代表会议

2月24日　山东黄河系统学大庆、学大寨先进代表会议在济南召开。参加会议的有来自治黄战线学大庆、学大寨的先进单位和先进集体的代表,战斗在治黄战线各个工作岗位的模范人物,各单位负责人。会议总结交流了一年来开展“双学”群众运动的经验,经局党委研究决定,授予博兴修防段等11个单位为学大庆、学大寨的先进单位；授予东明修防段工程二班等 29 个集体为学大庆、学大寨的先进集体；授予郭玉臻等 77 人为学大庆、学大寨的先进个人。会议于 3 月 2 日结束。

山东河务局颁发《简易吸泥船管理暂行办法》

3 月 3 日 山东河务局颁发《简易吸泥船管理暂行办法》及《安全操作规程(试行)》。要求各修防处(局)、段、所认真贯彻执行，并不断提出修改意见，由局统一修改，使之逐步完善。

山东河务局科技成果获全国科学大会奖

3 月 18 日 全国科学大会在北京召开。山东河务局科技成果“引黄放淤固堤经验”(济南修防处、博兴修防段、齐河修防段)和“延长水轮机、水泵寿命的非金属涂料”(齐河修防段)荣获全国科学大会奖状。

牟玉玮被授予全国先进科技工作者称号

3 月 18 日 在全国科学大会上，山东河务局牟玉玮被授予全国先进科技工作者称号。

济阳修防段被命名为学大寨、学大庆标兵

3 月 20 日 全国水利管理会议在湖南省桃源县召开。这次会议根据党中央的战略决策和搞好各条战线整顿工作的精神，认真总结、交流经验，表彰先进，揭露矛盾，找出差距，制定措施，大力提高管理水平和技术水平，迎接水利建设的新高潮。水电部部长钱正英在会上作了《学大寨赶先进，整顿加强水利管理迎接水利新跃进》的报告。山东河务局济阳修防段，在这次大会上被命名为全国水利管理学大寨、学大庆标兵。

山东省防汛工作会议召开

5 月 22 日 山东省防汛工作会议在济南召开。参加会议的有各地、市革委会分管防汛工作的负责人及黄河、水利部门，济南铁路局、胜利油田等单位负责人。水电部、淮河水利委员会、黄委会也派人参加了会议。

会议传达了全国水利管理会议精神和黄河、内河防汛工作意见，省革委会副主任武开章致开幕词，省委秦和珍书记到会讲话。会议至 27 日结束。

南水北调审查组查勘山东段

5月26日 由国家计划委员会、建设委员会、水电部、交通部、农业部以及皖、苏、冀、鲁4省14个单位组成的南水北调工程规划方案现场审查组，对东线从南到北进行了现场查勘。6月8～17日在山东段进行查勘，听取了山东省水利局、河务局、交通局等单位的汇报。

山东河务局12项科研成果获山东省科技成果奖

5月 山东河务局及所属单位的12项科技成果荣获全省科学大会科技成果奖。获奖项目是:河务局石洼进湖闸设计组设计的桩基开敞式水闸;河务局科技处的引水涵洞接头设计;河务局及济南修防处、齐河修防段研制的简易吸泥船;河务局及修防处段的黄河河道整治经验;锥探灌浆加固堤防经验;河务局研制的人工杠杆锥探机;河务局及济南修防处、齐河修防段的放淤固堤经验;惠民修防处麻湾闸设计组的麻湾分凌进水闸设计;位山工程局及德州修防处研制的闸门自动挂钩装置;河务局测量队的陆地测量中后方交绘计标法;菏泽石料采运队研制的喷水式乙炔发生器;济南修防处及齐河修防段研制的延长水轮机水泵寿命的非金属涂料。

山东河务局印发黄河防汛抢险规定

6月6日 山东河务局印发《山东黄河防汛抢险的几项规定》。主要内容包括河道观测、险工观测管理、防汛队伍上堤与防守、抢险用料审批权限等4项制度。

晋、陕、豫、鲁四省黄河防汛会议召开

6月6日 晋、陕、豫、鲁四省黄河防汛会议在郑州召开，主要任务是部署黄河防汛工作和讨论黄河下游防洪规划。会议开始时中共河南省委第二书记胡立教讲话，山东河务局赵昆山、河南河务局郭林、三门峡库区管理局刘景春在会上相继作了汇报发言。黄河防总提出了《关于做好1978年黄河防汛工作意见的报告》。水电部李伯宁司长于11日作了第一阶段会议总结。各省负责人于当日晚去北京继续开会。

水电部对技术干部调离水电系统作出规定

6月12日 黄委会政治部转发水电部政治部通知，为加强对技术干部的

管理,凡技术干部调出黄河系统的一律要报黄委会批准,确有特殊原因调出水电系统的,一律要报水电部批准。

苏泗庄引黄闸放水

7 月 鄄城县新建苏泗庄引黄闸竣工放水。该闸为钢筋混凝土箱式涵洞,共 6 孔,每孔净宽 2.2 米,设计引水流量 50 立方米每秒,控制灌溉面积 50 万亩,是 3 月开工兴建的。老闸因防洪标准低作废。

赵峰等检查沿黄各地防汛准备情况

7 月 3 日 山东省军区司令员赵峰、副司令员陈忠梅,对沿黄各级防汛指挥部贯彻中央、省委及济南军区关于黄河防汛工作的指示精神及做好防汛准备的情况,先后检查了沿黄各地、市及 21 个县的防汛工作。听取了各专、县防汛指挥部的情况汇报,并深入到堤防、险工、涵闸、南北展宽区工程及东平湖、大清河等,对各地提出的问题作了研究和答复,并向省委写了报告。

山东黄河春修工程竣工

7 月 10 日 山东黄河春修工程竣工。沿黄各县组织民工 13.5 万人参加施工,共计完成修堤土方 918 万立方米,险工整修改建完成石方 8.9 万立方米,锥探灌浆 3 万眼,植树 93 万株。修堤中大力推行大工段平茬起统一碾压施工法,质量合格率在 97% 以上。

李先念就黄河防汛作出指示

7 月 16 日 水电部部长钱正英、黄委会主任王化云向国务院汇报了黄河四省防汛会议情况。李先念副主席指示:(1)防汛文件发给四省贯彻执行;(2)铁道部保证抢运防汛石料 30 万立方米;(3)破除生产堤由各省负责;(4)治黄队伍实行机械化;(5)龙门、小浪底、桃花峪等大型工程先搞设计;(6)黄河滩区治理纳入黄河计划。

山东河务局采取措施加强黄河防汛工作

8 月 23 日 山东河务局遵照中共山东省委对赵峰司令员关于黄河防汛工作检查报告的批示,进行了认真研究办理。即:(1)对机淤经费不足问题,拟批准增加投资 553 万元。(2)石料问题,黄委会增拨投资 250 万元,可购石料 7 万多立方米。对运输也做了安排。(3)山东省现有引黄涵闸 41 座,虹吸管

126条,总引水能力2800立方米每秒。今后根据防洪保安全和各地引水需要,除逐步改建现有涵闸外,一般不再增加新的引黄工程。涵闸改建,限于投资,每年只能改建一至两座,为确保防洪安全,有些险闸汛期采取临时围堵办法。(4)滩区治理已列入黄河规划。生产堤问题,进一步做好干部群众思想工作,坚决废除生产堤和行洪障碍。(5)防汛公路建设问题,投资32万元,修建了菏泽、惠民地区各两条防汛公路。

山东河务局设立计划财务处和器材供应处

8月26日 为适应治黄事业发展需要,经山东省革委会农林办公室批准,将山东河务局的财务器材处分设为计划财务处和器材供应处。

黄委会颁发《放淤固堤工作几项规定》

8月27日 黄委会颁发《放淤固堤工作几项规定》。指出放淤固堤的目的是提高堤防抗洪能力,近期放淤固堤的标准是:淤宽50米,淤高到1983年防洪水位。布局要本着先险工,后平正,先重点,后一般,先自流,后机淤的原则。各单位都要搞好规划,计划批准后,不得随意变更。对已淤到标准的要及时用好土包边盖顶,包边厚度不少于1米,盖顶厚度不少于0.5米。放淤固堤完成后,一般不准在上面建房,必须建时,要离开大堤一定距离,另筑高于堤顶2~3米房台。机淤过程要认真执行管理办法和安全操作规程,积极开展以优质、高产、安全、低耗为主要内容的社会主义劳动竞赛。要认真贯彻按劳分配原则,除进行精神鼓励外,应给以适当的物质奖励。

山东黄河机淤固堤整险经验交流会召开

8月31日 山东黄河机淤固堤整险经验交流会在济南召开。参加会议的有各修防处、位山局负责人,引黄科、工务科长和开展机淤固堤工作的段、所负责人。这次会议,主要是总结交流经验,全面贯彻多快好省,尤其是提高机淤固堤质量;从当前防洪急需出发,尽快加固薄弱堤段,更好地为防洪服务。会议首先进行了参观,听取了惠民、德州处和博兴、利津、滨县等单位搞好机淤固堤和整险的经验,讨论研究了进一步搞好机淤固堤的措施、要求。会议于9月4日结束。

全河“双学”工作会议在郑州召开

9月15日 全河学大庆、学大寨工作会议在郑州召开。参加会议的有河南河务局、山东河务局、勘测规划设计院、各水土保持试验站及黄委会直属各单位负责人。会议总结交流了学大庆、学大寨运动的情况和经验，研究了年底召开全河学大庆、学大寨表彰先进大会的问题。会议期间王化云主任作了报告，还听取了郑州铁路局学大庆经验介绍。会议于 21 日结束。

山东省黄河防办要求做好防汛工作总结

9 月 28 日　山东省防指黄河防汛办公室发出《关于结束 1978 年黄河防汛工作的通知》，要求各地（市）防汛办公室、东平湖防汛办公室认真做好黄河防汛工作总结，抢修度汛工程，落实滩区"一水一麦"，一季留足群众全年口粮的政策；对本年水沙特点，河势工情变化等方面认真加以总结；对防汛料物、器材、设备、资金认真清理妥善保管，并将当前有关防汛日常工作交修防部门负责，继续做好防洪工作，以保证安全。

黄河汛期安全度过

10 月 31 日　黄河汛期安全度过。本年黄河汛期属枯水丰沙年。花园口站出现 5000 立方米每秒以上洪峰三次。汛期高村站总水量较历年同期少 23%，总沙量花园口站为 12.4 亿吨，较历年同期多 15%。河口地区淤积较为严重。汛期抢险主要集中在东明县高村以上，有 96 个坝垛出险，抢护 196 段次，共计用石 4.5 万立方米，软料 460 万公斤，铅丝 30 吨。第三次洪峰鄄城董口滩串沟进水，9 月下旬，东明徐夹堤和单砦间滩地进水，水深一米多，水围村庄 117 个，人口 5.9 万，淹地 7.5 万亩，倒塌房屋 1750 间。

汛期开展了工程大检查，据统计，查出需要处理的问题 1800 多处，古坟 44 座，大的陷坑浪窝 672 处，堤身裂缝 21 段。从查出的问题看，堤身隐患新堤、老堤都存在。

山东黄河科学大会召开

11 月 6～11 日　山东黄河科学大会在济南召开。山东河务局及所属单位负责人、先进单位和先进个人代表共 144 人参加。这次会议是贯彻落实 3 月全国科学大会和 5 月山东省科学大会精神，总结人民治黄以来的科技成就，动员全河广大职工向科学技术现代化进军的动员大会。会议审议修订了《山东黄河 1978～1985 年科技发展规划》，研究确定了 1979 年主要科研项目 12 项，八年科研项目 23 项。齐河修防段等 14 个单位和个人代表在会上发言，介绍了科技工作经验及成果。

山东黄河险工坝岸加高改建经验交流会召开

11 月 22 日　山东黄河险工坝岸加高改建经验交流会在齐河召开。参加会议的有各修防处工务科长、工程技术人员及各修防段工务股长等，会前参观了利津、博兴、垦利、历城、齐河 5 个段，并听取了处、段的汇报，会议期间学习了黄委会关于险工坝岸加高改建意见和施工质量要求，以及河务局的补充意见，明确了指导思想和对施工的质量标准要求。会上对险工坝岸加高改建的认识问题、指导思想、怎样完成改建任务、如何贯彻这次会议问题做了研究安排。会议至 28 日结束。

田浮萍等职务任命

12 月 11 日　黄委会党组转发水电部党组通知，任命田浮萍为山东河务局局长，崔振华、赵昆山、张汝淮、王太元、齐兆庆、杨克民、霍岳五为副局长，刘传朋、杨晓初为河务局顾问。

山东引黄灌溉效益显著

12 月 31 日　山东河务局《关于总结 1978 年引黄灌溉情况报告》中指出：山东省引黄于 2 月底开始，3 月陆续增多，4 月初达到高峰，全省引黄闸 41 座，虹吸管 126 条，最大日引水流量达 650 立方米每秒。一般情况，引水流量多数在 300～400 立方米每秒。4 月中旬以后，因来水不足，引水量逐渐减少，到 6 月份，泺口以下仅有几十个流量，这和当时的需量相比，差距很大。6 月底以前是山东省主要用水时期，共引水 30 亿立方米，与往年同期相比，少引 20%，是历年春季引水较少的一年。全年共引水 50 亿立方米，据沿黄五地、市水利部门统计，全省引黄灌溉面积 1600 万亩，其中小麦 1000 万亩，水稻 68 万亩，春灌造墒 522 万亩。

山东黄河机淤固堤工作成效显著

12 月　山东河务局机淤固堤工作成效显著。全年完成固堤土方 4626 万立方米，其中机淤红土盖顶 55 万立方米，利用涵闸虹吸自流淤背土方 100 万立方米，在过去已淤的基础上，使山东黄河 200 公里的险工堤段得到不同程度的加固。其中已淤高到 1983 年洪水位的 50 公里，已淤高达 2 米以上的 120 公里。这些险工堤段，已改变了临背悬殊、临背皆水，洪水漫滩后渗水管漏的危险状况。全局先后投产的吸泥船 166 只，常年坚持生产的 150 只，平均每船单产土方 30 万立方米。

黄河断流

12 月 本年利津站自 6 月 3 日至 27 日期间发生 4 次断流,共断流 5 天,断流长度 104 公里。

1979 年

山东河务局制定科技发展规划

1 月 18 日 山东河务局制定了《1978 年至 1985 年科技发展规划》,其中主要任务是:(1)防洪、防凌的研究;(2)工程施工机械化的研究;(3)工程管理现代化的研究;(4)河床演变及河道整治的研究;(5)河口治理的研究;(6)防洪工程新材料、新型式、新结构的研究;(7)黄河滩区、滞洪区、分洪区治理的研究;(8)物资、设备管理运输现代化的研究;(9)电讯联络新技术的研究;(10)医疗卫生新技术的研究。以上 10 项为治黄科技发展八年奋斗目标。

泰安修防处撤销

2 月 7 日 山东河务局根据行政区划的调整,报经山东省革委会同意,撤销泰安修防处,将该处担负的工作任务和人员合并于济南修防处。原泰安修防处所属章丘修防段、长清管理段划归济南修防处领导。原平阴管理段划归位山工程局领导。并根据行政区划调整和工作需要,济南修防处增设历城修防段。

山东黄河安全度过凌汛

2 月 19 日 黄河凌汛安全度过。本年凌汛的特点是:气温冷暖变化大,上游来水多,河口排泄不畅,造成河口地区先封冻,冰凌节节上排,壅塞比较严重,在封河期就造成了凌洪漫滩,惠民地区形成两封两开的局面。上年 12 月 20 日开始淌凌,1 月 15 日河口开始封河,至 23 日封至滨县大高家,全长 110 公里,冰量 1000 多万立方米。由于流量较大,冰下过流不畅,河口南防洪堤十八公里处水位涨到 7.22 米,比 1976 年 8000 立方米每秒流量的洪水位高 1.25 米,大堤出水仅有 0.8 米。

北镇以下河谷蓄水 2.5 亿多立方米,造成全部漫滩,有 64 个村庄被水包围,28927 人受灾。北镇以下有 190 多公里大堤偎水,水深 2～4 米,有 4000

多人上堤防守。滨县西刘家堤段，由于滩地走溜，临河 2000 多米一段大堤塌坡，经 500 多人、80 多辆汽车一昼夜紧张抢护，转危为安。北镇大桥交通中断，有 100 多部车辆 300 多人困在水中，经大力抢救，未造成大的伤亡事故。23 日，气温回升，北镇至王庄局部冰凌开河，利津站水位上涨到 14.76 米，超过 1976 年 8020 立方米每秒流量水位 0.05 米。由于三门峡水库控制下泄 300 多立方米每秒，上游来水减少，河谷蓄水才逐步宣泄下去。

1 月 27 日，又一次强寒流，北镇最低气温达零下 21 摄氏度，降温幅度达历年最大值；此时又值三门峡下泄小流量，造成下游大部封河，从河口一直封到河南省原阳县大张庄，全长 490 公里，总冰量约 4000 万立方米。其中山东省封河长 365 公里，总冰量 2500 万立方米，冰厚 0.15～0.25 米。河谷蓄水增加了 1.8 亿立方米，大部蓄在高村以上河段。2 月 5 日气温急骤回升，上游河谷蓄水陡然下泄。8 日 16 时，泺口最大流量 1340 立方米每秒，涨水 1.34 米，9 日中午凌峰到北镇，道旭水位上涨到 17.47 米，超过了封河时水位，滩区重新进水，北镇大桥二次中断交通。为防止窄河道插冰，惠民地区调集 9 个爆破队，对王庄上下 9 公里冰凌进行爆破，南展区也做好了分凌准备，但由于麻湾以上冰凌卡死未动，起了阻截作用，形成“文开河”的局面，至 19 日凌峰安全入海。

黄河通讯线路遭受严重破坏

2 月 21～22 日　由于受西伯利亚强大寒流和九级大风的侵袭，黄河下游菏泽、聊城、德州三地区黄河通讯线路遭到严重破坏，致使一个多月不能通话。

田浮萍等党内职务任免

3 月 28 日　山东河务局党组接中共山东省委通知，经山东省委研究决定：田浮萍任山东河务局党组书记，赵昆山、张汝淮任党组副书记，王太元、杨克民任党组成员。免去杨晓初党组副书记职务。

菏泽行署东银铁路管理局成立

4 月 14 日　中共菏泽地委决定，撤销菏泽地区黄河东银窄轨铁路局指挥部，建立菏泽地区行政公署东银铁路管理局，任命翟少青为局长。

黄委会印发《黄河下游工程管理条例》

4 月 16 日　黄委会根据 1978 年全国水利管理会议精神，制定《黄河下游工程管理条例》并印发试行。条例包括:总则,堤防工程管理,险工、控导护滩工程管理,涵闸、虹吸工程管理,滩区水库分(滞)洪工程管理,安全保卫,共 6 项 36 条款。山东河务局结合山东黄河工程情况,于 7 月 19 日又做了 15 条补充规定,下达所属单位一并贯彻试行。

山东省防汛会议召开

4 月 16 日 山东省防汛会议在济南举行。会议讨论布置了内河、黄河防汛工作,并研究确定本年黄河防洪任务,仍按花园口站 22000 立方米每秒,经过东平湖分洪,艾山下泄 10000 立方米每秒。东平湖蓄洪水位仍为保证 44 米,争取 44.5 米。北金堤要按滞洪任务做准备,保证不决口,大清河仍防尚流泽站 7000 立方米每秒,确保南堤安全。对于可能发生的特大洪水,尽最大努力缩小灾害。

技术革新成果投入应用

5 月 5 日 山东河务局 1978～1979 年取得的技术革新成果有:(1)济南修防处拔杆研制组的简易拔杆机;(2)邹平修防段研制的牵引式堤顶刮平、压实机,洒水喷药机;(3)齐河修防段维修组研制的 160 型油泵柱塞复新、气门研磨机,齐河修防段翻砂车间研制的叶轮翻砂配方新工艺,齐河修防段研制的 160 型内燃机连杆校验器;(4)菏泽石料采运队研制的驳船编队蹬钩,尾轴加工调整中心工具,推进器加工工具;(5)郓城修防段研制的冷加工管道法兰盘。上述 11 项革新成果经过鉴定,并在生产中投入使用。

杨省俭等职务任免

5 月 12 日 山东省革委会黄河河务局党组[1979]黄党字第 32 号文通知:省革委会农办党组[1979]农办党组第 77 号文任命杨省俭为济南修防处主任;刘乃武为济南修防处顾问,免去其济南修防处主任职务;邱有宽为聊城修防处主任。

国务院批准任命黄河防总总指挥、副总指挥

5 月 14 日 水电部经报请国务院批准,黄河防总由段君毅任总指挥,白如冰、王谦、马文瑞、王化云任副总指挥。

黄河防汛会议召开

5月17日 黄河防汛会议在郑州召开。河南、山东河务局,陕西、山西和三门峡库区管理局,各水文总站等治黄业务部门负责人参加。会议期间,段君毅总指挥和钱正英部长均到会讲话。22日水利部副部长、黄河防总副总指挥王化云做了总结讲话,着重指出:本年防汛工作总的指导方针是鼓足干劲、克服困难、做好工作、确保安全。

林辛进湖闸改建工程竣工

6月 东平湖水库林辛进湖闸改建工程竣工。该闸是1968年7月建成的15孔桩基开敞式钢筋混凝土闸,设计流量1500立方米每秒。因防洪标准提高进行改建,1977年10月开工,对底板及闸墩浇筑钢筋混凝土加高加固。

全国水利会议在北京召开

6月7日 全国水利会议在北京召开。这是在党的十一届三中全会以后重建水利部的第一次水利会议,参加会议的有各省、市、自治区水利局,各流域机构,各直属工程局,各勘测、设计、科研部门负责人。山东河务局副局长齐兆庆参加了会议。这次会议重点研究水利工作如何适应新时期总任务的要求,搞好水利战线工作着重点的转移。按照三中全会和中央工作会议的精神,认真落实近三年的具体工作部署,讨论制订贯彻执行调整、改革、整顿、提高八字方针的实施方案和1985年前的水利规划。学习讨论了《中华人民共和国水资源法》及《水土保持法》,还听取了李伯宁副部长《关于中国水利学会代表团到日本进行水利考察的报告》。会议至22日结束。

《黄河防汛巡堤查水办法》等编写出版

6月13日 山东省防指黄河防汛办公室,在总结历年防汛抢险经验的基础上,编写出版了《黄河防汛巡堤查水办法》和《黄河防汛抢险技术手册》,供治黄职工学习和汛期施行。

惠民曹店闸为黄河南展区放淤改土

7月4日 山东河务局经请示省革委会同意,惠民地区于汛期利用曹店闸在黄河南展区放淤,以解决低洼盐碱,改变农业生产。

张肖堂引黄闸竣工

7 月 20 日 滨县张肖堂引黄闸竣工。该闸为钢筋混凝土箱式两孔涵洞，每孔高、宽均为 3 米，设计引水流量 15 立方米每秒，可灌溉农田 20 万亩。

山东黄河工程管理会议召开

7 月 23 日 山东黄河工程管理会议在济南召开。参加会议的有各修防处(局)、段、所及局直有关单位负责人。会议学习了黄委会《黄河下游工程管理条例》和河务局的《补充规定》，讨论了河务局《关于加强工程管理工作的意见》，具体研究布置了工程管理工作。会议于 28 日结束。

刘庄引黄新闸竣工

7 月 31 日 菏泽刘庄新建引黄闸竣工。该闸为桩基开敞式结构，共 3 孔，每孔净宽 6 米，设计引水流量 80 立方米每秒，灌溉面积 150 万亩。旧引黄闸废除，闸后已修黄河新大堤。

黄委会规定河产收入分成办法

8 月 11 日 黄委会决定：河产收入分成办法暂按 40%上交黄委会，60%留单位掌握使用。

山东河务局印发《关于近期防洪工程标准的规定》

8 月 13 日 山东河务局印发《关于近期防洪工程标准的规定》。本规定是依据黄委会颁发的有关工程标准和河务局有关工程标准规定，对山东黄河近期防洪工程标准做了修订、补充和重申，以此作为勘估工程、设计和施工的依据，各项工程防御目标及设防水位以防花园口站 22000 立方米每秒洪水为目标，到达孙口站为 17500 立方米每秒，分入东平湖 7500 立方米每秒(东平湖水位 44.0～44.5 米)，艾山下泄 10000 立方米每秒。艾山以下大堤按 11000 立方米每秒设防，防御洪水设计水平为 1983 年。规定同时分项列出有关高村至河口临黄堤沿程主要控制站以及北金堤滞洪区各堤段设计流量及水位，各堤段堤防工程加培断面标准，整险工程、涵闸工程、控导护滩工程及其他工程等项防洪标准。

菏泽修防处部分堤防划归位山工程局管理

8 月 14 日 梁山县国那里至十里堡一段大堤,原由梁山修防段及十里堡闸管所管理。1960 年以后,在这段堤上先后修建了十里堡、石洼、林辛进湖闸和国那里引黄闸,工程比较集中。为便于堤防、涵闸、险工、护滩工程的统一修守和管理,经河务局研究同意,将国那里以下原菏泽修防处所属临黄堤 336 + 600 至 340 + 000 一段堤防,路那里险工 30～61 号坝;丁庄、战屯、肖庄、徐把士、阴柳科等护滩工程划归位山工程局管理。位山工程局与菏泽修防处于 10 月 26 日在梁山修防段具体商定了交接事项,11 月 20 日全部办完交接手续。

春修工程胜利完成

8 月 16 日 山东黄河春修工程,从 3 月中旬到 4 月中旬陆续开工,有 34 个县、民工 23 万多人,660 台拖拉机,11 万多辆胶轮车投入施工。到 7 月底,修堤土方工程和东平湖围坝加固工程共完成土方 1555 万立方米,险工加高改建工程完成石方 22 万立方米,机淤固堤完成土方 796 万立方米,新建的刘庄、张肖堂引黄闸主体工程都已完成。十里堡进湖闸正在浇筑底板,跨汛施工。

国家计划委员会同意黄河建立筑堤机械化队伍

8 月 30 日 全国人民代表大会第 936 号提案提出黄河筑堤实行机械化,以减轻惠民地区人民负担过重问题。国家计划委员会同意黄河逐年建立筑堤机械化队伍,1979 年批准山东河务局增加 3000 人。河务局同意惠民修防处建立土方机械施工队、运石汽车队、建筑安装队等。12 月,惠民、利津修防段各组建一个土方机械队。惠民队配铲运机 13 台,推土机 2 台,职工 40 人。利津队配铲运机 18 台,推土机 2 台,职工 61 人。

东池引水闸竣工

10 月 15 日 莘县东池引水闸工程竣工。该闸位于古云公社东池村西北金堤上,为一孔钢筋混凝土箱式涵洞,设计流量 10 立方米每秒,是为金堤河排涝兴建的。

黄河中下游规划座谈会在郑州召开

10 月 18 日 中国水利学会在郑州召开黄河中下游规划座谈会。张含英理事长致开幕词,会议讨论了水土保持、龙门、小浪底、桃花峪等水库和下游防洪规划等问题。山东河务局杨晓初、刘传朋、包锡成、牟玉玮参加了会议。

山东黄河安全度过汛期

10 月 31 日 黄河防汛工作胜利结束。本年汛期花园口站总水量为225.9 亿立方米,总沙量为 8.73 亿吨,都比多年平均值少 20%左右。汛期没有大水,8 月 11 日和 13 日,花园口出现 6600 立方米每秒和 5800 立方米每秒洪峰,洪水流量不大,但含沙量较大,水位表现偏高,利津站超过了 1958 年洪水位。山东省有大小 20 个滩地串水,淹地 3.4 万亩。汛期沿黄地区,共组织防汛队伍 115.7 万人,其中基干班 16.8 万人,抢险队 1.3 万人,防汛队 97.4 万人,共训练骨干力量 19600 人。为把隐患消灭在汛前,局、处、段领导亲自带头全面进行了工程大检查,通过检查发现水沟浪窝 7500 多处,并都及时进行了填垫,用土 9900 立方米,处理獾狐洞 17 个,地猴窝 3435 个,捕捉獾狐 12 只。东平湖围坝压力灌浆共完成 18.7 万眼。惠民地区对河口南防洪堤进行了加高,对沿黄老闸、险闸汛前都进行了围堵。根据防汛斗争需要,共抢运石料 10 万立方米,增加铅丝 180 吨,电石 60 吨,木材 240 立方米,商业部门还储备了麻袋、铅丝、草袋、木材等大量防汛物资。各修防处、段抓住水小沙大特点,集中力量和机具进行放淤。共有吸泥船 147 只,柴油机 37 台(912 马力),电动机 20 台(776 千瓦)投入机淤。6～10 月完成机淤固堤土方 1293 万立方米。淤地改土 30 万亩。

屈健到山东检查引黄灌溉工作

11 月 14 日 水利部农水局局长屈健来山东检查引黄灌溉工作。先后到菏泽、聊城、德州、惠民四专区进行了调查。内容包括:(1)对引黄灌溉工作的评价;(2)引黄工作的方针政策问题;(3)管理体制与组织结构问题;(4)规划问题;(5)总结先进典型经验。30 日听取了山东河务局汇报全省引黄灌溉工作情况,下午屈健局长与山东省革委会朱奇民副主任、省农办张次宾副主任商谈引黄工作中的问题和意见。

山东河务局发出征收水费的通知

11 月 16 日 山东河务局发出《关于认真征收水费的通知》,要求工业用水每百立方米收 0.6 元,城市生活用水,每百立方米收费 0.3 元,自 1979 年由修防段、所按引水量直接向用水单位征收。

农业用水,自 1980 年 1 月 1 日起开始征收。收费标准按《山东省水利工程水费电费征收使用和管理试行办法》执行，水费由灌区管理单位负责征收，修防段、所从实收水费总额中提取百分之三十。无灌区管理单位的小型灌区，可由工程管理单位暂按省征收水费规定的下限征收，并与县社商定分成比例。工程管理单位收入的水费用于工程管理，其经费自给。

山东河务局印发关于发展多种经营的规定

11月17日 为加强工程管理，确保防洪安全，充分发挥工程效益，山东河务局印发《关于加强工程管理，开展综合利用，发展多种经营，实现管理经费自给的试行规定》。

黄委会发出《做好防凌工作的通知》

11月18日 黄委会发出《做好防凌工作的通知》，要求河南、山东河务局抓紧进行防凌准备，为确保本年防凌安全，抓紧建立各级防凌组织，落实各项防凌措施，加强气象水文观测，克服麻痹思想，加强戒备，以战胜可能到来的任何严重凌汛。

山东黄河险工改建经验交流会召开

11月28日～12月3日 山东河务局召开了险工改建经验交流会议。参加会议的有各处(局)工务科长、修防段工务股长、部分工程队(班)长等共51人。黄委会派员参加。会上博兴、济阳、历城、东阿、鄄城等11个单位汇报了险工改建情况，交流了经验，传达了山东河务局《进一步总结经验，切实搞好险工改建工程的意见》。与会同志解放思想，畅所欲言，进行了认真讨论，对一些主要问题取得了一致认识。

道口闸竣工

11月30日 莘县道口闸竣工。该闸负担漳卫河治理的导流任务，闸孔高2.6米、宽2.8米，为两孔钢筋混凝土箱式涵洞。设计引水流量20立方米每秒。

石洼进湖闸改建工程竣工

11月30日 东平湖水库石洼进湖闸改建工程竣工。该闸始建于1967年，是黄河下游第一座桩基开敞式水闸，共49孔，全长344米，设计分洪流量5000立方米每秒，是控制向东平湖新湖区分洪的主要建筑物。由于黄河河床淤积，水位抬高，加上防御可能出现的特大洪水需要，根据国务院《关于防御黄河特大洪水意见报告的批复》精神，经批准于 1976 年 10 月动工改建，1978 年汛前主体工程完成。此后又继续修做了上部尾工，1979 年 11 月底竣工。建筑物等级由原二级提高为一级。改建后分泄水量仍为 5000 立方米每秒；关门挡水时最高设防水位由 48 米提高到 51.5 米；校核挡水位为 52.5 米。改建后经黄委会，山东河务局，位山工程局等验收鉴定，认为设计合理，施工质量基本满足设计要求，可以交付使用。

黄河下游涵闸虹吸设计施工技术座谈会召开

12 月 14 日 黄河下游涵闸、虹吸设计、施工技术座谈会在郑州召开。这次会议的主要内容是：(1)认真学习了国务院关于加强基本建设管理的有关文件。(2)根据三年来实践情况，进一步修改、补充黄河下游引黄涵闸及虹吸工程的改建、新建设计标准。(3)总结、讨论设计工作中如何选择合理闸位和底板高程及改进适应黄河情况的涵闸、虹吸结构措施。(4)座谈交流施工管理中有关计划管理、质量检查验收、料物检验使用和实行岗位责任制等施工管理经验，同时讨论制定《黄河下游涵闸、虹吸设计、施工管理暂行办法》草案。

惠民建筑安装队和汽车队成立

12 月 20 日 山东河务局根据治黄事业的发展和加速实现机械化施工的需要，批复惠民修防处同意建立山东河务局惠民建筑安装队和山东河务局惠民汽车队两个科级单位。编制分别为 150 人和 135 人，所需人员在该处范围内自行调剂解决。

山东河务局工程大队更名为建筑安装队

12 月 21 日 山东河务局根据涵闸建筑安装施工和机械施工任务增加的情况，经研究决定将山东河务局工程大队改为山东河务局建筑安装队，编制人员不变。

黄河断流

12 月 本年泺口站自 6 月 29 日至 7 月 2 日断流 4 天，利津站自 5 月 27 日至 7 月 8 日期间发生 2 次断流，共断流 19 天，断流长度 278 公里。

1980年

黄河下游引黄灌溉工作会议召开

1月23日　水利部在新乡市召开了黄河下游引黄灌溉工作会议。参加会议的有山东、河南两省水利厅、河务局,沿黄各地、市、县水利局和重点引黄灌区管理局(所)及黄委会等。

会议由王化云副部长主持,河南、山东省水利厅负责人汇报了引黄灌溉工作开展情况及存在问题。会议讨论了《关于引黄灌溉问题的若干规定》,研究讨论了如何加强引黄灌溉管理工作的措施。与会代表还参观了山东刘庄灌区和河南新乡人民胜利渠灌区。

金堤河流域规划综合组召开首次会议

1月24日　金堤河流域规划综合组在郑州举行第一次会议。参加单位有山东、河南两省水利厅(局)、河务局、聊城、安阳、新乡地区水利局、水利部农田灌溉研究所、黄委设计院等。会议由综合组组长郝步荣主持,会议讨论了以下内容:(1)审查黄委会设计院提出的金堤河流域水文数据计算方法和成果。(2)各单位汇报查勘后规划工作进展情况及各自工作大纲,及分工协作问题。(3)对规划有关标准,进行研究,作出规定。(4)讨论综合组成员的任务和分工。

班书广等被授予黄委会劳动模范称号

1月　在1980年黄委会治黄总结表模大会上,山东河务局班书广、冯汉忠、刘希纯、张连三、李东海、刘启英(女)、傅少思被授予黄委会劳动模范称号。

黄委会颁发引黄涵闸、虹吸工程设计标准

2月19日　黄委会颁发黄河下游引黄涵闸、虹吸工程设计标准的几项规定:(1)建筑物等级,凡在临黄堤的涵闸、虹吸工程均属一级建筑物。(2)设计和校核防洪水位,以防御花园口站22000立方米每秒的洪水为设计防洪标准。以防御花园口站4.6万立方米每秒的洪水为校核防洪标准。(3)地震按《水工建筑物抗震设计规范》的规定执行。(4)防渗标准应根据地基的土层土质情况,进行计算和试验确定。(5)引水标准和闸底高程,应遵循上下游统筹兼顾的原则和所在河段河槽冲淤变化的趋势,进行分析确定。

山东黄河安全度过凌汛

2 月 26 日　山东黄河凌汛安全度过。本年凌期封河晚，冰量少，冰下过流通畅。1 月 30 日河口开始插凌封河，2 月 11 日封至梁山十里堡，封冻段总长 304 公里，总冰量 2710 万立方米，冰厚一般在 10～25 厘米。封河期间泺口至道旭河段冰下冰絮阻水，惠民大郭家至高青孟口一带水位上涨，滩地串沟进水。2 月 5 日，三门峡水库关闸控制下泄流量 200 立方米每秒，开河水位比封河水位下降 1 米左右，从 2 月 11 日起，气温回升，封冻段开始融化，26 日全河开通，凌汛结束。

济南郊区修防段成立

2 月 27 日　山东河务局根据济南市行政区划调整，将历城修防段分设为济南郊区修防段和历城修防段。

山东河务局建立规划设计室

3 月 3 日　山东河务局根据治黄事业的发展，报经黄委会批准，建立山东河务局规划设计室(处级)编制 40 人，承担山东全河的规划设计工作。

菏泽汽车队、惠民修配厂建立

3 月 20 日　为适应治黄事业发展的需要，山东河务局同意建立菏泽汽车队、惠民修配厂；同时撤销惠民修防处机修储运队。

济南水文总站划归山东河务局领导

3 月 30 日　为加强水文测报工作的领导，黄委会同意将所属济南水文总站仍划归山东河务局领导。

梁山建筑安装队、梁山机修运输队建立

4 月 5 日　为适应治黄事业发展的需要，山东河务局同意建立梁山建筑安装队、梁山机修运输队，两队均为段级独立核算单位。

山东河务局建立职工学校

4 月 5 日　山东河务局报经黄委会批准建立山东河务局职工学校(处级)，承担河务局系统干部和各种专业人员的培训和轮训任务。

黄委会转发水利部引黄灌溉暂行规定

4月19日 黄委会转发水利部颁发的《黄河下游引黄灌溉的暂行规定》。为兴利避害,达到一不淤河、二不碱地和灌溉改土增产的要求,规定黄河下游引黄灌溉要继续贯彻积极慎重的方针,认真做到全面规划,旱、涝、碱综合治理,排灌配套,渠井结合,搞好沉沙,放淤改土,加强管理,科学用水,为建设高产稳产农田而奋斗。

山东省防汛工作会议召开

4月25—29日 山东省防汛工作会议在济南召开。中共山东省委书记李振主持会议并讲话。会议分别传达并讨论了内河、黄河防汛工作意见,针对今年防汛的新情况,研究各项度汛措施,特别强调建立严格的岗位责任制,实行领导包水库、包河段、包工程的办法,分级负责,加强组织纪律性,一切行动听指挥,确保安全度汛。

山东省政府发出做好防汛工作的通知

5月8日 山东省政府发出《关于做好防汛工作的通知》,要求各级领导立足于抗御特大洪水,对黄河、内河、水库等水利工程和汛前的准备工作,普遍进行检查,做到在任何情况下,都有措施、有对策,尽最大努力避免或缩小洪涝灾害的损失。

袁隆带队检查黄河防汛工作

6月下旬 黄河防总派出防汛检查组,由黄委会袁隆副主任带队,分别检查了河南、山东两省的黄河防汛工作。

山东黄河春修工程结束

6月30日 山东黄河春修工程基本结束。堤防培修重点在垦利、利津等修防段,上堤民工5.1万多人,机淤固堤有139只吸泥船投入运转,共计完成人工修堤土方462.8万立方米,机淤土方1159万立方米,险工加高改建完成石方10万立方米。春修加强了施工管理和经济核算,险工改建试行定额管理超产奖励办法,调动了职工积极性,机淤土方综合单价为0.4元每立方米,比计划单价降低了0.05元,运转成本0.1元左右。全局有四个铲运机施工队投入施工,利津队台班效率达112.4立方米,土方单价1.08元。

潘庄、刘春家引黄闸竣工

8 月　齐河县潘庄引黄闸(改建)、高青县刘春家引黄闸(改建)竣工放水。潘庄引黄闸为钢筋混凝土桩基开敞式 9 孔闸，设计流量 100 立方米每秒，灌溉面积 209.4 万亩。刘春家引黄闸为钢筋混凝土箱式四孔涵洞，设计流量 37.6 立方米每秒，灌溉面积 43.7 万亩。

山东河务局召开工程管理综合经营经验交流会

8 月 2～8 日　山东河务局召开了工程管理和综合经营经验交流会议。各修防处(局)汇报了工程管理综合经营情况，济阳、邹平、东平、东阿、鄄城等 8 个修防段、所介绍了经验，参观了济阳修防段堤防管理多种经营及济阳、邹平段堤防管理机械操作表演。会议讨论了《山东黄河工程管理办法》，进一步落实了 1980 年综合经营收入计划和具体措施。

山东河务局所属单位恢复工会组织

8 月 4 日　中共山东河务局党组转发黄河水利工会山东区委员会关于恢复山东黄河系统各级工会组织的报告，通知各修防处、段，直属单位立即恢复并建立工会组织。

舒尔兹率团考察山东黄河防洪工程

8 月 4 日　以舒尔兹(美国人)为团长的联合国亚洲及太平洋地区经济社会委员会防洪考察团一行 12 人，由河务局副总工程师包锡成等陪同，考察了山东黄河防洪工程，并进行了座谈。

山东河务局制定《山东黄河工程管理办法》

8 月 25 日　山东河务局制定《山东黄河工程管理办法》，印发各修防处、段、闸管所贯彻执行。

黄委会召开治黄工作会议

10 月 10 日　黄委会召开治黄工作会议。山东河务局田浮萍局长及各修防处负责人参加。会议总结了 1980 年治黄工作，研究安排了 1981 年治黄任务，讨论了编制问题及安全生产工作。

联合国防洪会议在郑州召开

10 月 16 日 联合国防洪会议在郑州召开。山东河务局向大会提交学术论文两篇,张明德在会上宣讲了《抢险与放淤固堤》论文。

联合国官员带队考察山东黄河工程

10 月 21 日 以联合国官员 A 阿拉加潘(印度)带领英、美、日本、意大利等 18 个国家的专家、技术人员一行 27 人,在黄委会副总工程师龚时旸等陪同下,来山东考察黄河堤防、东平湖水库、引黄闸、放淤固堤等工程。24 日在南郊宾馆座谈讨论。

黄河安全度过汛期

10 月 31 日 黄河汛期顺利安全度过。本年汛期花园口站共出现 4000 立方米每秒以上洪水两次,7 月 6 日花园口站 4410 立方米每秒洪峰为最大,到达山东河道为 3000 立方米每秒左右,均未上滩,没有出现大的险情,河道冲淤变化不大。汛期重点进行了薄弱堤段的加固,普遍进行密锥灌浆。

谢寨引黄闸竣工

11 月 东明县新建谢寨引黄闸竣工。该闸为钢筋混凝土桩基开敞式 3 孔闸,设计流量 30 立方米每秒,灌溉面积 24.3 万亩。原黄寨引黄闸防洪标准严重不足,已经废除,堤防进行了加固。

黄委会在济阳召开工程管理和综合经营经验交流会

11 月 2 日 黄委会在济阳县召开了工程管理和综合经营经验交流会,河南、山东河务局及所属修防处、段、涵闸管理所负责人参加。会议期间代表们参观了济阳、邹平修防段的工程管理和综合经营工作,听取了河南、山东两局及济阳、邹平、东阿、中牟、台前等 8 个修防单位的经验介绍。讨论了《关于防洪工程管理、开展综合经营的几项规定》,研究了进一步搞好工程管理、开展综合经营的措施和有关方针、政策、经营方式等问题。

济南水文总站设立 6 个科级部门

11 月 17 日 山东河务局同意济南水文总站建立秘书、政工、计划财务、技术、河口河道科和水质监测站 6 个科级部门。

黄委会召开机淤固堤技术经验交流会议

11 月 27 日　黄委会召开机淤固堤技术经验交流会议，各修防处及有关修防段主管机淤工作人员参加。会议主要讨论交流：简易吸泥船冲吸两合土试验成果，汛期抽淤盖顶技术经验；远距离输沙试验成果；绞吸式挖泥船操作运转经验；自流及扬水站放淤固堤经验。山东河务局济阳、齐河、济南郊区、邹平、东阿、利津、菏泽、高青、博兴、东平、梁山湖堤段等单位分别对上述内容向大会介绍了技术经验和成果报告。会议在总结交流经验的基础上，进一步研究了试验研究和推广等问题。会议于 12 月 2 日结束。

各修防处增设、调整部分科室

11 月 28 日　为适应治黄工作的发展需要，山东河务局确定各修防处(局)增设科教科，将秘书科改为办公室，政工科改为人事科，引黄科改为基本建设科，工务科、财务科名称不变。

山东河务局通知恢复建立工程档案

12 月 4 日　山东河务局发出《关于认真做好恢复建立工程档案工作的通知》。要求所属单位对各项工程建卡登记各类资料，系统完整地记录工程现状、历史沿革、工程演变等，分类立档，于 1981 年 6 月底完成建卡归档工作。

菏泽石料收购站建立

12 月 8 日　山东河务局研究确定撤销菏泽石料采运队，建立菏泽石料收购站，下设秘书、业务股，编制 31 人。

工人医院更名为职工医院

12 月 9 日　山东河务局报经黄委会同意，将工人医院改为职工医院，并由科级单位扩建为处级单位编制，承担山东全河职工的医疗工作。

山东黄河机淤固堤施工管理成效显著

12 月 12 日　山东河务局召开机淤固堤工作会议。各修防处和有机淤任务的修防段、所负责人参加。会议总结交流了开展机淤固堤工作的经验，研究安排了 1981 年机淤工作任务，讨论修订了《山东黄河机淤固堤试行定额》。

会议认为 1980 年机淤固堤工作，执行“八定一奖”单船核算，实行经济管理等均取得显著成绩。截至 11 月底，已完成机淤土方 3098 万立方米，全局累计固堤长度达 261 公里，常年生产的吸泥船 139 只，平均运距 430 米，平均年运转 2600 小时。单船月产土方 2.9 万立方米，平均时产土方 86 立方米，每立方米平均耗油 0.216 公升，运转费每立方米为 0.16 元，比 1979 年的 0.237 元降低了 31.2%。

山东河务局机关部分处室更名

12 月 25 日 为适应治黄工作的需要，报经黄委会批准，将山东河务局政治处改为人事处，科技处改为科教处，器材供应处改为物资处。

东银窄轨铁路建设初具规模

12 月 东银窄轨铁路已完成路基 190 公里，铺轨 183 公里，占计划铺轨长度的 76%，通车长度为 160 公里，自梁山县银山料场，通车至东明县霍寨，全年完成运石 8 万立方米。站线建设已初具规模，已设置调度室、机车车辆段、修配厂、工电段及车站 18 处，银山山场铺设支线三条长 5.4 公里，建成装车站台 6 座，可容纳 6 列车同时装车。运输设备拥有 380 马力内燃机车 14 台，120 马力内燃机车 4 台，载重 15～20 吨货车厢 240 辆，现有年运输能力为 10 万立方米。

黄河断流

12 月 1980 年利津站自 5 月 14 日至 8 月 24 日期间断流 3 次，共断流 8 天。断流长度 104 公里。

1981 年

山东河务局召开治黄工作会议

1 月 13 日 山东河务局召开治黄工作会议。各修防处、段、直属单位负责人 260 人参加。会议传达贯彻全国水利厅(局)长会议精神，总结交流 1980 年治黄工作，研究部署 1981 年治黄任务，于 23 日结束。

航运大队等单位内设机构更名

1 月 13 日 山东河务局根据工作需要，研究决定将航运大队、将山石料厂、建筑安装队下设的办事组改为秘书股，政工组改为人事股，生产组改为生产股，器材、后勤、财供组改为财务股。电话站办事组与政工组合为秘书股，业务组改为业务股，并增设财务股。

山东河务局职工教育委员会建立

1 月 29 日 为加强职工教育的领导，积极开展职工培训和职工业余教育，经研究决定建立山东河务局职工教育委员会。委员会由赵昆山等 7 人组成，赵昆山任主任委员，孙承安、武从礼任副主任委员。同年 6 月 20 日增补委员为 11 人，并增补王太元、常延景为副主任委员。

山东河务局印发《工程管理综合经营自给留成试行规定》

2 月 3 日 山东河务局制定《工程管理综合经营自给留成试行规定》，印发所属单位自 1981 年 1 月起试行。

济南水文总站等内设科室更名

2 月 14 日 山东河务局根据工作需要，研究决定济南水文总站秘书科改为办公室，政工科改为人事科。山东河务局规划设计室秘书科改为办公室。

山东河务局建立直属仓库

2 月 17 日 山东河务局研究决定：将山东河务局机修储运队下放，划归济南修防处领导。建立山东河务局直属盖家沟仓库。同年 7 月 24 日将盖家沟仓库更名为山东河务局仓库。

常延景任山东河务局副局长

2 月 23 日 经水利部批准，常延景任山东河务局副局长，兼山东河务局办公室主任。

张学信职务任免

3 月 3 日 黄委会报经水利部批准，调张学信任三门峡水利枢纽管理局副局长，免去原任山东河务局工务处处长职务。

黄河安全度过凌汛

3 月 3 日 黄河凌汛结束。1 月 1 日前后，河口段及济南、高青先后封河，至 22 日封冻段延至河南省范县林楼，封冻段总长 350 公里，总冰量 4000 万立方米,其中泺口以下为2250万立方米。2月3日因气温回升,范县一带开河,8日陶城铺以上全部融冰开河,但惠民地区冰凌仍较坚固。三门峡水库为防凌蓄水,于1月30日控制下泄流量200立方米每秒,使下游封河段槽蓄量逐渐减少,水位回落,随着气温回升,至2月19日西河口以上全部融解开河,西河口以下的7公里封冰,延至本日全部开通。

山东黄河植树造林绿化会议召开

3月4日　山东河务局召开电话会议,要求各修防处、段立即动员起来,植树造林绿化黄河堤防。张汝淮副局长讲话指出:山东全河堤防全长1400余公里,现有树株512万株,淤区成片林2861亩,育苗1549亩。今春植树造林要求把堤防、柳荫地、淤背区全部绿化起来,每市里堤防建成一亩苗圃,贯彻保栽保活责任制,要求成活率达到95%以上。

黄委会检查综合经营会议贯彻情况

3月9日　黄委会派出检查组,检查各单位贯彻黄河下游工程管理综合经营经验交流会议的情况。据检查报告:多数单位提高了认识,建立健全了管理组织,贯彻认真措施得力,并着手编制"六五"发展规划。但少数单位管理秩序混乱,盗窃树木、破坏汛屋、近堤取土、堤上放牧等问题还没有解决,加上护堤员报酬未合理解决,出现无人护堤状况。据此各地正采取措施,进一步做好工程管理工作。

山东省防汛工作会议召开

3月24～27日　山东省防汛工作会议在济南召开。会议传达贯彻了水利部《关于做好1981年防汛工作的通知》和内河、黄河防汛工作安排意见,研究了安全度汛措施。对建立各级各类人员的防汛岗位责任制,领导干部实行包水库、包河段、包工程责任制,进行了讨论落实。

赵继信任德州修防处主任

4月1日　山东河务局党组[1981]黄党字第11号文通知:接黄委会黄政字[1981]第64号文批复,经黄委会党委研究同意,任命赵继信为山东黄河河务局德州修防处主任。

赵紫阳总理对黄河防洪任务和措施作出批示

4 月 29 日 水利部转发国务院总理赵紫阳对水利部《关于黄河下游防洪问题的报告的批示》。批示内容为:同意水利部确定的今年黄河防洪任务和各项措施,望抓紧布置落实,有备无患。今后黄河防洪工程的建设,请计委在拟定五年计划时予以研究。

国家对黄河下游堤防加固增加投资

5 月 4 日 国家计划委员会报经国务院批准,对黄河下游 1981～1983 年最急需工程的投资 3 亿元做了安排,大体上可以使下游堤防达到防御花园口 22000 立方米每秒洪水的标准。

黄河防总召开黄河防汛工作会议

6 月 5～9 日 黄河防总召开黄河防汛工作会议,山西、陕西、河南、山东四省负责人参加,研究部署了防御黄河大洪水的各项措施。

山东引黄灌溉抗旱浇地 1300 万亩

6 月 5 日 山东沿黄地区干旱严重,各引黄涵闸虹吸抗旱引水达 31 亿立方米,浇地 1300 万亩,总引水量占黄河来水总量的 65%,对沿黄地区春播保苗和小麦增产发挥了作用。同时对河口地区和油田生产生活用水,省政府采取统一配水办法也得到了保证。

黄委会颁发《黄河下游防洪工程标准(试行)》

6 月 20 日 黄委会颁发《黄河下游防洪工程标准(试行)》。大堤培修标准规定:临黄堤以防御花园口站 22000 立方米每秒洪水为目标,艾山以下按 10000 立方米每秒控制,堤防按 11000 立方米每秒考虑设防,设防水位按 1983 年水平,北金堤按渠村分洪 10000 立方米每秒滞洪运用设防。大清河防御尚流泽站 7000 立方米每秒。还规定了险工改建标准,控导工程标准等。7 月 23 日山东河务局转发了上述标准,以往有关规定与本标准有矛盾的,一律按本标准执行。

山东黄河春修培堤工程结束

6 月 30 日 山东黄河春修工程基本结束。春修培堤土方计划 334 万立方米，其中人工培堤土方264万立方米已竣工，机械化施工土方70万立方米，已完成一半，计划全年施工。险工加高改建完成石方10万立方米，机淤固堤土方完成700万立方米，打渔张、北店子引黄闸改建工程尚在施工。

济南黄河铁路新桥通车

6月30日 济南黄河铁路新桥建成正式通车。该桥位于新建的津浦铁路复线上，包括引桥在内，全长5698.3米，它是目前黄河上最长的一座铁路桥，也是新中国成立后在黄河上建设的第十三座铁路桥。该桥的建成，对于提高津浦干线的运输能力、加快晋煤南运和确保汛期的运输畅通有着重大意义。

山东省政府省长办公会议研究防汛问题

7月6日 山东省政府召开省长办公会议。听取和讨论了省防指关于内河防汛和黄河防汛工作情况及意见的汇报。会议认为省防汛准备工作取得一定成绩，当前的主要问题是麻痹思想严重，领导不力，措施不足，管理不严，破坏堤防、水利工程的现象十分严重，要建立明确的分级负责的岗位责任制，出了问题逐级追查责任；对破坏水利防汛设施的行为要严肃处理；对水库、闸坝工程建立公安派出所问题，公安厅提出解决意见报省审定。

黄河防总办公室强调坚决破除和严禁新修生产堤

7月7～19日 黄河防总办公室会同河南、山东省防指组成联合检查组，对东坝头至位山河段生产堤进行了检查。据检查，黄河下游现有生产堤长550余公里，位山以上长约366公里，其中近几年新修生产堤106公里，多数生产堤与护滩工程相接总长达460余公里，缩窄了河道，对排洪十分不利。这段生产堤除过去破除7处口门外，其余均未按要求破除，破除计划也很不落实。要求各级防汛指挥部采取措施坚决破除，并严禁新修生产堤。

黄河防总办公室检查黄河防汛工作

7月22日 黄河防总办公室组织了3个防汛检查组，分别对山东、河南和三门峡库区黄河防汛工作进行了检查。指出当前防汛工作存在的主要问题是干部群众存在着麻痹思想，破坏堤防工程的现象时有发现，防汛出工问题有关组织形式和政策解决的不够好，要求各地以临战姿态，抓紧做好各项防汛准备工作。

部分修防段增设公安派出所

7 月 31 日 山东省编制委员会、公安厅、水利厅、林业厅、河务局发出《关于在重点林场、水利工程和黄河修防段增设公安派出所的通知》。指出为加强林场、水利工程和黄河堤坝的治安保卫工作,维护社会秩序,经研究确定:拟先在一部分重点单位增设公安派出所。黄河修防段需建立公安派出所的,由所在地区公安局、编委、河务部门商定提请市、县人民政府确定后报省政府审批。

山东省政府拟发《关于保护水利工程设施的布告稿》

8 月 11 日 山东省政府为加强水利工程设施的保护和管理。拟发了《关于保护水利工程设施的布告稿》,由各市、县人民政府结合当地实际情况修改补充后颁发布告或通告。据此,沿黄各县颁发了保护黄河防洪工程的布告。

山东省政府召开引黄济津紧急会议

8 月 27～29 日 山东省政府召开引黄济津紧急会议。会议传达了国务院京津用水紧急会议精神,讨论了引黄济津实施方案。布置了从位山、潘庄引黄闸向天津送水 20 立方米每秒的任务。

国务院发出《加强防汛工作紧急通知》

9 月 11 日 黄河上游连续降雨,河水急剧上涨,国务院发出《加强防汛工作紧急通知》。要求各省(区)和各有关部门团结协作,加强联系,密切注意情况变化,以战胜洪水,确保工农业生产和人民生命财产安全。

山东河务局向黄委会编报防洪工程调整计划

9 月 22 日 山东河务局向黄委会编报了 1981 年至 1983 年防洪工程调整计划安排意见。从 1974 年开始实施的 1974 年至 1983 年黄河下游治理规划,截至 1980 年已完成临黄堤培修土方 8872 万立方米,险工加高改建完成石方 78 万立方米,机淤固堤长度近 270 公里,完成放淤土方 12775 万立方米;引黄涵闸改建了 8 座,虹吸工程已改建 45 条;东平湖水库完成三座分洪闸改建及部分坝段的加固;并进行了河口清水沟改道工程,修做了齐河、垦利两段展宽工程,堤防险工的抗洪能力得到了加强和提高。但是仍未达到防御花园口 22000 立方米每秒的标准,续建工程尚需土方 4430 万立方米,石方 68 万立方米,放淤固堤土方 6072 万立方米。

山东河务局成立待业青年安置领导小组

9月24日 山东河务局为加强局直单位待业青年的安置和领导工作，经研究确定成立山东河务局待业青年安置领导小组，由赵昆山等11位同志组成，赵昆山任组长、王太元、常延景任副组长。同时成立山东河务局劳动服务公司，以利于经营项目的开展及与有关部门的联系。

山东黄河工程管理会议召开

9月25～29日 山东黄河工程管理会议在济南召开，到会的有各修防处、段、涵闸管理所等单位负责人。会议传达贯彻了全国水利管理会议精神，总结交流工程管理和综合经营开展情况和经验，研究了如何把水利工作的着重点转移到管理上来的各项措施：在各项工程管理中贯彻岗位责任制；整顿巩固群众护堤队伍，积极开展综合经营，大力组织收入，尽快实现管理经费自给有余等问题。

山东省政府批转黄河防洪工程建设报告

10月12日 山东省政府向沿黄各行署、市、县人民政府批转了河务局《关于1981年至1983年黄河防洪工程建设的报告》，要求各级政府根据报告提出的三年计划，做出全面安排，保证完成防御花园口站22000立方米每秒洪水最急需的工程，确保黄河安全。

黄河防洪工程建设主要任务是：(1)按1983年的设防标准，全部完成临黄堤的加高培厚，东平湖围坝加固和北金堤加培等；(2)加高改建险工的主要坝岸；(3)放淤固堤，加固薄弱堤段和防洪重点堤段；(4)改建北店子、睦里、打渔张、阎潭(大)、位山、韩家墩、张秋等防洪标准严重不足的涵闸和虹吸工程。

山东河务局发出加强工程管理的通知

10月22日 山东河务局发出《关于贯彻全国水利管理会议精神，进一步加强工程管理工作的通知》。要求各修防管理单位加强工程管理工作的领导，建立健全管理机构，整顿巩固护堤队伍，实行岗位责任制，发展综合经营，试行经费包干等。今冬明春对现有工程设施进行一次全面的检查鉴定，工程要建卡归档，于12月底前完成报局。

《山东黄河工程管理人员岗位责任制办法》颁发试行

10 月 22 日　山东河务局制定《山东黄河工程管理人员岗位责任制试行办法》,颁发所属单位试行。

黄河安全度过汛期

10 月 31 日　黄河汛期胜利度过。本年汛期峰多、量大,水量偏丰,中水流量持续时间长,花园口站共发生 3000 立方米每秒以上洪峰 15 次,较大洪水有 3 次,其中 9 月 10 日洪峰流量 8060 立方米每秒为最大,历时 16 天。9 月 30 日花园口站 7000 立方米每秒洪峰历时 31 天。9、10 月份洪峰在山东河段持续达一月之久,生产堤先后冲决漫滩,有 43 个滩区进水,343 个村庄被水包围,淹没滩地 64.9 万亩,倒塌房屋 1.02 万间,大堤有 327.5 公里靠水,险工护滩坝垛发生险情 879 坝次,抢险用石 4.95 万立方米。漫滩靠水堤段,各级领导及时组织力量上堤防守。

山东黄河冬修工程竣工

11 月　山东黄河冬修工程自 10 月下旬开工,本月底全部竣工。冬修培堤工程按照 1983 年设防标准,做一段成一段的要求,做到了修堤与辅助工程,植树绿化一次安排完成,共计完成土方 680 万立方米。

黄河向东平湖补水 1 亿立方米

11 月 17 日　东平湖引黄补水工程竣工并开始送水。由于干旱缺雨,东平湖水位下降,严重影响水产和沿湖 30 万亩麦田灌溉。山东省政府为解决东平湖水源不足问题,经与沿湖地县商定,从梁山县国那里引黄闸放水,通过二级湖总干渠向老湖送水 10 立方米每秒,由梁山县出工 1 万人,从 11 月 7 日开始清淤疏通送水渠道,17 日完成土方 20 万立方米,保证了适时送水约 1 亿立方米入湖。

山东黄河系统建立纪律检查组织

11 月 18 日　中共山东河务局党组发出通知:为了整顿好山东黄河系统的党风党纪,搞好纪律检查工作,把黄河的事情办好,遵照中纪委关于加强地、县以下各级纪委工作的指示精神,经研究决定:各修防处、位山工程局、济南水文总站建立党组领导下的纪律检查组。纪检组由三至五人组成,由一位领导同志兼任组长，配备一名专职科级干部任副组长，吸收有关同志参加。

潘庄、位山引黄闸向天津送水 3.3 亿立方米

11 月 27 日 山东省引黄济津输水工程胜利完成并提前送水。省人民政府在齐河潘庄引黄闸和东阿位山引黄闸分别举行放水庆祝大会，中共山东省委书记、副省长李振，副省长宋一民分别在两地庆祝会上讲了话，并为放水剪彩。

引黄济津工程是国务院为解决天津用水问题的一项重大决策，省委、省政府迅速贯彻落实，由德州、聊城两地区承担这项任务。调集 40 万民工由 9000 名干部带领于 10 月 20 日开工，突击完成位山、潘庄两输水干渠清淤、开挖河道、修建沉沙池等土方 2700 万立方米。黄河水通过位山、潘庄引黄干渠，穿过徒骇河、马颊河入卫运河、马厂碱河向天津海河、独流碱河送水入团泊洼水库。12 月 4 日，黄河水以 110 立方米每秒左右到达天津。截至 1982 年 1 月 24 日，共向天津市送水 3.3 亿立方米。

历城王家梨行险工部分坝岸滑塌

12 月 25 日 历城修防段王家梨行险工全长 2280 米，共有坝、岸 62 段，其中 8、9、11 号三段浆砌石护岸及 10 号浆砌石坝，于 1981 年 12 月 25 日夜发生滑塌，滑塌体长 81.6 米(从 8 号坝上跨角到 11 号坝下跨角)，顶宽一般为 5～6米，坝顶下落 0.4～6.6 米。因坝岸滑塌，工程遭受严重破坏。属晴天枯水出大险，是黄河下游新中国成立以来所罕见。

滑塌主要原因：坝高坡陡(坝高 11 米，外坡 1∶0.35)，根石单薄(根石量每米工程长度仅 5～8 立方米)，基础又坐落在软土夹层上(并有老秸料)。汛后小流量，水流归槽，坝前走溜，根石被淘刷所致。险情发展大致为出现裂缝、裂缝发展、工程破坏，历时 103 天。

黄委会、山东河务局十分关注这一险情，先后多次到现场察看。为确保凌汛期安全，本着固基、缓坡、减载的原则，采取临时抢护措施，抛石 700 立方米，将所塌坝岸固基，顺塌岸顶部加高石方 500 立方米，使顶部高程超过凌汛期大河流量 3000 立方米每秒相应水位 1 米，以防漫溢。此项工程于 1982 年 1 月 24 日完成。拟于 1982 年汛前将所损工程彻底翻修，并改为坡缓的乱石坝。

黄河断流

12 月 本年黄河断流时间较往年长，且山东全境发生断流。高村站 6 月

12～22 日断流 11 天;孙口站 6 月 14～25 日断流 12 天;艾山站 6 月 15～26 日断流 12 天;泺口站自 6 月 12～27 日断流 16 天;利津站 5 月 17 日至 6 月 29 日期间断流 4 次,共断流 36 天,断流长度 662 公里。

1982 年

山东河务局科研成果获奖

1 月　山东河务局所属单位有 11 项科研成果及技术改革项目荣获黄委会科研或技改奖。获科研三等奖的有:“河务局科教处及济南修防处研制的管道沙量仪”,“惠民修防段研制的气力泵电磁自动分配器”;获技术改革四等奖的有:“邹平修防段研制的牵引式堤顶刮平压实机”,“郓城修防段的冷加工管道法兰盘”;获技术改革五等奖的有:“齐河修防段研制的 160 型油泵柱塞复新”,“气门研磨机,连杆校验器”,“叶轮翻沙配方新工艺”,“菏泽石料采运队研制的驳船编队蹬钩”,“尾轴加工调整中心工具,推进器加工装置”。

青岛市水源研究讨论会召开

1 月　为解决青岛市供水问题,国家建设总局会同山东省计划委员会、城市建设局、水利厅、河务局在青岛市召开了青岛市水源研究讨论会。经会议讨论提出了“引河济青”方案的设想。会后经山东省人民政府常务会议决定编报《引黄济青工程规划》。

山东治黄工作会议召开

1 月 7～16 日　山东治黄工作会议在济南召开。参加会议的有各修防处、段、队、站、所及分段负责人共 250 余人。会议讨论学习了赵紫阳总理作的政府工作报告。在提高认识、认清政治、经济形势的基础上,全面总结了 1981 年治黄工作,通过各修防处(局)的总结发言,分组讨论,肯定了成绩,交流了经验,找出了差距;对 1982 年各项治黄任务,逐项进行了充分讨论,落实了任务,研究了完成任务的措施。会议于 16 日进行大会总结后结束。

部分修防段电话通讯线路中断

1 月 9 日　因寒流风雪袭击,博兴、滨县、利津、垦利修防段的 82 杆公里电话通讯线路发生严重断杆断线,处、段组织百余人抢修 11 天恢复通话。

山东河务局发出设置工程标志的通知

1月19日 山东河务局发出《关于设置工程标志的通知》。要求所属单位对堤防公里桩、交界桩、险工坝岸、护滩坝垛、涵闸虹吸等工程,都要埋设标志桩牌。于4月底设置完竣。

黄委会召开治黄总结表彰大会

2月9日 黄委会召开治黄总结表彰大会。山东河务局班书广、冯汉忠、傅少思、呼兆元、肖延海、张连三、王忠玉、姚汝波、洪宝银、梁红华等被授予黄委会劳动模范称号;济阳、郓城、利津、博兴修防段,梁山修防段工程队,位山局梁山建筑安装队,潘庄引黄闸管理所,四宝山石料收购站,东银铁路修配厂机修车间,济南水文总站孙口水文站,将山石料厂采石班、东阿修防段旧城工程班、航运大队长征号船等单位被授予先进集体称号。

部分修防段设立公安派出所

2月13日 山东省编制委员会、公安厅批复同意设立梁山县公安局黄河修防段派出所、郓城县公安局黄河修防段派出所、鄄城县公安局黄河修防段派出所、菏泽县公安局黄河修防段派出所、东明县公安局黄河修防段派出所。

山东黄河安全度过凌汛

2月20日 黄河安全度过凌汛期。1月18日河口地区开始封冻,最上封至济南西郊,封冻长度138公里,总冰量1500万立方米。为确保凌汛安全,三门峡水库于1月22日开始关闸蓄水防凌,至2月20日蓄水11.5亿立方米,为下游开河创造了条件,使大部冰凌融化在河道中。

高青、济南郊区段组建土方机械施工队

3月 山东河务局所属高青、济南郊区段各组建一个土方机械施工队。自1979年12月惠民、利津段开始组建土方机械施工队,迄今全局共组建土方机械施工队7个(包括阳谷、齐河、垦利段各建一个队),拥有铲运机104台、推土机23台、职工324人。本年度完成培堤土方221.4万立方米,1980~1982年累计完成土方368.2万立方米,占总土方量的12.5%。

《山东黄河近期防洪工程标准》印发

3 月 1 日 山东河务局根据黄委会颁发的黄河下游防洪工程标准，制定并印发了《山东黄河近期防洪工程标准》，作为勘估工程、设计和施工的依据。防御目标及设防水位，以防御花园口站 22000 立方米每秒洪水为目标，到达孙口站为 17500 立方米每秒，分入东平湖 7500 立方米每秒，艾山以下按 10000 立方米每秒控制，堤防按 11000 立方米每秒设防。大清河暂按防御尚流泽站 7000 立方米每秒洪水为标准。

山东黄河基本建设规划编制完成

3 月 8 日 山东河务局编制完成《山东黄河（1981～1985 年）基本建设规划》，报送黄委会及省计划委员会。“六五”期间山东黄河基本建设投资 25722.9 万元，其中 1981 年已完成投资 4608.3 万元。

山东黄河土方机械施工会议召开

4 月 9～11 日 山东河务局召开土方机械施工会议，有关修防处、段和各机械施工队负责人参加。会议研究安排了全年的机械施工任务和完成任务的具体措施，讨论修订了《铲运机、推土机及有关人员联产按质施工补助和超产奖励试行办法》。

山东省防汛工作会议召开

4 月 3～7 日 山东省防汛工作会议召开。各地、市及水利、黄河部门负责人参加。水利厅、河务局分别传达了内河、黄河防汛工作意见，各地市汇报了防汛准备情况、存在问题和今后打算。经过讨论落实了防汛任务和安全度汛措施，特别强调要严格实行各级各类人员的岗位责任制，继续实行领导干部包水库、包堤段、包排涝工程的责任制。

黄河防汛会议召开

5 月 20～24 日 黄河防汛会议在郑州召开。陕西、山西、河南、山东四省及黄河部门负责人参加了会议。黄河防总副总指挥王化云主持会议并讲话。会议分析了全河防汛形势及存在的问题，讨论了 1982 年黄河下游防御各级洪水措施方案，研究了今后治理意见，部署了 1982 年的防汛工作。

郑州至济南沿黄传真线路开通

6月1日　郑州至济南沿黄传真线路正式开通，可供各单位传送传真电报及文件。

《黄河防汛管理工作若干规定》颁发试行

6月1日　黄河防总为加强防汛工作的管理，制定了《黄河防汛管理工作若干规定》，颁发试行。

黄淮海平原农业发展学术讨论会召开

6月18～27日　黄淮海平原农业发展学术讨论会在济南召开。出席会议的有水电部、林业部、农牧渔业部、国家科学技术委员会、农业委员会、中国科学技术协会、农学会、林学会、水利学会，以及冀、鲁、豫、苏、皖5省和京津二市有关部门科研单位代表330人。会议就黄淮海等河流的流域规划、农业区划、土壤普查、农业发展计划，黄淮海平原旱、涝、洪、碱综合治理，农、林、牧、副、渔综合发展和多种经营等重大科技问题进行了学术交流和学术讨论。

黄委会批复北镇黄河大堤裁弯取直工程

6月25日　黄委会批复山东河务局，同意北镇黄河大堤裁弯取直工程。北镇大堤背河临近市区民房，集中培修困难，原堤长6220米，修筑新堤取直长4500米，按1983年设防标准培修需土方114万立方米。新堤竣工后，原堤作为二道防线。

山东黄河春修工程基本竣工

6月30日　山东黄河春修工程基本竣工。沿黄各县投入春修人工修堤的民工12万人，碾压拖拉机500多台，机械施工的有7个铲运机队100台铲运机，机淤工程有77只吸泥船投入生产。6月底完成修堤土方1600万立方米，机淤固堤完成土方900万立方米，险工改建完成石方11万立方米，位山、阎潭、韩家墩、睦里四座引黄涵闸改建已完成主体工程。各地认真贯彻岗位责任制和工程质量的检查验收，民工团、营、连干部分段包干，质量任务一包到底，普遍执行了大工段平茬起、逐坯验收制度和按质分等计资办法，保证了工程质量，按期完成了任务。

引黄渠首工程水费收交和管理暂行办法颁发

7 月 2 日 黄委会转发水电部关于颁发《黄河下游引黄渠首工程水费收交和管理暂行办法》,自 6 月 26 日起施行。办法规定工农业用水按引水量收费,执行用水签票制度。灌溉用水,4、5、6 月份每立方米 1 厘,其余时间每立方米 0.3 厘。工业及城市用水,4、5、6 月份每立方米 4 厘,其余时间每立方米 2.5 厘。通过灌区供水的由灌区加收水费。超计划用水加价收费。水费由用水单位向黄河河务部门按期缴纳。

济南黄河公路大桥通车

7 月 14 日 济南黄河公路大桥建成通车。大桥全长 2023.4 米,由主桥及引桥组成,主桥共五孔,主孔跨径为 220 米,为目前国内跨径最大者。主桥是预应力混凝土连续梁斜拉桥,它是近 20 年在世界上发展起来的一种新型桥梁结构。引桥共 51 孔,引桥型式是先张法预应力组合箱梁,大桥全宽 19.5 米,可并行四辆汽车,载重标准为汽—20、挂—100,还可通过 218 吨大型平板拖车。该桥是 1978 年 12 月 15 日开工兴建的。

黄河防总发出做好防汛工作的紧急通知

7 月 15 日 黄河防总发出《关于做好防汛工作的紧急通知》。据气象水情预报,7 月下旬黄河干支流将有二次较大降雨,从历史洪水分析,7、8 月正是黄河发生大洪水时期,务必引起各地的警惕。各地防汛队伍要在 7 月 20 日前全部组建起来,各项度汛工程,采取措施突击完成。滩区生产堤限期破除口门,同时做好群众的迁安救护工作。防汛抢险料物器材必须准备齐全,以备抢险使用。各地、县防汛指挥部要在 7 月 20 日前,到现场检查防汛准备情况,发现问题及时解决。

山东省政府向国务院报送关于黄河防洪工程的报告

7 月 26 日 山东省政府向国务院报送《关于安排黄河防洪工程的报告》称:黄河由于河床淤积抬高,防洪任务日益加重,近几年堤防工程虽经大力抢修,但今后任务仍然较大,危险依然存在,下游引黄淤灌和工业供水矛盾突出,必须加大治理措施。因此,请国务院继续安排好黄河防洪基建工程,并建议尽快安排修建小浪底枢纽工程。

山东河务局建立《黄河志》编纂领导小组

7月28日 山东河务局为加强《黄河志》编纂工作的领导,研究决定成立编纂领导小组,张学信任组长、包锡成任副组长,成员为孙承安、葛应轩、高树绅、王春林、李博文、武洪文、史倘儒、庞家珍。顾问为刘传朋。领导小组下设办公室,孙承安兼主任,王春林任副主任。

黄河防汛办公室发出《关于迅速做好迎战洪水的紧急通知》

7月30日 黄河防汛办公室发出《关于迅速做好迎战洪水的紧急通知》。伊、洛河相继出现洪峰,预计31日晨花园口站将出现10000立方米每秒左右洪峰,三门峡至花园口之间(以下简称三花间)仍有大雨,据此,各级防汛指挥部要迅速做好迎战洪水的准备,一线防汛队伍做好上堤防守准备,待命上堤;应囤堵、拆管封口的涵闸虹吸限期完成;生产堤按原定计划破口,并做好群众迁安救护工作;险工防守要按照班坝责任制安排,搞好查水摸水工作,加强防守,保证不出问题。

《山东黄河志》列入《山东省志》专志之一

7月30日 山东省地方史志编纂委员会研究确定,将《山东黄河志》列为《山东省志》的专志之一,由山东河务局承担《山东黄河志》的编纂任务。

山东河务局发出做好勘估工程的通知

7月31日 山东河务局发出《关于做好勘估工程的通知》。根据原定十年规划(1974~1983年)已完成工程情况,为准确测算出1983年防洪标准所剩余的工程量,要求各修防段逐段逐点进行精确勘测,详细核定出堤防培修加固、险工加高改建、河道整治、涵闸虹吸改建等项工程量,拟定1983年度基建计划报局。

黄河防总发出迎战洪水的紧急通知

8月2日 黄河防总发出紧急通知:本日13时花园口站流量达到13200立方米每秒,目前水位继续上涨,这是1958年以来黄河出现的最大洪水,为此要求:(1)各级防汛指挥部负责人要日夜坚守岗位;组织群众加强防守;(2)生产堤要抓紧破除,切实做好滩区群众的撤退安置;(3)加强河势工情观察,密切注意变化,一遇险情要及时抢护,确保安全;(4)这次洪水推算到孙口流量将超过9000立方米每秒,山东要抓紧做好各项防守准备;(5)切实做好防汛抢险照明料物的准备,以保证防洪抢险急需。

万里对黄河防汛作出指示

8月3日 黄河防总电话传达国务院副总理万里对黄河防汛的几点指示:这次黄河洪水比较大,要千方百计保证不能出事,黄河出了事影响很大,一定要保证黄河不能出事。

花园口站15300立方米每秒洪峰进入山东河道

8月3日 黄河花园口站出现的15300立方米每秒洪峰进入山东河道,这是1958年以来最大的一次洪峰。4日8时东明高村站洪峰流量12500立方米每秒,洪水位64.1米,比1958年洪水位高1.14米。菏泽地区沿黄各县滩地进水,防汛队伍2万多人上堤防守。省政府发出通知,要求沿黄各县紧急行动起来,各级政府负责人立即进入指挥岗位,全力投入防洪斗争。省委副书记李振于5日带领菏泽地区负责人,深入沿河防洪斗争第一线检查防守情况,并乘坐冲锋舟到滩区视察抢救群众工作。

黄河防总要求全线加强防守

8月4日 4时,黄河防总电示:黄河洪峰正向高村推进,艾山以下将达设计防洪标准,根据中央防总指示,除建议使用东平湖老湖滞洪外,要全线加强防守。影响防洪安全的涵闸虹吸,落实原定度汛措施;尚未加固的薄弱堤段要备足料物,加强防守,昼夜巡查险情;东平湖水库老湖要抓紧清除分洪障碍,一旦滞洪要加强防守,确保安全。

黄河防总要求认真执行昼夜巡堤查水制度

8月4日 20时,黄河防总电示:目前孙口以上生产堤破口进水,洪水偎堤,各级领导要把注意力集中在堤线防守上,群众防汛队伍上堤一定要有干部带领,明确划分防守堤段,认真执行昼夜巡堤查水制度,各工程队严格执行班坝责任制,发现险情,立即抢护,确保黄河安全。

山东省防指黄河防汛办公室发出加强防守的通知

8月4日 22时,山东省防指黄河防汛办公室发出加强防守工作的通知:目前黄河洪峰已进入山东河段,高村上下河段洪峰流量都在10000立方米每秒以上,下游也在普遍涨水,各地必须加强险工、涵闸、虹吸和平工设防堤段的防守工作,要配备一定数量的干部带领防汛队伍巡堤查水和摸水,做到不分昼夜风雨,都要认真巡查,确保不出疏漏。

向东平湖水库老湖分洪

8月6日 黄河花园口站15300立方米每秒洪峰,19时半到孙口流量达8200立方米每秒,根据国务院领导指示,为确保济南和津浦铁路、胜利油田的安全,山东省政府决定运用东平湖水库老湖区分洪,以减轻下游洪水威胁。山东省委副书记李振会同菏泽地委书记于波海,黄委会副主任刘连铭,山东河务局副局长张汝淮等检查部署了分洪工作,分洪区群众2.9万多人已安全转移,妥善安置。东平湖分洪由菏泽军区副司令、东平湖防汛指挥部副指挥程枫负责指挥。

同日22时,东平湖水库林辛进湖闸启闸向老湖区分洪。7日11时十里堡进湖闸相继开闸分洪,两闸最大进湖流量2400立方米每秒,至9日两闸关闭,共蓄洪4亿立方米。

中共山东省委、省政府发出慰问信

8月7日 中共山东省委、省政府发出慰问信,慰问东平湖老湖区及滩区受灾群众,慰问参加黄河抗洪抢险的全体干部群众和人民解放军指战员。

山东黄河防汛救灾情况

8月7日 山东省防指黄河防汛办公室向黄河防总报告大水防守及漫滩情况称:花园口站15300立方米每秒洪峰进入山东省后,至7日晚已有500公里大堤靠水,堤根水深3米左右,全省共组织6300多名干部、8.6万多基干班员上堤防守,人民解放军有1个炮团、4个舟桥营、2个工兵连参加防守抢险和抢救群众。滩区有440个村庄进水,淹地约66万亩,受灾人口29万,倒房3.2万间,经积极抢救已迁出群众16万人。为保证防洪安全,除运用东平湖老湖分洪外,当前主要加强组织防守,继续做好受灾群众的抢救安置工作。

山东省委召开常委会,听取黄河防洪情况的汇报

8月9日 上午,中共山东省委召开常委会议。由省委书记赵林主持,听取了河务局副局长张学信关于黄河防洪情况的汇报,研究决定如下:当前黄河防洪正处在紧张阶段,沿黄各地党委政府必须切实加强领导,坚决落实各项措

施,确保黄河安全万无一失。(1)为了控制泺口下泄流量不超过 8000 立方米每秒,保证黄河泺口铁桥安全,在孙口站流量达到 8000 立方米每秒时,即坚决按原定方案,运用东平湖老湖分洪;(2)梁山、平阴某些滩区生产堤必须坚决破除;(3)要切实搞好被淹群众的安置和生活物资的供应。

国务院发出慰问电

8 月 12 日 国务院向河南、山东省政府,黄委会,武汉、济南部队,河南、山东省军区发出慰问电,慰问在黄河抗洪斗争中做出贡献的全体干部群众和人民解放军指战员,祝贺抗洪斗争的重大胜利。

山东省政府省长办公会听取黄河洪水受灾情况汇报

8 月 14 日 山东省政府召开第十六次省长办公会议,中共山东省委副书记、副省长李振主持,民政厅副厅长李文汇报了黄河洪水受灾情况,省财政委员会汇报了有关救灾物资分配的问题。省农业委员会(以下简称省农委)刘雨温对运用东平湖老湖分洪的发言中讲到,在这次防洪斗争中,省政府决定省直有关部门到省黄河防汛办公室联合办公,行动迅速,解决问题及时,这是一条好经验。李振指出:这次黄河洪水是严重的,来势猛,由于国务院高度重视,中央防总、黄河防总做出正确判断。各级重视,采取了得力措施,顾全大局,充分准备,临战不乱,各部门努力,协同作战,夺取了抗洪斗争的胜利。这次抗洪抢险、分洪和迁移抢救,总起来说做得好,对山东党、政、军、民是个考验,大家经受住了考验,胜利完成了任务,但是也暴露了很多问题,有许多经验教训需要总结。

山东省政府向国务院汇报黄河洪水灾情

8 月 18 日 为向国务院汇报黄河洪水灾情,省政府决定,由省农业委员会副主任于景清带队,省农委、民政厅、河务局、财政厅、商业厅、物资局等组成赴京汇报小组。国家经贸委员会副主任李瑞山主持,国务院有关部门参加听取了山东对黄河洪水灾情的汇报。山东省委副书记王金山参加并汇报了山东黄河灾情和需要解决的问题。

山东省政府研究黄河滩区救灾和东平湖分洪补偿问题

8 月 22 日 山东省政府召集第二十次省长办公会议,对黄河滩区救灾和东平湖分洪补偿问题做了研究,决定事项如下:(1)黄河滩区救灾款 1420 万元，分配菏泽、泰安、济南三地市对各县灾区一次安排到明年麦收。(2)东平湖分洪补偿费1000万元，由泰安、菏泽地区具体安排补偿。(3)省财政挤出450万元，用于灾区文教、卫生、行政房屋修缮等费用。对上述经费一定要专款专用，包干使用妥善解决问题。

山东省政府发出《关于不准在黄河滩区修复生产堤的通知》

8月26日 山东省政府发出《关于不准在黄河滩区修复生产堤的通知》。为进一步贯彻落实国务院关于彻底废除生产堤的指示，今年汛期已经破除或冲掉的生产堤，一律不准修复，更不准新修或加修。现存生产堤没有废除的，要坚决废除。进一步落实黄河滩区实行"一水一麦"，一季留足群众全年口粮的政策，并积极扶持滩区群众建设村台，以保证安全。

部分修防段成立公安派出所

9月 经省、地公安部门批准，惠民地区沿黄邹平、高青、博兴、垦利、惠民、滨县、利津7个修防段均成立公安派出所，隶属修防段和地方公安局管理。

水电部召开引黄引岳济津会议

9月22～24日 水电部在天津召开引黄引岳济津会议。会议根据国务院指示精神决定山东省从位山、潘庄两条输水线路向卫运河输水90立方米每秒，保证向天津送水4.5亿立方米，争取5亿立方米。23日，山东省人民政府常务会议做了专门研究，布置了输水任务。

阎潭等四座引黄闸建成放水

10月 阎潭、韩家墩、北店子、睦里四座引黄闸先后建成放水。东明大阎潭引黄闸在闸前接长为旋喷桩开敞式6孔闸，设计引水流量50立方米每秒，灌溉面积66.5万亩，于7月25日竣工；滨县韩家墩引黄闸为废堵老闸，在其下游1.5公里处另建新闸，新闸为钢筋混凝土6孔箱式涵洞，设计引水流量60立方米每秒，灌溉面积70万亩，于10月30日竣工；济南市北店子引黄闸是在原闸后新修大堤上修建的，原闸作为防沙闸，扬水站继续使用，该闸为钢筋混凝土3孔箱式涵洞，孔宽2.8米，设计引水流量50立方米每秒，灌溉面积10万亩，并可引黄济清及补给济南市用水，该闸于4月14日竣工放水；济南睦里引黄闸是老闸接长改建，为钢筋混凝土2孔箱式涵洞，设计引水流量5立方米每秒，灌溉附近农田，于7月竣工放水。

全河科技工作会议召开

10 月 7～12 日　黄委会召开全河科技工作会议。各单位分管科技工作负责人及科技管理部门负责人参加。会议传达贯彻了水电部科技工作座谈会精神，总结交流了 1978 年以来科技工作经验，讨论修订了《1983～1985 年治黄重点科技项目发展规划》。

胡耀邦视察东明黄河险工和滩区群众受灾情况

10 月 23 日　中共中央总书记胡耀邦视察了东明黄砦黄河险工和滩区群众受灾情况。

滨州修防段成立

10 月 30 日　鉴于惠民地委、行署驻地北镇已报经国务院批准建立滨州市，为适应行政区划和治黄工作的需要，经山东河务局党组研究批复中共惠民修防处党组，同意建立山东黄河河务局滨州修防段。所需编制人数 106 人，从该处滨县、博兴两个修防段现有职工中调剂解决。

大清河南、北堤防标准提高

10 月 30 日　黄委会批复山东河务局，同意提高大清河南、北堤防标准，大清河戴村坝以下南堤超高 1.4 米，提高为 2 米，北堤超高 1.2 米，提高为 1.5 米，顶宽均改为 5 米。

黄河抗洪斗争取得胜利

10 月 31 日　黄河抗洪斗争取得又一重大胜利，经过沿黄党政军民和黄河职工的日夜奋战，并运用东平湖老湖区分洪，战胜了花园口站出现的 15300 立方米每秒的洪水。

本年汛期黄河花园口站出现 3000 立方米每秒以上洪峰 4 次，8 月 2 日 20 时出现的 15300 立方米每秒洪峰为最大，是新中国成立以来仅次于 1958 年的第二次大洪水。洪峰达到高村站流量 13000 立方米每秒，水位 64.13 米；孙口洪峰流量为 10100 立方米每秒，水位 49.60 米。这次洪水在山东河道位山以上全部漫滩，位山以下部分漫滩，滩面水深一般 1 米以上，深的 4～6 米，大堤偎水长 566.5 公里，发生渗水险情 14 段，管涌 9 处 40 个；险工出险 108 处，850 坝次，滩区淹没村庄 794 个，受灾人口 50.7 万，淹没耕地 95 万亩，倒塌房屋10.6万间。

国务院、黄河防总为防御大洪水及时做出指示和决定,中共山东省委、省人民政府、省军区赵林、李振、赵峰等党政军领导亲临黄河防洪第一线,沿黄各地、市、县主要领导及时到达岗位,调集干部6000多人,带领防汛队伍8.6万多人上堤防守,中国人民解放军先后派出1个炮兵团、4个舟桥营、两个工兵连共3270名指战员,288部车、127只舟艇,投入抗洪抢险和救护工作。10万军民日夜奋战,先后排除了400多次险情,抢救安置了滩区群众,保证堤防和群众的安全。

为减轻下游防洪负担,保证津浦铁路桥和油田安全,控制泺口流量不超过8000立方米每秒,中央防总和黄河防总做出运用东平湖老湖区分洪的决定,省委负责人带领工程技术人员,前往东平湖指挥安排分洪事宜,在两天内将2.9万人迁移到安全地带,组织3900多人防守二级湖堤。8月6日22时林辛闸开闸分洪,7日11时十里堡闸相继开闸分洪,两闸进湖流量最大为2400立方米每秒,于9日两闸关闭,总分洪历时分别为71小时与60小时,蓄洪4亿立方米,老湖水位达42.11米。分洪后艾山下泄流量最大为7430立方米每秒,水位42.70米。泺口洪峰流量为6010立方米每秒,水位31.69米。利津洪峰流量为5810立方米每秒,水位13.98米。对确保下游防洪安全发挥了作用。

打渔张引黄闸放水

11月 博兴县打渔张引黄闸竣工放水。新建闸是在原闸下游44米处修建的,闸室上游联系段长31米与原闸消力坎相接,仍为钢筋混凝土桩基开敞式六孔闸,每孔宽6米,设计引水流量120立方米每秒,利用原打渔张灌区渠系工程,灌溉面积320万亩。

引黄济津工程提前完工向天津送水

11月1日 山东省引黄济津工程提前完工向天津送水。这次引黄济津工程是10月23日开工的,德州、聊城两地区出工12万人,进行了干渠清淤、开挖沉沙池、修建桥涵等,共完成土方470万立方米,比原计划提前15天送水,保证了天津工业生产和城市人民生活用水。位山、潘庄两闸共送水53天,总输水量为5.1亿立方米。

引黄灌溉实行用水签票制度

11 月 2 日　黄委会转发水电部《关于进一步认真执行引黄灌溉用水签票制度的通知》。通知指出:自 1981 年 8 月水利部规定了引黄灌溉实行用水签票办法以来,部分灌区执行制度比较认真,但有的流于形式,没有达到控制引水量、节约用水、促进管理的目的,要求各引黄灌区认真编制用水计划,按批准的用水计划,分次签票引水。由黄河闸管单位根据批准的用水计划和引水签票开闸放水,每次放水结束后,及时结算实引水量,通知灌区管理单位,作为核算水费的依据。27 日山东省水利厅、山东河务局转发了水电部的通知贯彻执行。

齐河、济阳设立黄河派出所

11 月 8 日　山东省编制委员会、公安厅批复同意设立齐河县公安局黄河修防段派出所、济阳县公安局黄河修防段派出所。

田浮萍等任职

11 月 23 日　接水电部党组通知,经部党组讨论并征得中共山东省委同意,田浮萍任中共山东河务局党组书记,局长职务不变;齐兆庆任山东河务局党组副书记、副局长,常延景、张学信、葛应轩任山东河务局副局长、党组成员。张汝淮改任顾问。

险工坝岸加高改建情况报告

12 月 3 日　山东河务局《关于险工坝岸加高改建情况总结报告》称:自 1974 年开始,按照 1983 年设防标准进行险工坝岸改建工程,全河险工 98 处坝岸 3914 段,应加高改建的 3319 段,需石方 203 万立方米。截至 1982 年底,已完成改建 2331 段,占计划的 70%,完成石方 121 万立方米。经过改建提高了防洪能力,未完部分安排在 1984 年以前继续改建完成。

赵昆山等离职休养

12 月 16 日　水电部党组通知,同意赵昆山、王太元、杨克民、霍岳五、杨晓初、刘传朋离职休养。

山东黄河治理学术讨论会召开

12月17日 山东水利学会在济南召开山东黄河治理学术讨论会。出席会议的代表有水电部、水利科学院、黄委会、清华大学、华东水利学院、武汉水电学院，以及山东省科学技术委员会、科学技术协会、农委的领导和专家，还有治黄第一线的工程技术人员，共120余人。会议重点讨论和交流了治理黄河有关的方策、洪水预报和控制、泥沙利用、工程设计和加固、河道整治和河口治理等方面的内容。

《山东黄河志》编纂工作会议召开

12月27日 山东河务局召开《山东黄河志》编纂工作会议，各修防处编志办公室主任及主编参加，会议讨论修订了《山东黄河志》编纂提纲和编志工作意见，交流编志经验，部署1983年编志工作计划。

包锡成任山东河务局总工程师

12月30日 黄委会报经水电部党组同意，任命包锡成为山东河务局总工程师，免去其副总工程师职务。

南、北展宽工程基本建成

12月 黄河北岸齐河、南岸垦利展宽工程基本建成。上述两项工程是1971年10月动工兴建的，主要通过展宽堤距形成两大滞蓄区，解决济南以下窄河道的防洪防凌问题。工程建成后，可以根据洪水凌情，有计划、有控制地分滞洪凌，以减轻堤防威胁。

齐河展宽工程完成新堤37.78公里，建成分洪和排洪涵闸8座，展宽区面积106平方公里，有效库容3.9亿立方米。共计完成土方4863.6万立方米，石方15.6万立方米，钢筋混凝土4.1万立方米，国家投资8749.7万元。

垦利展宽工程完成新堤38.6公里，建成分洪、放淤、排灌涵闸8座，展宽区面积123.3平方公里，滞蓄库容3.27亿立方米。共计完成土方3388.8万立方米，石方8.1万立方米，钢筋混凝土3.8万立方米，国家投资6021.6万元。

黄河南、北岸展宽工程截至本年底累计完成国家投资1.47亿元。

黄河断流

12 月　泺口站 6 月 9～11 日断流 3 天，利津站 6 月 8～17 日断流 10 天。断流长度 278 公里。

洪宝银等被授予山东省劳动模范称号

12 月　本年度，在山东省劳动模范代表会议上，山东河务局洪宝银、张连三被授予山东省劳动模范称号。

1983 年

黄委会批复山东河务局机关内设机构

1 月 16 日　黄委会党组批复山东河务局党组关于局机关处室和局直二级单位机构设置意见的报告。同意局机关设办公室、政治处、工务处、工程管理处、科技办公室、财务器材处，编制控制在 200 人之内。局直二级单位设规划设计室、职工学校、职工医院、水文总站。

黄河水利工会山东区委员会和机关党委的建制不变。

韩兴再等被授予黄委会劳动模范称号

1 月 20 日　在黄委会治黄总结表模大会上，黄委会以黄办字[1983]第 4 号文决定授予山东河务局韩兴再、牛淳、葛振汉、李春云、王献书、伍必廷、陈继泉、刘广利、付少思、冯汉忠、李友方、班书广、李厚温、唐吉玉、马奎昌、于鲁生、李秀玉、刘士伟、呼兆元、洪宝银、梁洪华、王树礼、姜兴民、王德林、史汝国、肖延海、申子华、李宪民、张克洪、姚如波、张连三、王忠玉、李庆云、王伯元为黄委会劳动模范；授予山东河务局郓城黄河修防段、济阳黄河修防段、济南郊区修防段、四宝山石料收购站、鄄城黄河修防段左营分段、东阿黄河修防段关山分段位山班、齐河黄河修防段二十六号船、垦利黄河修防段土方机械施工队、东银铁路修配厂机修车间、山东河务局规划设计室设计科、山东河务局电话站话务班、济南水文总站孙口站、位山工程局电话站、利津修防段工务股等 16 个单位为黄委会先进集体。

黄河安全度过凌汛

1 月 30 日　自 1 月 10 日河口地区开始封河，至 24 日封冻段延至滨州市上界，封冻共长110公里，总冰量1100万立方米。封河期间，由于垦利、利津窄河道卡冰阻水，部分滩地上水，大堤偎水长21公里，基干班上堤防守。24日后气温回升，又加三门峡水库适时关闸蓄水7亿立方米，黄河封冰逐渐融解，本日顺利开河。

国家计划委员会批复引黄保泉工程设计任务书

3月16日 山东省计划委员会转发国家计划委员会《关于济南市引黄保泉供水工程设计任务书的批复》。批复同意按日供水40万吨进行总体规划，分期建设，第一期工程供水25万吨。本年12月由省水利勘测设计院与河务局完成了《引黄保泉供水工程初步设计》及《工程概算书》。

山东河务局开展水利工程三查三定工作

3月25日 河务局遵照水利电力部《关于水利工程进行三查三定的通知》精神，自1981年10月，局、处组织检查组指导检查各单位进行水利工程的三查三定工作，于本年3月全部结束。

这次查定工作按工程性质分为：堤防、险工、控导工程和涵闸、虹吸、扬水站，进行"查安全、定标准，查效益、定措施，查综合经营、定发展计划"。通过查定，考查了工程历史，对工程现状有了比较全面的了解，对工程及管理中的问题，采取措施进行了处理，为加强管理工作发挥工程效益打下了基础。经过查定，填报了水利工程管理现状登记表91份，新建工程立案报告登记表22份。

水利电力部颁布《水利电力工程管理条例》

4月20日 为加强水利水电工程管理，水利电力部颁布《水利电力工程管理条例》，自即日起贯彻执行。

山东省公布省抗旱防汛指挥部成员

4月30日 山东省政府第三十九次省长办公会议，研究确定山东省抗旱防汛指挥部成员。指挥：李振，副指挥：赵峰、卢洪、刘雨温、宋焕军、王杰、李伯峰、赵毅、马麟、齐兆庆，黄河防汛办公室主任：张学信，抗旱防汛办公室主任：白永年。

山东省政府召开防汛会议

5月5~8日 山东省政府召开全省防汛会议，要求各地党委和政府切实加强防汛工作领导,组织力量认真进行工程大检查,对存在问题分类排队,抓紧进行处理。要继续实行领导干部包水库、包河段、包排涝工程的岗位责任制,组织好防汛队伍,备足抢险物料,做到在现有工程标准内,黄河保安全,水库不倒坝,河道不决口,内涝不成灾;对超标准洪水有对策,千方百计保证防汛安全。

黄河防总召开黄河下游防汛会议

5 月 5～9 日　黄河防总在郑州召开黄河下游防汛会议。参加会议的有河南、山东两省及其沿黄地、市修防处、段负责人。水电部李伯宁副部长出席了会议。会议分析了当前黄河下游防洪形势,部署了 1983 年黄河防汛工作,研究了为确保黄河防洪安全急需采取的重大工程措施,讨论修订了报国务院审批的《关于黄河下游防洪问题的报告》。

傅少思任全国人民代表大会代表

5 月　1983 年 5 月至 1993 年 2 月 22 日,山东黄河位山工程局高级工程师傅少思任第六届、第七届全国人民代表大会代表。

黄河防总办公室要求做好防汛准备工作

6 月 3 日　黄河防总办公室电示:今年气候反常,要求各省防汛指挥部于本月 5 日开始办公,提前做好防汛准备工作。8 日,中央防总发出做好今年防汛工作的再次通知,遵照国务院领导的要求,各级防汛领导班子迅速建立健全起来,建立岗位责任制,进行防汛检查,做好各项防汛准备。

刘连铭等来山东检查防汛工作

6 月 15 日　黄委会副主任刘连铭等 4 人来山东沿黄检查防汛工作,山东河务局副局长葛应轩陪同。7 月 12 日检查组向山东省副省长、黄河防总副总指挥卢洪做了汇报。

刘玉德等检查山东黄河防汛工作

6 月 23 日　山东省军区司令员刘玉德在河务局副局长张学信的陪同下,赴沿黄各县检查黄河防汛工作。将检查的情况向中共山东省委、省政府和黄河防总做了书面汇报。

黄河防总召开防汛电话会议

6月25日　黄河防总召开防汛电话会议。要求各地克服麻痹思想，立足防大汛、防早汛，抓紧完成度汛工程，进行防汛大检查，全面迅速落实各项防汛措施。

山东黄河通讯线路遭受龙卷风袭击

6月27日　山东遭受两次龙卷风袭击，山东河务局至各修防段的通讯线路被刮断，局电话站立即组织力量抢修，7月1日修复通话。

位山、苏阁、白龙湾引黄闸改建竣工

7月　位山、苏阁、白龙湾引黄闸改建竣工。东阿位山引黄闸原为1958年修建，因河床淤高，闸身高程偏低已不能满足防洪安全需要，在原基础上改建，将10孔改为8孔，底板抬高2米，孔宽缩窄2.2米，设计引水流量240立方米每秒，利用原灌区渠系灌溉面积432万亩。惠民白龙湾引黄闸为虹吸改建，系2孔钢筋混凝土箱式涵洞，设计引水流量20立方米每秒，灌溉面积26万亩。苏阁引黄闸为新建四孔钢筋混凝土箱式涵洞（老闸作废堵复），设计引水流量50立方米每秒，灌溉面积30万亩。

黄委会召开《黄河志》编委会第一次（扩大）会议

7月5日　黄委会召开《黄河志》编纂委员会第一次（扩大）会议。会议传达贯彻了水电部关于江河志、水利志编纂工作指示精神；讨论了流域《黄河志》编纂大纲；研究了如何编好《黄河志》的指导思想、原则和方法。

中共中央发布防御特大洪水的紧急指示

7月21日　中共中央、国务院发布《关于防御特大洪水的紧急指示》。要求各省、市、自治区都要做好防御特大洪水的充分准备，认真检查落实各项防汛措施，力争在发生不可抗御的特大洪水时，尽可能减少损失。

黄河防总贯彻落实中央紧急指示

7月22日　黄河防总发出《关于贯彻中共中央、国务院紧急指示的通知》。要求：(1)需防守堤段，各项度汛工程要全面检查；(2)迁安救护及滞洪工程的准备工作要逐项落实，(3)请山东、河南两省通知部队做好准备；(4)做好宣传,两手准备;(5)打击犯罪分子。

水电部要求做好水利志、江河志编写工作

8 月 11 日 水电部发出关于进一步做好水利志、江河志编写工作的通知。要求各流域机构、各省(市)水利厅(局)建立编委会和精干的编写班子,制定规划,加强领导,争取 5～7 年内完成长江、黄河等七大江河志的编写工作。

山东河务局召开《黄河志》第二次编纂工作会议

8 月 16～19 日 山东河务局召开《黄河志》第二次编纂工作会议,各修防处及东明、东平、高青修防段编志办公室主任及主编参加,会议传达贯彻了水电部及黄委会、省志编委会召开的地方志、江河志编纂工作会议精神,检查总结了一年来的编志工作,交流了经验,研究布置了下半年的修志任务。

孟青云等职务任免

9 月 20 日 中共山东河务局党组[1983]黄党字第 23 号文通知:接黄委会党委黄发字[1983]第 109 号文批复,经会党委研究同意,孟青云任山东河务局菏泽修防处主任;李善润任山东省黄河位山工程局局长;司继彦任山东河务局聊城修防处主任;赵继信任山东河务局德州修防处主任;姚秀文任山东河务局济南修防处主任;刘洪彬任山东河务局惠民修防处主任;杨洪献任山东河务局东营修防处主任。原任菏泽、聊城、德州、济南、惠民修防处主任职务同时免除。

东营修防处成立

9 月 21 日 为适应行政区划和治黄工作需要,山东河务局报经黄委会批复同意建立东营修防处,编制 70 人。修防处机关设办公室、政工科、工务科、工程管理科、财务器材科。下属垦利、利津修防段,增设牛庄修防段。

黄委会召开全河政治工作座谈会

10 月 15 日 黄委会在郑州召开了全河政治工作座谈会。会议传达了中央组织工作会议和水电部干部工作会议精神,讨论了以改革精神加速各级领导班子和干部队伍的“四化”建设,继续改革各级领导班子的年龄、知识结构,抓好干部的培训工作,建立后备干部制度,搞好第三梯队建设等问题。会议还讨论研究了职工政治思想工作、老干部工作等问题。会议于 26 日结束。

黄河安全度过汛期

10月31日　黄河安全度过汛期。本年汛期黄河花园口站共发生4000立方米每秒以上洪峰13次,8月2日,花园口站8370立方米每秒洪峰为最大,泺口站洪峰流量为5270立方米每秒,利津站为5290立方米每秒。汛期特点是水量大,含沙量小,洪水持续时间长,总水量为380.5亿立方米,较多年平均值(270.9亿立方米)多40.5%,10月份大河平均流量为4500立方米每秒,较常年偏多85%。菏泽地区大部滩地进水,淹地约28万亩,有128个村庄被水包围或进水,有167公里大堤靠水,险工护滩出险99处698段次,先后动员3300多名基干班上堤防守,及时抢护险情,保证了防汛安全。

黄委会召开黄河下游工程管理会议

11月2～10日　黄委会召开黄河下游工程管理会议。会议按照全国水利工作会议精神,总结济阳会议以来下游工程管理工作的经验,表彰先进,研究新形势下水利管理工作的经济政策,确定今后三年水利管理工作的指导思想、目标和实施措施。河南、山东河务局向会议汇报了三年来工程管理工作及经验教训。济阳、利津、邹平、济南郊区、东平、东阿等修防段代表发言,介绍了三年来工程管理工作的做法、经验和成效。会议并对14个工程管理先进集体和37名先进个人进行了表彰。会议讨论修订了《1984年至1986年黄河下游工程管理工作规划意见》和《工程管理综合经营有关财务问题的规定》。

菏泽发生5.9级地震

11月7日　5时9分49秒,菏泽地区发生一次5.9级地震,烈度在7度以上。震中位于北纬35°3′,东经115°6′,即菏泽王浩屯、何楼等地,波及东明、定陶、成武、单县、曹县、菏泽6县,影响范围约350平方公里。震后据菏泽修防处、段调查,黄河堤防、涵闸工程遭受不同程度的破坏。菏泽刘庄、冷砦、黄庄、东明高村等处大堤有蛰裂现象,刘庄险工第13、14、16、18号坝坝身有1～3毫米裂缝。鄄城苏泗庄引黄闸上游闸墩土石结合部、菏泽刘庄引黄闸公路桥边墩土石结合部均发生裂缝。菏泽修防处有150多间房屋出现裂缝,菏泽段部倒塌围墙30米。受到震害的水利工程有节制闸109座、涵洞85座、扬水站198座、灌溉建筑物294座、桥梁807座、机井1516眼。

东银窄轨铁路管理局移交山东河务局领导

11月10日　菏泽地区行署向山东省政府提出《关于菏泽地区东银窄轨铁路管理局移交山东黄河河务局领导的报告》。报告指出:1972年水电部为了确保黄河下游防汛安全,解决山东、河南两省部分防汛用石问题,批准投资建设黄河防汛运石专用线——东银窄轨铁路。当时归山东河务局领导。1975年山东省革委会发文明确:业务仍属山东河务局领导,人员交给菏泽地区管理。经过十余年的建设,该局现有职工780人(另有合同工指标110人),铁路的主体工程已基本完成,沿黄五县已铺轨184公里,并配备了机车、车辆、通讯等设备。共完成基本建设投资3459万元。已运输沿黄防汛用石40万立方米,对保证黄河防洪安全,发挥了一定效益。根据中央与省委精简机构的指示精神,为加强领导,集中统一管理,便于修防,有利于防洪工程的建设,经研究将东银窄轨铁路管理局移交山东河务局领导。

1984年3月16日,山东省政府向水电部发出《关于将菏泽地区东银窄轨铁路管理局移交黄委会山东河务局领导的意见》。5月28日,省政府批复菏泽地区行署,经与水电部协商,同意将菏泽地区东银窄轨铁路管理局移交山东河务局领导。

山东河务局与菏泽地区行署于1984年6月18日正式交接完毕,双方商定:从7月1日起,菏泽地区行署将东银窄轨铁路管理局完整建制,包括固定职工780人及合同工指标,全部移交给山东河务局。该局移交后,机构名称改为山东黄河河务局菏泽东银窄轨铁路局,仍为县团级单位,业务归山东河务局领导,行政由山东河务局和菏泽地区行署双重领导,党、团组织关系仍归地区不变。根据工作需要,该局撤销党组,设立党委,保留团委,分别归地直机关党委和团委领导。

同年11月5日,山东河务局同意该局机关各科室和下属单位机构设置为:

一、局机关设办公室、政工科、生产科、财务器材科、安全保卫科;撤销原劳资科、财务科和器材科。

二、下属单位:原梁山、郓城、鄄城、菏泽、东明中心站和职工医院机构不变;原机辆段和修配厂合并为机车车辆段。

老徐庄引黄闸竣工

12月10日　济南老徐庄引黄闸竣工。该闸为钢筋混凝土两孔箱式涵洞，设计引水10立方米每秒，并采取自流和提水相结合的办法，汛期自流引水，枯水季节利用闸后配套扬水站提水，可灌溉5万亩土地。该闸建成后，原有虹吸管废除。

山东河务局所辖有关单位调整机构设置

12月13日 山东河务局根据机构改革和治黄任务需要，对各修防处、位山工程局机构设置进行调整和改革，并分别通知有关单位。

一、各修防处及位山工程局机关设：办公室、政工科、工务科、工程管理科、财务器材科，位山工程局另设保卫科。

二、各修防处（局）原设纪律检查组、山东区工会××修防处（局）工作委员会机构不变。

三、各修防处（局）原设修防段机构不变。

四、原山东河务局菏泽石料收购站改名为梁山石料收购站；原山东河务局惠民建筑安装队和汽车队合并为惠民建筑安装队，直属惠民修防处领导；原山东河务局梁山机修运输队与梁山建筑安装队合并为梁山建筑安装队。

五、职工学校下设教务科、总务科、政工科。

六、济南水文总站下设办公室、研究室、政工科、测验科、计划财务科。其他原设机构不变。

山东河务局调整处、科级领导班子

12月30日 山东河务局进行机构改革。根据中共山东省委和黄委会统一部署，按照干部革命化、年轻化、知识化、专业化的要求，对各级机构进行了调整并配备了领导班子。改革后的处级和科（段）级领导班子，在年龄、文化程度、专业知识方面均较前有很大改善，处级干部49人，平均年龄48.4岁，具有大专、中专和高中文化程度的23人；科（段）级干部214人，平均年龄40.9岁，具有大专、中专和高中文化程度的109人。并提拔了处级干部13人、科（段）级干部89人，为开创治黄工作新局面提供了组织保证。

山东黄河基建工程全面完成

12月 黄河培堤整险等项基建工程全面完成。本年基建任务大、项目多，常年施工，春修堤防培修、东平湖围坝加固等，先后有29个县20万人和7个土方机械施工队100多台铲运机参加施工，共计完成培堤土方1513.7万立方米，其中机械施工队完成土方223.35万立方米，整修险工和控导工程坝垛

719 段，完成石方 16 万立方米，机淤固堤完成土方 1960 万立方米，加固堤防长 260 多公里，新增淤区长 32 公里。同时对 65 处涵闸虹吸工程和 33 公里长的薄弱堤段进行了压力灌浆，完成 13.6 万眼，完成堤顶包淤 146.3 公里，临黄大堤基本上达到了 1983 年设防标准。

沿黄已建引黄涵闸虹吸工程，1983 年共引水 73 亿立方米，浇地 2000 万亩，种水稻 50 万亩，淤改土地 9 万亩，并供给了部分城市及工业用水。沿黄菏泽、聊城、德州、惠民地区在严重干旱的情况下，由于引黄灌溉，小麦总产达 89.8 亿斤，比 1982 年增产 30.5 亿斤，增长 51.4%；棉花总产 1800 多万担，比 1982 年增产 240 万担。全局综合经营收入 130 万元，比 1982 年增加 16 万元；还收入粮食 23.8 万斤、蔬菜 23 万斤。

黄河断流

本年　利津站 6 月 26～30 日断流 5 天，断流长度 104 公里。

张克洪被授予水文系统劳动模范称号

本年　在全国水文系统劳动模范代表大会上，济南水文总站张克洪被授予全国水文系统劳动模范称号。

1984 年

山东治黄工作会议召开

1 月 6 日　山东河务局治黄工作会议在济南召开，局属单位负责人 250 余人参加。会议总结交流了 1983 年的治黄工作经验，研究部署了 1984 年的各项治黄任务。惠民修防处、齐河修防段等 19 个单位代表发言，山东省政府顾问朱奇民到会讲话。会议于 12 日结束。

制定《经济责任制试行办法》

1 月 6 日　山东河务局制定的《经济责任制试行办法》公布执行。为贯彻“加强经营管理，讲究经济效益”的水利建设方针，本办法规定：(1)局、处、段(所)各级实行经费包干，增收节支分成；对生产单位实行盈亏包干，增收减亏分成。(2)在单位内建立岗位经济责任制，层层落实承包任务。凡定额明确的，推行单车、单船、班组核算，实行超产节约奖励，欠产超支扣罚。(3)坚持责、权、利相结合，把职工的经济利益同承担的责任和实现的经济效益联系起来。分配上贯彻多劳多得，奖勤罚懒，克服平均主义。

黄委会批复运用东平湖调蓄江水的报告

1月19日　黄委会批复山东河务局《关于运用东平湖调蓄江水的报告》。批复东平湖调蓄江水，必须在不影响黄河防洪的前提下进行，6月底以前要严格控制农田灌溉及胜利油田用水。

黄委会召开治黄工作会议

2月12日　黄委会1984年治黄工作会议在郑州召开。袁隆主任向大会作了《总结经验　开拓前进　努力开创治黄工作新局面》的工作报告。经过会议讨论，明确了1984年重点抓好八项工作：(1)抓紧春修工程，做好防汛准备，确保黄河安澜；(2)管好引黄设施，做好工农业供水，促进粮棉丰收；(3)总结水土保持经验；(4)抓好治黄规划和勘测设计工作；(5)制定治黄科技长远发展规划，推进治黄科技的发展；(6)加强水文和水源保护工作；(7)善始善终地完成机构改革；(8)进一步加强经营管理，提高经济效益。会议于17日结束。

新菏铁路长东黄河大桥开工

2月18日　长东黄河大桥开工兴建。该桥是正在施工的新乡到菏泽铁路的咽喉工程，从长垣县赵堤和东明县东堡之间跨过黄河，全长10.2公里，是目前国内最长的铁路大桥。

山东黄河安全度过凌汛

2月25日　黄河凌汛安全度过。黄河自1983年12月下旬开始淌凌，1984年1月4日河口地区开始封河，至2月10日封冻段上延至郓城县伟庄，封冻总长330公里，总冰量3700万立方米。为保证凌汛安全，除三门峡水库及时运用蓄水外，山东沿黄各涵闸开闸分水，并对济南曹家圈至霍家溜和利津、垦利及河口段窄河道，在济南军区工兵营的协助下，组织爆破队，采取爆破措施打通溜道，爆冰总长61.8公里。至25日冰凌开通入海。

王化云来山东视察工作

2月25日　黄委会原主任王化云来山东视察工作，向中共山东省委、省政府汇报了治黄工作及今后的打算，并与梁步庭省长商讨了兴建小浪底水库等问题。在山东河务局机关,王化云还向河务局领导干部就今后的治黄设想、实行“调水调沙、用水用沙、排水排沙”的治黄方针以及治黄要勇于创新等问题作了重要讲话。

青少年营造黄河防护林带大会召开

2 月 26 日 共青团山东省委和山东河务局在济阳县召开了青少年营造黄河防护林带动员大会。山东沿黄 7 个地(市)和 26 个县(市、区)团委以及黄河修防处(局)、段负责人,省及地、县有关部门的青少年代表共 4000 多人参加。中共山东省委副书记李昌安、省绿化委员会副主任宋一民、团省委书记林廷生、河务局副局长张学信在会上讲了话。会议要求沿黄青少年要积极投入营造 1400 公里黄河防护林带的活动,用三年时间把黄河绿化好。

由于发动青少年营造黄河防护林带的活动,推动了黄河的绿化工作,全年共植树 250 万株,种植各种条料 52.8 万丛,育苗 967 亩。

河口管理段成立

4 月 7 日 山东河务局通知东营修防处,为适应行政区划和治黄工作的需要,决定建立山东河务局河口管理段,编制 17 人,由该处自行调剂解决。

《山东黄河志》第三次编纂工作会议召开

4 月 10 日 《山东黄河志》第三次编纂工作会议召开。各修防处(局)及博兴、东平、长清、章丘、郓城等修防段汇报了修志工作情况及体会。会议在总结一年来编纂工作的基础上提出了 1984 年编纂任务与要求,各修防段编写完成资料汇编,修防处编写完成资料长编,局直属单位编写厂(院)史及提供专题资料。会议于 13 日结束。

黄河防汛会议在郑州召开

5 月 7～10 日 黄河防总在郑州召开黄河防汛会议。河南省省长、黄河防总总指挥何竹康主持会议并讲话。会议讨论了黄河防总制订的防洪方案,部署了 1984 年的防汛工作。要求各地认真抓好工程、组织、料物和人员的落实;抓紧完成度汛工程,做好河道清障工作;北金堤、东平湖滞洪区做好运用准备;确保花园口站 22000 立方米每秒洪水不决口,遇特大洪水尽最大努力,采取一切办法缩小灾害。

山东省防汛工作会议召开

5月31日　山东省副省长卢洪主持召开全省防汛工作会议。各地(市)、县、黄河修防单位及省直有关部门负责人参加。会议传达讨论了1984年内河和黄河防汛工作意见,研究安排了度汛措施。会议要求各地严格执行防汛责任制,认真组织好防汛队伍,备齐备足防汛料物,清除河道行洪障碍,加快度汛工程进度,具体落实防御特大洪水的非常措施,战胜可能出现的洪涝灾害。会议于6月2日结束。

山东省抗旱防汛指挥部成立

6月1日　山东省抗旱防汛指部(以下简称山东省防指)组成并开始办公。中共山东省委副书记李振任指挥,卢洪、刘玉德、宋焕军、王杰、王怀俊、游与继、马麟、齐兆庆任副指挥,张学信任黄河防汛办公室主任。

龙于江、陈效国任山东河务局副局长

6月19日　经中共黄委会党委研究决定:龙于江、陈效国任山东河务局副局长。

袁隆等来山东检查防汛工作

6月29日　黄委会主任袁隆、副主任庄景林来山东检查防汛工作。由齐兆庆、张学信副局长陪同前往菏泽、聊城、东平湖等地,检查了度汛工程及各项防汛准备工作。7月9日检查结束回郑。

万里等中央领导来山东考察黄河

7月3日　中共中央政治局委员、国务院副总理万里,中共中央书记处书记胡启立,国务院副总理李鹏等,由国家计划委员会副主任黄毅诚、水电部部长钱正英、黄委会主任袁隆等陪同,来山东考察了黄河、东平湖水库和河口三角洲。4日晚,万里等中央领导听取了中共山东省委、省政府负责人苏毅然、李昌安、李振等关于引黄济青工程方案的汇报后指出:向青岛供水问题必须很快解决,明渠引水方案好,要发扬引滦精神,两年内完成向青岛送水。

万里等中央领导是6月30日从黄河上游龙羊峡开始考察,沿河而下到达山东的。万里副总理还对黄河规划和治河方针等作出指示。

黄委会召开修订黄河规划工作会议

7 月 15～19 日 黄委会召开修订黄河规划工作会议。会议讨论了黄委会副主任、黄河规划领导小组副组长龚时旸作的《关于修订黄河治理开发规划任务及规划要点的报告》,研究明确了各单位修订规划任务分工和协作关系,山东河务局承担了下游防洪、防凌和河口治理等项规划修订的协作任务。

齐兆庆、葛应轩职务任命

7 月 25 日 经中共黄委会党委研究决定:齐兆庆任山东河务局代理局长、代理党组书记,葛应轩任党组副书记,仍任山东河务局副局长。

卢洪察看黄河防汛工程

7 月 30 日 山东省副省长、省防指副指挥卢洪,由张学信、龙于江副局长陪同,先后到菏泽地区和东平湖察看了防汛工程,检查了防汛的各项准备工作。8 月 8 日山东省军区司令员刘玉德、副司令员张桂尧等检查了济南河段的黄河防汛工作。

田浮萍等离职休养

8 月 8 日 黄委会通知,同意山东河务局局长田浮萍、副局长常延景、顾问张汝淮离职休养。

曹金钦任菏泽东银窄轨铁路局局长

8 月 22 日 山东河务局[1984]黄政字第 106 号文任命曹金钦为山东黄河河务局菏泽东银窄轨铁路局局长,原东银铁路局局长同时免职。

美籍华人王汝梁来山东河务局作学术报告

8 月 26 日 美籍华人、美国欧克拉荷马大学王汝梁教授,来山东河务局作了《关于抗震加固问题》的学术报告,并与河务局有关人员就黄河治理问题进行了讨论。

山东省治理黄河获巨大成果

9 月 5 日 《大众日报》发表庆祝建国三十五周年征文《我省治理黄河获巨大成果》。在党的领导和国家统一规划下,山东省沿黄人民和治黄职工对黄河进行了大规模治理,确保了黄河伏秋大汛不决口,在除害的同时,利用黄河水沙资源,发展引黄淤灌,为工农业生产服务取得显著成效。

新中国成立后,山东黄河先后进行了3次大修堤,修做土方5亿多立方米,加高培厚了两岸800多公里大堤。将险工坝岸改建为石坝,动用石料1200多万立方米,整修险工98处,改建石坝3800多段,进一步提高了堤防的抗洪能力,成为防御洪水的坚实屏障。同时黄河职工创造了引黄淤背的办法,利用涵闸虹吸和自制的吸泥船,抽取黄河泥沙,用来加宽加固堤防。险工堤段淤宽100米,平工淤宽50米,现已完成淤背土方2.7亿立方米,加固堤防400公里。为了防御特大洪水和严重凌汛,先后兴建了东平湖水库和齐河、垦利两处窄河道展宽工程。这些工程和堤防相互配合,构成了山东黄河的防洪体系,为战胜洪水凌汛打下了坚实的基础。

新中国成立以来引黄灌溉有很大发展,现已建成引黄涵闸40座、虹吸32处、扬水站47处,总引水能力达1700立方米每秒,灌溉面积1800万亩。这些引黄工程对沿黄地区农业抗旱夺丰收发挥了重要作用。同时利用黄河泥沙放淤改土造田,已淤改土地223万亩,使大片不毛之地,变成了粮棉高产的肥沃良田。

宋平等考察黄河三角洲

9月18日 国务委员、国家计划委员会主任宋平,中国社会科学院院长马洪等考察了黄河三角洲,并听取了黄委会对河口地区治理意见的汇报。宋平对合理安排河道流路与油田开发、城镇建设统一规划问题提出了意见。21日结束考察回京。

引黄济青工程可行性研究论证会在青岛召开

9月26日 中国水利学会委托山东水利学会邀请国内有关专家、教授,在青岛市主持召开了引黄济青工程可行性研究论证会。中共山东省委副书记、副省长李振,副省长卢洪,青岛市市长臧坤出席。会前组织了三天的实地考察,会议讨论了山东省水利厅勘测设计院提出的《关于引黄济青工程可行性研究报告》,对报告中提出的明渠输水方式、引黄渠首及输水线路选择等问题,认为方案可行,经济上也较为合理。初步确定1985年上半年搞好规划,下半年动工,1986年冬送水。

山东省政府向国务院报送引黄济青工程报告

10 月 8 日 山东省政府向国务院报送《关于兴建山东省引黄济青工程的报告》，并附送《山东省引黄济青工程设计任务书》请国务院审批。报告认为，解决青岛用水是当务之急；明渠输水工程方案切实可行，经济上也比较合理；工程规模近期按引黄日供水 50 万吨考虑，输水线路约长 245 公里，力争两年完成，1986 年向青岛送水。

美国泥沙专家来山东考察黄河

10 月 17 日 美国内务部地质调查局的泥沙专家埃米特、简达、安德鲁斯一行 3 人，来山东考察黄河。在黄委会总工程师龙毓骞陪同下，参观了济南水文总站和黄河泺口、老徐庄、北店子、杨庄等处险工。

黄委会召开第三次安全生产工作会议

10 月 25 日 黄委会召开第三次安全生产工作会议。全河各条战线的先进代表和有关单位负责人 200 人参加。大会进行了安全生产经验交流，学习讨论了《黄河水利委员会安全生产条例(试行)》。28 日举行了发奖仪式，向在安全生产中做出优异成绩的山东河务局航运大队 13 号拖轮、垦利修防段机械化施工队、梁山进湖闸管理所等 18 个先进单位和 39 名先进个人，颁发了奖品、锦旗和荣誉证书。

黄河安全度过伏秋大汛

10 月 31 日 本年汛期黄河花园口站共发生 13 次洪峰，其中以 8 月 6 日 6600 立方米每秒和 9 月 26 日 6510 立方米每秒洪峰为最大。9 月上旬，洪峰进入山东河段，有 63 公里堤防偎水，48 处滩地漫水，淹地 27 万亩。由于黄汶并涨，大清河来水入湖，8 月 21 日东平湖水位最高达 42.91 米，超过 1982 年的分洪水位，蓄水量达 5.9 亿立方米。靠水堤段，各县防汛指挥部调集防汛队伍 1000 多人加强了黄、湖堤的防守，抢护各种险情 250 段次，安全度过了汛期。

赵紫阳总理对水利系统开展综合经营批示

11 月 5 日 国务院总理赵紫阳对水电部《关于水利系统开展综合经营几个政策问题的请示》批示：水利系统利用自己的水、土资源及设备、劳力、人才的优势，开展多种经营有很大潜力，大有搞头，应给予支持，争取几年内有一个大的发展。

本年度山东河务局综合经营和水费共收入 189 万元，比 1983 年增收 59 万元。

山东黄河防洪基建工程提前完成任务

11 月 25 日 山东黄河防洪基建工程提前一个月全面完成任务。堤防培修完成土方 386.6 万立方米，重点培修了北金堤及大清河北堤；机淤固堤土方完成 1723 万立方米，加固堤防共长 114.7 公里，其中新增淤区 48 公里；险工改建坝岸 651 段，加固根石 315 段，完成石方 20 万立方米。培堤土方工程经过验收，质量合格率在 95% 以上。各项基建工程由于全面实行了承包责任制，调动了职工积极性，各单位共节约投资 75 万元。

山东河务局多项科技成果获奖

11 月 30 日 山东河务局灌注桩研究组提出的《钻孔桩群桩机理与承载力试验研究成果》在北京经专家鉴定，认为研究专题具有重大的理论价值和实用价值，在国内外具有先进水平。该项科研成果获黄委会 1984 年科技成果二等奖，同时获山东省优秀科技成果二等奖。河务局职工医院（HBSAG）健康普变及乙型肝炎病毒感染情况分析，获黄委会科技成果五等奖。

1984 年获黄委会技术改进奖的项目有：规划设计室设计科的《明止水橡皮压板型式的改进》，测量队的《EL—5100 计算器在测量中的使用算例》、《N2002 大地自动水准仪配备 T2—59 计算器纪录》，将山石料厂的《双梁双锤气动锤行车改进》、《JMC—72 型脉冲除尘器改进》，齐河修防段的《虹吸（甲代乙管）自动灌管法》。

水电部批准凌汛期间三门峡水库调度运用办法

12 月 5 日 水电部批复黄委会《关于 1984 年至 1985 年黄河下游防凌运用三门峡水库的请示》。批复同意凌汛期间三门峡水库调度运用的 4 种办法：（1）为避免宁蒙河段封河后出现的小流量过程造成下游小流量封河的威胁，或起到推迟下游封河日期的作用，凌前运用水位一般为 315 米；当宁蒙河段小流量过程入库时，水库补水调控流量 400～500 立方米每秒；（2）当下游封河后，水库一般均匀泄流控制运用；（3）结合开河预报，结合下游情况，控泄小流量，必要时关门；（4）下游封河至开河时段，库水位运用一般不超过 326 米，若超过届时报请中央防总决定。

山东省防指发出做好黄河防凌工作的通知

12 月 8 日 山东省防指发出《关于做好 1985 年黄河防凌工作的通知》。要求沿黄各行署(市)、县(市)人民政府,省直有关部门,把黄河防凌工作当作一件大事来抓,切实加强领导,深入发动群众,做好一切人力、物力准备,适时采取防凌措施,确保凌汛安全。

全国水电系统劳模表彰大会在京举行

12 月 10 日 全国水电系统劳动模范、先进集体代表大会在北京举行。山东河务局职工傅少思、韩兴再被授予全国水利系统劳动模范称号;济阳修防段被授予全国水利系统先进集体称号。

全河干部工作座谈会结束

12 月 15 日 全河干部工作座谈会在郑州结束。会议研究确定 1985 年要继续搞好各级领导班子的建设和后备干部队伍建设;加强干部制度的改革,试行干部聘用制和任期制;全面贯彻各级干部岗位责任制,实行干部考核制和奖惩制。

山东黄河河道整治与河口治理学术讨论会召开

12 月 25 日 山东水利学会在济南召开了山东黄河河道整治与河口治理学术讨论会。邀请有关水利专家学者参加,共发表学术论文 45 篇。河务局工程技术人员 67 人参加了会议,并提出学术论文 24 篇。会议于 28 日结束。

引黄供水发挥经济效益

12 月 30 日 本年新建和改建的东阿郭口、高青马扎子、垦利曹店三座引黄涵闸及后张、傅家庄、小街子、归仁等处虹吸工程先后竣工,并经黄委会、河务局初步验收。上述工程共扩大引水能力 50 立方米每秒。截至年底,山东引黄工程全年引水 62 亿立方米,浇地 2100 万亩,放淤改土 7.3 万亩,为沿黄地区粮棉丰收创造了条件。据菏泽、聊城、德州、惠民 4 地区调查统计,棉花总产 2481 万担,比 1983 年增产 356 万担;菏泽市刘庄灌区小麦平均亩产 580 斤,位山灌区 550 斤。

1985年

钻孔桩群桩科研成果获山东省优秀科技成果二等奖

1月5日　山东河务局科研成果“钻孔桩群桩机理与承载力试验研究”在山东省优秀科技成果奖励大会上，获优秀科技成果二等奖。

第一期微电子计算机学习班开学

1月9日　山东河务局举办的第一期微电子计算机学习班在济南开学。各修防处及局各处室选派的学员25人参加，由山东大学计算机系教师授课，主要讲授微电子计算机原理及操作技术，学期一个月。

撤销济南机修运输队汽车队建制

1月11日　山东河务局研究决定，撤销济南机修运输队汽车队建制。原机修运输队名称改为山东河务局济南机械修配厂，仍归济南修防处管辖。

《山东黄河志》第四次编纂工作会议召开

1月16日　《山东黄河志》第四次编纂工作会议在济南召开。各修防处及编纂办公室负责人、主笔，局各处、室、直属单位负责人及编志人员参加。山东省志编委会、黄委会黄河志总编室、水利厅水利志编纂办公室也派员参加。会议总结了1984年编志工作，研究安排了1985年编志任务。对已写出的黄河志资料长编进行了评议，交流了编写经验，明确了编写资料长编的要求，会议于20日结束。

黄委会治黄工作会议召开

1月16日　黄委会1985年治黄工作会议在郑州召开。会后山东河务局参加会议的代表110人继续开会，研究了山东河务局经济体制改革意见，部署1985年的工作任务。会议讨论确定，山东河务局1985年治黄工作的重点是：(1)认真做好防洪防凌工作；(2)全面完成各项基建和岁修任务；(3)做好引黄灌溉工作，积极为工农业生产提供水资源；(4)切实做好管理工作，逐步由经验管理转向科学管理；(5)提高治黄科学技术水平；(6)进一步解放思想，大力推行经济体制改革；(7)加强领导转变作风。会议于26日结束。

山东河务局印发经济改革实施意见

2 月 14 日 山东河务局发出《关于印发经济改革实施意见的通知》，遵照中共中央《关于经济体制改革的决定》和黄委会经济改革的意见，结合河务局情况提出了具体实施意见如下：

一、基本建设工程实行以三包（包投资、质量、工期）、三保（保资金、材料设备、必要施工图纸供应）为内容的建设项目承包责任制。

二、事业费实行预算包干。

三、附属生产单位，实行事业单位性质不变、内部核算、计算盈亏的管理方法。

四、局设计室事业性质不变，业务费实行与任务挂钩的经济责任制。

五、局招待所实行定额承包、超收分成的办法。

六、局职工医院定项补贴、增收节支分成。

七、职工学校增收节支全部留本单位。

同时制定了收入分成和奖励办法，规定修防处（局）所属单位，以处（局）为单位统算；局直事业单位以会计核算单位核算；逐级建立承包责任制，实行评分计奖。

山东省营造黄河防护林带电话会议召开

3 月 1 日 山东省绿化委员会、团省委、省林业厅、山东河务局联合召开山东省营造防护林带电话会议。动员沿黄地（市）、县的有关部门和青少年，踊跃投入营造黄河防护林带工程建设，在黄河沿岸筑起绿色长城，造福子孙后代。会议由团省委副书记王天瑞主持，副省长、绿化委员会主任卢洪讲了话。菏泽、聊城、泰安、济南、德州、惠民、东营 7 个地市和 27 个县（市、区）的有关方面负责人参加。

省营造黄河防护林电话会议后，沿黄各地、市认真贯彻部署，有关部门抓紧落实各项准备工作，春季植树造林活动很快开展起来。截至 3 月 12 日，共完成植树 12 万多株，挖树穴 30 多万个，栽植条料 3 万墩。

山东黄河安全度过凌汛

3 月 10 日 山东黄河全部融冻开河。黄河下游自 1984 年 12 月中旬受强冷空气侵袭后，气温急剧下降，21 日开始淌凌，24 日河口封冻，至 1985 年元月 17 日，延封到齐河枯河险工，全长 259.5 公里。总冰量 3606 万立方米，最大河槽蓄水量 6.4 亿立方米，封冻期长达 77 天。由于气温低、封河早，形成了两封两开的不利局面。经及时采取三门峡水库蓄水、涵闸分水，对冰凌实行爆破和广大干部群众的严密防守，安全度过凌汛。

一号坝引黄闸开工建设

3 月 15 日 垦利县一号坝引黄闸破土动工，结构为钢筋混凝土箱式涵洞，共分 4 联，每联 3 孔，每孔净宽 3 米、净高 3.6 米，设计引水流量 100 立方米每秒。此闸与西双河闸同属一号坝引黄工程，主要是解决胜利油田供水和东营市 100 万亩的农田用水。

李家岸引黄闸易地另建新闸

3 月 齐河李家岸引黄闸因防洪水位抬高，原闸不安全，易地另建新闸，新闸位于齐河县李家岸险工 6 号坝处，设计引水流量 100 立方米每秒，为钢筋混凝土箱型涵洞式结构，共分 3 联，每联 3 孔，每孔净宽 3 米、净高 3 米，本月开工。此闸建成后可供德州地区 6 个县 267 万亩土地灌溉用水。

试用塑料编织袋保护坝体根部

4 月 8 日 山东河务局在鄄城桑庄险工 20 号坝续建工程中，试用塑料编织袋装土缝合、捆扎成 6～10 米土袋枕，抛投入水保护坝体根部。共抛土袋枕 2258 个，小型袋 2 万个，于 8 月竣工。经过汛期洪水冲刷，效果良好。

顾文书检查黄河第六个五年计划完成情况

4 月 16～26 日 国家计划委员会、水电部和黄委会组成的工作组，由水电部水利规划设计总院顾文书副总工程师带队，来山东检查了解第六个五年计划完成情况，审查 1986～1995 年十年规划，检查“七五”期间治黄工程的计划安排。由副局长张学信等陪同，具体查勘了堤防、险工、涵闸、东平湖、齐河、垦利南、北展宽区及河口工程和东银铁路等。工作组所到之处，总的认为工程完成得比较好，但也存在许多问题，需要解决。在济南期间，代局长齐兆庆向工作组汇报了山东黄河防洪工程情况和存在的问题。

西双河引黄闸开工建设

4 月 22 日 垦利县西双河引黄闸动工兴建，结构为桩基开敞式，共 5 孔，每孔净宽 6 米、净高 3 米。当黄河水位 8.15 米时，设计引水流量 100 立方米每秒。当黄河水位 9.41 米时,设计引水流量为 200 立方米每秒。

该闸与一号坝引黄闸是由胜利油田投资,山东河务局规划设计室设计,河务局安装队与惠民安装队参加施工,东营市政府组建施工指挥部领导兴建,该闸对解决东营市 100 万亩农田灌溉用水及对油田工业用水起着重要作用。

美国气象水文专家参观黄河下游防洪工程

4 月 26 日 美国国家天气局水文局长罗伯特·克拉克博士,应邀来山东参观黄河下游防洪工程。在有关人员陪同下,分别参观了东平湖水库和泺口防洪工程等。

胜利油田修筑孤东油田围埝

5 月 2 日～6 月 5 日 胜利油田指挥部在黄河河口现行清水沟流路以北的孤东油田修筑围埝。缩窄了北大堤与防洪堤之间的排洪河道(原来宽 25 公里,缩窄 9 公里),围埝全长 31.4 公里,包围面积 70 平方公里。

山东黄河涵闸水文观测检查评比会议召开

5 月 9～11 日 山东河务局在位山引黄闸管所召开了涵闸水文观测检查评比会议。山东黄河已有 14 座涵闸能够实测引水流量,其中 7 座涵闸能施测含沙量。会议代表采取分组抽查原始记载、民主记分评定的方法,评出前 5 名。依次是位山、谢寨、潘庄、苏阁、刘庄引黄闸,并对前三名颁发了奖状。

黄委会调整治黄民工工资标准

5 月 10 日 黄委会报经水电部同意,将现行的治黄民工工资标准调整如下:(1)人工复堤土工工资由每标准方(1 立方米土 100 米运距)单价 0.35 元,调增为 0.50 元,压实工和边工也按此幅度做相应的调整;(2)民工工资由每工日 1.40 元调增为 2.0 元;(3)从民工中选用的技工,施工期间雇用的统计员、电话员、炊事员、质量检查员等每工日工资为 2.3 元;(4)防汛基干班每工日工资为 1.40 元;(5)土方工程的间接费由 13%～20%调为 20%;另外,民房拆迁标准由原每间补偿 150 元调为 250 元,地势低洼需垫房台土者,另增垫房台补助费 30 元。以上规定从 1985 年 3 月 1 日起执行。

山东省防汛抗旱指挥部成立

5 月 13 日 山东省防指组成。指挥:李振,副指挥:卢洪、刘玉德、宋焕军、王杰、王怀俊、游与继、马麟、齐兆庆,黄河防汛办公室主任张学信。

平阴管理段划归济南修防处

5月15日 经国务院[1985]国函字45号文批复,原泰安地区的平阴县划归济南市。为适应行政区划的变动,有利于治黄事业的发展,经研究决定:

一、山东河务局平阴管理段划归济南修防处领导;

二、山东河务局平阴出湖闸管理所隶属关系不变,仍归位山工程局领导;

三、上述两个单位的人员编制、工作范围及党的隶属关系不变。

杨振怀检查山东黄河防汛工作

5月21～28日 水电部副部长杨振怀由黄委会副主任杨庆安、山东河务局副局长龙于江等陪同,检查了山东黄河防洪工程和防汛准备工作。28日上午在济南珍珠泉饭店与副省长卢洪及水利厅、河务局的领导讲了检查的情况、问题和意见。之后,省防指印发了杨振怀副部长对山东黄河防汛工作的谈话要点。

宋平主持召开黄河河口问题研究会

5月28日 国务委员、国家计划委员会主任宋平主持召开会议,研究胜利油田"七五"规划及黄河河口问题。黄委会副总工程师王长路、山东河务局总工程师包锡成、工管处处长姜西林参加。经研究确定增拨投资1000万元,加固河口北大堤工程。

包锡成享受副局级待遇

6月4日 黄委会党组黄党字[1985]第60号文通知,山东河务局总工程师包锡成享受副局级待遇。

冯寅等水利专家来山东黄河检查指导工作

6月中旬 水电部总工程师冯寅、技术咨询崔宗培、副总工程师徐乾清、北京水利水电科学研究院高级工程师尹学良、黄委会总工程师龙毓骞和高级工程师徐福龄等7人来山东黄河检查指导工作。由山东河务局副总工程师李祚谟陪同,查勘了东平湖水库,南、北展宽工程,河口段河道及胜利油田。主要是对今后至2000年、2030年或更远时期,黄河下游防洪、引水规划安排及河口治理进行调查研究。6月20日,在局机关就上述问题进行了座谈,总工程师包锡成汇报了山东黄河防洪工程情况、存在问题及今后意见,汇报后,冯寅等发表了个人意见。

黄河大堤行驶车辆开始收取堤防养护费

6 月 26 日 山东省物价局、山东河务局联合发出《关于在黄河大堤行驶车辆收取堤防养护费的通知》。通知指出:黄河堤防工程是防洪的主要屏障,原则上不能作公路使用,严禁履带车辆行驶。对必须通过大堤行驶的车辆,规定了收取堤防养护费的标准及办法,自 7 月 1 日起试行。

山东省军区召开黄河防汛工作会议

7 月 10 日 为确保完成黄河抗洪抢险任务,山东省军区在济南召开了有关军分区和值班部队负责人参加的黄河防汛工作会议。省军区副司令员康海要求各防汛部队进一步深入思想发动,充分认识搞好黄河防汛工作的重大意义和艰巨性,切实做到有备无患。发扬人民解放军的光荣传统,同沿黄人民群众并肩战斗,夺取黄河防汛斗争的胜利。

林乎加等专题研究河口治理问题

7 月中旬 农牧渔业部顾问林乎加、山东省政府顾问朱奇民、石油部副部长李敬参加,由中共胜利油田党委书记李晔、东营市长唐生海主持会议,研究了胜利油田规划和河口治理问题。河务局总工程师包锡成参加。经研究确定:1986 年油田投资继续加固延长河口北大堤;加强孤东围埝,并委托河务局进行清水沟十八户流路的运用安排及利用刁口河和七干放淤等内容的研究,于 1986 年提出报告。

日本技术交流小组研究勘察黄河工程

7 月 22～23 日 由日本国蝶理株式会社和旭化成工业株式会社组成的"法布"技术交流小组一行三人,为了推广"法布"护岸技术,在齐鲁宾馆共同研究商讨了"法布"技术运用到黄河护岸方面的可能性,并在有关人员的陪同下查勘了黄河北店子至泺口河段的护岸工程。

龙卷风袭击黄河通讯线路

8 月 3 日 下午,菏泽地区发生龙卷风。摧毁鄄城修防段至菏泽修防段之间的电话通讯线路 36.1 杆公里,郑济干线遭到严重破坏,造成损失 35 万多元。4日,龙卷风袭击垦利黄河堤防。几百株大树被刮倒,10余公里通信线路倒杆、断线、横担扭曲,通讯中断。后经抢修恢复通话。

胡家岸引黄闸竣工

8月17日 章丘县胡家岸引黄闸竣工。该闸为3孔一联钢筋混凝土箱式涵洞,每孔净宽2.6米,净高2.8米,设计引水流量20立方米每秒,3月1日动工兴建。工程建成后,可以改变章丘县沿黄低产农业区的生产条件,恢复白云湖的生态平衡,扩大济南副食品生产基地,灌溉面积34.6万亩。

山东河务局召开工资制度改革工作会议

8月26日 山东河务局召开工资制度改革工作会议。传达贯彻了中共中央和国务院《国家机关和事业单位工作人员工资制度改革方案》和水电部、黄委会工资改革会议精神,布置工资改革方案的测算工作。

截至11月20日,工资改革工作基本结束。河务局这次参加调资的人数共9839人。新的工资制度由基础工资、职务工资、工龄津贴和奖励工资4部分组成。通过工资改革,职工的工资收入都有不同程度的提高。

齐兆庆任山东河务局局长

9月2日 经中共黄委会党组研究并征得中共山东省委同意,齐兆庆任山东河务局局长、党组书记,免去其代理局长、代理书记职务。

山东黄河志编纂领导小组召开会议

9月6日 山东黄河志编纂领导小组召开会议。由副局长、领导小组副组长张学信主持,传达学习了上级文件精神;编纂办公室汇报了黄河志编纂工作进度情况、黄河志“七五”规划意见及《山东黄河大事记》编排印刷意见。会议讨论了黄河志“七五”规划,研究了进一步加强编纂工作的领导,加快山东黄河志编纂工作的步伐,采取措施,尽快完成资料长编的编写任务。

花园口站8100立方米每秒洪峰进入山东河道

9月18日 黄河第一次洪峰花园口站流量8100立方米每秒进入山东省河道。下午17时到达东明县高村站,洪峰流量7500立方米每秒,水位63.33米,比1958年17900立方米每秒的洪水位高0.37米。省防指于18日下午,由副省长、省防指指挥卢洪主持召开了紧急办公会议,研究了战胜这次洪水的措施。下午5时，山东河务局召开全河电话会议，传达了省防指办公会议精神。要求山东黄河职工，动员起来，积极投入抗洪斗争。

此次洪峰在山东河道持续了4天，造成24个较大滩地进水，河口北大堤串水，共淹滩地50余万亩，进水村庄140个，受灾人口10.4万，倒塌房屋1113间，有160多公里平工大堤偎水。22日洪水安全入海。

卢洪率队察看黄河水情、工情

9月20日　上午，山东省政府副省长卢洪和省军区副司令阎琢，在齐兆庆局长、张学信副局长的陪同下，到济南郊区的泺口、老徐庄、杨庄、曹家圈、北店子等险工堤段，察看了黄河水情、工情和洪水漫滩情况。在察看过程中，副省长卢洪对当前的黄河防守工作和黄河滩区群众的迁移救护工作作了重要指示。

《山东黄河大事记》出版

9月　山东河务局黄河志编纂办公室编辑的《山东黄河大事记》出版。该书记录了1946～1984年山东治黄事业的发展历程，主要内容包括：黄河堵口复堤问题谈判始末，解放区人民反蒋治黄斗争，新中国成立后防洪工程建设，防洪防凌斗争，黄河水资源的开发利用，科学技术的发展创新及治黄机构设置沿革等。附录(1855～1938)山东黄河决溢年表。

1986年12月出版了《山东黄河大事记》增订本，对山东治黄事业大事进行增补，附录山东黄河历史统计资料。

梁山修防段发生重大翻船事故

10月3日　下午，梁山修防段租用的梁山县程那里村农民刘桂真柴油机牵引船，在蔡楼护滩工程进行探摸根石过程中，由于该船过于靠近停泊在渡口的蔡楼一号双体船，在急溜中失去控制，造成翻船、15人落水的重大事故(其中黄河职工11人，船民4人)。经抢救11人脱险，死亡4人。事故发生后，黄委会、山东河务局和地方政府都十分重视，查明了翻船的原因，并对事故进行了妥善处理。

黄河万里行考察报道组到山东考察采访

10月6日　山东省新闻工作者协会、山东河务局联合举行欢迎会，热烈欢迎黄河万里行考察报道组来山东考察采访。

黄河万里行考察报道组由北京几家新闻单位的记者组成，于本月 5 日乘摩托车到达济南。欢迎会上，副省长卢洪会见了考察报道组并讲了话。局长齐兆庆介绍了黄河山东段的情况。省宣传部门和新闻单位的负责人出席了欢迎会。

老徐庄、马扎子等 6 座涵闸通过验收

10 月 16～23 日　由黄委会、山东河务局和有关单位组成的工程验收小组，分别对兴建的老徐庄、马扎子、郭口、曹店引黄涵闸，张秋闸改建工程和清户排灌闸改建工程进行了竣工验收。6 座涵闸总设计引水流量为 127.8 立方米每秒，均为钢筋混凝土箱式结构，先后于 1983 年、1984 年动工兴建和完工。

山东河务局组团赴美考察水利工程

10 月 20 日　由山东河务局副局长龙于江、总工程师包锡成、副总工程师李祚谟、惠民修防处副主任、工程师黄自强组成的考察团与黄委会考察团一行同机去美国，考察密西西比河及其支流的防洪、河道整治等工程技术问题，于 11 月 10 日结束考察回国。

长(垣)东(明)黄河铁路大桥建成

10 月 31 日　长(垣)东(明)黄河铁路大桥建成。全长 10282 米，是目前我国最长的铁路大桥。它比南京长江大桥长 3510 米，居亚洲铁路桥梁第一位，世界第八位。它穿过河南省长垣县至山东省东明县之间的黄河地段，西接新焦、太焦线，东连菏兖、兖石线，是晋煤外运南通道上的咽喉。

黄河汛期结束

10 月 31 日　黄河汛期结束。入汛以来，共发生 3 次较大洪峰，以 9 月 18 日进入山东河道的第一次洪峰为最大。本年汛期是一个平水枯沙年，其特点是前期水量偏枯，后期偏丰。整个汛期花园口站共发生大于 3000 立方米每秒的洪峰 4 次，3000 立方米每秒以上的洪水持续 41 天，5000 立方米每秒以上的洪水持续 8 天。汛期总水量为 265.2 亿立方米，总输沙量 6.85 亿吨，比常年平均值偏低。

张学信等赴辽河实地考察

11 月 5 日　为学习辽河的防洪斗争经验(1985 年 8 月辽河发生了 20 多

年来没有出现过的较大洪水，防汛抢险十分紧张，在抗洪抢险中有许多经验教训)，由张学信、姜西林、王洪祥、石德容、肖如羲组成的辽河防洪考察组，在松辽委的协助下，对辽河的辽中、台安、盘锦等地工程现场考察。历时 16 天，于 11 月 21 日结束。

泺口险工三段坝岸滑塌

11 月 17 日 零时，济南郊区段泺口险工 10、11、12 号 3 段坝岸，在枯水的情况下发生了大面积滑塌。除 10 号护岸上首尚留 8 米外，其余坝段全部滑塌入水。坍塌总长达 78 米，塌宽 2～6 米，最大塌宽 10 米，水面以上塌高 8.5～8.7 米。

险情发生后，黄委会副主任吴书深带领工程技术人员于 19 日下午赶到济南，20 日上午到现场进行了察看，和局、处、段的领导一起分析了险情发生的原因及抢护修复措施。

山东省防指召开会议研究黄河防凌问题

12 月 12 日 山东省防指召开指挥会议研究黄河防凌问题。副省长、省防指指挥卢洪主持会议，省军区司令员刘玉德、济南军区作战部副部长宋焕军以及省直有关部门的负责人参加。局长齐兆庆汇报了凌汛情况和做好防凌准备确保凌汛安全的意见。

副省长卢洪和司令员刘玉德强调指出：要从最严重情况出发，切实做好各项准备工作，把防凌准备工作做具体到位。支援防凌的部队要进行技术训练，尽快做好准备。

山东黄河志编纂领导小组召开扩大会议

12 月 14 日 山东黄河志编纂领导小组召开扩大会议，局机关各处、室及直属单位承编资料长编的主笔参加。黄河志办公室汇报了中国江河水利志研究会第二次理事(扩大)会议精神和各地编志工作经验；检查了河务局一年来的编志工作，对 1986 年的编写任务作了研究安排；对各单位未完的资料长编提出了质量和时限要求。

赵继信等职务任免

12 月 17 日 山东河务局[1985]黄政字第 188 号文任命：赵继信为山东黄河河务局德州修防处调研员(处级)，免去其山东黄河河务局德州修防处主任职务；刘洪彬为山东黄河河务局惠民修防处调研员（处级），免去其山东黄河河务局惠民修防处主任职务；姚秀文为山东黄河河务局济南修防处调研员（处级），免去其山东黄河河务局济南修防处主任职务。

黄自强等职务任免

12月17日 山东河务局[1985]黄政字第189号文任命：黄自强为山东黄河河务局德州修防处主任；司继颜为山东黄河河务局济南修防处主任；刘恩荣为山东黄河河务局惠民修防处主任；王德威为山东黄河河务局聊城修防处主任，均免去其原任职务。

石洼分洪闸获水电部优质工程奖

12月22日 东平湖水库石洼分洪闸改建工程，在全国水利基本建设经验交流会上被评选为水电部优质工程，获水电部优质工程奖及金质奖章。

黄委会召开治黄工作会议

12月23日 黄委会在郑州召开治黄工作会议。贯彻全国党代会的精神，总结工作，研究改革，部署1986年治黄任务。山东河务局及各修防处负责人、工务、工管、财务科长参加。东阿、惠民修防段负责人出席会议并做了推行经济改革、促进治黄工作全面开展的汇报。

青少年营造黄河防护林现场经验交流会召开

12月25日 共青团省委、省林业厅、水利厅、河务局在菏泽地区联合召开山东省青少年营造黄河防护林现场经验交流会。沿黄（地）、市、县的有关部门140多人参加，副省长卢洪在会上讲了话，并向12个先进单位发了奖。自开展青少年营造黄河防护林活动以来，到目前为止，已在黄河堤岸植树414万株，完成了大堤植树总任务的60%。堤外5公里的植树从今春开始全线展开，已造片林15.4万亩、农田林网87.6万亩，共植树2835万株，育苗25000多亩。

山东黄河防洪工程建设和增收节支取得新成效

12月 山东治黄工作在中共山东省委、省人民政府和黄委会的领导下，由于沿黄人民的大力支援和近万名黄河职工的积极努力，较好地完成了各项治黄任务，安全度过了汛期。

全年共完成培堤和岁修土方 110.34 万立方米,放淤固堤土方 900 万立方米,险工加高改建和岁修石方 21.5 万立方米,锥探灌浆 16.5 万眼,改建涵闸 2 座。共引水 51 亿立方米,浇地 2000 多万亩,淤改土地 6 万亩。

由于进行经济体制改革,普遍推行了承包责任制,提高了经济效益,推动了综合经营的开展。全年增收节支 500 余万元。其中,工程包干节余 100 万元,水费收入 160 万元,综合经营净收 100 万元,生产单位盈余 40 万元,其他事业收入 100 万元。增收节支总额比 1984 年增加 200 万元,提高 60%以上。

1986 年

大型连续广播文艺节目《黄河》播出

1 月 1 日 大型连续广播文艺节目《黄河》在黄河流域九省(区)广播电台同时播出。该节目由九省(区)广播电台和黄委会共同创作录制。

山东治黄工作会议召开

1 月 9 日 山东治黄工作会议召开。参加会议的有各修防处(局)、段、所、站、队及局直单位的负责人共 150 余人。会议内容是回顾 1985 年工作,总结交流经验,研究部署 1986 年治黄任务,进一步推进治黄工作和经济体制改革。副局长葛应轩、龙于江、陈效国分别就有关治黄工作做了安排,局长齐兆庆作了会议总结。

转发《关于加强农田水利设施管理工作的通知》

1 月 14 日 山东河务局转发国务院办公厅批转的《关于加强农田水利设施管理工作的通知》,强调黄河各项工程是抗御水旱灾害的重要屏障,是保障沿黄人民生命财产的物质基础。近年来挖堤取土、侵堤垦植、抢占淤背区或近堤搞违章建筑、破坏防汛屋等现象时有发生,若不及时采取得力措施严加制止,将影响防洪安全和引黄供水。要求各单位要认真贯彻文件精神,采取措施,建立健全各项责任制,切实把工程管好。

梁山进湖闸管理所更名

2 月 15 日 山东河务局[1986]黄政字第 21 号文通知:根据山东省人民政府鲁政发[1985]138 号文《关于梁山县与东平县调整行政区划的批复》,山东河务局梁山进湖闸管理所改为山东河务局东平进湖闸管理所,仍隶属位山工程局领导。

山东河道融冰开河

2月20日 封冰全河开通。本年度凌汛期最低气温达-18℃,为1919年以来同期少有的低温天气。1985年12月13日,河口地区首先插冰封河,至1986年1月13日,封冻最上首达济阳县邢家渡。封冻总长200公里,总冰量2988万立方米,泺口以下河槽增蓄水量2.26亿立方米。此后,气温明显回升,封冰逐渐融化。

封河期间,由于河道基流大、壅水较高,利津东关至西河口两岸滩地大部漫滩,淹地4万亩。开河初期,上游来水较大,章丘刘家园附近河段冰凌插塞,水位上涨了3.59米,刘家园至邹平梯子坝漫滩,18个村庄进水,1.3万人受灾,淹地6万亩。

山东河务局实施经济体制改革

2月20日 山东河务局[1986]黄办字第5号文印发了《经济体制改革的实施意见(试行)》,同时山东河务局[1985]黄办字第6号文停止执行。主要内容有:(1)防汛、岁修、事业费均实行预算包干。防汛经费在黄河流量5000立方米每秒以下时,预算指标下达各修防处(局)包干使用;超过5000立方米每秒或遇严重凌汛以及东平湖设防时,抢险、防守、爆破按规定报山东河务局批准后,经费据实报销。岁修经费根据黄委会分配指标一次下达各修防处(局)包干使用。(2)建筑安装队和土方机械施工队实行生产盈余比例分成;将山石料厂、济南机修厂实行定额上交,超收分成;设计室实行技术经济责任制,自负盈亏,承担勘测设计任务均按规定收费,年终净盈余按比例上交;招待所实行定额承包,超收分成。(3)各引黄涵闸、虹吸管理(定编)人员经费、运转费,按批准计划直接从水费收入中拨出,包干使用;养护费从各征收水费单位按规定建立的事业发展基金中支付。(4)大力发展综合经营,逐步做到变事业型为事业经营型。(5)河产收入仍执行定额上交。(6)建立各项基金。各事业单位和附属生产单位留用的收入或盈余,以会计核算单位计算,按人均收入不同分别按不同的比例建立事业发展基金、职工奖励基金和集体福利基金。

庄景林考察山东黄河

3月10日 黄委会副主任庄景林由山东河务局局长齐兆庆陪同察看了

济南泺口、盖家沟险工、杨庄引黄闸工程及鹊山东滩区林带。庄景林指出:济南泺口险工应认真吸取 1985 年塌坝教训,确保济南市安全。

李昌安到黄河现场办公

3 月 10～11 日 山东省省长李昌安带领省直有关部门负责人到东平湖区和黄河滩区进行调查研究,现场办公,与地(市)、县有关人员一起探讨开发东平湖和黄河滩区事宜。

宋平视察黄河

4 月 8～17 日 国务委员、国家计委主任宋平,国家计委副主任黄毅诚等一行 8 人视察黄河。在黄委会主任龚时旸陪同下,沿途察看了桃花峪、温孟滩、小浪底坝址、三门峡水库及下游临黄大堤、北金堤滞洪区和东平湖水库。

山东河务局局机关增设老干部处、审计处和生产经营办公室

4 月 9 日 山东河务局[1986]黄政字第 47 号文通知:为适应工作需要,报请黄委会批准,山东河务局机关增设老干部处、审计处、生产经营办公室 3 个职能部门。

引黄济青工程开工

4 月 15 日 山东省引黄济青(岛)工程在胶县正式开工。此工程自博兴县打渔张引黄闸起,经滨州、东营、潍坊及青岛等 4 市(地)的 10 个县(市、区),进入总库容为 1.46 亿立方米的棘洪滩调蓄水库,再输入青岛市,全长 290 多公里。工程建成后,可增加青岛市日供水量 30 万吨,同时沿线高氟区 61 万居民可喝上黄河水。

山东省防汛工作会议召开

5 月 3～6 日 山东省防汛工作会议在济南召开。山东省副省长、省抗旱防汛指挥部指挥卢洪主持会议并讲话;省水利厅厅长马麟、山东河务局局长齐兆庆分别讲了内河、黄河防汛工作意见;各市、地汇报交流了防汛工作准备情况和下一步打算;会上对 1985 年在防汛抗洪斗争中作出突出贡献、取得优异成绩的 11 个先进集体和 7 名先进工作者进行了表彰。

各市、地分管副市长、副专员和市、地水利局长,黄河修防处主任等参加了会议。

《黄河防汛管理工作规定》颁发

5 月 9 日 黄河防总以黄防办字[1986]7 号文颁发《黄河防汛管理工作规定》(以下简称《规定》)。《规定》对各级防汛指挥部的组建及其职责,防汛队伍组织,防守与抢险,水情、河势工情测报,穿堤建筑物管理,水库、分滞洪区运用与河道清障,物资与财务,通信与交通,有关防汛制度,奖励与处罚等内容做出明确规定。

《规定》指出,黄河防汛在中央防总的统一领导下,设立黄河防总。河南省省长担任总指挥,陕、晋、鲁三省主管农业的副省长和黄委会主任担任副总指挥,办公室设在黄委会,处理防汛日常工作。

承担黄河防汛任务的省、市(地)、县都要设立防汛指挥部,由当地党、政、军和治黄机构的主要负责人担任正、副指挥,并相应设立黄河防汛办公室,处理防汛日常工作。

彼德·曼茨教授参观泺口水文站

5 月 27~30 日 美国拉玛大学彼德·曼茨教授参观了泺口水文站,并就水文泥沙测验及分析等在济南水文总站进行了座谈。

中国江河水利志研讨会在济南召开

5 月 30 日~6 月 4 日 由水电部与黄委会举办、山东河务局具体筹办的中国江河志编写工作研讨会及黄河志编委会第二次扩大会议在济南召开。出席会议的有省政府顾问朱奇民,省人大常委会副主任卢洪,省政协副主席杨达,省地方史志编纂委员会副主任张敬焘,中国地方志指导小组成员邵文杰,中国江河水利志研究会秘书长任润余,黄委会副主任、黄河志编委会副主任杨庆安以及有关单位的领导和专家等共计 120 余人。会议主要内容:听取黄河志编纂情况介绍,交流编志成果,研讨江河志编纂,讨论制定有关江河志编写规范性文件等。

南水北调东线位山穿黄探洞工程开工

6 月 26 日 南水北调东线穿黄探洞工程在东阿县举行开工典礼。工程拟在江苏省扬州附近引长江水北送,在东平县解山村和东阿县位山村之间穿越黄河,穿黄方式采用隧洞方案,在河床以下开挖 3 条内径 9.5 米的圆形隧洞,可通过流量 600 立方米每秒。为安全施工,水电部决定先开挖一条穿黄勘探试验洞。试验洞位于解山和位山之间河床以下 70 米处,洞宽 2.93 米,高 2.6 米。4 月 11 日开始施工前期工作,计划 1988 年 1 月 25 日完成主体工程。

山东河务局机关增设车辆管理科

6 月 27 日 山东河务局[1986]黄政字第 69 号文通知:山东河务局机关增设车辆管理科,隶属办公室。

调整山东省抗旱防汛指挥部领导成员

6 月 28 日 山东省抗旱防汛指挥部成员调整。调整后的指挥部指挥:马忠臣(山东省副省长);副指挥:刘玉德(省军区司令员)、宋焕军(济南军区作战部副部长)、王杰(省计委原副主任)、王怀俊(省经委副主任)、游玉继(省建委副主任)、马麟(省水利厅厅长)、齐兆庆(山东河务局局长)。

黄河防汛办公室主任:陈效国(山东河务局副局长);技术负责人:包锡成(山东河务局总工程师)。

常旗屯黏土混凝土截渗墙工程竣工

7 月 20 日 常旗屯黏土混凝土截渗墙工程竣工。济南郊区常旗屯黄河大堤(2+000~2+650),历年洪水期间渗水严重,为保证防洪安全,山东河务局采取黏土混凝土垂直截渗墙技术对该堤段进行加固。截渗墙厚 0.6 米,长 697 米,平均深 10.74 米,穿过透水层 1.0 米,墙体为低标号塑性混凝土(水泥、黏土和砂子),施工采用山东河务局自行研制的联合回转钻机,形成矩形槽孔。该工程于 1986 年 4 月 8 日开工,共完成墙体面积 6797 平方米,投资 73.3 万元。

旧城险工班被命名为“李兆忠班”

9 月 25 日 黄委会、黄河工会为了表彰先进,决定将山东河务局东阿修防段旧城险工班以该班班长的名字命名为“李兆忠班”。该班曾被全国总工会、国家经委命名为“全国先进班组”,并荣获全国总工会颁发的“五一”劳动奖状。

一号坝及西双河引黄闸竣工验收

10 月 15 日 垦利县一号坝及西双河引黄闸竣工验收。为解决东营市 100 万亩农田灌溉、油田工业用水与广北水库充水,由东营市政府和胜利油田投资，兴建一号坝及西双河两座引黄闸。两闸互为配套，设计引水流量均为100立方米每秒。一号坝引黄闸位于一号坝险工11～13号坝，为钢筋混凝土箱式涵洞，共4联，每联3孔，每孔高3.6米、宽3米。1985年3月15日开工，1986年7月竣工，投资938.6万元。西双河闸位于临黄堤右岸桩号239+054处，闸型为桩基开敞式闸，共5孔，每孔净宽6米。1985年4月22日开工，1986年7月竣工，投资728.4万元。

李家岸引黄闸竣工验收

10月21日 齐河县李家岸引黄闸竣工验收。该闸位于李家岸分凌分洪灌溉闸上游，相应左岸临黄堤桩号123+210，闸型为钢筋混凝土箱式涵洞，共3联，每联3孔，每孔高、宽各3米，设计引水流量100立方米每秒，供给德州地区6县267万亩灌溉用水。工程于1985年3月15日开工，1986年6月竣工，工程投资533万元。原李家岸分凌分洪灌溉闸废除堵复。

王锡栋等被授予全国水电系统劳动模范称号

10月24日 在庆祝人民治黄40周年之际，为表彰山东河务局王锡栋、李兆忠、冯汉忠等在治黄事业中做出的贡献，水电部、水电工会决定授予他们全国水电系统劳动模范称号。

山东省纪念人民治黄40周年

10月25日 山东省纪念人民治黄40周年大会在济南珍珠泉礼堂举行。中共山东省委副书记陆懋曾，省顾委副主任王金山、常委朱永顺，济南军区副政委宋清渭，省纪委书记李发荣，省人大常委会主任李振、副主任卢洪，副省长马世忠、省政府顾问朱奇民，省政协副主席金宝珍，省军区司令员刘玉德，黄委会主任龚时旸等出席大会。

参加大会的有省直有关部、委、办、厅、局的负责人，沿黄各市、地负责人以及为治黄作出贡献的离退休人员代表和治黄战线上的劳动模范、先进单位代表等。

中央驻鲁及省、市各新闻单位应邀列席了会议。水电部向大会发来了贺电。

陆懋曾、龚时旸在会上分别做了讲话。山东河务局局长齐兆庆做了《山东人民治黄四十年的伟大成就及展望》报告，重点回顾了40年来人民治黄事业取得的巨大成就。在除害方面：早在解放战争年代，山东解放区人民“一手拿枪,一手拿锨”修复了残破不堪的堤防,在极其困难的条件下,沿黄党政军民40 万人上堤防守抢险,战胜了 1949 年 9 月花园口水文站出现的 12300 立方米每秒的洪水;新中国成立后,修做了比较完整的防洪工程体系,包括加高加固堤防,河道整治,兴建北金堤、东平湖分滞洪工程和齐河、垦利两处展宽工程,入海流路治理等,总计完成土方 8.4 亿立方米、石方 1274 万立方米,先后战胜了 1958 年、1976 年、1982 年大洪水,特别是 1958 年花园口水文站洪峰流量 22300 立方米每秒的大洪水,实现了 40 年伏秋大汛黄河不决口。在兴利方面:积极开发利用黄河水资源,先后修建引黄涵闸 42 座、虹吸管 67 条,引水能力达 1900 立方米每秒,发展灌溉面积 2000 万亩。近 10 年来,年平均引水 64 亿立方米。

新闻记者采访团采访报道黄河

10 月 25 日 《大众日报》第二版编发黄河专版,集中介绍了山东人民治黄 40 年取得的伟大成就和基本经验。此前,山东河务局组织了由新华社、中国水利报社、大众日报社、山东电视台、山东广播电台、山东经济报社等新闻单位参加的山东人民治黄 40 周年新闻记者采访活动,对山东沿黄地区进行了为期 14 天的采访。

山东省领导为纪念人民治黄 40 周年题词

10 月 25 日 在纪念人民治黄 40 周年之际,山东省主要领导相继题词。中共山东省委书记梁步庭:“子子孙孙治河不已”;省委副书记、省长李昌安:“勇于探索创新,依靠科学、依靠群众,进一步把黄河的事情办好”;省顾问委员会主任苏毅然:“认真贯彻全面治理、综合经营方针,把黄河的事情办得更好”;省人大常委会主任李振:“除害兴利,富民兴鲁”;政协山东省委员会主席李子超:“回天有力驯黄龙,变害为利见奇功。”

李兆忠等被授予黄委会劳动模范称号

10 月 30 日 在黄委会召开的纪念人民治黄 40 周年暨全河劳动模范表彰大会上,黄委会、黄河工会以黄办字[1986]第 48 号文决定:授予山东河务局李兆忠、冯汉忠、王锡栋等黄河系统特等劳动模范称号;授予山东河务局职工宋呈德、王志华、王树礼、高庆久、齐洪武、潘光远、唐吉玉、田洪涛、刘兆平、杨成双、王定定(女)、隋建岭、刘洪义、李传顺、李克敬、肖广学、马兴印、张树俊、韩兴再、侯现清、李保印、李春云、尹燕乐、崔贵民、吕振谦、赵士杰、王效孔、李祚谟、王凤银、韩明法、张文海等黄河系统劳动模范称号,并颁发荣誉证书、奖章和奖品;授予利津修防段、惠民修防段、济南郊区修防段、济阳修防段、东阿修防段单庄分段旧城险工班、东平进湖闸管理所、郓城修防段、东银铁路银山中心站银山车站、济南水文总站高村水文站、规划设计室设计科等单位黄河系统先进集体称号,并颁发奖牌和奖品。

山东黄河安全度过汛期

10月　山东黄河安全度过汛期。入汛以来,黄河出现了自1951年以来少有的少水枯沙现象,花园口水文站7月12日最大洪峰流量4130立方米每秒,相应水位92.63米(大沽基面,下同),汛期来水量141.88亿立方米,沙量2.77亿吨,分别较多年平均偏少47.7%和72%;高村水文站最大洪峰流量3450立方米每秒(7月14日),相应水位62.00米,汛期来水量128.32亿立方米,输沙量2.14亿吨。汛期有8处险工、7处护滩、48段坝岸发生险情57坝次。汶河来水较多年平均值少68.2%,老湖最高水位41.58米,最大蓄水量3.27亿立方米。

1987年

科级以上领导干部实行任期制

1月15日　黄委会召开委属各单位负责人会议,宣布决定:委属各单位科级以上干部一律实行任期制,在条件具备的单位,实行职工内部聘用制;处级和科级干部每届任期三年,本届任期从1986年1月算起,以后任期从任命书签发之日起计算。

黄河工程管理工作会议召开

1月18~21日　黄河工程管理工作会议在郑州召开。会议总结了1980年以来工程管理工作的经验,制定了"七五"期间工程管理工作的指导思想、目标和任务,提出了加强工程管理的措施和意见,并决定改革堤身植树布局,堤坡不植树,堤坡、堤肩草皮化,每侧堤肩可留一排行道林,堤坡上现有树株1990年全部清除。会议研讨制定了《黄河下游渠首水费管理使用暂行办法》。

石德容等职务任免

1 月 24 日 山东河务局[1987]黄政字第 6 号文任命石德容为位山工程局局长;免去李善润山东黄河位山工程局局长职务。

王桂亭被追认为革命烈士

1 月 26 日 经山东省人民政府批准,追认利津黄河修防段职工王桂亭为革命烈士。王桂亭于 1984 年 9 月 30 日在抢救落入黄河的本段职工时光荣牺牲。

山东黄河安全度过凌汛

2 月 10 日 封冰全部化通。自 1986 年 12 月 25 日河口地区开始封河,1987 年 1 月 16 日封至历城河套圈,共封河 16 段,总长 190 公里,总冰量 1670 万立方米,河槽蓄水 3.1 亿立方米。1 月下旬气温逐渐回升,封冰自上而下化通,形成“文开河”。

龚时旸一行考察黄河下游

2 月 17 日~3 月 12 日 黄委会主任龚时旸、副主任庄景林与河南、山东河务局领导一起对黄河下游东坝头以下河南、山东黄河交接河段进行了查勘。其间,庄景林还检查了山东黄河春修及防汛准备工作。

济南水文总站改变隶属关系

2 月 23 日 黄委会黄劳字[1987]第 24 号文批复,山东河务局管理的济南水文总站成建制划归黄委会水文局领导和管理,自 7 月 1 日起执行;济南水文总站机关党的关系仍归山东河务局直属机关党委领导。

山东黄河志编纂办公室被授予先进集体称号

3 月 8~10 日 山东省地方史志编纂委员会召开全省第 5 次地方志工作会议,研究地方志编纂工作,交流经验,表彰先进。马忠臣、王众音、张敬焘到会讲话。山东河务局黄河志编纂办公室被授予山东地方志工作先进集体称号。

山东河务局规划设计室更名

3月9日 山东河务局[1987]黄政字第20号文通知，根据黄委会黄劳字[1987]20号文批复，将山东河务局规划设计室更名为山东黄河勘测设计院，仍为处级单位。

济阳修防段被命名为全国绿化先进单位

3月30日 山东河务局济阳修防段组织沿黄群众和黄河职工植树造林，取得显著成绩，被中央绿化委员会授予全国绿化先进单位称号。

山东河务局电话站更名

3月30日 山东河务局[1987]黄政字第33号文批复，同意山东河务局电话站更名为山东河务局通信站，仍为科级单位。

山东河务局科技项目获黄委会科技进步奖

3月31日 山东河务局“经济体制改革实施意见”和“回转钻机矩形造孔设备”项目获黄委会1987年科技进步三等奖。

滨州、滨县修防段合并

4月10日 根据国务院函[1987]40号文《关于撤销滨县建制，将其行政区划并入滨州市通知》精神，山东河务局[1987]黄政字第45号文批复，将滨州和滨县修防段合并为滨州修防段，段机关设在原滨县修防段。

山东省政府要求沿黄各地严格实行计划用水

4月15日 山东省政府特急电报要求沿黄各地、市、县必须严格实行计划用水。从4月16日到5月5日，各地引黄水量不得超过下达的分配指标。惠民地区要采取措施确保沾化电厂生产用水。

在抗旱春灌期间，省政府责成山东河务局、省水利厅，提出各地区引水计划指标，由山东河务局及时下达、统一调度。

李祚谟等获“富民兴鲁”劳动奖章

5月1日 山东河务局李祚谟、尹燕乐等被山东省总工会授予山东省“富民兴鲁”劳动奖章。

全省防汛工作会议召开

5 月 5～7 日 山东省防汛工作会议在济南召开。出席会议的有山东省省长李昌安,顾问朱奇民,济南军区作战部副部长高春翔,山东省军区司令员刘玉德,河务局局长齐兆庆,各市、地分管市长、专员,各市、地水利局局长,黄河各修防处主任,省直有关部门负责人等。李昌安对防汛工作着重强调了以下几点:一是解决思想认识问题;二是明确防汛工作的指导思想和主要任务;三是建立健全各级领导防汛责任制;四是防汛工作要早动手、早落实。齐兆庆就黄河防汛工作讲了意见。

《山东黄河工程管理检查评比办法(修订)》印发

5 月 11 日 山东河务局[1987]黄管字第 22 号文颁发《山东黄河工程管理检查评比办法(修订)》。该办法指导思想是:“以安全为中心,以提高工程强度为重点”,强调积极开展工程管理达标活动,提高管理水平,充分发挥工程效益。

黄委会公布第一批委编在册险点

5 月 21 日 黄委会根据山东、河南河务局 1985 汛前工程普查资料编列发布第一批堤防险点。以黄工字(87)第 35 号文审查认定:山东黄河委编险点 113 处,其中,老口门潭坑 7 处,大堤缺口 3 处,顺堤行洪段 4 处,管涌段 2 处,渗水段 39 处,穿堤管线 37 处,病险闸 20 座,需要拆除改建的虹吸 1 处。

济南郊区修防段等机构调整

5 月 26 日 为适应济南市区行政区划调整和治黄工作需要,山东河务局[1987]黄政字第 78 号文批复同意撤销山东河务局济南郊区修防段、历城修防段,建立山东河务局济南天桥修防段、济南槐荫修防段、济南历城修防段。

朱奇民察看黄河防汛工程

6 月 1～2 日 山东省政府顾问、省抗旱防汛指挥部代指挥朱奇民,由山东河务局局长齐兆庆和东平湖防汛指挥部指挥、泰安市市长崔建文陪同,察看了东平湖进、出湖闸,二级湖堤和新老湖围坝等主要防洪工程。

龚时旸检查黄河防汛工作

6月6～10日　黄河防总副总指挥、黄委会主任龚时旸到山东检查黄河防汛工作。

《黄河职工职业道德规范(试行)》印发

6月8日　中共山东河务局党组印发《黄河职工职业道德规范(试行)》。针对领导干部及人事、科技、财会、医务、后勤服务等八个方面的工作人员制定了职业道德规范。

《山东省志·黄河志资料长编》审稿会召开

6月17～24日　《山东省志·黄河志资料长编》审稿会在济南召开。参加评审的有山东省地方史志编委会、黄委会黄河志编委会、黄委会工务处、河南河务局、山东省水利厅水利志编委会以及山东河务局所属各修防处(局)、水文总站、设计院等负责编志工作的领导、主编和部分离退休老干部等共60余人。《山东省志·黄河志资料长编(1855～1985年)》三卷约95万字,由34人分工撰写,历时3年完成。

山东河务局济南机械修配厂撤销建制

7月2日　山东河务局[1987]黄政字第104号文决定,撤销山东河务局济南机械修配厂建制,厂房、设备、物资等全部固定资产移交给将山石料厂经营管理。

《山东省黄河工程管理办法》印发

7月7日　山东省政府以鲁政发[1987]71号文颁布《山东省黄河工程管理办法》。本办法共七章、三十七条,自公布之日施行,山东河务局1980年颁发的《山东黄河工程管理办法》同时废止。

牛庄修防段更名

7月7日　山东河务局[1987]黄政字第108号文通知,根据国务院函[1987]101号文,东营市牛庄和东营两个区合并为东营区,山东河务局牛庄修防段更名为东营修防段。

调整山东省抗旱防汛指挥部领导成员

7 月 9 日 山东省抗旱防汛指挥部领导成员调整,调整以后的指挥:姜春云(省委副书记代省长);副指挥:马忠臣(副省长)、谭庆琏(副省长)、刘玉德(省军区司令员)、高春翔(济南军区作战部副部长)、宋国文(省计委副主任)、王春涛(省经委副主任)、潘家隆(省建委副主任)、马麟(省水利厅厅长)、齐兆庆(山东河务局局长);黄河防汛办公室主任:陈效国(山东河务局副局长)。

陈德坤等检查山东黄河滩区清障工作

7 月 16～17 日 中央防总派水电部水管司司长陈德坤、黄委会副主任庄景林等检查平阴县生产堤破除及滩区片林清除工作进展情况。省政府办公厅、山东河务局、济南市负责人及新华社、水电报记者等陪同并参加了检查。

国务院批准拆除济南泺口黄河铁路老桥

7 月 21 日 国务院[1987]123 号文批准津浦铁路济南泺口黄河老桥拆除。批复要求,济南北关至黄河南岸的北环铁路复线工程,于 1989 年 2 月底前完工使用,并力争提前;济南泺口黄河老桥的拆除任务,务于 1989 年 6 月底前完成。

梁步庭率队检查山东黄河防汛工作

7 月 21～23 日 中共山东省委书记梁步庭、省长姜春云、济南军区副司令员张志坚、省军区司令员刘玉德、省人大主任李振、副省长马忠臣及民政厅、水利厅、水产局、气象局负责人,在山东河务局局长齐兆庆等陪同下先后到东明、菏泽、鄄城、东平湖和济南察看黄河防洪工程,分别听取了各地(市)负责人防汛准备工作的汇报,对黄河防汛工作作了重要指示。23 日,马忠臣、刘玉德及其随行人员继续到历城、章丘、邹平、高青、北镇、东营察看黄河防洪工程及胜利油田。

东银铁路局 101 次列车脱轨倾覆

7 月 27 日 东银铁路 101 次载重列车在刘庄车站脱轨倾覆,事故直接经济损失 10230 元,属重大事故。经查证核实:扳道工严重失职,对事故负主要责任,按《黄委会劳动安全条例》,给予开除留用察看一年的处分,每月发生活费 39 元,扣发当年奖金;给予值班员行政警告处分,扣发本年下半年奖金;扣发车站站长本年第三季度奖金；处罚东银铁路局 1000 元。

山东省政府颁发《山东省水利工程水费计收和管理办法》

7 月 28 日　山东河务局转发山东省人民政府鲁政发[1987]61 号文《山东省水利工程水费计收和管理办法》，要求各修防处（局）、段、闸管所遵照执行。在新的水费标准正式颁发以前，引黄渠首工程收费仍按照水电部[1982]水电水管字第 53 号文颁发的《黄河下游引黄渠首工程水费收交和管理暂行办法》规定的标准执行。

《黄河下游穿堤管线审批及管理暂行规定》颁布

8 月 6 日　黄委会黄工字[1987]第 58 号文颁发《黄河下游穿堤管线审批及管理暂行规定》。要求穿堤管线工程（含水、汽、油管及电缆等）的设计由山东河务局审批，报黄委会备案。

生产堤口门破除和阻水片林清除工作全面完成

8 月 6 日　山东河务局全面完成滩区生产堤口门破除和阻水片林清除任务。山东黄河滩区生产堤共破口门 338 个，总长 70.4 公里，完成土方近 100 万立方米；清除阻水片林 6720 亩，清除各种树木 152 万株。

朱奇民察看黄河工程

8 月 8～14 日　山东省政府顾问、省抗旱防汛指挥部代指挥朱奇民，在局长齐兆庆陪同下，先后到济宁、菏泽、聊城、德州四地（市）察看黄河工程，重点察看了黄河东明游荡性河段堤防工程、北金堤滞洪区工程及齐河北展宽区泄洪闸工程，分别听取了各地（市）负责人关于防汛工作准备情况的汇报，并对黄河防汛工作作了重要指示。

库区移民遗留问题计划管理暂行办法印发

8 月 18 日　为处理好库区移民遗留问题，管好用好经费，黄委会印发了《关于解决河南、山东两省及三门峡库区移民遗留问题计划管理暂行办法》。

胜利黄河大桥建成通车

8 月 24 日　东营市境内胜利黄河大桥建成通车。该桥连接垦利、利津两县，相应黄河左岸大堤桩号 346 + 800、右岸桩号 239 + 050。大桥采用世界先进的钢箱斜拉式桥型，全长 2817.46 米，主跨 288 米。全桥由主桥、南北引桥组成。主桥长 682 米，桥面宽 19.5 米，四车道，两侧有 1.5 米的人行道。大桥于 1985 年 12 月 28 日开工建设。

济南市降特大暴雨

8 月 26 日　济南市降特大暴雨。下午至 27 日凌晨，平均降雨量 291 毫米，暴雨中心最大降雨量 341 毫米，是 1962 年以来最大的一次暴雨。这次特大暴雨，使济南、德州修防处的防洪工程遭受不同程度的破坏，河务局驻泺口所属单位财产受到严重损失。

国务院批准黄河可供水量分配方案

9 月 11 日　国务院办公厅以国办发[1987]61 号文转发了国家计委和水电部《关于黄河可供水量分配方案的报告》。方案指出，黄河流域多年平均径流量 580 亿立方米，可引用水量 360 亿立方米左右，1986 年沿黄各地提出的需水量为 600 亿立方米，大大超过黄河的可供水量。为此，必须根据统筹兼顾、全面安排的原则，解决好上、下游的用水矛盾。在南水北调工程生效前，沿黄河九省(区)和河北、天津分配黄河可供水量为 370 亿立方米，其中分配山东省 70 亿立方米、河北省和天津市 20 亿立方米。上述水量分配方案是按黄河正常年份水量制定的，今后还需要根据不同的水情作出合理的调度安排。

杨庄引黄闸竣工验收

9 月 11 日　济南市杨庄引黄闸竣工验收。该闸位于临黄堤右岸桩号 16+045处，在拆除原虹吸工程后新建引黄闸。闸型为两孔一联钢筋混凝土箱式涵洞，每孔净高、宽各为 2 米，设计引水流量 10 立方米每秒。工程自 1986 年 2 月 20 日开工，1986 年 12 月 31 日基本竣工，1987 年 4 月应济南市要求提前放水，工程投资 280 万元。

法国水利专家考察黄河口

9 月 13 日　法国水利专家夏尔车·斯康维克，由水电部、黄委会、山东河务局负责人陪同考察了黄河河口。

胡楼引黄闸竣工验收

9 月 15 日　邹平县胡楼引黄闸竣工验收。该闸位于临黄堤右岸桩号

102+500处，闸型为两联四孔钢筋混凝土箱式涵洞，每孔净高、宽各3米，设计引水流量35立方米每秒，加大引水流量50立方米每秒，设计灌溉面积38万亩，并供该县工业用水。该闸于1986年2月14日开工，12月31日竣工，工程投资306万元。原张桥老闸于1987年5月20日至9月1日堵复。

兰家引黄闸竣工验收

9月17日 滨县兰家引黄闸竣工验收。该闸位于临黄堤左岸桩号256+387处，设计引水流量25立方米每秒，闸型为一联三孔钢筋混凝土箱式涵洞，每孔净宽2.6米，净高2.8米，灌溉面积35万亩，并为滨南油田和滨州市工业提供用水。工程自1月7日开工，实际投资309万元。

大崔引黄闸改建工程竣工验收

9月18日 惠民县大崔引黄闸改建工程竣工验收。该闸位于临黄堤左岸桩号224+764处，原闸建于1971年，因不能满足防洪要求，1987年2月13日开工改建。闸型仍为一联一孔钢筋混凝土箱式涵洞，孔净宽、高各为2米，设计引水流量6立方米每秒。工程于7月27日竣工，投资107.8万元。

后张庄大堤临河出现滑坡

9月21日 济南市历城区河务局后张庄黄河大堤(右岸桩号38+685～38+753.5，长68.5米)临河侧发生大面积滑坡。自堤肩下1～2米至大堤坡脚上2米左右，滑动土体垂直厚1米左右。原因是该处大堤土质多为黏性土或牛头淤修筑，施工质量差，干容重仅1.37吨每立方米，加之边坡为1:2.5偏陡，经雨水浸泡，土壤饱和，抗剪强度降低，发生圆弧形滑动脱坡。

韩刘引黄闸竣工验收

9月23日 齐河县新建韩刘引黄闸竣工验收。该闸位于临黄堤左岸桩号77+639处，闸型为一联两孔钢筋混凝土箱式涵洞，每孔净高、宽均为3米，设计引水流量15立方米每秒。工程自1986年2月27日开工，1986年12月10日竣工，实际投资293万元。原闸经黄委会批准堵复。

陶城铺引黄闸竣工验收

9月24日 阳谷县陶城铺引黄闸竣工验收。该闸位于临黄堤左岸桩号4+051处，闸型为两联四孔钢筋混凝土箱式涵洞，每孔净高、宽均为3米，设计引水流量 50 立方米每秒，加大引水流量 70 立方米每秒，系在拆除 1971 年所建三条虹吸管的位置上改建而成。工程于 2 月 11 日开工，9 月竣工，投资 340 万元。

旧城引黄闸改建工程竣工验收

9 月 25 日 鄄城县旧城引黄闸改建工程竣工验收。该闸位于临黄堤右岸桩号 265+240 处，设计引水流量 50 立方米每秒，灌溉面积 60 万亩。改建后的引黄闸为两联钢筋混凝土箱式涵洞，右联三孔，左联两孔，每孔净高、宽均为 2.8 米，系在原闸临河侧接长。该工程于 1986 年 10 月 23 日开工，1987 年 8 月 31 日竣工，工程投资 186.6 万元。

黄河利津水文站断流

10 月 1 日 利津水文站出现断流，至 10 月 17 日恢复过流，共断流 17 天，断流长度 216 公里。

黄委会改革现场经验交流会在济南召开

10 月 19～23 日 黄委会在济南召开改革现场经验交流会。委属各局、院、所、站及黄委会机关各处、室负责人参加。会前，黄委会副主任钮茂生带队赴各局、院、所调查改革方面的情况。

山东黄河安全度过汛期

10 月 山东黄河安全度过汛期。花园口水文站 8 月 29 日出现洪峰流量 4600 立方米每秒，相应水位 92.96 米，汛期来水量 91.72 亿立方米，沙量 1.80 亿吨，分别较多年平均偏少 65.6% 和 81%；高村水文站最大洪峰流量 3200 立方米每秒(8 月 30 日)，相应水位 62.13 米，汛期来水量 73.74 亿立方米，输沙量 1.11 亿吨。

汶河戴村坝水文站汛期最大洪峰流量为 405 立方米每秒，东平湖最高蓄水位为 40.85 米，最大蓄水量 2.15 亿立方米。

汛期有 12 处险工、14 处控导工程出现一般险情 88 坝次，抢护用石 8167 立方米，土方 4401 立方米，秸柳料 8 万公斤，汛期河势变化不大。

齐兆庆等赴日本考察河川治理

11 月 2～16 日 以山东河务局局长齐兆庆为组长的考察组一行 5 人，赴日本考察河川治理、防洪工程管理情况。主要考察了利根川、石狩川两条河的防洪工程除险加固、洪水预报、河道整治、河口治理和工程管理的先进技术。

黄河山东区工会第六次代表大会召开

11月16～20日 黄河山东区工会第六次代表大会召开。大会选举产生以傅玉江为主席的工会委员会和经费审查委员会。会议总结了自1980年恢复工会以来,在党的十一届三中全会路线指引下工会工作取得的成绩,并号召广大职工发扬主人翁精神,为治理黄河建功立业。

水电部表彰引黄灌区首届评比竞赛优胜者

11月18日 水电部对黄河下游引黄灌区首届评比竞赛活动中的优胜者进行表彰,梁山县陈垓灌区和聊城地区位山灌区分别荣获第一名和第三名。

齐兆庆获黄委会主任奖励基金

12月25日 为嘉奖在治黄改革工作中成绩突出或有特殊贡献的领导班子,黄委会主任办公会决定,从1987年起设主任奖励基金。12月25日,黄委会颁发第一号嘉奖令,齐兆庆等16人获得奖励证书和主任奖励基金。

胡家岸引黄闸竣工验收

12月25日 章丘县胡家岸引黄闸竣工验收。该闸位于临黄堤右岸桩号65+162处,系在拆除原有虹吸及扬水站后新建,为一联三孔钢筋混凝土箱式涵洞,每孔净宽2.6米,净高2.8米,设计引水流量20立方米每秒。可供章丘县34.6万亩农田灌溉及扩大济南副食品生产基地用水。该闸于1985年3月1日开工,1986年10月竣工,共投资243万元。

沈洪道教授考察黄河尾闾河段冰情

12月25日 美国克拉克森大学土木与环境工程系教授沈洪道在东营修防处负责人陪同下,开始对黄河麻湾至一号坝河段冰情进行考察。考察结束后,于1988年1月2日至3日,在山东河务局做了河上结冰过程数学模型学术报告,并到济南黄河水文总站进行了座谈。

山东黄河完成放淤固堤323公里

12月 截至1987年底,山东省临黄大堤放淤固堤工程,按照险工段淤宽

50 米、平工段淤宽 30～50 米、淤背高度高于设计浸润线出逸点 1 米的标准，已经完成 323.1 公里，占临黄堤总长度的 40.2%。淤背区种植经济林用材 2.2 万亩，农作物 976 亩。

《经济体制改革的实施意见》印发

12 月 山东河务局黄办字[1987]第 7 号文印发《经济体制改革的实施意见》，主要内容：一是建立岗位责任制，领导干部实行任期制，工作人员试行聘用制。(厅)局级任期四年，处、科级任期三年，一般职工聘期两年。二是基本建设项目实行以“四包”(投资、质量、工期、安全生产)、“三保”(资金、材料设备、施工图纸)为主要内容的承包责任制。各修防处(局)、直属单位以批准的年度计划或设计预算为依据，实行工程项目和投资总承包，其所属单位按工程项目实行投资包干，签订承包任务书。三是建筑安装生产单位，实行事业单位内部核算、计算盈亏的管理办法。凡修防处(局)所属单位均由其直属管理。各建筑安装生产单位及设计院，在完成上级下达的指令性任务的同时，发展多种经营，努力增加收入。四是各引黄涵闸虹吸管理人员经费、运转费，计划报修防处审批(报局备案)，直接从水费收入中拨出，包干使用，事业费不再安排。五是山东河务局对各修防处(局)及局直单位，按基本建设工程项目下达和调整计划。各修防处(局)对所属单位审批调整计划。防汛岁修全年经费一次切块下达给修防处(局)，除购石由山东河务局核定外，其余项目均由各修防处(局)审批报局备案。六是各修防处(局)所属工程管理单位，以修防处(局)为单位计算，分别按不同项目的收入和规定比例上交山东河务局。同时对建立各项专用基金及其使用办法做出了具体规定。

1988 年

黄河防总检查生产堤口门破除情况

1 月 9 日 黄河防总与山东省防指、菏泽地区行署防汛指挥部组成联合检查组，对东明县擅自堵复 1987 年汛期已破除的生产堤口门进行检查，要求采取有力措施，对堵复的口门按原标准重新破除。

山东治黄工作会议召开

1 月 22～24 日 山东治黄工作会议召开。局长齐兆庆对 1988 年治黄工作进行了部署，主要包括：进一步深化改革、做好防洪防凌、完成各项基建和岁修任务、加强工程管理、做好引黄灌溉和放淤改土、加强科技工作、大力开展多种经营和加强精神文明建设等。副局长葛应轩做了治黄工作总结。

黄自强等职务任免

1月23日　黄委会黄任字[1988]第7号文任命：黄自强、李善润为山东河务局副局长；龙于江为山东河务局总工程师。免去张学信、龙于江山东河务局副局长职务；免去包锡成山东河务局总工程师职务。

钱正英到山东检查工作

2月8～14日　水电部部长钱正英到山东检查工作。先后察看了邹县电厂、石横电厂、南水北调工程的梁济运河、东平湖司垓闸建设工地、位山穿黄隧洞等。9日在山东省政府顾问朱奇民以及黄委会、山东省水利厅、山东河务局负责人陪同下，察看了东线南水北调的穿黄勘探试验洞。钱正英一行察看后认为，试验洞工程开挖尝试是成功的。11日在济南南郊宾馆由山东省省长姜春云主持召开座谈会，省计委、省水利厅、省电力局、黄委会、山东河务局等单位分别汇报了工作。

张明德等职务任免

2月9日　山东河务局黄政发[1988]第16号文任命张明德为山东河务局德州修防处主任；免去黄自强德州修防处主任职务。

山东黄河安全度过凌汛

2月26日　山东黄河安全度过凌汛。自1月23日从西河口封河，由于气温偏高，封河最上首至惠民县白龙湾，封冻总长101.6公里，冰量455万立方米，河谷最大蓄水量0.993亿立方米，至2月26日全部解冻开河。

山东河务局职工医院更名

3月23日　山东河务局黄政发[1988]31号文批复，同意将山东河务局职工医院更名为山东黄河医院，仍为处级单位。

青年黄河防护林工程初显效益

3月　山东青年黄河防护林已植树470万株，堤外5公里内绿化完成规划任务的75%。该工程从1984年开始,已初显环境、生态、社会和经济效益。

山东黄河滩区继续破除生产堤口门

4月20日 上年堵复的滩区生产堤口门全部破除。山东沿黄各地认真贯彻落实国家防总和省抗旱防汛指挥部《关于巩固清障成果,继续废除黄河滩区生产堤的通知》精神,对上年堵复的滩区生产堤口门全部进行了破除,完成破除口门66个,长度2万米。

山东河务局制定科技咨询章程

4月26日 根据全省科技"双放"工作会议精神,全面贯彻"科技兴鲁"方针,山东河务局制定了《山东黄河科学技术咨询服务中心章程》及《山东黄河科学技术咨询服务中心财务管理暂行办法》。

李兆忠获"全国先进班组长"称号

4月30日 在北京人民大会堂举行的全国劳动模范、"五一"劳动奖章、"五一"劳动奖状授奖大会上,东阿黄河修防段旧城险工班班长李兆忠被授予"全国先进班组长"称号,并获全国"五一"劳动奖章。

陈垓引黄灌区被列入亚洲开发银行援助实施灌区

4月 梁山县陈垓引黄灌区被列入水利部"亚洲开发银行技术援助项目"的实施灌区。这是中国水利部门同亚洲开发银行合作的技术援助项目,援助改进灌区管理技术。

黄河河口进行疏浚工程试验

5月初 黄河河口开始进行疏浚工程试验。该工程由胜利油田投资,东营修防处组织实施。主要采取截支堵汊、筑堤导流、清障拖淤、疏浚河门等措施,目的是归顺口门,稳定流路。该试验工程持续进行7年之久,胜利油田每年投资1000万元。

河道整治工程设计工作规定颁发

5月7日 为加强管理,使设计工作科学化、规范化,以求经济合理,充分发挥工程效益,山东河务局以黄工发[1988]41号文转发了黄委会《黄河下游河道整治工程设计工作的几项规定》及有关暂行办法,对工程审批权限及标准、工程设计内容、工程设计变更及工程验收等进行了明确。

黄河水情拍报工作规定等印发

5月19日　山东河务局根据黄委会黄水文字[1988]第3号文中的有关规定,结合实际,制定了《1988年山东黄河水情、冰情拍报工作的规定》和《1988年山东黄河水情站拍报任务》以及4个附件,以黄管发[1988]24号文颁发。

杨振怀视察司垓退水闸工程

5月24日　水利部部长杨振怀、副部长钮茂生由济南乘直升飞机到东平湖司垓退水闸工地视察,河南省省长程维高、黄委会副主任杨庆安和山东河务局局长齐兆庆等陪同。司垓退水闸建设指挥部副指挥霍正气、石德容、石心诚,总工程师傅少思等在工地迎接并汇报了施工情况。杨振怀对工程进展表示满意,并指出:要服从防洪大局,加快施工进度,保证度汛安全。

国那里入黄船闸围堵工程竣工

5月30日　国那里入黄船闸围堵工程竣工。该船闸位于山东省梁山县郓陈乡国那里村附近,1968年兴建。由于闸身出现不均匀沉陷和断裂现象,1987年被水电部列为沿黄十大险点之一。为消除黄河防洪隐患,确保防洪安全,1987年6月22日,经山东省政府研究确定,由省交通厅负担430万元交由山东河务局对国那里入黄船闸迅速采取永久性闸后围堵。工程于1987年9月开工,1988年5月30日竣工。1988年7月1日起防守任务由山东河务局负责。

山东河务局专业技术职务聘任工作结束

5月31日　山东河务局专业技术职务聘任工作结束。本次职称改革从4月中旬开始,全局涉及8个专业系列,有1886人提出技术职务申请。经评审,1654人获技术职务任职资格,1539人受聘。

山东河务局建立机动抢险队

6月4日　根据防汛工作需要,经黄委会批准,决定在菏泽、济南修防处建立山东河务局机动抢险队,分别设在鄄城修防段和天桥修防段。每队编制33～40人,属常设性建制。机动抢险队的任务是:研究提高抢险技术,培训抢险技术人员，汛期发挥快速机动抢险的骨干作用，承担紧急抢险任务。

《中华人民共和国河道管理条例》颁布

6 月 10 日 国务院令第 3 号发布《中华人民共和国河道管理条例》，本条例适用于中华人民共和国领域内的河道(包括湖泊、人工水道、行洪区、蓄洪区、滞洪区)。国家对河道实行按水系统一管理和分级管理相结合的原则。黄河等大江大河河道，由国家授权的江河流域管理机构实施管理，条例对河道整治与建设、河道保护、河道清障、经费、罚则等作了规定。本条例自发布之日起施行。

黄河三角洲经济开发与河口考察研讨会召开

6 月 16 日 由中国国土经济学研究会、中国水利经济研究会、黄委会水利经济研究会共同发起，由各方面专家、教授、学者共 60 余人组成考察团，对黄河三角洲经济开发与河口治理进行为期 10 天的实地考察和会议研讨。国家计委、水利部、石油部，山东省政府、省人大，山东河务局，东营市委、市政府负责人及技术人员参加了考察和研讨。于光远、李人俊、张季农等联名向国务院总理李鹏呈送的《黄河三角洲经济开发与河口考察报告》中指出："大家一致认为，为了保障和稳定胜利油田建设，相对稳定黄河入海流路是极其必要的。充分利用清水沟流路，可以把它稳定 30 年，争取达到 50 年。"并建议成立黄河河口规划科学研究所，落实利津以下河口治理投资。山东河务局张学信、李祚谟在会上做了发言。

清除临黄堤临河坡树木

6 月 18 日 山东河务局遵照黄委会工程管理会议关于改革堤身植树布局的决定，已清除临黄堤临河坡树木 32 万余株。

田德本任菏泽修防处主任

6 月 22 日 山东河务局黄政发[1988]第 66 号文任命田德本为山东河务局菏泽修防处主任；免去孟青云菏泽修防处主任职务。

黄河三角洲经济技术和社会发展战略研讨会召开

6 月 28 日 黄河三角洲经济技术和社会发展战略研讨会在东营市召开，全国各地著名专家、教授、学者及新闻工作者 200 余人出席会议。通过考察、研讨、论证，由费孝通、钱伟长写出报告向中共中央、国务院建议，黄河河口治理应列入国家计划实施，尾闾河段应由黄委会统一管理。

宋焕军察看黄河防洪工程

6月28～29日　济南军区作战部副部长宋焕军、山东省军区副司令员郑广臣等，在山东河务局、菏泽修防处及部分县主要负责人陪同下，察看了菏泽地区部分堤防和重点防洪工程，听取了菏泽地区黄河河道、防洪工程、防汛准备及黄河防守方案等情况汇报。

张志坚察看黄河防洪工程

6月下旬　济南军区副司令员张志坚等察看了黄河潼关至河口段，黄河防总办公室主任杨庆安介绍了黄河防洪工作概况和各级洪水处理的措施，河南、山东河务局的负责人汇报了黄河防洪的形势与防守重点。

黄河利津水文站断流

6月27日　黄河利津水文站断流。至6月30日恢复过流，本次共断流4天，断流长度150公里。

山东河务局被评为先进单位

6月30日　在上半年的目标考评中，山东河务局被评为先进单位，并受到通报表彰。1988年黄委会与所属有关单位签订了承包任务书和目标责任书。

傅玉江任黄河山东区工会主席

6月30日　中国水利电力工会黄河委员会(以下简称黄河工会)黄会字[1988]第33号文批复，经请示黄委会党组，同意山东区工会第六届代表大会选举的以傅玉江为主席的工会委员会和经费审查委员会。根据原水电部党组[1985]48号文规定，工会主席为山东河务局同级副职。

马忠臣察看黄河防洪工程

6月30日　黄河防总副总指挥、山东省副省长马忠臣在山东河务局齐兆庆局长陪同下察看了济南泺口和济阳、惠民县的黄河防洪工程。

张学信、包锡成离职休养

7 月 20 日 山东河务局黄政发[1988]76 号文通知,经黄委会黄干字[1988]第 54 号文批复,同意张学信、包锡成离职休养。

山东河务局建筑安装队更名

7 月 25 日 山东河务局黄政发[1988]83 号文批复,同意将山东河务局建筑安装队更名为山东黄河建筑安装工程公司,仍为科级单位。

山东河务局开展“三技”竞赛活动

7 月 按照山东省总工会关于在全省职工中开展技术学习、技术练兵、技术比武竞赛活动的要求,山东河务局围绕提高防汛专业理论知识和技术操作水平,在职工中开展了岗位理论学习和防汛抢险演习活动。共有 61 个基层单位、38 个工种 8029 名职工参加。通过竞赛活动,掌握黄河捆枕、搂厢、埽工技术的职工由 20%提高到 60%,推广先进技术操作法 21 项,解决技术难点 34 个,评出局级先进集体 3 个、防汛技术操作能手 177 名。

贺洼分洪专用水位站设立

8 月 1 日 为提高东平湖水库分洪运用的准确性,报请黄委会批准,在贺洼设立分洪专用水位站。当孙口水文站流量达到 5000 立方米每秒时进行观测,可不报汛,分别向山东河务局水文科、位山工程局工管科报旬报表。分洪时随时测报,报山东河务局和东平湖防汛指挥部,必要时加密测报次数。

捕捉害堤动物暂行规定颁发

8 月 8 日 黄委会以黄工字[1988]第 58 号文颁发《黄河下游堤防工程獾狐洞穴普查处理和捕捉害堤动物的暂行规定》。要求各单位把害堤动物洞穴普查和捕捉害堤动物作为堤防工程管理和防汛的一项重要内容,从今冬开始进行全面普查,各修防处(局)每年都要在年底前提交獾狐洞穴普查、处理和捕捉害堤动物等情况的报告。

桃园控导工程出险

8 月 15 日 桃园控导工程出险。当日黄河泺口流量增加至 5500 立方米每秒时,长清县桃园控导工程 1、2、12～14 号坝发现严重的坦石坍塌险情。长清县组织当地民兵进行抢护，由于水大溜急，险情不断扩大。8月18日经省抗旱防汛指挥部批准，紧急调动天桥省属第二机动抢险队赶赴现场，迅速查勘险情，制订抢护方案，采取抛柳石枕、铅丝笼等抢护措施。经抢险队、解放军和当地民兵的全力抢护，于19日晨险情稳定。本次抢险共用石料2315立方米，铅丝10.67吨，编织袋200条，麻袋1000条，草袋1000条，柳枝50吨。

老君堂控导工程出险

8月17日　老君堂控导工程出险。8月16日20时，花园口水文站出现第七次洪峰，流量6800立方米每秒。8月17日20时30分，老君堂工程21～27号坝相继出险，出现根石走失、坦石坍塌和下蛰等险情，其中26号坝险情最为严重。18日0时，该坝迎水面下蛰40多米，坦石下蛰10多米，坝顶出现7米长阶梯式裂缝。经采取抛笼固根、推枕护坦、修做搂厢等抢险措施，于18日下午脱险。抢险共用石料3998立方米，柳料13.26万公斤，铅丝935公斤，麻绳235公斤。

德州修防处引入竞争机制选拔干部

8月31日　为深化人事制度改革，将竞争机制引入干部管理，德州修防处公开竞选办公室副主任职位。在7名竞争者中，机关年轻干部王金虎一举夺冠，成为山东河务局第一位竞选产生的科级干部。

《山东黄河滩区水利建设协议》签订

8月　为落实国务院1974年27号文批准的"滩区实行一水一麦、一季留足群众全年口粮"的政策，尽快改变黄河滩区贫困面貌，黄委会与水利部签订了黄河下游滩区水利建设协议书。黄委会决定在1988～1990年间利用国家土地开发基金1463万元，扶持安排山东黄河滩区水利建设，同时要求按1∶1比例落实地方配套资金。黄委会与山东河务局签订《山东黄河滩区水利建设协议》，明确滩区水利建设主要为灌溉、排水、引洪淤滩及生产道路桥涵等工程建设。协议建设目标为：增加灌溉面积21.56万亩，增加排水面积6.39万亩，新增排水能力45.40立方米每秒，增加引洪淤滩改土面积3.47万亩，工程竣工后增产粮食1540万公斤。

延长清水沟流路使用年限规划报告完成

9月13日　山东河务局完成了《关于延长现行清水沟流路使用年限的规

划报告》。黄委会勘测规划设计院 1987 年 10 月委托山东河务局按照 1987 年 2 月 26 日国家计委下达的《关于黄河入海流路规划任务的批复》内容要求，提出今后 50 年左右黄河入海流路布局的轮廓安排意见。为此，山东河务局专门组织成立了黄河口规划小组，就上述任务进行了调查研究。经 10 个多月的工作，提出了上述报告及其四个附件：(1)黄河入海流路规划验证计算及方案计算成果报告；(2)黄河口规划流路义和庄至清 7 河道整治规划；(3)十八户流路规划报告；(4)近海河口潮流段导堤工程可行性研究。

马兴印被授予全国优秀工会工作者称号

9 月 27 日 东平进湖闸管理所工会主席马兴印被全国总工会授予全国优秀工会工作者称号。

东平湖开发建设现场办公会在东平召开

10 月 4～5 日 中共山东省委、省政府在东平县召开了东平湖开发建设现场办公会议。省委副书记、省长李昌安，省委常委杨衍银、高昌礼，副省长马忠臣出席了会议。参加会议的有省直 24 个部门，省军区，泰安市委、市政府，东平、梁山县委、县政府负责人。李昌安对东平湖移民遗留问题处理、东平湖开发建设的指导思想发表指导性意见，会议研究制定了相应的政策措施。

为落实东平湖现场办公会精神，山东河务局局长齐兆庆对东平湖移民遗留问题处理工作作了具体安排，东平湖移民项目由山东河务局负责项目审批，位山工程局负责项目管理。并决定成立移民办公室具体办理移民工作。12 月，位山工程局移民办公室成立。

龙于江等专业技术职务聘任

10 月 17 日 黄委会黄任[1988]44 号文通知，聘任龙于江、李祚谟为山东河务局高级工程师(教授级)；确认包锡成、陈铁汉、牟玉玮、彭应仁享受教授、研究员级待遇。

胜利引黄闸竣工验收

10 月 26 日 垦利县胜利引黄闸竣工验收。该闸位于临黄堤右岸桩号 210+385 处。闸型为一联三孔钢筋混凝土箱式涵洞，每孔净宽 2.8 米，净高 3 米，设计引水流量 40 立方米每秒，加大引水流量 60 立方米每秒。该闸 2 月 25 日开工，10 月 15 日竣工，投资 528 万元。原 1966 年所建胜利引黄闸堵复。

神仙沟引黄闸竣工验收

10月27日 东营市河口区神仙沟引黄闸竣工验收。该闸位于黄河左岸河口北大堤桩号18+170处,系胜利油田为开发孤岛油田用水而投资兴建。闸型为一联三孔箱式涵洞,每孔净宽2.6米,净高2.8米,设计引水流量25立方米每秒,加大引水流量35立方米每秒。工程自1987年9月13日开工,至1988年10月10日竣工,投资233万元。

王庄引黄闸竣工验收

10月28日 利津县王庄引黄闸竣工验收。东营市政府及胜利油田会战指挥部为更好地解决黄河北岸工、农、牧业和生活用水,由胜利油田投资,在1969年建成的王庄闸上游,临黄堤左岸桩号328+192处新建桩基开敞式引黄闸一座。该闸共四孔,每孔净宽6米,高3米,设计引水流量80立方米每秒,加大引水流量为100立方米每秒。工程自1987年4月6日开工,1988年7月27日开闸放水,共投资878.51万元,旧闸于1988年7月12日堵复。

宫家引黄闸竣工验收

10月29日 利津县宫家引黄闸竣工验收。该闸位于临黄堤左岸桩号300+137处,闸型为钢筋混凝土箱式涵洞,一联三孔,每孔净宽2.6米,净高2.8米,设计引水流量30立方米每秒,灌溉面积25万亩。工程于2月22日开工,9月底竣工,投资326万元。原宫家引黄闸于本年8月废除堵复。

山东黄河安全度过汛期

10月 山东黄河安全度过汛期。汛期花园口水文站8月9日至20日接连出现6300~7000立方米每秒洪峰4次,最大洪峰流量7000立方米每秒(8月21日),相应水位93.23米;汛期水量222.91亿立方米,较多年平均偏少16.1%;输沙量12.06亿吨,较多年平均偏多22.6%。山东省河道5000立方米每秒以上流量持续半月之久。高村水文站8月18日20时最大流量为6550立方米每秒,相应水位62.82米;汛期水量203.5亿立方米,输沙量9.50亿吨。整个汛期险工、控导工程共发生各类险情873坝次,抢险用石6.15万立方米,柳料63.1万公斤,铅丝85.6吨。

洪水期间,山东省各级党、政、军负责人亲临前线指挥抗洪抢险,山东河务局9000多名职工全力以赴参加抗洪抢险,此外还动员了6000多名沿黄干部群众和部分中国人民解放军上堤防守。

《山东黄河志》印刷发行

10 月　山东河务局报经山东省新闻出版局核准,《山东黄河志》作为内部资料正式印刷,并在内部发行。这是山东黄河的第一部社会主义新型江河志,记述了山东黄河 1855～1985 年治黄事业的发展历程和治理成就及其经验教训。全志分黄河简况、治黄基本工作、防洪工程、防汛防凌、水利、管理、机构人物等 7 篇 26 章。由山东河务局黄河志编纂委员会编纂完成。

陈效国出席中日河工坝工第四届会议

10 月 31 日～11 月 12 日　第四届中日河工坝工会议于 1988 年 10 月 31 日至 11 月 12 日在日本东京举行,山东河务局副局长、高级工程师陈效国出席了会议,并提交了《山东黄河防洪工程的建设和管理》论文。

山东黄河志编纂工作受表彰

11 月 5～9 日　黄委会黄河志编委会第三次扩大会议在西安召开。会议主要任务是贯彻全国地方志工作会议精神,总结交流黄河志编纂经验,表彰奖励修志先进单位和先进个人,安排部署今后编志工作。会议由黄委会副主任、黄河志编委会常务副主任杨庆安主持。参加会议的有沿黄八省(区)和全国流域机构及部分科研单位的领导和修志工作者等共 80 余人。会上对编志先进单位、先进工作者、承编单位领导等进行了表彰,山东河务局黄河志编纂办公室及惠民、菏泽修防处被评为编志先进单位,窦守宽、王式元被评为编志先进工作者,原副局长张学信获领导干部荣誉奖。

土城子引黄闸改建工程竣工验收

11 月 10 日　章丘县土城子引黄闸改建工程竣工验收。该闸位于右岸临黄堤桩号 73 + 480 处,闸型为一联两孔箱式涵洞,每孔净高、宽各 2 米,设计引水流量 10 立方米每秒,灌溉面积 5 万亩。该工程自 2 月 6 日开工,10 月 31 日竣工,工程投资 200 万元。

山东河务局新印章启用

12 月 14 日　“水利部黄河水利委员会山东河务局”新印章开始启用。原“水利电力部黄河水利委员会山东河务局”旧印章同时停止使用。

山东河务局科技项目获黄委会科技进步奖

12月21日 山东河务局“吸泥船新型笼头(DG78—1型)”及“黄河下游漫滩洪水预报(先演后扣法)”科技项目获黄委会1988年科技进步三等奖。

土石方工程施工规程及管理办法印发

12月28日 山东河务局以黄工发[1988]105号文印发《山东黄河碾压式土方工程施工及验收规程》、《山东黄河石方工程施工管理办法》和《山东黄河石方工程施工质量检查办法》,自1989年1月1日起试行。

1989年

山东黄河安全度过凌汛

1月3日 山东黄河安全度过凌汛。河口地区西河口河段自1988年12月16日封冰,上首延至垦利县王家院险工,封冰长度约25公里。由于气温回升较早,封冰逐渐融化,至1月3日全部开河。

孟青云等职务任免

1月5日 山东河务局黄政发[1989]1号文任命孟青云为德州修防处主任;免去张明德德州修防处主任职务、孟青云黄河山东区工会德州修防处工作委员会主席职务。

山东河务局受黄委会嘉奖

1月5日 黄委会发布嘉奖令,对在1988年目标管理中取得显著成绩的山东河务局特予嘉奖,并颁发奖励证书和奖励基金。

马文瑞察看山东黄河

1月上旬 全国政协副主席马文瑞在济南市听取了山东河务局总工程师龙于江关于山东治黄情况的汇报,察看了泺口河段堤防和老徐庄引黄闸。

田德本等继续任职

1月12日 山东河务局黄政发[1989]8号文通知:经考察研究决定,田德本任菏泽修防处主任；王德威任聊城修防处主任；孟青云任德州修防处主任；刘恩荣任惠民修防处主任；杨洪献任东营修防处主任。

国家防总发出统一调度凌汛期黄河水量的通知

1月18日　国家防总国汛[1989]1号文发出关于黄河防总负责统一调度黄河凌汛期间全河水量的通知。通知指出：在凌汛期间，由黄河防总根据气象、冰情、水情，在首先保证凌汛安全的前提下兼顾发电调度刘家峡的下泄流量；要合理运用三门峡水库水位326米以下的防凌库容；河南、山东各引黄涵闸的运用，要服从防凌安全需要，以减轻下游凌汛造成的灾害。

司继颜、石德容继续任职

1月27日　山东河务局黄政发[1989]19号文通知：司继颜任济南修防处主任；石德容任位山工程局局长。

山东河务局公开招聘办公室副主任

2月2日　为进一步深化人事制度改革，将竞争机制引入干部管理，山东河务局党组决定按照“公开、平等、竞争、择优”的原则，公开招聘局办公室副主任。办公室秘书火来胜以总分第一被试聘。

山东河务局成立三区建设开发科

2月11日　山东河务局成立三区建设开发科，由工务处直接领导，主要负责东平湖库区、南北展宽区、黄河滩区的开发建设工作。

山东河务局制定《领导干部廉洁勤政守则》

2月24日　山东河务局党组制定并下发了《山东河务局领导干部廉洁勤政守则》，对各级领导干部廉洁勤政提出了具体要求。

《山东黄河淤区管理使用办法(试行)》印发

3月14日　为加强临黄大堤、背河淤背区的管理，搞好开发利用，确保工程安全，发挥工程效益，根据国家有关法规，山东河务局制定《山东黄河淤区管理使用办法(试行)》，印发各修防处(局)、段、闸管所，自1989年4月1日起试行。

治黄工程民工工资标准调整

3月24日　山东河务局以黄工发[1989]28号文发出关于《调整治黄工程民工工资标准的通知》。本次调整涉及的主要内容有:基本工资、土方工程用工工资、临干和临医工资、汛期基干班生活补助,以及间接费、建设单位管理费和民房拆迁补偿等。要求各修防处(局)、段(所)等有关单位自文到之日起遵照新标准执行。

王泰元逝世

3月28日　山东河务局原副局长、党组成员王泰元病逝,终年73岁。王泰元是山东淄博市博山区东石马村人,1938年2月参加革命,1939年9月加入中国共产党,历任徐州市税务局副局长、财政部税务总局监察室主任、山东省物资厅副厅长、水电部十三工程局党委副书记、山东河务局副局长等职,1982年离职休养。

黄河断流

4月4日　黄河利津水文站出现断流。至7月15日共出现断流4次,累计断流时间27天,最大断流长度277公里。

《山东黄河堤防压力灌浆施工及验收规程》印发

4月8日　山东河务局以黄工发[1989]35号文印发《山东黄河堤防压力灌浆施工及验收规程(试行)》。

《山东黄河治黄档案管理实施规则(试行)》印发

4月11日　山东河务局以黄办发[1989]7号文印发《山东黄河治黄档案管理实施规则(试行)》。内容有总则、档案机构及其职责、档案的接收、档案的管理、档案的利用、档案的鉴定、档案的移交、附则等,共八章。1981年3月印发的《山东黄河治黄档案管理试行规定》停止执行。

《黄河下游防洪基建工程施工定额(修订本)》颁发

4月12日　山东河务局以黄工发[1989]37号文转发黄委会关于《黄河下游防洪基建工程施工定额(修订本)》。要求各修防处(局)对其中除"土方机械和机淤工程"因无台班费定额暂缓执行外,其他定额自文到之日起执行。

调整山东省抗旱防汛指挥部领导成员

4 月 19 日　山东省政府召开常务会议，研究确定调整抗旱防汛指挥部主要领导成员。调整后，抗旱防汛指挥部指挥为赵志浩（省长）；副指挥为王乐泉（副省长）、张瑞凤（副省长）、闫琢（省军区司令员）、高春翔（济南军区作战部副部长）、张守福（省农委主任）、齐兆庆（山东河务局局长）、马麟（省水利厅厅长）、林书香（省计委主任）、王怀俊（省经委副主任）、潘家隆（省建委副主任）；黄河防汛办公室主任为陈效国（山东河务局副局长）。

张友勤等被授予全国水利系统劳动模范称号

4 月 21 日　水利部、水电工会决定：授予山东河务局张友勤、张象敖、于逢春全国水利系统劳动模范称号；授予山东河务局惠民修防段水利系统先进单位称号。

位山工程局对东平湖社经情况进行调查

4 月 22 日　山东河务局部署位山工程局对东平湖社经情况进行全面调查。本次调查主要是满足中国水利水电科学研究院协助研制东平湖分洪时洪水演进过程、湖区风险图和群众撤退方案的需要。9 月 20 日调查统计结果为：全湖区共有 27 万余人，其中新湖区 17.6 万人、老湖区 9.6 万人；居住在村台上的 6.9 万人，台下周围的 6 万余人，无村台的 3.9 万人，沿湖堤定居的 2.3 万人，山坡居住的 8 万余人。全湖运用时，须紧急搬迁 10 万余人。

山东省召开防汛工作会议

4 月 27～29 日　山东省防汛工作会议在济南召开。省长赵志浩、副省长王乐泉、顾问朱奇民，省军区司令员闫琢，各地（市）分管防汛工作的副市长（专员）、水利局局长、黄河修防处主任、省直有关部门负责人等共计 160 人参加了会议。

赵志浩指出，做好 1989 年防汛工作要克服麻痹侥幸思想，做到有备无患，明确防汛工作重点，把各项措施落到实处。黄河不仅是山东省的防洪重点，也是全国的防洪重点，一定要加强领导，落实好防汛责任制。省水利厅厅长马麟、山东河务局局长齐兆庆分别对内河防汛和黄河防汛工作做了安排。

《山东黄河防汛管理工作若干规定》印发

5 月 11 日 山东省抗旱防汛指挥部黄河防汛办公室制定《山东黄河防汛管理工作若干规定》。其主要内容有:(1)任务安排;(2)指挥机构;(3)防汛队伍;(4)防守与抢险;(5)水情及河势工情观测;(6)河道清障;(7)滞洪区的管理与运用;(8)物资筹备与管理;(9)交通通信;(10)治安与宣传;(11)规章制度;(12)奖励与处罚。计 12 项 63 条。

靖中奇任山东河务局副局长

5 月 15 日 黄委会黄任[1989]33 号文、中共黄委会党组黄党[1989]5 号文任命靖中奇为山东河务局副局长、党组成员。

葛应轩等职务任免

5 月 31 日 水利部水人劳[1989]19 号文任命葛应轩为山东河务局局长;免去齐兆庆山东河务局局长职务。

6 月 14 日,中共黄委会党组黄党[1989]7 号文任命葛应轩为山东河务局党组书记,免去齐兆庆山东河务局党组书记职务。

6 月 30 日,黄委会黄任[1989]38 号文任命齐兆庆为山东河务局巡视员(正局级)。

济南引黄保泉一期工程建成

6 月 18 日 济南引黄保泉第一期工程建成通水。1984 年至 1988 年 11 月济南市利用老徐庄引黄闸引水,修建了黄河水厂等配套工程。至此,引黄保泉第一期工程竣工,可以向市区日供水 20 万立方米,从而减少城区地下水资源的开采,缓解济南市的供水紧张局势。

闫琢检查黄河防汛工作

6 月 21～23 日 山东省抗旱防汛指挥部副指挥、省军区司令员闫琢由山东河务局副局长陈效国陪同,对泺口以上河段的防汛工作进行了检查。重点检查了北展宽区、东平湖滞洪区、北金堤滞洪区、东明河段滚河防护工程,以及鱼山、艾山开山影响防洪安全等情况。沿途听取了各地(市)、县(市)抗旱防汛指挥部负责人关于黄河防汛情况的汇报;对山东省黄河防汛工作表示满意,并要求防汛部队、治黄职工和沿黄广大群众要立足来大水、防大汛,进一步落实抢险度汛措施，大力加强人防，做好滩区和滞洪区群众迁安救护工作等。

山东河务局举行防洪模拟实战演习

7 月 15～20 日 为进一步提高黄河各级领导人员和防汛办事机构防御大洪水的决策、指挥应变能力，检验各级机动抢险队以及水文、交通、通信、后勤等方面的实战保障能力，山东河务局举行了以防御花园口洪峰流量 22300 立方米每秒洪水为目标的防洪模拟实战演习。参加演习的有黄河职工、地方党政干部共计 6300 多人。演习期间，山东省政府顾问朱奇民亲临现场观看，并指出：搞好演习很有必要，锻炼了防汛队伍；山东黄河防洪重点是东明滚河堤段、济南泺口铁桥以及河口地区；东平湖分洪就是为了确保济南市和胜利油田安全，这也是我们防汛最担心之处，演习结束后一定要很好地总结经验。

山东河务局监察处建立

8 月 8 日 山东河务局黄政发［1989］81 号文通知，根据黄委会《关于建立行政监察机构的通知》，并征得山东省监察厅同意，经研究决定建立山东河务局监察处。

《山东河务局工作规则（试行）》印发

8 月 9 日 山东河务局以黄办发［1989］14 号文发布《山东河务局工作规则（试行）》。主要内容是：(1)山东河务局职权；(2)局长、副局长、总工程师职责和工作制度；(3)会议制度；(4)文件审批制度；(5)学习制度；(6)办公制度；(7)廉洁勤政制度等。

黄委会在山东开展水利执法试点工作

8 月 12 日 黄委会发出《关于开展水利执法试点工作的通知》，确定在德州修防处等单位开展水利执法试点工作。同年 12 月 28 日在德州修防处齐河修防段举行黄委会首批水政监察员着装颁证仪式，黄河水利执法试点工作进入执法活动阶段。1990 年 5 月 7 至 9 日，黄委会在齐河修防段召开水利执法试点工作座谈会，交流了执法工作经验。

山东河务局局属各单位行政监察机构建立

8 月 18 日 山东河务局黄政发［1989］84 号文通知：为了便于开展山东黄河系统行政监察工作，根据水利部及黄委会关于建立行政监察机构的通知精神，局属各单位建立行政监察机构。各修防处、位山工程局、东银铁路管理局建立监察科，人员编制为2～3人；各修防段、所、站、队和局直属单位可设同级副职兼职监察员；各修防处、位山工程局、东银铁路管理局纪检组未撤销前，监察机构可与纪检组合署办公，一套班子，两块牌子。

山东河务局部署黄河林地、林权发证工作

8月22日　山东河务局以黄管发[1989]44号文印发了林业部《关于国有林权证颁发情况及限期完成发证工作意见的报告》及水利部、黄委会转发的文件，要求局属各单位务于1989年底以前完成各项工程管理范围内属于黄河部门的林地、林权发证工作，并将完成情况于1990年1月上报。

加强黄河防汛宣传报道工作管理

9月4日　山东省抗旱防汛指挥部黄河防汛办公室转发国家防总防汛宣传报道工作有关问题通知，就山东黄河防汛宣传报道工作，要求各市(地)黄河防汛办公室与新闻宣传部门积极配合，加强黄河防汛宣传报道；全省黄河水情、工情、灾情的报道，由省抗旱防汛指挥部黄河新闻发言人统一发布；省属各新闻单位报道该方面的情况，应和省黄河防汛办公室联系、核实；各地向新闻单位提供抗洪抢险情况稿件，须经当地黄河防汛办公室审查同意。

李鹏总理为引黄济青工程题词

9月6日　国务院总理李鹏为引黄济青工程题词："造福于人民的工程。"

黄河水资源情况分析与非汛期引水建议

9月8日　山东河务局报省政府的《黄河水资源情况分析》中指出：据高村水文站近10年(1979～1989年)资料统计，平均每年来水量为372亿立方米，这10年间，3～6月泺口水文站累计断流22天，利津站累计断流101天，平均每年引黄农灌用水70.5亿立方米，占年均来水量的19%。由于每年3～6月出现严重枯水，用水供求矛盾较为突出。但黄河汛期和冬季来水多，每年7～10月和汛后11月至次年2月，约有300亿立方米水量入海，未能合理利用。

为缓解用水矛盾，建议在每年汛后11月至次年2月黄河低含沙量时期，将约81亿立方米水量按50%～60%利用，可引用40亿立方米，还可供南四湖、青岛等地用水需求。

关于保护防洪设施的联合通告

9 月 10 日 黄河防总与山东、河南、山西、陕西四省公安厅发出《关于保护防洪设施,确保黄河防洪安全的联合通告》。通告自即日起执行。

科技项目获黄委会科技进步奖

9 月 29 日 山东河务局“应用塑料编织袋筑坝护根新技术试验研究”项目获黄委会科技进步三等奖。

李兆忠被授予全国劳动模范称号

9 月 东阿修防段“李兆忠班”班长李兆忠被国务院授予全国劳动模范称号。

黄委会调查沿黄省(区)农田水利建设情况

10 月 5 日 黄委会组织 7 个调查组,分赴山东等沿黄省(区),对黄河流域农田水利建设情况进行调查。

《山东省志·黄河志》评审会召开

10 月 28～31 日 《山东省志·黄河志》评审会在济南召开。出席评审会的有山东省地方史志编委会、省农委和省直单位、黄委会等编志部门,山东河务局所属修防处有关人员计 40 余人。与会人员肯定了志稿编纂的成绩,并提出了修改意见。

山东黄河安全度过汛期

10 月 山东黄河安全度过汛期。汛期花园口水文站出现大于 5000 立方米每秒洪峰两次,7 月 25 日最大洪峰流量 6100 立方米每秒,相应水位 93.19 米;汛期来水量 218.06 亿立方米,沙量 7.08 亿吨,分别较多年平均偏少 17.6%和 27.5%。高村水文站最大洪峰流量 5270 立方米每秒(7 月 26 日),汛期来水量 190.81 亿立方米,输沙量 5.37 亿吨。日平均流量大于 3000 立方米每秒的时间,高村水文站 13 天,利津水文站 4 天。由于中水持续时间短,汛期高村至孙口、泺口至清 6 断面出现淤积,再加上非汛期淤积,导致水位抬高,河道排洪能力相对下降。有部分险工、控导工程出现根石走失、坝身蛰陷等险情,均进行了有效抢护,安全度过汛期。

于逢春被授予山东省职工劳动模范称号

10 月 30 日　山东省政府决定:授予惠民修防段于逢春山东省职工劳动模范称号;授予垦利修防段土方机械施工队四班山东省先进集体荣誉称号。

簸箕李西引黄闸竣工验收

11 月 12 日　惠民县簸箕李西引黄闸竣工验收。该闸位于原簸箕李引黄闸上游 1131 米,临黄堤左岸桩号 208+034 处,闸型为两联四孔钢筋混凝土箱式涵洞,每孔净高 3 米,净宽 3 米,设计引水流量 50 立方米每秒,加大引水流量 75 立方米每秒,供惠民、阳信、无棣三县 186 万亩农田灌溉用水、沿海人畜饮水及滩涂开发供水。该闸建成后,与原簸箕李引黄闸联合运用,共同发挥效益。工程于 1989 年 2 月 10 日开工,10 月 16 日竣工,实际投资 632 万元。

道旭引黄闸竣工验收

11 月 14 日　滨州市道旭引黄闸竣工验收。该闸位于临黄堤右岸桩号 173+002 处,闸型为一联两孔钢筋混凝土箱式涵洞,每孔净高 2.8 米,净宽 2.6 米,设计引水流量 15 立方米每秒。该闸于 1988 年 12 月 23 日开工,1989 年 8 月 24 日竣工,工程投资 362 万元,对原 1969 年所建道旭引黄闸进行了堵复。

葛家店引黄闸竣工验收

11 月 17 日　济阳县葛家店引黄闸竣工验收。该闸位于黄河临黄堤左岸桩号 181+627 处。闸型为一联两孔钢筋混凝土箱式涵洞,每孔净高 2.8 米,净宽 2.6 米,设计引水流量 15 立方米每秒。工程于 1989 年 2 月 18 日开工,5 月 20 日进行初步验收,并于当日开闸放水,以应急 22 万亩农田灌溉用水。全部工程于 9 月 10 日竣工,工程总投资 352 万元,对原 1966 年所建葛店引黄闸进行了堵复。

高村引黄闸竣工验收

11 月 21 日　东明县高村引黄闸竣工验收。该闸位于高村险工 22～23 号坝之间,临黄堤右岸桩号 207+324 处,系拆除虹吸改建而成。闸型为一联两孔箱式涵洞,每孔净高 2.2 米,净宽 2.2 米,设计引水流量 15 立方米每秒,可以满足东明县 15 万亩耕地灌溉用水。该闸自 1988 年 12 月 17 日开工,

1989 年 7 月 24 日完成主体工程，经初检后于 8 月底开闸放水，工程实际投资 184.33 万元。

东平湖司垓退水闸竣工验收

11 月 24 日 东平湖司垓退水闸竣工验收。该闸位于梁山县韩岗镇东平湖围坝桩号 42+750 处，闸型为桩基开敞式，共 9 孔，每孔净宽 8 米，中孔为低孔。设计挡水位 46.0 米，当湖水位 44.0 米时，设计泄洪流量 1000 立方米每秒，消能设施按泄洪流量 1500 立方米每秒校核。该工程主要是为了在新湖蓄洪运用后相机泄水入南四湖，以减轻围坝防洪压力，及时恢复湖区生产，更好地发挥东平湖水库的防洪作用。

该工程于 1987 年 10 月 28 日开工，1989 年 10 月 28 日竣工，工程投资 1131.13 万元。

引黄济青工程建成通水

11 月 25 日 引黄济青工程建成通水典礼仪式在山东省昌邑县王耨泵站隆重举行，国务院发来贺电。全国政协副主席谷牧、水利部部长杨振怀、中共山东省委书记姜春云等为工程典礼剪彩。这是国内继引滦入津工程后又一跨流域大型调水工程，渠线全长 290 余公里。

山东河务局部分单位建制调整

12 月 27 日 根据山东河务局黄办发[1989]28 号文《关于贯彻山东省委、省政府调整部分地市行政区划决定的意见》，将菏泽修防处梁山修防段划归位山工程局，位山工程局党的关系改归济宁市委管理；将德州修防处济阳修防段划归济南修防处；齐河修防段王窑、大王庙、大吴三个分段划归济南修防处历城修防段。

行政区划调整后，各单位的工程管护范围界限按新区划标定，调整交接期以 1990 年 1 月 1 日为准。

司家荣等被山东省总工会授予“技术能手”称号

12 月 山东河务局司家荣等 6 名职工被山东省总工会授予黄河系统家伙桩技术比武“技术能手”称号，并受到表彰。

东平湖老湖出现“干湖”

12 月 1989 年汶河流域持续干旱少雨，大清河戴村坝水文站全年径流量为零，是该站有历史记录以来的最枯年份。东平湖老湖 10 月实测水位 38.65 米（大沽，下同），11 月起，东平湖老湖区除少数洼坑处有水外，其他全部无水，出现“干湖”（平均水位低于 38.5 米）。

1990 年

山东河务局受到黄委会嘉奖

1 月 8 日 据黄委会[1990]第 1 号嘉奖令，山东河务局在 1989 年目标管理中被评为先进单位，受到黄委会通令嘉奖。

山东治黄工作会议召开

1 月 15~18 日 山东治黄工作会议在济南召开。各修防处（局）主任（局长）、工会主席，各段（所）、站（队）和局直单位主要负责人以及劳动模范、离休老领导共 120 余人参加会议。省政府顾问朱奇民出席会议并讲话。会上各单位汇报了 1989 年的工作，局长葛应轩对 1990 年工作进行了部署。会议表彰了近三年来治黄工作中作出贡献的先进集体、先进个人和劳动模范，与各修防处（局）签订了 1990 年目标责任书。

山东河务局淄博修防处成立

1 月 19 日 山东河务局黄政发[1990]8 号文通知，为适应山东省行政区划变动的需要，有利于治黄工作的开展，经黄委会黄劳字[1990]第 4 号文批复，同意山东河务局成立淄博修防处；原属惠民修防处的高青修防段（旧镇乡除外）、四宝山石料收购站划归淄博修防处领导。淄博修防处机关设在高青县政府驻地（田镇），内部机构设办公室、政工科、工务科、工管科、财务科等五个职能部门。

赵志浩等视察黄河凌情

2 月 1 日 山东省省长赵志浩、副省长王乐泉、省军区司令员闫琢、黄委会副主任黄自强等在山东河务局局长葛应轩、济南修防处主任司继颜陪同下，到槐荫、天桥段黄河大堤察看窄河道凌情,并在天桥修防段召开了座谈会。

葛应轩汇报了山东全河近期凌情和防凌工作情况。赵志浩在总结讲话中指出,1990 年是完成治理整顿和深化改革任务的关键一年,春天气温较常年偏低,凌情发展快,各有关单位不能麻痹大意,要往最坏处打算,向最好处争取;同意河务局提出的防凌措施,抓紧以省防指名义下发防凌工作通知;对济南、东营两窄河道,要切实落实各项防凌措施,确保济南和胜利油田安全;对重要险工堤段重点部署、检查,确保凌汛安全。

姜西林等职务任免

2 月 9 日 山东河务局黄政发[1990]9 号文任命姜西林为山东河务局菏泽修防处主任;免去田德本菏泽修防处主任职务。

山东黄河安全度过凌汛

2 月 13 日 封河段全部开河。黄河下游气温前冬偏暖,后冬偏冷。1 月 24 日下午西河口南防洪堤 14 公里处开始封河,至 2 月 3 日封河至河南省封丘县禅房。据普查,全省共封冻 57 段,长 310 公里,总冰量 2170 万立方米,山东省河槽蓄水 4.25 亿立方米。2 月 3 日后气温开始回升,至 13 日夜全部开河,凌洪安全入海。

袁崇仁等职务任免

2 月 15 日 山东河务局黄政发[1990]18 号文任命袁崇仁为山东河务局东营修防处主任;免去杨洪献东营修防处主任职务。

《黄河下游引黄渠首工程水费收交和管理办法(试行)》下发执行

2 月 22 日 山东河务局经报请山东省人民政府同意,以黄管发[1990]7 号文通知沿黄各市(地)人民政府(行署)、各县(市、区)人民政府、胜利石油管理局、引黄济青管理局,从 1990 年 1 月 1 日起,执行水利部《黄河下游引黄渠首工程水费收交和管理办法(试行)》,水利部水财[1989]1 号文规定的引黄渠首工程水费计收标准和本通知有关引水量计算、水费标准、收费办法具体实施意见一并贯彻执行。1982 年颁发的《黄河下游渠首工程水费收交和管理办法》废止。

山东河务局水政水资源处建立

3月1日 山东河务局黄政发[1990]24号文通知,根据黄委会黄劳字[1990]15号文批复,经研究决定,建立山东河务局水政水资源处。

刘德基等被授予黄委会劳动模范称号

3月6日 在1990年黄委会治黄先进集体、劳动模范表彰大会上,黄委会、黄河工会以黄办[1990]59号文决定:授予山东河务局刘德基、赵西领、李万岭、王德安、付峰、郭道兴、孙炳建、毕爱莲(女)、吕振谦、肖广学、郑元明、崔光荣、周月鲁、韩光彬、任继生、李洪杰、曹殿敏、兰光芹、张乃禄、韩宝国、宋桂先、杨建亭、戴继昌、王凤银、王金祥、姬脉义等黄河系统劳动模范称号;授予惠民、济阳、垦利、东阿黄河修防段,梁山湖堤修防段,东银铁路银山中心站,山东河务局招待所等单位黄河系统先进集体称号。

水利部召开《东平湖水库移民遗留问题处理规划》评估会议

3月15~17日 《东平湖水库移民遗留问题处理规划》评估会议在北京召开。参加评估会的有水利部移民办公室主任赵人骧、副主任张时中,计划司副司长郭学恩,国家防汛和抗旱总指挥部总工程师黄文宪等8个司局的领导和专家共13人。黄委会副主任黄自强参加了会议,山东河务局副局长陈效国就《东平湖移民遗留问题处理规划》进行了汇报。

根据水利部的要求,山东河务局会同库区地方政府在调查研究的基础上,拟定了《东平湖水库移民遗留问题处理规划》。山东省政府以鲁政函[1990]10号文上报水利部。经水利部评估后以水[1990]19号文函复山东省政府,同意《东平湖水库移民遗留问题处理规划》。

《山东黄河河务局交通安全管理办法》印发

3月30日 山东河务局印发《山东黄河河务局交通安全管理办法》。对驾驶员安全行车以及违章、肇事驾驶等均作了明确的奖、罚规定。

旧城黄河浮桥正式通车

4月17日 由山东鄄城县和济南军区舟桥部队联合建造的旧城黄河浮桥正式通车。浮桥全长603米、宽7米,载重40吨。

菏泽东银窄轨铁路局更名

4 月 18 日 山东河务局黄政发[1990]46 号文通知,为适应行政区划的调整,经研究,决定将菏泽东银窄轨铁路局更名为山东河务局东银铁路局。

引黄济青工程完成首次送水任务

4 月 30 日 引黄济青工程首次送水任务完成。引黄济青工程自 1989 年 11 月 25 日正式通水以来,5 个月共引水 3.5 亿立方米。

全省防汛和三夏工作会议召开

5 月 3 日 全省防汛和三夏工作会议在济南召开。济南军区、山东省军区及省直有关厅、局负责人,各市、地分管秘书长、水利局局长、农业局局长、修防处主任参加了会议。省长赵志浩,副省长王乐泉、张瑞凤,特邀顾问朱奇民等出席会议。王乐泉在讲话中指出,从全省现有水利工程现状看,防汛形势十分严峻,要把黄河和大中型水库防汛作为重点突出抓好,要精心制定防御特大洪水的对策,切实落实各项防汛措施,确保安全度汛。同时要统筹兼顾、合理安排,坚持抗旱防汛两手抓。山东河务局局长葛应轩在会上传达了 1990 年黄河防汛工作意见。

山东省抗旱防汛指挥部领导成员调整

5 月 8 日 山东省抗旱防汛指挥部以[1990]鲁旱汛字第 33 号文公布了调整后的省抗旱防汛指挥部领导成员:指挥赵志浩(省长);副指挥王乐泉(副省长)、张瑞凤(副省长)、易元秋(省军区司令员)、高春翔(济南军区作战部副部长)、赵忠云(省政府副秘书长)、张守福(省农委主任)、林廷生(省水利厅厅长)、葛应轩(山东河务局局长)、马麟(省水利厅原厅长)、李万柱(省计委副主任)、王怀俊(省经委副主任)、张明华(省建委副主任)。陈效国(山东河务局副局长)兼黄河防汛办公室主任。

侯捷察看黄河防洪工程

5 月 18～23 日 水利部副部长侯捷和副总工程师徐乾清及计划司、财务司负责人,到黄河花园口、东平湖、北金堤蓄滞洪区等地,察看了黄河防洪工程,检查了汛前准备情况。

李昌安检查黄河防汛

5月27～28日 国务院副秘书长、国家防总副总指挥李昌安率水利部、财政部、铁道部、公安部、物资部、石油天然气总公司、国务院生产委员会、总参作战部等单位负责人,在山东省省长赵志浩、副省长王乐泉,黄委会副主任亢崇仁、陈先德、仝琳琅及山东河务局负责人陪同下,先后察看了谢寨闸工地、东明滚河防护坝、东平湖石洼和林辛进湖闸、陈山口出湖闸、济南泺口险工、北展宽工程、泺口铁路老桥等。28日下午在南郊宾馆听取了王乐泉关于山东黄河防汛工作的汇报,李昌安、水利部副部长侯捷对山东黄河防汛工作分别作了讲话。

侯捷等到河口检查黄河防汛工作

5月29～30日 水利部副部长侯捷、石油天然气总公司副总经理周永康、水利部财务司司长魏炳才等赴黄河河口检查防汛工作。察看了北大堤、港口、孤岛油田、孤东油田、占铭公路、顺河路、十八公里护滩、河口疏浚、南防洪堤、广南水库等工程。侯捷、周永康分别发表了重要讲话。陪同检查的有黄委会副主任亢崇仁和山东河务局、胜利油田及东营市的负责人。

山东黄河志编纂领导小组改组为编纂委员会

6月1日 山东河务局原黄河志编纂领导小组改组为编纂委员会。主任齐兆庆,副主任张学信、包锡成、李善润、龙于江;主编包锡成,副主编窦守宽;办公室主任孙承安。编委会委员共由16人组成。

菏泽修防处等建立水政监察机构

6月4日 山东河务局黄政发[1990]63号文通知,根据黄委会黄劳[1990]15号文精神,经研究决定:菏泽、聊城、济南、惠民、东营修防处和位山工程局建立水政监察处,由一名副主任兼主任,设办公室,编制暂定2～4人,淄博修防处由工管科代行水政监察职能。

黄河防汛军民联合演习

6月24～28日 济南军区暨山东省军区举办了黄河防汛军民联合演习。室内作业主要演练了水情通报和接到号令后的临战准备组织指挥工作;现场作业主要演练了值班部队接到命令后的紧急出动、分洪爆破、抢险等。参加演练的 500 余名解放军指战员和 60 名民兵及黄河职工抢险队员，圆满完成了各项演习任务，受到省政府和两级军区领导的高度赞扬。

山东省省长赵志浩、副省长王乐泉，济南军区副司令员张志坚、副政治委员蔡仁山，省军区司令员易元秋，副司令员郑广臣、韩永录以及省直有关单位、济南市政府、沿黄军分区、黄河防汛值班部队的负责人均莅临演习现场参观指导。

王乐泉检查沿黄防汛准备工作

6 月 30 日～7 月 1 日 山东省抗旱防汛指挥部副指挥、副省长王乐泉率山东河务局局长葛应轩、水利厅厅长林廷生及民政厅、济南军区、省军区等单位和部门负责人到沿黄各地检查黄河防汛准备工作，在东平湖实地察看了湖区群众生产生活及迁移安置准备情况、进出湖闸的启闭操作演习等。

东营市境内遭暴风雨袭击

7 月 6～19 日 东营市境内连降大到暴雨，最大风力 11 级以上，总降雨量 438.3 毫米。东营修防处倒塌院墙 799 米，房屋及汛屋揭顶揭瓦 1004 间，折断通信线杆 11 杆公里，毁坏黄河林木 6567 株，黄河堤防出现水沟浪窝 4255 条，流失土方 1.07 万立方米，造成直接经济损失 36 万元。灾情发生后，山东省副省长王乐泉、黄委会副主任黄自强、山东河务局局长葛应轩、黄河工会副主席卢明道等领导先后亲赴受灾的修防段、队、所及离退休职工家中走访慰问、察看灾情。

山东省政府发布确保安全度汛令

7 月 18 日 山东省政府发布《关于紧急动员起来确保安全度汛的命令》，要求全省各行各业、各级部门紧急动员起来，做好防大汛、抗大险准备，确保安全度汛。同日，中共山东省委召开常委会议，研究防汛工作，落实各项防汛措施，确保黄河不决口，水库不垮坝，内河不泛滥，城市保安全。

姜春云就防汛工作发表重要讲话

7 月 18 日 中共山东省委召开常委会，省委书记姜春云就当前防汛工作发表重要讲话。他要求：一是继续解决好思想认识问题，克服侥幸麻痹思想。二是进一步落实防汛责任制，黄河防汛是严肃的政治问题，事关大局，一定要抓住不放，各地（市）也要按照这个精神，责任到人。三是狠抓防汛抗灾具体措施的落实，从领导到一般工作人员都要进入岗位；大中型水库要实行责任制；要加强防汛信息工作；在防汛和蓄水问题上，防汛是重中之重。

全省防汛工作紧急电话会议召开

7月20日 山东省召开全省防汛工作紧急电话会议，号召全省上下紧急动员起来，投入防汛斗争中去，抓住重点，尤其要确保黄河、东平湖的安全。

王乐泉到山东河务局现场办公

7月21日 山东省抗旱防汛指挥部副指挥、副省长王乐泉到山东河务局现场办公，指导黄河和东平湖防汛工作。

黄自强检查山东黄河防汛工作

7月27日 黄河防总办公室副主任、黄委会副主任黄自强受国家防总委派到山东省检查黄河防汛工作。

姜春云检查黄河防汛

7月30日 中共山东省委书记姜春云率省直有关部门负责人检查黄河防汛，并查勘了济南盖家沟至黄河公路大桥河段的工程情况。

黄河下游安装三套预警系统

7月 水利部水文水利调度中心拨给黄河3套FJF—1型分滞洪区预警系统（包括3套警报发射机、3座50米铁塔和372部警报接收机），分别用于东平湖、北金堤、大功等滞洪区，经现场调试，性能良好。

王乐泉检查指导东平湖防汛工作

8月3日 山东省副省长王乐泉、省军区副司令员韩永录，在山东河务局局长葛应轩、副局长陈效国陪同下，专程到陈山口出湖闸，检查出湖河道疏浚爆破方案实施情况。8月20日由泰安驻军200师继续执行爆破作业，加深扩宽出湖河道，尽快降低东平湖水位，确保堤防安全。

东平湖汛情紧张

8月18日 东平湖老湖水位达43.72米。6月中旬至8月中旬，汶河流域连降暴雨，戴村坝水文站相继发生1100立方米每秒以上洪峰5次，分别为：

6 月 19 日 3580 立方米每秒,7 月 18 日 1770 立方米每秒,7 月 22 日 3250 立方米每秒,8 月 3 日 1300 立方米每秒,8 月 17 日 2450 立方米每秒。由于水量大,持续时间长,出湖河道排泄不畅,老湖水位不断上涨,7 月 25 日超过 42.5 米警戒水位,8 月 18 日 20 时老湖最高水位达 43.72 米,是 1958 年建库以来的最高水位,防洪形势严峻。

对东平湖防洪形势,中共山东省委、省政府和黄河防总及济南军区、省军区都十分重视;省委书记姜春云作了重要批示;副省长王乐泉、省军区副司令员韩永录少将、黄委会副主任亢崇仁和山东河务局局长葛应轩、副局长陈效国等均亲临东平湖现场办公,研究部署东平湖抗洪工作。为加快排水入黄河,减轻东平湖来水压力,省抗旱防汛指挥部决定对出湖入黄阻水河段实施爆破,由中国人民解放军舟桥部队实施。8 月 2～11 日,共爆破河道长 711 米,宽 10～36 米,深 1～1.5 米,扩大了泄洪能力。8 月 23 日出湖流量达 582 立方米每秒。至 9 月 3 日,老湖水位降至警戒水位(42.5 米)以下。

刘荣绥任山东河务局纪检组长

8 月 23 日 黄委会黄党[1990]19 号文通知,经黄委会党组研究,并征得中共山东省委同意,刘荣绥任山东河务局纪律检查组组长(副局级)。1991 年 2 月 4 日,中共黄委会党组黄党[1991]6 号文任命刘荣绥为山东河务局党组成员。

《东平湖水库移民遗留问题处理规划》批复

8 月 24 日 水利部复函山东省政府,批准黄河《东平湖水库移民遗留问题处理规划》。批复安排总投资 1.18 亿元,主要包括三部分:第一部分是补偿项目,包括村台建设、危房维修、饮水配套、村台排水、文教卫生、交通、农电、通讯、农田水利、土壤改良等,国家补助投资 5880 万元;第二部分是扶持生产项目,包括种植、养殖、渔业、乡镇企业等,国家补助投资 5160 万元;第三部分是其他费用,包括管理费、基本预备费、技术培训费等,国家补助投资 760 万元。

黄委会转发水利部第 1、2、3 号令

8 月 29 日 黄委会转发水利部第 1、2、3 号令,颁发《水政监察组织暨工作章程(试行)》、《违反水法规行政处罚暂行规定》和《违反水法规行政处罚程序暂行规定》,并要求认真组织学习、宣传,切实贯彻执行。

《黄河下游浮桥建设管理办法》颁布

8 月 31 日 水利部以水政[1990]17 号文颁发了《黄河下游浮桥建设管理办法》。办法规定:河南、山东两省交界河段的浮桥建设方案,由黄河水利委员会审查;其他河段的浮桥建设方案,分别由省黄河河务局审查。经审查同意后,方可按照有关规定履行建设审批手续。并规定浮桥架设必须符合防洪防凌的要求。黄河伏秋大汛及凌汛期间,建设单位必须按河道管理机关的要求,在指定时间内拆除浮桥。

山东河务局召开首次水政会议

9 月 11~13 日 山东河务局召开首次水政会议。会议主要内容:学习水利部、黄委会领导有关水政建设的讲话,总结两年来《中华人民共和国水法》的实施情况,交流和推广德州修防处建立水利执法体系的试点经验,统一对水政工作的认识,研讨开展水政工作的有关问题,提出了下一步工作任务。局长葛应轩、副局长陈效国,黄委会水政水资源局负责人等到会讲话。

花园口、柳园口、泺口险工堤段绿化美化规划

9 月 25 日 黄委会黄工[1990]74 号文印发《关于修改花园口、柳园口、泺口险工堤段美化绿化规划的通知》,明确规划的指导思想为:在保证防洪安全、发挥工程效益的前提下,把花园口、柳园口、泺口建设成为介绍黄河的历史与发展、宣传人民治黄的伟大成就、弘扬黄河精神、展示黄河防洪和兴利工程建设以及管理基本模式的窗口,因地制宜搞好绿化、美化,为三市(郑州、开封、济南)人民各添一处观光游览场所。要求规划以美观、大方、质朴、适用为原则,不追求形式,不搞大型亭台楼阁建筑,可建设必要的展室、纪念碑、少量石雕小品及必要的公共设施。

五七引黄闸竣工验收

9 月 30 日 垦利县五七引黄闸竣工验收。该闸位于黄河口右岸南防洪堤桩号 3+000 处,在原五七引黄闸下游 600 米,闸型为一联两孔钢筋混凝土箱式涵洞,每孔净高 2.8 米,净宽 2.6 米,设计引水流量 15 立方米每秒,主要解决西宋、建林、新安三乡及军马场、黄河农场 15 万亩农田灌溉及人畜生活用水。该闸于 2 月 24 日开工,实际投资 202 万元。原五七引黄闸同时封堵。

《进一步开发利用淤背区实施意见》印发

10 月 6 日　山东河务局黄综发[1990]3 号文《进一步开发利用淤背区实施意见》(以下简称《意见》)印发。《意见》指出:山东黄河临黄大堤淤背区目前已具备开发利用的土地有 35000 多亩,由于受投资条件所限,淤背区开发利用要由点到面逐步推广。在 1991 年年底前,临黄堤淤背区以修防段为计算单位,人均达到一亩田,山东河务局大约 5000 亩,作为重点开发区。《意见》对临黄堤淤背区近期开发目标和效益要求、经营管理方式、投资有偿使用、实行机械化生产、科学种植等提出了具体要求。

《综合经营工作奖励办法》制定

10 月 6 日　为推动综合经营工作的开展,鼓励各单位和职工积极从事综合经营,根据《黄委会综合经营奖励办法》,山东河务局结合本局具体情况,印发了《综合经营工作奖励办法》。主要内容包括奖励范围、奖励办法、奖励条件、申报程序四个方面。

龙于江不再担任山东河务局总工程师

10 月 25 日　中共黄委会党组黄党[1990]24 号文通知,因龙于江退休年龄已到,不再担任山东河务局总工程师、党组成员职务。

麻湾引黄闸竣工验收

10 月 30 日　东营市麻湾引黄闸竣工验收。该闸由东营市投资,主要解决东营区、广饶、广北农场共 57.6 万亩耕地灌溉用水和 3 万居民的生活用水。工程位于临黄堤右岸桩号 193 + 357 处,闸型为两联六孔钢筋混凝土箱式涵洞,每孔净高、宽均为 3 米,设计引水流量 60 立方米每秒,加大流量 80 立方米每秒。1989 年 2 月 24 日开工,工程投资 831 万元。

豆腐窝引黄闸竣工验收

10 月 31 日　齐河县豆腐窝引黄闸竣工验收。王庄灌区并入豆腐窝灌区后,灌区扩大到 6 个乡(镇)15 万亩,为满足农田灌溉用水,确定堵复原豆腐窝旧闸,拆除王庄虹吸,建豆腐窝新闸。该闸位于旧闸下游 191 米、临黄堤左岸桩号 105 + 261 处,闸型为一联两孔钢筋混凝土箱式涵洞,每孔净宽 2.6 米,净高 2.8 米,设计引水流量 15 立方米每秒。工程于 3 月 1 日开工,9 月底完成主体工程，实际投资341万元。

山东黄河安全度过汛期

10月　山东黄河安全度过汛期。汛期花园口水文站最大洪峰流量4440立方米每秒(7月9日)，相应水位92.90米；汛期来水量148亿立方米，沙量5.194亿吨，分别较多年平均值偏少43.6%和46%。汛期高村水文站最大洪峰流量4150立方米每秒(7月10日)，相应水位62.53米；7～10月水量131亿立方米，沙量3.51亿吨。整个汛期，险工、控导工程有48处126段坝岸出险149次，抢险用石1.29万立方米，柳枝11.9万公斤，铅丝8.9吨。

汶河流域6月下旬以后连降大到暴雨，截至9月底，累计平均降雨882毫米。7月22日戴村坝水文站出现洪峰流量3250立方米每秒，相应水位46.88米，为该站自1965年以来最大洪峰。东平湖老湖水位8月18日涨至43.72米，为东平湖建库以来最高蓄洪水位。入湖总水量18亿立方米，比多年平均来水量多77%。

东平湖水位超过43.0米的时间为19天，超过42.5米为41天，由于高水位持续时间长，二级湖堤共发生渗水险情15处、管涌2个、裂缝9条、陷坑11个；大清河河道的险工出险5处，涵闸漏水2处，均及时采取了抢护措施，保证了安全。抢护共用软料1.76万公斤，用石1869立方米，用工13010个工日。

山东河务局制定“八五”防洪工程规划

10月　山东河务局制定《山东黄河“八五”防洪工程规划》。工程规划的防洪标准仍为防御花园口水文站洪峰流量22000立方米每秒，相应孙口水文站洪峰流量17500立方米每秒，分入东平湖水库7500立方米每秒(湖水位44.5米)，控制艾山下泄10000立方米每秒。

“八五”规划的重点是解决不足防洪标准的险点及重点防护堤段的加固工程，不满足设计防洪水位标准的堤段加高培厚工程，河道整治工程及东平湖水库的加固工程，并适当考虑其他工程。

规划范围为山东上界至右岸垦利二十一户和左岸利津四段河段。四段、二十一户以下加固工程规划纳入河口治理单项规划。

引黄清淤研究项目获黄委会科技进步奖

11月1日　山东河务局“引黄灌区沉沙池机械化清淤试验研究”项目获黄委会1990年科技进步三等奖。

胜干灌溉闸竣工验收

11 月上旬 新建胜干灌溉闸位于南展堤上，原灌溉闸与排涝闸之间，相应南展堤桩号 21+397，主要满足胜利油田工业、生活用水及 22.5 万亩耕地灌溉的需要。工程由胜利油田投资，山东河务局负责设计、施工。闸型为一联三孔钢筋混凝土箱式涵洞，每孔净宽 2.8 米，净高 3 米，设计引水流量 35 立方米每秒，加大流量为 55 立方米每秒。该工程于 1990 年 3 月 20 日开工，10 月 20 日竣工，投资 408 万元。

新谢寨引黄闸工程竣工验收

11 月 17 日 新谢寨引黄闸工程竣工验收。该闸位于东明县谢寨老闸的上游 51 米处，相应临黄堤右岸桩号 181+739，为钢筋混凝土箱式涵洞结构，两联六孔，每孔净高、宽均为 2.2 米，设计引水流量 50 立方米每秒。新建引黄闸主要满足菏泽地区南五县农业灌溉供水需要。该闸 2 月 20 日开工，9 月全部竣工，投资 548 万元。

山东河务局历史档案移交黄委会档案馆

12 月 5 日 根据黄委会黄办字[1987]第 57 号文《关于建国前治黄历史档案资料进馆的通知》，为了保持治黄历史档案的系统性、完整性，更好地发挥其作用，山东河务局将 1946～1949 年革命历史档案 277 卷全部移交给黄委会档案馆，其中，文书档案 131 卷、科技档案 146 卷，由黄委会档案馆统一管理。

修防处更名、修防段更名升格

12 月 8 日 山东河务局黄政发[1990]114 号文印发《关于修防处更名、修防段更名升格的实施意见》。根据黄委会黄人劳字[1990]58 号文件精神，经研究，各修防处和修防段更改单位名称，修防处更名为××地区(市)黄河河务局，仍为县(处)级单位；修防段更名为××县(市、区)黄河河务局，升格为副县(处)级单位。各县(市、区)黄河河务局所属分段更名为××县(市、区)黄河河务局××河务段(仍沿用原名称)，为副科级机构。

山东河务局公布各地(市)河务局局长职务

12 月 17 日 山东河务局黄政发[1990]124 号文通知，根据黄委会黄人劳[1990]58 号文件精神，各黄河修防处更名为黄河河务局，调整后的各地区

(市)黄河河务局局长为:袁崇仁任东营市河务局局长,刘恩荣任惠民地区河务局局长,杨洪献任淄博市河务局局长,孟青云任济南市河务局局长,王德威任聊城地区河务局局长,姜西林任菏泽地区河务局局长。以上同志原职务同时免除,免去司继彦济南修防处主任职务。

鄄城苏泗庄大堤加培工程竣工验收

12月24日　鄄城苏泗庄大堤加培工程竣工验收。该工程位于苏泗庄险工上首,临黄堤桩号237+470～238+600,长1130米。由于该堤段附近河段1990年汛期防洪计算水位已超过1983年设防标准,山东河务局决定对该段先行进行加高帮宽,设计堤顶高程按1995年设计防洪水位63.04～65.66米(大沽基点)超高2.5米,设计顶宽平工堤段9米,临背边坡1:3。10月10日开工,12月17日完工,完成土方15.3万立方米,投资90.82万元。

《山东黄河凌汛爆冰操作规程》印发

12月25日　山东黄河防汛办公室制定的《山东黄河凌汛爆冰操作规程》印发各市(地)、县(市、区)黄河防汛办公室。该规程分总则,爆破队的组织与装备,火药、雷管的存放与运输,爆破施工,附则等5章,共30条。

中共山东河务局直属机关党委召开第七次代表大会

12月26～28日　中共山东河务局直属机关委员会召开第七次代表大会。出席会议的代表共114名。会议选举产生了中共山东河务局直属机关第七届委员会和纪律检查委员会。

《山东省志·黄河志》(送审稿)编纂完成

12月30日　《山东省志·黄河志》(送审稿)历经8年编纂完成,报送山东省地方志编委会审定出版。

全书共6篇20章59节,卷首为概述,下分流域特征、基础工作、防洪工程、防汛、兴利、管理等6篇,卷末为编后记,附图15幅,全书约28万字。上限自1855年黄河改道从山东入海起,下限断至1985年。在志稿的修改和总纂审查过程中,尊重历史,存真求实,以记述新中国成立以来黄河治理的伟大成就为主体,除害兴利为主线,对工作中的失误和教训也有恰当记述,对晚清、民国时期的治黄工作都有客观的记述。

1991年10月28日,黄河志编委会召开会议,研究审议了《山东省志·黄河志》(送审稿)的修改情况和今后的工作意见。经过与会委员审议,同意上报山东省地方史志编委会审查。

1991 年

济南军区某部工兵营受表彰

1 月 11 日 黄河防总发布嘉奖令。嘉奖在 1990 年黄河防汛斗争中做出突出成绩的济南军区某部工兵营,并授予防汛先进集体称号。

山东黄河凌期未出现封河

1 月 21 日 淌凌消失。本年度凌汛期由于平均气温偏高,没有出现封河。凌汛期安全度过。

黄河防总表彰侦破黄河通讯被盗案有功单位

2 月 1 日 黄河防总表彰侦破案件有功单位。1990 年黄河大汛期间,济阳、章丘县境内连续发生 3 起破坏盗窃黄河防汛通讯线路的重大案件,造成通话中断,损失严重。案发后当地公安机关历经月余,将 3 起案件全部破获。根据黄河防总和山东、山西、河南、陕西四省公安厅《关于保护防洪设施确保黄河汛期安全的联合通告》规定,对济阳、章丘两县公安局进行表彰,各奖励警用三轮摩托车一辆。

石德容、张明德任职

2 月 4 日 黄委会黄任[1991]7 号文任命石德容为山东河务局副局长;张明德为山东河务局总工程师。同年 7 月 9 日,中共黄委会党组黄党[1991]31 号文任命石德容为山东河务局党组成员。

黄委会黄河河口管理局成立

2 月 4 日 黄委会黄人劳[1991]11 号文《关于组建黄河水利委员会黄河河口管理局的通知》:为实现黄河口地区的统一治理,开发黄河口水土资源,报请水利部批准,成立黄河河口管理局(副局级单位,设在东营市),委托山东河务局代管。

3 月 5 日,根据黄委会《关于组建黄河水利委员会黄河河口管理局的通知》精神，山东河务局黄政发[1991]16 号文将有关事项通知如下：(1)撤销东营市河务局，成立黄河河口管理局(副厅级)，原垦利、利津、东营、河口四县(区)河务局隶属黄河河口管理局领导。(2)黄河河口管理局隶属山东河务局管辖，河口管理局的计划、财务、人事及各项业务管理等同地(市)河务局，均由山东河务局负责。(3)黄河河口管理局局长为副厅级干部，由黄委会任命、管理，副局长为正处级干部，由山东河务局任命、管理，报黄委会备案。

8 月 15 日，经黄委会黄人劳[1991]92 号文批准，黄河河口管理局机关机构设置如下：办公室、工务处、工程管理处、综合开发处、财务物资处、政治处、水政处、审计处，均为副处级，党群机构按有关规定建立。

王曰中任黄河河口管理局局长

2 月 4 日　黄委会黄任[1991]9 号文任命王曰中为黄河河口管理局局长(副局级)。

山东治黄工作会议召开

2 月 4～8 日　山东治黄工作会议召开，参加会议的有各地(市)河务(管理)局、局直单位及机关各处室主要负责人共 120 多人。山东省副省长王乐泉、黄委会副主任黄自强到会并讲话。山东河务局局长葛应轩作了《认清形势，转变观念，深化改革，团结奋进，开创治黄事业的新局面》的报告，副局长陈效国总结了 1990 年的治黄工作。

会议确定了 1991 年治黄工作以防洪保安全为中心，全面完成基建、岁修和“三区”建设的目标和任务，并与各地(市)局签订了 1991 年目标责任书，表彰了先进集体和个人。

位山工程局受国家防总表彰

2 月 13 日　国家防汛总指挥部国汛[1991]1 号文《关于表彰全国防汛抗旱先进集体和个人的决定》，对在抗御水旱灾害中做出突出成绩的先进集体和个人进行了表彰，山东省黄河位山工程局被授予全国防汛抗旱先进集体称号。

山东河务局受黄委会嘉奖

2 月 17 日　黄委会[1991]第 2 号嘉奖令，对在 1990 年目标管理工作中被评为先进单位的山东河务局予以嘉奖并颁发奖状。

《关于进一步深化治黄经济体制改革的意见》印发

2 月 25 日 为进一步推动经济体制改革,逐步建立修、防、管、营四位一体的新体制,山东河务局印发《关于进一步深化治黄经济体制改革的意见》,主要内容包括:(1)深化经济体制改革的指导思想;(2)进一步理顺治黄管理体制;(3)建立岗位责任制,实行目标管理;(4)简政放权,改革治黄投资体制,提高经济效益;(5)坚持按规定征收水费;(6)加强综合经营和水土资源的开发利用,积极参与河口三角洲的开发工作;(7)继续推行和完善多形式、多层次的经营承包责任制;(8)专用基金的建立和管理使用原则。

山东黄河工程机械修理厂成立

2 月 26 日 山东河务局黄政发[1991]7 号文通知,山东河务局将山石料厂机械分厂更名为山东黄河工程机械修理厂,为独立科级机构,隶属山东河务局领导。

杨振怀视察山东黄河工程

2 月 28 日～3 月 3 日 水利部部长杨振怀由山东河务局局长葛应轩陪同,察看了东阿黄河堤防,艾山、鱼山窄河段,南水北调穿黄探洞、位山引黄闸、废北金堤、平阴县田山电灌站一级站、济平干渠、引黄保泉工程娘娘店渠首位置等;看望了山东河务局机关处以上干部;察看了部分职工的宿舍;对山东治黄工作做了重要指示。

《山东黄河志》获省社会科学优秀成果二等奖

2 月 山东河务局编纂出版的《山东黄河志》获山东省第五届社会科学优秀成果二等奖。该书上限自清咸丰五年(1855 年)黄河改道从山东入海起,下限断至 1985 年。按照志书体例要求,以志为主,以记、传、图、表为辅,全书分 7 篇 26 章约 80 万字,自 1983 年开始编纂,至 1988 年 10 月出版,历时 5 年。中共山东省委书记梁步庭为《山东黄河志》题写书名,原水电部部长钱正英为该书作序。

赵庆贵任东银铁路局局长

3 月 8 日 山东河务局黄政发[1991]17 号文任命赵庆贵为山东河务局东银铁路局局长。

《山东黄河科学技术管理试行办法》印发

3月11日 为加强科技管理，提高科技水平，促进治黄事业发展，山东河务局制定《山东黄河科学技术管理试行办法》，包括：总则、科技机构管理、科技人员管理、科技计划管理、科技成果管理、科技情报管理、附则等，共七章35条。

明确水政监察机构名称及人员编制

3月11日 山东河务局黄政发[1991]19号文通知：根据水利部统一部署，按照黄委会黄劳字[1990]15号文件要求，山东河务局所属各地（市）河务局水政机构仍称水政监察处，全称为：山东黄河河务局××水政监察处；各县（市、区）黄河河务局及修防段的水政机构，仍称水政监察所，全称为：××地（市）黄河河务局××水政监察所；黄河河口管理局水政机构名称为：黄河河口管理局水政监察处。人员编制仍按黄政发[1990]63号文件执行（3～4人）。

李兴洲等来山东黄河现场办公

3月14～20日 国家防办副主任李兴洲、总工程师黄文宪及黄委会河务局局长谭宗基、计财局副局长刘进海等12人工作组到山东河务局就黄河防汛工作中亟待解决的突出问题，进行现场办公。3月18日下午，山东省副省长王乐泉就小浪底水库的修建、东平湖库区滞洪工程、菏泽河段修建滚河防护工程、南（北）展宽区遗留问题处理、黄河口60公里河段油区防洪问题、泺口铁路老桥拆除和山东黄河万名职工事业经费紧缺等问题向工作组提出建议。

《山东黄河基本建设工程施工文件汇编》印发

3月15日 山东河务局印发《山东黄河基本建设工程施工文件汇编》，共八篇。其主要内容包括：基本建设工程质量监督实施细则，涵闸施工管理办法，涵闸施工质量评定办法，碾压式土方工程施工及验收规程，险工加高改建工程施工管理办法，险工加高改建工程施工质量评定办法，堤防压力灌浆施工及验收规程，机淤固堤施工管理办法。自1991年5月1日起执行，由山东河务局工务处负责解释。

山东河务局成立施工总队、通信站更名升格

4月1日 黄委会黄人劳[1991]41号文批复：经研究，同意山东河务局成

立施工总队(县处级)。通信站更名为通信管理处并升为副处级单位。

张明德等享受教授、研究员待遇

4月15日 黄委会职称改革领导小组黄职改[1991]13号文通知,根据水利部人劳[1990]125号文件精神,批准山东河务局张明德、陈效国、焦益龄为享受教授、研究员同等有关待遇的高级工程师。批准时间从1990年12月11日算起。

泺口黄河铁路桥停止使用

4月21日 经国务院有关部门批准,从本日零时起,泺口黄河铁路大桥停止使用。该桥于1909年(清宣统元年)4月由德国三山桥梁公司包工承建,1912年10月竣工。该桥12孔,全长1256.91米,桥宽9.4米,中孔跨度164.7米。由于黄河河床泥沙淤积,水位抬高,大桥部分主梁梁底高程已位于设计防洪水位以下,威胁北岸堤防安全。于1992年汛前将低于防洪水位的北四孔桥梁予以拆除。

赵金玲获"富民兴鲁"劳动奖章

5月1日 齐河县河务局小八里河务段赵金玲(女)被山东省总工会授予山东省"富民兴鲁"劳动奖章。

山东省防汛工作会议召开

5月12～13日 全省防汛工作会议在济南召开。会上交流了经验,部署了防汛任务。山东省副省长、省抗旱防汛指挥部副指挥王建功强调,黄河是山东省防汛的重点,黄河防汛目标仍按国家防总确定的郑州花园口水文站洪峰流量22000立方米每秒设防,山东河段艾山水文站控制下泄流量10000立方米每秒,保证堤防安全,千方百计把黄河的防汛工作做好,确保黄河汛期不出大问题。做好防汛工作,第一,要建立健全强有力的防汛指挥机构,层层落实防汛责任制。第二,要加强组织纪律性,顾全大局。第三,要充分发动和依靠人民群众。第四,要搞好防汛工作的规范化、制度化建设。

黄河利津水文站断流

5月15日 黄河利津水文站断流。至6月2日,共出现断流2次,累计断流17天,最大断流长度131公里。

王建功检查黄河防汛工程

5月16～18日 山东省副省长王建功由山东河务局局长葛应轩陪同先后到济南、滨州、东营、泰安、菏泽等地(市)检查黄河防汛工作,并察看了南、北展宽工程,东平湖水库以及重点险工堤段和度汛工程。

山东省抗旱防汛指挥部领导成员调整

5月18日 山东省抗旱防汛指挥部[1991]鲁旱汛字第25号文公布调整后的省抗旱防汛指挥部领导成员。

指挥:赵志浩(省长);常务副指挥:王建功(副省长);副指挥:张瑞凤(副省长)、韩永录(省军区副司令员)、高春翔(济南军区作战部副部长)、马士俊(省政府办公厅副主任)、张守福(省农委主任)、林廷生(省水利厅厅长)、葛应轩(山东河务局局长)、马麟(省水利厅原厅长)、李万柱(省计委副主任)、王怀俊(省经委副主任)、张明华(省建委副主任)。成员由山东河务局副局长陈效国等有关厅局负责人组成,陈效国兼黄河防汛办公室主任。

周文智检查黄河防洪工程

6月3～5日 水利部副部长周文智、国家防办总工程师黄文宪、黄委会副主任亢崇仁等,在山东河务局有关领导陪同下,检查了泺口险工、大柳树店险工、引黄保泉工程、大吴泄洪闸、张辛引黄闸工地、泺口铁桥、济阳堤防、天桥区蔬菜基地等。

周文智指出,黄河是我们的母亲河,各级各部门要认真贯彻落实防汛责任制,努力做好防汛工作,确保防洪安全。同时黄河水径流量呈逐年减少趋势,大家要充分利用好有限的黄河水,使其发挥最佳效益。

黄河下游大堤加固技术研讨会召开

6月6日 黄委会在济南召开黄河下游大堤加固技术研讨会。会议的主要目的是研讨和交流近几年来黄河下游大堤加固方面的经验和新施工机具等,促进黄河下游修防技术进步,推动大堤加固技术和施工机具的改进和革新。

参加会议的有水利部水利管理司,黄委会、山东省水利科学研究所,山东、河南河务局及所属地(市)河务局等单位的52位代表,大会提交交流材料19篇。黄委会副主任黄自强在会上作了总结发言。

《山东省黄河防汛管理工作规定》颁发

6 月 15 日 山东省抗旱防汛指挥部颁发《山东省黄河防汛管理工作规定》(以下简称《规定》),内容包括:总则、防汛指挥机构、防汛队伍、防守与抢护、水情预报及河势工情观测、蓄滞洪区的管理与运用、河道清障、物资筹备与管理、交通与通讯、宣传与治安、防汛工作制度、奖励与处罚、附则等,共 13 章 56 条。《规定》自公布之日施行,原 1989 年 5 月山东省抗旱防汛指挥部黄河防汛办公室制定的《防汛管理工作若干规定》同时废止。

山东河务局组建第三机动抢险队

6 月 24 日 根据防汛需要,山东河务局组建直属第三机动抢险队,编制 40～50 人,属常设性建制。该队以滨州工程处为基础,由滨州地区河务局管理,汛期根据汛情、险情由山东河务局调遣,执行紧急抢险任务。

黄河口北大堤顺六号路延长一期工程竣工验收

6 月 26 日 黄河口北大堤顺六号路延长一期工程竣工验收。黄河口北大堤顺六号路延长工程是胜利油田为确保孤东、孤南、一棵树、长堤等油田汛期安全而兴建的防洪工程,也是黄河入海流路规划中防洪工程的组成部分。工程总长 14.385 公里,一期工程按防御 10000 立方米每秒洪水超高 1.0 米修做,作为临时过渡,土方 120.27 万立方米,由胜利油田投资 500 万元。

黄委会举行首届通信技术大比武

6 月 26～28 日 黄委会、黄河工会在郑州举行全河首届通信技术大比武。86 名选手参加了通信线路架设等 8 个项目的比赛,山东河务局获明线线路架设、载波机排除故障两个项目第一名。

《山东省实施〈中华人民共和国河道管理条例〉办法》发布

6 月 28 日 山东省人民政府令第 19 号发布《山东省实施〈中华人民共和国河道管理条例〉办法》,从即日起施行。

东平湖出湖河道疏浚工程竣工验收

7 月 10 日 东平湖出湖河道疏浚工程通过竣工验收。为提高东平湖老湖出湖河道的排洪能力,对东平湖排水入黄的出湖河道进行了开挖疏浚,5 月

19日开工,6月9日完工。共疏浚河道长3039米,完成土方56.6万立方米,投资483.36万元。工程设计泄水能力为湖水位43.72米时出湖流量800立方米每秒。同时,为防止黄河中常洪水倒灌淤积出湖河道,在出湖河道入黄口处,修做了顶宽5米的挡水围埝,高度为1991年黄河流量7000立方米每秒相应水位加高1米。

黄河北金堤加固工程竣工

7月30日　莘县古城镇北金堤堤防70+300～72+260段加固工程竣工。该堤段因堤身出现横向裂缝,经黄委会批准进行加固处理。在临河帮宽3米,并分层进行碾压、灌浆加固。工程自1990年10月开工,共完成土方5.09万立方米,压力灌浆1.84万眼,实际投资56万元。

李振指示黄河水费一定要缴纳

8月3日　山东省人大常委会主任李振、副主任卢洪等听取了山东省防汛抗灾情况的汇报。李振指示:黄河部门所收水费的标准是很低的,1立方米水最高价格才2.29厘,一定要缴纳,否则将影响到黄河事业的发展。参加这次汇报会的还有副省长王建功,省水利厅厅长林廷生、副厅长邱沛,山东河务局局长葛应轩等。

黄河防汛技术基础工作"两化"会议在济南召开

8月20～23日　黄河防汛技术基础工作正规化、规范化(简称"两化")会议在济南召开,黄委会副主任黄自强主持会议。参加会议的有河南、山东河务局有关领导、部门负责人。防汛技术基础工作主要是为了防汛指挥决策和实施防汛调度方案,反映防汛全局或局部所必须提供的情况、基础技术手段及方法、基础观测数据和基本技术资料等。会议期间代表们参观了德州地区河务局及齐河县河务局各项防汛技术基础工作资料和各项观测设施,认真讨论了黄委会《黄河防汛技术基础工作的正规化、规范化若干规定》。

京九铁路黄河大桥开工

9月5日　京九铁路黄河大桥开工典礼在黄河左岸孙口举行。国务院副总理邹家华为大桥开工剪彩。

该桥右岸位于山东梁山县蔡楼,相应大堤桩号321+000。桥全长6685米,共148孔,是当时黄河上最长的双线铁路桥。设计年运输能力为7000万吨。京九铁路在山东通过 297 公里,横跨聊城、济宁、菏泽三市(地)9 个县。1995 年 5 月 20 日建成通车。国务院副总理吴邦国出席了通车典礼并剪彩。

位山工程局及所属单位更名

9 月 9 日 山东河务局黄政发[1991]66 号文通知:接黄委会黄人劳[1991]106 号文批复,位山工程局更名为山东黄河东平湖管理局(正处级);梁山湖堤修防段更名为梁山县东平湖管理局(副处级);东平湖堤修防段更名为东平县东平湖管理局(副处级);东平进湖闸管理所更名为东平县黄河河务局(副处级);汶上湖堤修防段更名为汶上县东平湖管理局(正科级);平阴出湖闸管理所更名为平阴县东平湖管理局(正科级)。

严克强考察黄河治理工程

9 月 13～15 日 水利部副部长严克强带领部技术委员会委员及有关专家、教授一行 40 余人,在山东河务局副局长陈效国陪同下,考察了菏泽东明滚河防护工程、老君堂等河道整治工程以及东平湖闸坝工程等。

李金堂任东平湖管理局局长

9 月 18 日 山东河务局黄政发[1991]69 号文任命李金堂为东平湖管理局局长。

赵衍湖任德州地区河务局局长

10 月 4 日 山东河务局黄政发[1991]71 号文任命赵衍湖为德州地区河务局局长。

气象自动测报系统在利津水文站投入使用

10 月 28 日 气象自动测报系统在黄河下游利津水文站建成并投入使用。该系统从芬兰引进,集气温、雨量、湿度、风向、风力及辐射量观测于一体,全部由电脑控制,能自动储存观测数据,可按要求随时提取资料,是当时全国水利系统最先进的气象观测系统。

黄河滩区水利建设一期工程通过验收

10 月 28 日～11 月 16 日 黄河滩区水利建设一期工程通过黄委会和山东河务局联合检查验收。在 1988～1990 年间,国家利用土地开发基金扶持帮助山东省1400多万元,完成第一期黄河滩区水利工程,三年累计完成工程投资2937.48万元,完成土方420万立方米,石方25万立方米,混凝土1.03万立方米,地方投入劳力238万工日。共新建排灌闸11座,改建2座;新建排灌站172处,改建配套41处;新修干支沟渠300公里;新建渠系建筑物596座;新打灌溉机井763眼,购置灌溉流动小机泵856套;新修道路116公里,截至1991年9月已全面完成任务。上述工程的兴建,使滩区增加灌溉面积25万亩、排水面积6.5万亩,引洪放淤灌区2.4万亩,滩区生产条件得到改善。据统计,1990年山东黄河滩区粮食总产比1988年增加3140.5万公斤。山东河务局于1991年被省政府授予山东省"七五"期间扶贫工作先进单位称号。

山东黄河安全度过汛期

10月 黄河汛期安全度过。本年度黄河属于枯水枯沙年,汛期花园口水文站6月14日最大洪峰流量为3190立方米每秒,相应水位92.82米。7~10月份花园口水文站总来水量59.1亿立方米,总输沙量2.02亿吨,分别较多年平均少77%和79%。高村水文站最大洪峰流量2900立方米每秒(6月15日),汛期来水量45.77亿立方米,输沙量1.02亿吨。汛期防洪工程无重大险情。但沿黄地区7月下旬连降大到暴雨,菏泽、聊城最大点降雨量达250毫米,济南、滨州等地还出现冰雹和风灾,致使黄河防洪工程严重受损。据统计,堤防出现水沟浪窝45795条,流失土方37.05万立方米,冲毁排水沟172条,毁坏工程管理房689间,倒折树木690株、通讯线杆12根,累计中断通讯达40小时,雨毁工程直接经济损失达270万元。

汶河7月24日戴村坝水文站最大洪峰流量1600立方米每秒,相应水位45.24米。东平湖老湖7月28日最高湖水位达42.82米。6~9月入湖总水量8.62亿立方米,经黄河防总批准,7月25日至26日破除出湖河道入黄围堰,入黄最大泄水流量为645立方米每秒。湖水位迅速下降,湖堤未发生险情。

滨海区水下地形测验工作完成

11月7日 山东黄河水文水资源局完成黄河三角洲滨海区水下地形实测工作。该工作主要是为了研究河口冲淤规律及对下游河道的影响,为入海流路规划提供依据。测验于5月7日开始进行,测验范围北起沾化县洼拉沟口,南至寿光县小清河口,测区面积14000平方公里,共130条测线,测线总长9226公里。1993年完成资料整编,1994年由中国地图出版社正式出版了

1:100000黄河三角洲滨海区水深图。

唐恒善任黄河山东区工会主席

11 月 21 日 中共黄委会党组黄党[1991]54 号文通知,唐恒善任黄河工会山东区委员会主席(副局级);傅玉江因到达离休年龄,不再担任黄河工会山东区委员会主席职务。

“堤防压力灌浆实验研究”获黄委会科技进步奖

11 月 23 日 山东河务局“堤防压力灌浆实验研究”项目获黄委会科技进步三等奖。

菏泽地区部分堤段加高帮宽工程竣工验收

11 月 30 日 菏泽市、鄄城县、郓城县部分大堤加培土方工程竣工验收。按照防御花园口水文站洪峰流量 22000 立方米每秒洪水的设防要求,自 1991 年 4 月 5 日,鄄城苏泗庄等堤段开始进行第四次临黄大堤加高帮宽工程。至 11 月 30 日,菏泽地区河务局共完成土方 100 万立方米,加培堤段长 8425 米。工程严格按照施工规程施工,质量检查合格率达 98%,实际投资 670 万元。

目标管理考核评分标准和奖惩办法印发

12 月 3 日 山东河务局印发《山东黄河河务局目标管理考核评分标准和奖惩办法》。考核内容包括:防汛工作、基建岁修工程、工程管理和水政建设、引黄供水、财务和审计工作、综合经营、科技教育、深化改革和精神文明建设、其他工作等九个方面。

引黄济青工程通过国家验收

12 月 5 日 中国最长的跨流域调水工程——引黄济青工程通过国家验收。该工程自 1989 年建成后,经过两年试运行,共引黄河水 6.2 亿立方米,增加工农业产值 70 亿元。

黄河入海流路规划审查会在北京举行

12 月 18～20 日 受国家计委委托,水利部在北京审查并通过了黄委会编制的《黄河入海流路规划报告》。参加审查的有国家计委农经司、国土司,中国国际工程咨询公司,国家环保局,国家防总办公室,水利水电规划设计总院,科学研究院，清华大学等单位的专家和代表共 47 人。山东河务局葛应轩、龙于江、焦益龄参加了会议。

山东河务局转发《黄河渡口管理办法》

12 月 19 日 山东河务局转发黄委会颁发的《黄河渡口管理办法》。该办法是黄委会根据《中华人民共和国河道管理条例》的有关规定，并结合黄河实际制定的，共十三条，自发布之日起执行。

王建功指示黄河水费要足额上交

12 月 24 日 山东省副省长王建功了解到，由于山东河务局合理调度，本年度山东共引黄水 71 亿立方米，为工农业生产、胜利油田建设作出了贡献，但部分地(市)、县仍未能按规定标准向黄河渠首管理单位缴纳水费。为此作出指示：农业大丰收，黄河水功不可没，各地(市)一定要足额上交引黄渠首水费。

大道王引黄闸竣工验收

12 月 26 日 滨州市大道王引黄闸竣工验收。该闸位于临黄堤右岸桩号 163+985.3 处，闸型为一联两孔钢筋混凝土箱式涵洞。每孔净宽、高均为 2.0 米，设计引水流量 10 立方米每秒，灌溉面积 10 万亩，同时解决附近乡镇生活用水。该工程于 1991 年 2 月 25 日开工，8 月 30 日竣工，工程实际投资 391.50 万元。

张辛引黄闸竣工验收

12 月 28 日 济阳县张辛引黄闸竣工验收。该闸位于临黄堤左岸桩号 189+910 处，闸型为一联两孔钢筋混凝土箱式涵洞，每孔净宽 2.6 米、净高 2.8 米，设计引水流量 15 立方米每秒，灌溉农田 19.74 万亩。工程自 1991 年 2 月 24 日开工，9 月 30 日竣工，实际投资 304.9 万元。

1992 年

《关于保护黄河通信设施的规定》颁发

1 月 11 日 山东河务局黄水政[1992]2 号文转发黄委会颁发的《关于保护黄河通信设施的规定》。本规定是根据《中华人民共和国水法》和国务院、中央军委《关于保护通信线路的规定》,结合黄河通信的实际情况制定的。

山东治黄工作会议召开

1月16～20日 山东治黄工作会议召开。参加会议的有各地(市)、县河务(管理)局,东银铁路局,所、站、厂、队、局直各单位、机关各处室、水文总站以及部分河务段主要负责人共计110人。山东省副省长王建功到会作了重要讲话,黄委会代主任亢崇仁对1992年治黄工作作了重要指示,副局长陈效国作了1991年工作总结。

局长葛应轩对1992年治黄工作作了具体安排,提出了要求。会议表彰了先进集体和先进个人,与各单位签订了1992年目标责任书。

新一届地(市)局局长职务任命

1月18日 山东河务局黄政发[1992]8号文通知,河口管理局及各地(市)河务局局长任期已满,根据工作需要和干部考查情况,经研究,王曰中等继续任职。

王曰中任河口管理局局长;刘恩荣任惠民地区河务局局长;杨洪献任淄博市河务局局长;赵衍湖任德州地区河务局局长;孟青云任济南市河务局局长;王德威任聊城地区河务局局长;姜西林任菏泽地区河务局局长;李金堂任东平湖管理局局长;赵庆贵任山东黄河东银铁路局局长。

局直属机关妇女工作委员会建立

1月23日 根据中共山东省政府机关党工委鲁政机党工字[1991]3号文精神,建立山东河务局直属机关妇女工作委员会,在中共山东河务局直属机关党委领导下和省政府机关妇工委指导下进行工作。

黄河防凌破冰弹研制成功

1月 黄河防凌破冰弹研制成功。山东河务局与732厂弹药研究所共同研究用弹药在冰上打孔和复合爆破技术,以提高打孔效率和破冰速度,解决黄河凌汛问题。该项目从1987年开始至1989年研制成功,1990年推广应用,1992年由山东省军工局组织鉴定通过。1992年1月份在内蒙古包头市黄河段进行了破冰厚度校核试验,现场试验结果符合设计标准。该项目1994年被评为山东省科技进步二等奖。

龙于江享受政府特殊津贴

2月1日 山东河务局[1992]黄政干字第9号函:接黄委会通知,自1991年7月起,龙于江享受政府特殊津贴,每月100元。

山东河务局报送《山东黄河防洪当前存在主要问题报告》

2月1日 山东河务局向黄委会报送了《山东黄河防洪当前存在主要问题报告》,主要内容有:1986～1991年艾山至利津河段主槽淤积严重,年淤积量相当于20世纪50年代的40多倍;泺口水文站流量3000立方米每秒相应水位抬高0.82米,平均每年升高0.164米,相当于20世纪50年代的10倍,并且改变了汛期冲、非汛期淤的规律,呈现汛期、非汛期均为淤积的不利状况;艾山以上1991年防洪水位已接近或超过1983设计水平年的设防标准水位;东坝头至高村河道宽浅散乱,河势游荡,槽高滩低堤根洼,存在滚河的可能;局部河段如营房至苏阁等河势变化较大;河口段现行清水沟入海流路自1976年改道至今已15年,西河口以下河道长度已达62公里,河床每年淤高0.2米左右,溯源淤积影响日渐明显,利津水文站同流量水位已恢复到改道前的状况。

调整机关、事业单位工龄津贴标准

2月10日 山东河务局转发国务院[1991]74号文《国务院关于调整机关、事业单位工作人员工龄津贴标准的通知》,并根据山东省及水利部、黄委会的有关规定一并贯彻执行。调整工龄津贴还包括机关、事业单位实行学徒期、熟练期、见习期的人员和经劳动部门批准招收的合同制工人。工龄津贴计算办法,仍按山东省鲁工改[1986]11号文件规定执行。

山东黄河安全度过凌汛

2月16日 封冰全河开通,凌汛结束。自1991年12月25日从西河口开始封河,至12月31日上首封至河南省长垣县周营控导工程,共封河44段,总长203公里,总冰量约1000万立方米。由于封冰阻水,韩刘、北店子、泺口水位较封河前分别抬高2.01米、2.26米和1.90米,山东河段河谷蓄水共4.41亿立方米。由于开河期气温稳定上升,三门峡控制下泄流量在200～300立方米每秒,引黄涵闸恢复放水,冰凌就地融化,山东黄河安全度过凌汛。

陈效国不再担任山东河务局副局长职务

2 月 21 日　中共黄委会党组黄党[1992]7 号文通知,根据工作需要,经研究决定,免去陈效国山东河务局党组副书记、副局长职务,另行安排工作。

山东黄河志编纂十年取得丰硕成果

2 月　山东河务局黄河志编纂工作,在省地方史志编委会和黄委会黄河志编委会的领导下,历经 10 年辛勤耕耘,修志取得丰硕成果。先后编纂出版了《山东黄河大事记》、《山东黄河志资料长编》、《山东黄河志》及《山东省志·黄河志》送审稿,总计 300 多万字,印发 11000 余册。上述志书全面系统地反映了山东黄河治理的历史与现状,翔实地记述了新中国成立以来在共产党领导下,山东黄河治理的伟大成就及其经验。

齐兆庆、傅玉江离职休养

3 月 4 日　黄委会黄人劳[1992]23 号文通知,根据水利部水人劳[1992]5 号文批复,同意齐兆庆离职休养。4 月 2 日,黄委会黄人劳[1992]41 号文批复,同意傅玉江离职休养。

引黄渠首农业用水价格调整

3 月 24 日　山东河务局、山东省物价局发出关于调整引黄渠首农业用水价格的通知:(1)4、5、6 月份枯水季节,农业用水每万立方米收中等小麦 44.44 公斤,折合人民币 28.44 元;其他月份每万立方米收中等小麦 33.44 公斤,折合人民币 21.34 元。工业及城市用水价格不变。(2)经由黄河主管部门管理的引黄渠首工程供水、用水单位投资兴建而由黄河主管部门管理的、用水单位自建自管的、北金堤和大清河堤上的引水渠首工程收费计收的比例仍按山东河务局[1990]黄管发第 7 号文执行。(3)引黄渠首供水新价格自 1992 年 5 月 1 日起执行。

黄河防总下达黄河下游滩区生产堤破除任务

4 月 26 日　根据国家防总指示,黄河防总下达了破除黄河下游滩区生产堤的任务,要求河南、山东两省黄河滩区必须破除原有生产堤总长的 1/2,应破长度 269.98 公里。除山东长清、平阴两县和胜利油田顺河路延至 1993 年完成外,其余应在本年全部完成。这次破除生产堤长度 117 公里,加上 1987

年第一次破除的长度，山东黄河两次破除生产堤总长度258公里。

王守强到山东河务局检查工作

4月27～28日 水利部副部长王守强在山东河务局局长葛应轩等陪同下，到东明滩区、郓城县杨集闸工地、东平湖水库等处检查指导工作。王守强对山东河务局的治黄工作给予了鼓励和支持。同时指出：要接受江淮水灾的教训，黄河滩区生产堤阻水建筑物必须按要求破除；注意解决好滩区群众的实际问题；严把施工质量关和安全关；认真做好当前防汛准备工作。

赵金玲被授予山东省职工劳动模范称号

4月28日 山东省人民政府授予齐河县河务局小八里河务段赵金玲（女）山东省职工劳动模范称号。

于逢春被授予全国优秀生产能手称号

4月29日 全国总工会授予惠民县河务局王集河务段于逢春全国优秀生产能手称号，并颁发全国“五一”劳动奖章。

山东河务局机关数字程控交换机系统开通

5月1日 山东河务局机关数字程控通信（哈里斯H20—20L型）系统开通使用，同时对电话的安装、撤、管理及收费管理办法做出规定。3个多月来通信处完成了通信楼内1344门程控交换机和与之相关的配线、载波、电源等通信设备的安装、调试等任务。到5月13日已开通用户329个，并开通了山东河务局至东平湖管理局、德州地区黄河河务局的自动中继电路。

惠民地区黄河河务局更名

5月6日 山东河务局鲁政发[1992]49号文通知，根据省政府关于惠民地区更名为滨州地区的通知精神，惠民地区黄河河务局更名为滨州地区黄河河务局，更名后其机构规格和隶属关系不变。

田纪云等检查黄河防汛工作

5月7～9日 国务院副总理、中央防汛总指挥部总指挥田纪云，水利部副部长侯捷，财政部副部长项怀诚等在省长赵志浩、黄委会代主任亢崇仁和山东河务局局长葛应轩陪同下，检查了山东北金堤滞洪区、东明滚河防护工程、高村险工、艾山险工、石洼进湖闸、济南泺口铁路老桥等。田纪云副总理听取汇报后指示：首先要解决救生器材。其次继续抓紧放淤固堤，这项工作规模要大，速度要快。河南、山东两省要建造吸泥船，加快淤背固堤步伐，国家每年给两省各 400 万元，两省再各配套 400 万元，连续干 5 年。一个省 50 条船，就像愚公那样挖泥不止，加高加宽河堤。再次国家划定的分滞洪区，可采取民办公助方式，搞一些安全设施建设等。

山东河务局仓库更名

5 月 7 日　山东河务局黄政发［1992］56 号文批复：同意将山东黄河河务局仓库更名为山东黄河物资储运站，更名后仍为科级单位。

山东省召开黄河防汛工作会议

5 月 10～11 日　山东省召开黄河防汛工作会议。黄委会副主任黄自强参加了会议，副省长王建功传达了副总理田纪云在山东视察时关于黄河防汛工作的谈话，局长葛应轩做了《1992 年黄河防汛工作意见》的报告，与各地(市)签订了清障责任书。山东黄河 110 公里的滩区生产堤破除任务落实到有关地(市)。王建功讲话要求：要提前做好险工隐患处理、防汛队伍组织、蓄滞洪区运用和迁安等工作，不允许有丝毫的疏忽。黄河滩区生产堤要根据黄河防总要求按计划破除，各地市要下决心办好。同时，备足备好防汛料物，检修完善水文、通信设施。统筹制订防洪方案，科学调度洪水。搞好防汛队伍训练，加强人力防守措施。继续建立健全各种防汛责任制，按照早来水、来大水的要求做好各项工作，确保黄河万无一失。

滩区水利建设工程标准规定颁发

5 月 13 日　黄委会颁发《黄河下游滩区水利建设工程标准规定》，包括总则及工程标准两部分，共 16 条。

中国科学技术协会组织考察和研讨黄河下游防洪减灾对策

5 月 15～30 日　中国科学技术协会组织中国水利学会、河南省科学技术协会；山东省科学技术协会及黄委会联合邀请多学科专家 23 人，于 15 日至 27 日对黄河下游防洪减灾对策进行了实地考察和研讨。29 日至 30 日，又邀请全国各方面有关专家和人士 70 余人，在郑州共同对黄河下游防洪减灾对策进行了研讨。会后于 6 月 10 日向中共中央提交了《关于黄河下游防洪减灾对策建议和考察报告》。

山东黄河进馆档案初验合格

5月21日~6月6日 山东河务局所属32个有进馆档案任务的单位,经黄委会档案馆初步验收,进馆档案全部符合要求。山东河务局自1989年9月开始对1950~1966年治黄档案进行全面鉴定,先后有187人参加档案鉴定工作,累计用工4890工日,共鉴定案卷17738卷。

山东黄河勘测设计院更名

5月27日 山东河务局黄政发[1992]64号文通知:山东黄河勘测设计院更名为山东黄河勘测设计研究院。更名后原机构规格及隶属关系不变。

黄河口北大堤延长二期工程竣工

5月27日 黄河口北大堤顺六号路延长二期工程竣工。本期工程是在1991年一期工程的基础上加高1米,使堤顶高程比设计防洪水位超高2米。工程由胜利石油管理局投资,共完成土方65.96万立方米,工程投资520万元。

张志坚视察黄河防洪工程

5月29日 济南军区副司令员张志坚在山东省军区副司令员韩永录和山东河务局局长葛应轩陪同下,视察了东平湖、北金堤滞洪区和菏泽地区的黄河防洪工程。

调整山东省抗旱防汛指挥部领导成员

5月29日 山东省抗旱防汛指挥部[1992]鲁旱汛字第22号文公布调整后的省抗旱防汛指挥部领导成员。

指挥:赵志浩(省长);常务副指挥:王建功(副省长);副指挥:张瑞凤(副省长)、韩永录(省军区副司令员)、张玺文(济南军区作战部副部长)、马士俊(省政府办公厅副主任)、王渭田(省农委主任)、林廷生(省水利厅厅长)、葛应轩(山东河务局局长)、李万柱(省计委副主任)、徐华东(省经委副主任)、张明华(省建委副主任)、韩长纲(省财政厅副厅长)。领导成员由山东河务局副局长石德容等有关厅局负责人组成,石德容兼黄河防汛办公室主任。

郭凤桐任菏泽地区河务局局长

6 月 8 日　山东河务局黄政发[1992]73 号文任命郭凤桐为菏泽地区河务局局长。

东平湖水库移民工作会议召开

6 月 8～10 日　山东河务局在济南召开了东平湖水库移民工作会议。参加会议的有东平、梁山、平阴、汶上县分管移民工作的副县长、移民办公室主任，东平湖管理局及其所属县局分管移民工作的负责人。水利部、黄委会也应邀派员参加了会议。会议传达了国务院、水利部的有关文件，贯彻了全国移民办公室主任会议精神，交流了“七五”期间东平湖水库移民安置和经济开发的经验。

亢崇仁检查防汛准备工作

6 月 9～22 日　黄河防总副总指挥、黄委会代主任亢崇仁检查了山东、河南两省 1992 年的防汛准备工作，现场解决一些防汛准备工作中的问题。

张桥引黄闸竣工验收

6 月 18 日　邹平县张桥引黄闸竣工验收。该闸位于临黄堤右岸桩号 95+300(原闸下游 100 米)处，闸型为一联两孔钢筋混凝土箱式涵洞，每孔净高 2.8 米，净宽 2.6 米，设计引水流量 15 立方米每秒，设计灌溉农田面积 20 万亩。工程自 1991 年 3 月 1 日开工，1991 年 9 月 5 日竣工，工程投资 302 万元。原张桥闸堵复。

泺口铁路桥北四孔拆除完成

6 月 20 日　济南泺口铁路桥北四孔拆除提前完成。根据国务院副总理田纪云的指示，该桥由铁道部战备舟桥处于 5 月 15 日动工拆除，提前一个月圆满完成拆除任务，为黄河保安全提供了保证。山东省抗旱防汛指挥部给予铁道部舟桥处通报表彰。

山东河务局修订汛期抢险专用代电审批办法

6 月 20 日　山东河务局对汛期抢险专用代电审批办法做了修订。主要内容有：按照当地汛期流量 5000 立方米每秒(含)以上洪水发生的险情，且一处抢险一次用石料 150 立方米以上或全部工料投资 2 万元以上，为一类代电，由地(市)黄河防汛办公室报省黄河防汛办公室审批；一处抢险一次用石料不足 150 立方米或全部工料投资 2 万元以下者为二类代电，由地(市)黄河防汛办公室审批，报省黄河防汛办公室备案。

庄景林检查滩区生产堤破除情况

6 月 22～28 日　黄委会副主任庄景林带领检查组督促检查了山东黄河滩区生产堤破除情况，再次强调黄河滩区必须按照国家防总和黄河防总的要求完成破堤任务。

黄河水情自动译电系统投入使用

6 月　山东黄河水情自动译电系统投入使用。该系统由山东河务局与黄委会水文局水文情报预报中心合作开发，主要用于自动接收，翻译黄河上、中游实时水雨情信息。投入使用后，取代了传统的人工翻译、登记水情，提高了工作效率和准确性。

山东河务局印发基本建设工程质量监督程序与方法

7 月 6 日　山东河务局印发《山东黄河基本建设工程质量监督程序与方法》，内容包括依据与原则、监督程序与方法、奖惩三部分，适用于山东黄河各项基本建设工程和系统外在黄河管辖范围内投资建设的工程。

《关于山东省黄河河道采砂收费管理的通知》印发

7 月 6 日　山东河务局、山东省财政厅、山东省物价局联合发出《关于山东省黄河河道采砂收费管理的通知》。该通知是根据《中华人民共和国河道管理条例》和 1990 年 6 月水利部、财政部、国家物价局颁布的《河道采砂收费管理办法》，结合山东黄河河道采砂收费管理具体情况制定的。

84 艘救护船只发放

7 月 14 日　为使黄河下游滩区、滞洪区群众在遭受洪水围困时能够安全转移，黄委会统一购置救生船只，分配给山东河务局 84 艘，分别存放在各市局，以解决滩区迁安救护问题。

以工代赈一次性安排北展宽区群众安置遗留问题

7月17日 山东河务局与齐河县、天桥区、历城区人民政府就国家一次性扶持、处理北展宽区群众安置遗留问题有关事项签订协议。明确:山东河务局在1992～1994年国家安排下达的以工代赈计划内,安排投资1760万元(齐河县1100万元、天桥区110万元、历城区550万元),一次性扶持、处理北展宽区群众安置遗留问题,包干使用。三县(区)政府按核定的年度计划指标编制年度实施意见报山东河务局审核,山东河务局会同省计委编报年度计划,经水利部批准后组织实施。

《山东黄河科技》创刊

7月28日 山东省新闻出版局鲁新出版刊字[1992]第103号文函复,同意山东河务局创办《山东黄河科技》刊物。该刊为季刊,16开本,48页,内部发行。

邹家华考察黄河口

7月28日 国务院副总理邹家华,在山东省副省长李春亭等陪同下,到东营市及黄河河口进行考察,对稳定黄河入海流路事宜,提出应组织更多的专家来考察研究河口治理问题。

山东河务局机关进行公费医疗改革

7月28日 山东河务局印发《山东黄河河务局机关公费医疗管理和改革试行办法》。该办法计六章十七条,自1992年7月1日起试行。

黄河断流现象加剧

8月1日 利津水文站自3月16日以来已经断流5次,累计断流82天,(其中全日断流72天),最大断流长度303公里。利津水文站在主汛期的7月份连续26天无水入海。泺口水文站自6月3日至7月19日断流3次,累计断流36天。黄河断流现象的加剧,不仅给沿黄地区工农业生产带来巨大损失,同时也加剧了下游河道萎缩、河口地区生态环境恶化等。

山东黄河物资总公司成立

8月18日 山东河务局黄政发[1992]85号文通知:经山东省农业委员会

鲁农委发[1992]76号文批准,成立山东黄河物资总公司,由山东河务局管理,为自主经营、自负盈亏、独立核算的全民所有制企业,具有法人资格。

李善润等职务任免

8月18日　中共黄委会党组黄党[1992]17号文任命:李善润为山东河务局党组副书记;王曰中为山东河务局副局长、党组成员;袁崇仁为黄河河口管理局局长;免去王曰中黄河河口管理局局长职务。

王建功到黄河造船厂检查工作

8月22日　山东省副省长王建功在局长葛应轩等陪同下,到黄河造船厂了解吸泥船建造情况,对造船质量表示满意,并要求已下水的吸泥船及早投产,发挥效益。

葛应轩出席中日第八次河工坝工会议

10月5~14日　山东河务局局长葛应轩出席中日第八次河工坝工会议,会上宣读了题为《黄河下游淤背固堤效益分析》的论文,并商定中日第九次河工坝工会议在济南召开。

章丘县黄河河务局更名

10月8日　山东河务局黄政发[1992]93号文通知:根据国务院关于撤销章丘县设立章丘市的通知,章丘县黄河河务局更名为章丘市黄河河务局。

国家防汛总指挥部更名

10月17日　经国务院批准,原国家防汛总指挥部更名为国家防汛抗旱总指挥部(以下简称国家防总)。

田纪云察看黄河三角洲

10月22~24日　国务院副总理田纪云在山东省副省长李春亭等陪同下,到黄河口察看河口治理和黄河三角洲开发情况,并为河口管理局题词:“治好黄河,造福华夏。”

黄河三角洲国家级自然保护区建立

10月28日　国务院以国函字[1992]166号文批准建立“山东黄河三角洲

国家级自然保护区”，以加强对该地区丰富的动、植物资源的管理和保护。该保护区总面积 225 万亩，其中核心区面积 45 万亩。

纪念毛泽东视察黄河 40 周年新闻采访活动

10 月 30 日 在毛泽东主席亲临黄河视察，发出“要把黄河的事情办好”的指示 40 周年之际，山东河务局组织邀请新华社、大众日报社、山东电视台、广播电台等 10 家新闻单位的记者赴山东黄河各地采访。

山东黄河安全度过汛期

10 月 山东黄河安全度过汛期。本年汛期属枯水少沙。汛期花园口站来水量 140.38 亿立方米，较多年平均值偏少 44.8%，输沙量 8.93 亿吨，较多年平均值偏少 5.7%；8 月 16 日 19 时出现一次 6430 立方米每秒的洪峰，相应水位 94.32 米。高村水文站最大洪峰流量为 4100 立方米每秒(8 月 19 日)，相应水位 63.13 米；汛期来水量 124.25 亿立方米，输沙量 5.58 亿吨。本年汛期 8 月中旬洪水主要来自多沙区，含沙量大，因此水位表现高，山东河道 3000 立方米每秒流量水位比去年同流量水位普遍偏高 0.25～0.35 米。由于含沙量大，局部河段河势变化，汛期全省有 96 处险工、控导工程 236 段坝出险 378 坝次，均进行了及时抢护。

山东黄河基本完成破除生产堤任务

11 月 3 日 山东黄河破除滩区生产堤 7.3 万米，占 1992 年应破除生产堤长度的 99%。山东沿黄实有生产堤总长 31.3 万米，按国家防总要求，应破除生产堤长度 15.67 万米。山东省 1991 年前已经破除生产堤 9.4 万米，1992 年应破除 7.4 万米。破除后的生产堤经验收合格。

杨集引黄闸竣工验收

11 月 28 日 郓城县杨集引黄闸竣工验收。该闸位于右岸黄河大堤 300+642 处。闸型为一联三孔箱式涵洞，每孔净宽 2.6 米，净高 2.8 米，设计引水流量 30 立方米每秒，可满足郓城县丰收河以北、郓巨河以东 50 万亩农田的灌溉用水。工程 1992 年 2 月 20 日开工，10 月 15 日竣工，投资 401.1 万元。

《山东省志·黄河志》出版

11 月 《山东省志·黄河志》由山东人民出版社正式出版。《山东省志·黄河志》历经8年完成。全志设概述、流域特征、基础工作、防洪工程、防汛、兴利、管理等6篇,由山东黄河河务局黄河志编纂委员会编纂,山东省地方史志编纂委员会审定,报山东省人民政府批准出版。

1993年3月3日,《山东省志·黄河志》参加由中国地方志指导小组在北京举办的全国新编地方志成果展览会,被评为全国新编地方志成果展览会山东优秀成果奖,并颁发证书。

山东黄河工程开发有限总公司成立

12月22日 山东河务局黄政发[1992]117号文通知:经山东省体改委鲁体改生字[1992]第148号文批复同意,成立山东黄河工程开发有限总公司,隶属山东河务局领导,是法人持股的股份制企业,为自主经营、自负盈亏、独立核算、具有法人资格的经济实体。

山东河务局黄政发[1992]107号文任命龙于江为山东黄河工程开发有限总公司董事长兼总经理(副局级)。

1993年

山东治黄工作会议召开

1月11~14日 山东治黄工作会议召开。副省长王建功、黄委会副主任黄自强出席会议并讲了话。局长葛应轩提出了1993年治黄工作任务。副局长李善润对1992年治黄工作进行了总结。1993年的治黄工作任务主要是:(1)按照国家防总关于防汛工作正规化、规范化的要求做好防汛防凌工作。(2)完成基建工程和“三区”建设任务。(3)充分利用黄河水资源,为沿黄地区工农业生产和人民生活服务。(4)加强水政管理,提高全民的水法规意识。(5)发挥科教在治黄工作中的作用,继续开展“防汛抢险新技术、新材料的应用”、“土工织物加筋土应用”、“稳固险工根石”等项目的研究和“组合灌浆机”、“堤防隐患探测技术”等成果的推广应用。(6)深化改革,推动黄河经济发展。全局“八五”期末,实现年净收入1000万元。

参加会议的有各地(市)县河务(管理)局、段、所、站、厂、局直单位负责人。会议表彰了先进,交流了经验,并与各地(市)河务局签订了1993年目标责任书。

黄河山东区工会第七次代表大会召开

1 月 23～26 日 黄河山东区工会第七次代表大会召开。出席会议的代表共 92 人,其中女代表 22 人,科技工作者代表 10 人。山东省总工会、黄河工会领导出席了会议。大会选举产生了以唐恒善为主席的工会委员会和经费审查委员会。

郝金之等职务任免

1 月 29 日 山东河务局黄政发[1993]18 号文任命郝金之为济南市河务局局长,杜宪奎为淄博市河务局局长,杨洪献为黄河河口管理局调研员(正处级);免去孟青云济南市河务局局长职务,杨洪献淄博市河务局局长职务。

引黄入卫开始引水

1 月 30 日 引黄入卫开始引水。引黄入卫工程是从聊城市位山引黄闸引水入卫河,临时向河北省供水 3000 万立方米,以缓解河北省东南部地区严重缺水状况。

山东黄河安全度过凌汛

2 月 7 日 封河段全部开通,凌汛结束。1 月 19 日凌晨,垦利县护林工程处首先封河,至 31 日,山东省封河 23 段,长 180 公里,封冻最上首达齐河县潘庄险工。河槽内最大冰量 1200 万立方米,河槽最大蓄水量 5.71 亿立方米。1 月 28 日以后,山东省沿黄地区气温开始回升,冰凌逐渐融化,山东黄河安全度过凌汛。

山东河务局被授予目标管理先进单位一等奖

2 月 10 日 1992 年度山东河务局在治黄业务、管理工作、经营创收和精神文明建设等方面成绩突出,黄委会黄办[1993]3 号文授予山东河务局 1992 年度目标管理先进单位一等奖。

梁山、鄄城县河务局公安派出所受表彰

2 月 16 日 水利部授予山东河务局梁山县河务局公安派出所水利公安保卫先进集体称号;授予鄄城县河务局公安派出所副所长陈继学“水利卫士”称号。

《东平湖二级湖堤加高初步设计》批复

2月　黄委会批复山东河务局《东平湖二级湖堤加高工程初步设计》:“同意东平湖老湖运用水位确定为46.00米,据此加高二级湖堤。因二级湖堤附近征地、取土困难,同意采用防浪墙加高方案,防浪墙顶部高程为48.00米,堤顶净宽6.0米。”“黄委会黄河务[1991]10号文批复二级湖堤为2级建筑物的标准过高,根据东平湖水库的实际情况,二级湖堤是东平湖水库中的一道隔堤,经研究,改为4级建筑物。”山东黄河勘测设计研究院根据实际情况提出土方修筑至48米高程、不设防浪墙的补充设计,1994年4月黄委会同意。

山东河务局航运大队更名

2月26日　山东河务局黄政发[1993]35号文通知:经研究,山东河务局航运大队更名为山东黄河船舶工程处(原机构规格不变)。

刘荣绥不再担任纪检组长

3月5日　中共黄委会党组黄党[1993]11号文通知:鉴于刘荣绥已到离休年龄,不再担任山东河务局纪律检查组组长、党组成员职务。

1994年2月20日,山东河务局黄政发[1994]9号文通知:根据黄委会黄人劳[1993]162号文件,同意刘荣绥离职休养。

李善润、葛应轩职务任免

3月19日　中共水利部党组水党[1993]14号文任命李善润为山东河务局党组书记、局长;免去葛应轩山东河务局党组书记、局长职务。4月23日,黄委会黄任[1993]30号文任命葛应轩为山东河务局巡视员。

山东河务局按规定配置安全员

3月　山东河务局安全委员会调整后,由局长李善润任安全委员会主任,各处、室负责人任成员。按照《黄委会劳动安全条例》规定,凡200人以上的单位都配有专职安全员。据此,全局共配置专、兼职安全员1200人,其中专职安全干部50人。年初各级领导签订的目标责任书中,安全生产被列为一项重要内容,列入年底考核评比范围,并签订了单项安全生产责任书或责任状,一级抓一级,实行一票否决。

山东省政府重申引黄涵闸统一管理

4 月 10 日 山东省政府 12 号传真电报发出《关于重申集中统一管理运用引黄涵闸的紧急通知》,主要内容包括:凡建在黄河堤防上的引黄闸、排水闸、虹吸等工程,均应由山东河务部门直接管理,以保证工程的正常运行和防洪安全。据此,山东河务局以黄管发[1993]11 号文通知河口管理局,将所辖堤段上的神仙沟、马场(老神仙沟)、纪冯、一号穿涵等 4 座引黄闸和垦东排水闸,收归河口管理局实施统一管理。

曹店分凌放淤闸废除

4 月 22 日 由于黄河河床不断淤积抬高,曹店分凌放淤闸设防水位低于防洪水位 1.6 米,且闸门裂缝、工程老化、机电设备陈旧,成为防洪重要险点,已于 1984 年修筑闸后围堤防守。鉴于该闸已不具备运用条件,又无改建价值,经研究并请示黄委会同意,决定废除该闸。

李传顺获"富民兴鲁"劳动奖章

4 月 24 日 山东省总工会决定,授予济南市槐荫区河务局李传顺山东省"富民兴鲁"劳动奖章。

实行签订引黄供水协议书制度

4 月 26 日 为充分利用有限的黄河水资源,根据《中华人民共和国水法》及有关水法规,结合山东省实际情况,山东河务局决定实行签订《山东黄河引黄供水协议书》制度。这是引黄供水和黄河水资源管理制度一项改革措施,在实行供水协议书制度后,原用水签票制度即行废止。本制度自 1993 年 7 月 1 日起实行。

邹平县河务局 2 号吸泥船发生人员坠河死亡事故

4 月 28 日 邹平县河务局 2 号吸泥船民技工未穿救生衣在输浆管上行走时坠入河中,经抢救无效死亡,直接经济损失 12000 元,属重大事故。根据《安全条例》决定:扣发 2 号吸泥船船长当季奖金;扣发台子河务段段长当月奖金;给予滨州地区河务局 4000 元经济处罚。

山东河务局与武汉水利电力大学联合办学

4月 山东河务局与武汉水利电力大学签订“联合办学意向书”,双方就人才培养、科学研究、技术开发等多领域进行广泛合作。次年,正式建立武汉水利电力大学山东黄河职工中专函授站。

至2002年,函授站共开办8个班(次),培训学员437人,其中研究生26人。涉及水利水电工程、法律、企业管理、工商管理等专业,学历层次包括专科、本科及研究生等,为山东黄河培养了大批专业人才。

曹金钦等职务任免

5月5日 中共山东河务局党组黄党发[1993]11号文通知:曹金钦任聊城地区河务局局长、党组书记;免去王德威聊城地区河务局局长、党组书记职务。

山东省防汛工作会议召开

5月20日 山东省防汛工作会议召开。各市(地)分管防汛工作的副市长、副专员和河务局局长参加了会议。山东河务局局长李善润在会上传达了黄河防总防汛工作会议精神和黄河防汛工作意见。省抗旱防汛指挥部和沿黄地(市)签订了黄河防汛责任书。

黄河防总副总指挥王建功在全省防汛会议上指出,黄河防汛事关大局,必须全力以赴,保证安全度汛。黄河的防洪安全问题还没有根本解决,沿黄各地要按照黄河防总和省抗旱防汛指挥部的统一部署,认真落实各项任务。

黄河卫星云图接受系统投入使用

5月 山东黄河卫星云图接受系统投入使用。该系统由计算机、卫星接收天线、高频信号处理机等组成,投入使用后,可定时自动接收日本GMS气象卫星图片信息,监视灾害性天气变化过程,提高洪水预报的预见性。

黄河口治理研究所成立

6月4日 山东河务局黄政发[1993]61号文通知:根据工作需要,并请示黄委会同意,成立黄河口治理研究所,为正处(县)级机构,隶属黄河河口管理局领导。

陈耀邦等检查黄河防汛准备工作

6 月 7～14 日 以国家防总副总指挥、国家计委副主任陈耀邦为组长，林业部副部长王志宝、卫生部副部长殷大奎、水利部副部长周文智等 12 个部委的 20 人组成的国家防总检查组，检查了东平湖分洪工程、艾山卡口河段、济南泺口铁路老桥北端大堤缺口及黄河河口防洪工程等。

陈耀邦在济南听取汇报后指出，黄河防汛是一项关系国计民生的大事，不得有丝毫懈怠，要扎扎实实地落实好防汛抢险措施，消除险点隐患。对济南泺口铁路老桥北端济南铁路局的穿堤管线，要求马上拆除，确保黄河防洪安全。

山东河务局设立驻威海办事处

6 月 26 日 山东河务局黄政发[1993]66 号文通知：为了扩大对外开放，加强横向交流与合作，促进治黄工作的全面发展，经山东河务局研究决定并经黄委会同意，在威海市环翠区古寨东路 52 号楼设立山东河务局驻威海办事处，办事处隶属山东河务局领导。

调整山东省抗旱防汛指挥部领导成员

6 月 28 日 山东省政府公布调整后的省抗旱防汛指挥部领导成员。

指挥：赵志浩（省长）；常务副指挥：王建功（副省长）；副指挥：张瑞凤（副省长）、韩永录（省军区副司令）、张玺文（济南军区作战部部长）、王渭田（省农委主任）、李善润（山东河务局局长）、王玉柱（省水利厅厅长）、马士俊（省政府办公厅副主任）、张明华（省建委副主任）、赵奎（省计委副主任）、王宝山（省经委副主任）、柏继民（省财政厅副厅长）；领导成员由山东河务局副局长石德容等有关厅局负责人组成，石德容兼黄河防汛办公室主任。

水利部专家查勘黄河口

6 月 28 日～7 月 5 日 水利部江河水利水电咨询中心高级顾问赵传绍、黄委会副主任黄自强、黄委会勘察设计研究院院长陈效国、山东河务局总工程师张明德等专家，对黄河入海流路进行了现场查勘，对《黄河入海流路近期工程项目建议书》做了讨论修改，并就工程建设资金筹措问题进行了认真磋商，形成了初步意见。

专家们认为，为保证河口地区防洪安全，稳定清水沟流路 30 年，尽快实施《黄河入海流路规划》拟定的近期治理措施，是十分必要和紧迫的。关于近期治理一期工程项目,专家建议安排南北两岸堤防加高加固与延长、河道整治、清7断面以下堵串及疏导、北大堤滚河防护淤临、北汊1改道的引河开挖以及管理和通讯设施建设等,从1994年开始,5年完成。

黄河防总发布黄河下游洪峰编号规定

7月2日　黄河防总以黄防办字[1993]15号文颁发了《黄河下游洪峰、含沙量起报标准和汛期洪峰编号的暂行规定》。1989年黄河防总办公室曾向晋、陕、豫、鲁四省防办发出通知,规定花园口水文站实际出现5000立方米每秒以上洪峰流量,由黄河防总办公室统一编号对外发布,其他省(区)防汛办公室不再对外发布黄河洪水信息。鉴于黄河下游河道淤积抬高,平滩流量减小,花园口水文站汛期编号洪峰流量改为4000立方米每秒,仍由黄河防总办公室统一对外发布。

姜春云察看黄河防洪工程

7月9日　中共山东省委书记姜春云带领省、市及有关部门负责人,察看了济南河段的黄河防洪工程,详细了解黄河防汛准备情况。姜春云书记指出:黄河防汛工作抓得早、抓得实,各项准备工作比较充分。要立足于防大汛、抢大险、抗大灾,进一步检查落实防汛的各项具体措施,做到有备无患。同时强调,要在前段工作的基础上,进一步抓好思想发动、防汛队伍、防汛工程、物资器材和领导责任五落实。

山东河务局职工学校更名

7月16日　山东河务局黄政发[1993]69号文通知:经山东省人民政府[1993]鲁政函职字1号文同意,建立山东黄河职工中等专业学校,将山东河务局职工学校更名为山东黄河职工中等专业学校(原机构规格不变),仍由山东河务局主管。

陈俊生等检查黄河防汛工作

7月19～20日　国务委员、国家防总总指挥陈俊生和水利部副部长周文智等,在山东省省长赵志浩、副省长王建功,黄委会主任亢崇仁、山东河务局局长李善润等陪同下,察看了东平湖水库、济南泺口险工、德州豆腐窝分洪(凌)闸等,并于7月20日与山东省及黄委会有关单位的负责人就做好黄河防汛工作召开了座谈会。会上议定了进一步加强领导做好防汛工作、解决黄河滩区问题、解决东平湖滞洪区工程建设资金等问题的意见。8 月 19 日,国务院办公厅以国阅[1993]124 号下发了《山东黄河防汛工作座谈会纪要》,纪要内容中同意增加黄河防汛岁修 2619 万元,明确沿黄各级政府也要出钱出力,治理黄河、防汛抗洪主要依靠地方;黄河滩区扶持措施可实行“减少购粮,增加投入”,转一些人口到堤外发展乡镇企业,建立小城镇;东平湖是保济南、保胜利油田,保津浦铁路、保两岸人民生命财产的重要工程。受保护对象要出点力,胜利油田从今年起每年出 2000 万元,济南市至少出 1500 万元,一定五年不变,济南铁路局出 1000 万元。重点用于东平湖滞洪工程建设和黄河堤防险工的除险加固。

根据会议纪要精神,经过山东省政府、黄委会、山东河务局与出资各方协调,到位资金共 1.1 亿元,其中,济南铁路局 1000 万元、胜利油田 2500 万元、山东省政府和济南市 7500 万元。

盗割防汛通信线路主犯被判刑

7 月 26 日　滨州地区中级人民法院召开公判大会,对多次盗割通信线路及电力设施的主犯徐桂良、徐桂合依法判处死刑并立即执行,判处主犯王本华死刑,缓期二年执行。

1986～1991 年间,滨州地区黄河通信线路连续被盗割破坏,犯罪分子共作案 20 起,盗割通信线 16300 米,中断通话达 100 小时,严重影响了黄河汛情传递和防汛指挥工作。据审理,该团伙除盗割破坏黄河通信线路外,还多次盗窃电力设施及其他物资,使国家财产遭受重大损失。

山东黄河电子技术公司成立

8 月 9 日　山东河务局黄政发[1993]75 号文通知,经山东省体改委鲁体办字[1993]第 254 号文批准,成立山东黄河电子技术公司,由山东河务局管理,为自主经营、自负盈亏、独立核算、具有法人资格的全民所有制企业。

王曰中等享受教授、研究员待遇

8 月 16 日　黄委会黄人劳[1993]116 号文通知:经水利部高级工程师评审委员会 1993 年 5 月 19 日评审通过,批准山东河务局王曰中、劳世昌、石德容、恽华昌、傅少思为享受教授、研究员同等有关待遇的高级工程师,其工资等有关待遇按水利部水人劳[1993]98 号文件规定执行。

东明黄河公路大桥建成通车

8月30日 东明黄河公路大桥建成通车。该桥位于山东省东明县至河南省濮阳市之间,相应左岸濮阳黄河大堤桩号62+500,右岸东明黄河大堤桩号211+850,全长4142米,共211孔(含堤内外引桥),主桥长2115米,最大跨度120米,桥面宽18.5米,为钢筋混凝土结构,设计流量22000立方米每秒,双向四车道,荷载为汽-超20挂—120。1991年10月30日开工。

引黄渠首工程水费收交和管理办法继续执行

10月4日 水利部《关于继续执行〈黄河下游引黄渠首工程水费收交和管理办法(试行)〉的通知》指出:根据中共中央办公厅、国务院办公厅《关于涉及农民负担项目审核处理意见的通知》中水利工程水费可以继续执行的精神,经国家计委、财政部、农业部等部门研究,同意水利部《黄河下游引黄渠首工程水费收交和管理办法(试行)》(水财[1989]1号)继续执行。

黄河防凌工作会议在济南召开

10月7～10日 黄河防总在济南召开1993～1994年度黄河防凌工作会议。会议讨论了黄河防汛总指挥部1993～1994年度黄河防凌工作意见,听取了山东黄河防凌工作汇报,察看了黄河河口防洪工程和济南泺口险工。黄河防总办公室副主任、黄委会副主任庄景林到会并讲话。

黄河断流情况

10月12日 利津水文站自2月13日至10月12日断流6次,共61天,最长断流长度278公里。泺口水文站自6月13日至15日断流3天。

第九届中日河工坝工会议在济南举行

10月20～25日 第九届中日河工坝工会议在济南召开。参加会议的有来自全国26省(市、区)水利系统的代表80人和日方代表20人。中方代表团团长为水利部外事司司长杨定源,秘书长为山东河务局局长李善润;日方代表团团长为日本建设省河川局次长中野和义。本次会议主要议题为河口治理、堤防技术、城市河道管理和大坝安全管理技术等。会上,中、日双方各选6位代表宣读了论文,山东河务局副局长石德容宣读的论文是《黄河河口治理及三角洲开发》。会议期间代表考察参观了葛家店、老徐庄引黄闸、泺口险工、杨庄险工、东营黄河公路大桥、胜利油田、西河口平原水库、黄河口北大堤和防潮堤等。山东省副省长张瑞凤会见了日方全体代表。

山东黄河安全度过汛期

10 月 山东黄河安全度过汛期。本年汛期黄河来水、来沙较常年偏枯，花园口水文站总水量 145.7 亿立方米，总沙量为 4.63 亿吨。进入高村水文站的总水量为 136.6 亿立方米、总沙量 3.65 亿吨，分别较多年平均值偏少 45.2%和 57.5%。

汛期花园口水文站最大洪峰流量 4300 立方米每秒(8 月 7 日)，相应水位 93.84 米。高村水文站最大洪峰流量 3450 立方米每秒，相应水位 62.59 米(8 月 8 日)。由于该次洪水持续时间较长，含沙量较大，水位表现较高，山东各水位站水位均接近或超过警戒水位。山东共有 57 公里临黄大堤偎水，水深 1.0～2.0 米；黄河滩区有 18.48 万亩耕地被淹，9 个村庄 3500 人、44 口油井被洪水围困。汛期部分险工、控导工程出险，均进行了及时抢护。

进入 7 月以来，金堤河流域连降暴雨，连续出现三次洪峰。山东省防守的 83 公里北金堤有 53 公里偎水，历时达两个月之久，致使北金堤部分堤段出现渗水、管涌、坝岸裂缝、风浪坍塌等险情。聊城地区河务局组织 200 余名黄河职工日夜防守抢护，保证了堤防工程安全。

本年全省共签订黄河防汛责任书 44.5 万份，组织训练各类防汛队伍 136 万人，及时堵复了泺口铁桥北端临黄堤和导流堤两处缺口，消除了一大险点。

《黄河流域河道管理范围内建设项目管理实施办法》颁发施行

11 月 29 日 黄委会黄水政[1993]35 号文印发《黄河流域河道管理范围内建设项目管理实施办法》，该办法包括审查权限，项目审查，施工监督，启用、检查，附则等五个部分。

利津县东关引黄闸竣工验收

11 月 30 日 利津县东关引黄闸竣工验收。该闸位于临黄堤左岸桩号 309+334 处，闸型为一孔钢筋混凝土箱式涵洞，孔净高、宽均为 2 米，设计引水流量 1 立方米每秒，可灌溉农田 1.2 万亩及满足 1.5 万人生活用水。1993 年 3 月 4 日开工，10 月 30 日竣工，工程投资 214 万元。原 1971 年所建老闸全部拆除。

罗家屋子引黄闸竣工验收

12月1日　新建利津县罗家屋子引黄闸竣工验收。该闸位于黄河北大堤桩号9+900处,闸型为一联三孔钢筋混凝土箱式涵洞,每孔净高2.8米、净宽2.6米,设计引水流量30立方米每秒,加大引水流量35立方米每秒。该闸可为油田及地方工业日供水30万立方米,同时解决12万亩水田、20万亩旱田及1万亩鱼塘用水的需要。该闸1993年3月20日开工,9月30日竣工,工程投资423.37万元。该处原有虹吸工程全部拆除。

山东黄河水政水资源工作会议召开

12月2~5日　山东黄河水政水资源工作会议在聊城地区河务局召开。河口管理局、东平湖管理局、东银铁路局、各地(市)河务局分管局长、水政处(科)长,槐荫区、垦利、济阳、梁山、东平县河务局等单位负责人参加了会议。山东河务局副局长石德容在会上作了《总结经验,开拓前进,努力开创水政水资源工作新局面》的讲话。山东省法制局周立新、黄委会水政水资源局周世雄参加了会议。山东河务局局长李善润作了会议总结讲话。

郑州至济南数字微波干线建成

12月5日　黄河下游郑州至济南第一条数字微波干线建成并投入试运行(此前9月份已试开通郑州至济南2Mb电路并与程控交换机联网)。该线路全长440公里,共设19个站,其中山东境内设10个站。郑州至济南微波干线的建成,结束了黄委会与山东河务局30多年利用架空明线通信的历史。该工程于1994年7月正式验收。

《黄河入海流路治理一期工程项目建议书的函》报批

12月11日　水利部、山东省政府以水计[1993]496号文联合向国家计划委员会报送了《关于报送黄河入海流路治理一期工程项目建议书的函》(以下简称《一期项目建议书》)。黄河口入海河道自1976年改走清水沟流路已17年,近年来河道纵比降变缓,河口淤积加快,水位壅高,河道泄流不畅,河道分汊改道机遇加大,再加南、北防洪堤防洪标准低,管理体制不健全等,如遇较大洪水,可能出现分汊改道、水流漫堤决口的危险。根据国家计委对《黄河入海流路规划》的批复,黄委会责成山东黄河勘测设计研究院编制了《黄河入海流路近期治理工程项目建议书》(送审稿)并报送水利部。水利部会同山东省、胜利石油管理局、黄委会等单位及专家进行了初步审查,就一期工程安排取得了基本一致意见。在此基础上,编制了《一期项目建议书》。其主要工程有:北大堤沿六号路延长及孤东油田南围堤加高加固工程、南防洪堤加高加固及延长工程、河道整治工程、清7断面以下堵串及临时疏导工程、北大堤滚河防护淤临工程、北汊1改道引河开挖工程以及河口管理局(段)管理设施和通讯系统建设等。按西河口流量10000立方米每秒时水位12米,作为清水沟流路下段局部改道的控制标准,防洪堤按20年一遇标准设防。计划建设工期为5年,即1994～1998年。估算总投资为36984万元,由中国石油天然气总公司、水利部和山东省按5:2:1的比例分摊。

聊城地区引黄渠首工程水费拖欠案胜诉

12月20日 聊城地区河务局起诉聊城地区灌溉处拖欠引黄工程渠首水费一案胜诉。聊城地区灌溉处长期拖欠并拒交引黄渠首工程水费,1990～1991年共拖欠和拒交水费227.37万元。1992年7月,聊城地区河务局依法向聊城地区中级人民法院提起诉讼。历经一年半的审理,1993年12月20日,聊城地区中级人民法院调解,被告聊城地区灌溉处支付原告聊城地区河务局引黄渠首工程水费100万元,并承诺今后引用黄河水将按规定缴纳水费。

1994 年

山东河务局批复同意济南市取用黄河二道坝土方

1月4日 山东河务局黄管发[1994]2号文批复济南市河务局,同意济南市取用部分黄河二道坝土方的报告,并指出:济南黄河二道坝属黄河防洪资产,为防洪抢护土源,鉴于西北外环路施工工期紧、任务重,同意济南西北外环路工程有偿使用黄河二道坝部分土方,并由黄河部门按要求施工。

二道坝坝基土地所有权属黄河河务部门,由济南市河务局管理保护,任何单位和个人未经批准不得占用。

山东治黄工作会议召开

1月19～22日 山东治黄工作会议召开。各地(市)、县河务局及部分段、所、站、厂负责人,局机关各处(室)、局直单位负责人共190多人参加了会议。山东省副省长王建功到会并讲话。局长李善润做了《总结经验,深化改革,夺取治黄工作新胜利》的工作报告。会上各地(市)局汇报了1993年的治黄工作,与山东河务局签订了1994年目标责任书。会议表彰了10个目标管理先进单位。

山东黄河凌汛期没有封河

1月22日 本年度黄河凌汛期冷空气强度较弱,气温较常年偏高,整个凌汛期没有封河。至该日,北镇日平均气温回升到-0.5℃,淌凌基本消失,此后也未有明显降温过程。

李传顺等被授予黄委会劳动模范称号

1月27日 在1994年黄委会治黄先进集体、劳动模范表彰大会上,黄委会、黄河工会以黄办[1994]2号文决定:授予山东河务局李传顺、戴继昌、苗喜龙、魏来水、隋建岭、刘秀英(女)、姬脉义、米宝辉、王德荣、武心源、葛民宪、王金祥、于文军、张凡福、刘郅予、张保林、王汉新、巴炳武、朱宪堂、马松林、姜广生、王振柱、苗琪、李绪臣、丁立祥、张进廷、王元林、朱茂国、吴光宗、裴建军、张秀泉、王全信、李贵生等黄委会劳动模范称号,颁发证书,并奖励晋升一级工资。

授予垦利、济阳、惠民、阳谷县河务局,李家岸引黄闸管理所,将山石料厂,山东河务局招待所,东平湖管理局梁山工程处,鄄城县河务局公安派出所为黄委会先进集体称号,并颁发奖牌。

黄委会向垦利县公安局颁奖

1月27日 黄委会向山东省垦利县公安局颁发一万元奖金,奖励与破获盗窃黄河防汛通信线路案件有关的单位和人员。

引黄济青工程完成年度送水任务

2月1日 山东引黄济青工程完成年度送水任务。1993年12月15日至1994年2月1日,累计引用黄河水8716万立方米,超计划完成任务。

澳大利亚考察团考察评估济南引黄供水工程

2月5~7日 澳大利亚国际发展援助局考察团对山东济南引黄供水工程进行考察评估。该工程利用澳大利亚政府贷款1300万美元,用款年度为1994~1995年。

《山东省黄河河道管理办法》发布

2 月 16 日 山东省政府令第 49 号发布了《山东省黄河河道管理办法》(以下简称《管理办法》),从 4 月 1 日起正式施行。

《管理办法》共 7 章 39 条,总则中明确规定:"黄河水利委员会山东河务局是省黄河河道的主管机关,其所属沿黄市(地)、县(市、区)的黄河河务部门是该行政区域的黄河河道主管机关。"其他各章分别就河道整治与建设、河道保护与管理、黄河河口管理、河道整治工程补偿、河道内建设等费用负担以及违反本《管理办法》的处罚等,都做了明确规定。

东平湖蓄水东调工程可行性研究

2 月 23 日 1993 年 7 月 15 日,山东省政府第 8 次省长办公会议决定"要把东平湖利用起来,抓紧实施西水东调";同年 12 月 16 日,水利部部长钮茂生和山东省省长赵志浩在济南珍珠泉宾馆就利用东平湖水库老湖蓄水解决鲁中和胶东地区缺水问题进行了会谈,并形成会议纪要。1994 年 2 月 23 日,水利部办公厅、山东省人民政府办公厅联合以办综[1994]14 号文印发《关于东平湖水库老湖蓄水解决东部缺水问题的会谈纪要》的通知,纪要认为利用东平湖水库老湖蓄水是必要和可行的,建立东平湖水库管理委员会,由山东河务局负责人任主任,省水利厅、有关市地负责人任副主任,统一协调管理东平湖水库的蓄水调水问题。根据此会议纪要精神,1994 年 12 月,山东黄河勘测设计研究院和省水利勘测设计院联合编制了《利用东平湖蓄水东调工程项目建议书》和《利用东平湖蓄水东调工程可行性研究报告》,山东黄河设计院负责总报告及"附件一:东平湖蓄水工程可行性研究报告"的编制。1995 年 7 月 4 日,山东黄河设计院以黄设设字[1995]14 号文报送山东河务局。1997 年初,山东省政府以鲁政发[1997]34 号文将上述可行性研究报告上报国务院,国家计委批复要求先报批项目建议书。

大清河流泽公路大桥修建

2 月 24 日 山东河务局黄管发[1994]7 号文批复东平湖管理局,同意在大清河河道上修建流泽公路大桥,同时对大桥的位置、桥面高程、大桥与两岸大堤相交以及工程施工等提出了具体要求。

石洼水位站迁址

3月11日 山东河务局批复同意将原设在路那里险工39号坝，相应湖堤桩号8+937处的石洼水位站水尺移至34号坝下跨角，相应湖堤桩号为9+665。迁址后仍执行原石洼水位站报汛任务。为保证资料连续性，新、旧水尺要进行一次汛期同步观测，以建立相应关系。原39号坝水尺仍作为东平湖分洪控制站予以保留。

葛应轩等享受政府特殊津贴

3月30日 黄委会(以下简称黄委)黄人劳[1994]43号文通知：接水利部水人劳[1994]43号文件《关于享受1993年政府特殊津贴人员名单的通知》，山东河务局葛应轩享受每月政府津贴100元；张明德、劳世昌、牟玉玮、许万智、靖中奇享受每月政府津贴50元。津贴自1993年10月起发放，原已享受的治黄特殊津贴同时停发。

财物经营管理处成立

4月5日 山东河务局黄政发[1994]23号文通知：山东河务局财务物资处与综合经营办公室合并，合并后名称为财物经营管理处。

戴继昌获"富民兴鲁"劳动奖章

4月23日 山东河务局戴继昌被山东省总工会授予山东省"富民兴鲁"劳动奖章。

《山东省志·黄河志》获全国新编地方志优秀成果一等奖

5月1日 经中国地方志指导小组最后评定，由山东省地方志优秀成果评审委员会推荐的优秀成果《山东省志·黄河志》获全国新编地方志优秀成果一等奖并授予获奖证书。

黄淮海流域水政水资源工作座谈会在济南召开

5月3～7日 黄河、淮河、海河三流域机构直属局水政水资源工作座谈会在济南召开。参加会议的有水利部水政水资源司，黄委水政水资源局，河南、山东河务局，淮委、海委水政水资源处等单位和部门的负责人。

三流域机构及部分直属局介绍了工作情况，交流了经验，到济南市河务局、东平湖管理局等单位进行了参观考察。对山东河务局水政建设、水利执法、堤防管理及收费项目征收等工作给予较高评价。

王荫芝、王汉新被评为黄委十大杰出青年

5 月 4 日　东营区河务局王荫芝(女)、阳谷县河务局王汉新被黄委评为首届十大杰出青年,并出席颁奖仪式。

山东省防汛工作会议召开

5 月 4～6 日　山东省防汛工作会议在蓬莱市召开。副省长王建功主持会议,参加会议的有各市(地)分管防汛的副市长(副专员)、建委主任、沿黄各市(地)水利、河务局局长及省军区和省直有关部门的负责人共 125 人。

会上传达了全国防汛办主任会议精神以及黄河、内河、城市三方面防汛工作意见,王建功与沿黄九个市(地)分管防汛的副市长(副专员)签订了黄河防汛责任书,省抗旱防汛指挥部副指挥李善润对黄河防汛工作做了部署。

黄河防总颁发防汛工作职责若干规定

5 月 17 日　黄河防总黄防办[1994]13 号文颁发《黄河防汛总指挥部防汛工作职责若干规定(试行)》。规定:黄河防总在国家防总领导下全面负责黄河防汛工作,河南省省长担任总指挥,并对黄河防汛负总责,晋、陕、鲁三省主管农业的副省长和黄河水利委员会主任担任副总指挥。黄河防总办公室设在黄委,负责防汛日常工作。

有黄河防汛任务的省、地(市)、县(市)防汛指挥部负责本辖区黄河防汛工作,各级政府行政首长担任指挥,并对本辖区防汛负总责。黄河防汛办公室设在治黄单位,负责黄河防汛日常工作。任何单位和个人都有参加黄河防汛抗洪的义务。

《山东省抗旱防汛指挥部成员单位职责》印发

5 月 18 日　山东省抗旱防汛指挥部[1994]鲁旱汛字第 16 号文印发《山东省抗旱防汛指挥部成员单位职责》,对山东省计划委员会、经贸委员会、建设委员会、水利厅、河务局、财政厅、民政厅、公安厅、交通厅、农业厅、林业厅、商业厅、广播电视厅、卫生厅、劳动厅、邮电局、电力局、气象局、铁路局、农机局、供销社、物资集团总公司、石油公司、保险公司等单位明确了具体任务与要求。

庄景林察看山东黄河防洪工程

5月19日 黄委副主任庄景林在山东河务局局长李善润、总工程师张明德等陪同下,先后到济南、德州等市(地)局察看防洪工程,检查指导工作,并到豆腐窝分洪闸改建工地重点了解工程施工情况。在听取有关部门负责人的工程情况汇报后,庄景林对改建工程施工情况表示满意,并对进一步做好工程施工工作提出了要求。

綦连安等察看黄河工程和综合经营情况

5月21~31日 黄委主任綦连安、副主任黄自强等在山东河务局局长李善润、副局长石德容陪同下,察看了黄河工程和综合经营情况,听取了省、地(市)、县(区)河务局的工作汇报,看望了沿黄地(市)、县(区)河务局负责人,对山东治黄工作给予了充分肯定和鼓励,并对今后工作提出了希望和要求。

5月26日,副省长王建功在济南会见了綦连安一行,并就山东黄河的治理与开发交换了意见。李善润向黄委领导汇报了山东黄河基本情况和工作开展情况以及存在的主要问题。

钮茂生率队检查黄河防汛准备工作

6月15~17日 国家防总副总指挥、水利部部长钮茂生,率领由财政部、石油天然气总公司、铁道部、国家防总有关部门负责人组成的防汛检查组,检查了山东黄河防汛准备工作。

检查组先后察看了垦利南展宽区工程,河口北堤,齐河北展宽区工程,豆腐窝分洪闸改建工地,东平湖水库进、出湖闸和东明滚河防护坝等工程。检查中,钮茂生对山东黄河防汛准备工作表示满意,概括了三个突出特点:一是防汛责任制落实得好;二是制订了防洪方案,有了明确要求;三是强调了人防为主,组织了庞大的群众防汛队伍。

刘传朋逝世

6月27日 原山东河务局副局长、党组副书记刘传朋,于1994年6月27日6时30分在济南因病逝世,终年79岁。

刘传朋是山东省鄄城县葛楼村人,1938年7月加入中国共产党,同年参加革命工作。历任鄄城县区长、区委书记、县长,菏泽修防处主任,山东河务局副局长、党组副书记等职。1982年11月离职休养。

黄河防洪与泥沙专家考察重点河段

7 月 4～16 日 黄河防洪与泥沙专家考察组在黄委副主任黄自强、副总工程师胡一三的带领下，对重点河段潼关至三门峡、花园口至高村、济南至河口河段进行实地考察。

劳模事迹巡回报告团赴各单位作报告

7 月 6～17 日 山东河务局劳模事迹巡回报告团李传顺等一行 8 人，先后赴菏泽、东平湖、东银铁路、聊城、滨州、河口、淄博、济南、德州 9 个地(市)河务(管理)局进行了巡回报告，66 个基层单位的 5893 人听了报告。

周文智检查山东黄河防汛工作

7 月 11～13 日 水利部副部长周文智率国家防总工作组，对山东黄河防御大洪水预案的落实情况进行了检查。在听取了局长李善润关于山东黄河防汛工作汇报后，由黄自强和李善润陪同先后察看了山东河务局通信处、东平湖陈山口出湖闸、石洼进湖闸、司垓退水闸、东平湖围坝、二级湖堤等工程。检查中，周文智对山东黄河防汛准备工作和防御大洪水的预案落实情况表示满意。

李春亭察看黄河防洪工程

7 月 12 日 山东省副省长李春亭到济南市黄河曹家圈、杨庄、泺口三处险工察看了黄河防洪工程，并听取了省、市河务部门关于水、雨情和黄河防汛准备工作情况的汇报。李春亭肯定前一阶段黄河防汛准备工作积极、扎实、富有成果，对各项工作安排比较满意，并代表省委、省政府向在黄河防汛工作中作出贡献的全体黄河职工和沿黄各级党委、政府的领导表示感谢。

姜春云率队察看黄河洪水和工程情况

7 月 14 日 正在滨州地区考察工作的中共山东省委书记姜春云率领省直有关部门负责人，在滨州地区领导和有关部门负责人陪同下到滨州黄河道旭险工段察看了黄河洪水和工程情况，现场听取了有关部门负责人关于防汛工作情况的汇报，详细了解了黄河防洪工程情况和度汛措施。姜春云要求进一步强化行政首长负责制，真正做到领导到位、措施到位，并指示：黄河防汛事关大局，极端重要，务必作为重中之重来抓。保持高度警惕，确保黄河万无一失。

调整山东省抗旱防汛指挥部成员

7月15日 山东省抗旱防汛指挥部[1994]鲁旱汛字第11文公布调整后的指挥部成员。

指挥:赵志浩(省长);常务副指挥:王建功(副省长);副指挥:张瑞凤(副省长)、韩永录(省军区副司令员)、张玺文(济南军区作战部副部长)、董昭和(省政府副秘书长)、王渭田(省农委主任)、李善润(山东河务局局长)、王玉柱(省水利厅厅长)、张明华(省建委副主任)、赵奎(省计委副主任)、王宝山(省经委副主任)、柏继民(省财政厅副厅长)。领导成员由山东河务局等有关厅局负责人组成,黄河防汛办公室设在山东河务局,领导成员石德容兼任省黄河防办主任。

山东河务局进行工资制度改革

7月 根据国务院和水利部关于事业单位工资改革的有关文件精神,山东河务局进行了工资制度改革。为9022名在职工作人员进行了工资套改,月人均增资166元;为2416名离退休人员增加了离退休费,月人均增资188元。新工资标准自1993年10月1日开始执行。

黄河河口治理部分工程通过验收

8月22日 黄河河口整治部分工程通过验收。黄河河口北大堤38公里处险工续建、42公里处险工新建工程和八连护滩上延以及崔家护滩新建工程,自4月13日陆续开工,三项工程总投资600万元。该工程由胜利石油管理局投资,黄河河口管理局组织施工,由山东河务局、胜利石油管理局水利处、黄河河口管理局共同组织验收。

东明滚河防护一期工程竣工

8月26日 东明滚河防护工程位于黄河右岸,相应黄河堤段桩号156+050~183+000,工程的主要作用是在黄河洪水期间发生滚河或顺堤行洪时,保护大堤免遭水流直接冲刷。山东河务局自1985年起,先后上报了东明滚河防护工程初步设计、扩大初步设计、修改补充设计,1990年黄委批复同意修建滚河防护工程,分两期实施。第一期工程共有16道丁坝和一道隔堤,计土方121万立方米,石方5.32万立方米。1990年设计方案批复前,1987~1989年经批准已修建了9道丁坝和一道隔堤,1990~1994年又完成了7道丁坝。

葛应轩离职休养

8 月 31 日 黄委黄人劳[1994]120 号文通知,根据水利部水人劳[1994]86 号文件,同意葛应轩退休。

2001 年 5 月 23 日,黄委黄人劳任[2001]24 号文通知,根据中组部劳动人事部中发[1982]11 号文件,经调查核实,同意将葛应轩参加工作时间更改为 1949 年 5 月,由退休改为离休。

《山东省黄河防汛管理规定》颁发

9 月 4 日 山东省抗旱防汛指挥部[1994]第 30 号鲁旱汛字颁发《山东省黄河防汛管理规定》,对各级防汛指挥机构的组织建立、防汛责任制、防汛队伍的组成、防守和险情抢护、水文测报及河势工情观测、蓄滞洪区的管理与运用、河道清障、防汛物资筹备与管理、交通与通信、宣传与治安、防汛工作制度、奖励与处罚等都作出了明确的规定和要求。

山东黄河经济工作会议召开

9 月 8～14 日 山东黄河经济工作会议在济南召开。参加会议的有各地(市)河务局局长、办公室主任、各县(市、区)及局机关各部门负责人共 110 多人。会上传达贯彻了全国水利工作会议和经济工作会议的有关文件,局长李善润做了题为《解放思想,深化改革,为振兴山东黄河经济而奋斗》的报告;各地(市)局汇报了本单位经济工作的开展情况,4 个单位做了典型发言;组织与会人员进行参观学习。黄委副主任黄自强出席会议并讲话。

余声馨等享受教授、研究员待遇

9 月 29 日 山东河务局鲁黄政发[1994]71 号文通知,接黄委黄人劳[1994]123 号文通知,经水利部高级工程师评审委员会 1994 年 6 月 17 日评审通过,余声馨、李念平、王汝秀被批准为享受教授、研究员级同等有关待遇的高级工程师,其工资及其他相应待遇从 1994 年 7 月份起执行。

《山东黄河工程用地确权登记发证若干问题的规定》印发

10 月 5 日 为依法确认和保护山东黄河工程用地的使用权,加强对工程用地的管理,确保防洪安全,更好地发挥工程效益,经山东省政府同意,山东河务局和山东省土地管理局联合以[1994]鲁土[籍]字第 67 号文下发了《山东黄河工程用地确权登记发证若干问题的规定》。

山东河务局科技项目获黄委科技进步奖

10 月 10 日　“黄河防洪工程防护用优良草种引种、筛选试验研究”项目获黄委科技进步三等奖。

黄河断流情况

10 月 16 日　泺口水文站自 5 月 30 日至 10 月 8 日断流 2 次，共 31 天；利津水文站自 4 月 3 日至 10 月 16 日断流 4 次，共 74 天，最大断流长度 380 公里。

《黄河的渡过》纪念碑在东营奠基

10 月 17 日　《黄河的渡过》纪念碑在东营奠基。由旅美画家陈强策划的大型艺术作品《黄河的渡过》主体建筑——黄河水体纪念碑奠基仪式在山东东营市举行。黄委副主任黄自强参加奠基仪式并致辞。

江崇训等被批准具备主任医师任职资格

10 月 24 日　黄委黄人劳[1994]60 号文通知，根据水利部职改办[1994]68 号文件，水利部委托卫生部北京医院高级专业技术职务任职资格评审委员会 1994 年 6 月评审通过，批准山东河务局江崇训、高锦松、谭玉声具备主任医师任职资格。

山东黄河安全度过汛期

10 月　黄河汛期安全度过。本年黄河汛期花园口水文站来水量为 141.55 亿立方米、来沙量 9.35 亿吨，分别较多年平均值偏少 44.45% 和 1.04%；进入高村水文站来水量为 129.74 亿立方米、来沙量 6.27 亿吨，分别较多年平均值偏少 45.6% 和 25.0%。7 月 13 日第一次洪峰高村水文站流量 3600 立方米每秒，相应水位 62.9 米，15 日到达利津水文站洪峰流量 3200 立方米每秒，水位 14.13 米，由于沙峰滞后，利津水文站同级流量水位较 1992 年抬高 0.53 米，利津以下抬高 0.60 米以上。

8 月 8 日 11 时第二次洪峰花园口水文站流量 6300 立方米每秒，相应水位 94.18 米。由于河南段大范围漫滩，11 日到达利津水文站洪峰流量 3180 立方米每秒，相应水位 14.08 米。这两次洪峰含沙量较大，河道淤积严重，汛期有 25 处险工、45 处控导(护滩)工程的 259 段坝岸出险 304 坝次。菏泽及河口滩区两次淹地 39.1 万亩,直接经济损失 7850 万元。

金堤河共出现 4 次洪峰,径流总量达 1.6 亿立方米,北金堤有 57.26 公里堤防偎水,平均水深 2.7 米,最大水深 4.2 米,淹地 11 万亩,1.1 万人被洪水围困。7 月 16 日至 20 日,明堤、张庄、张秋、道口、东池等 5 个闸门相继开闸放水,排水流量达 162.5 立方米每秒,至 8 月 31 日共排水 1.4 亿立方米。堤段内有 8 处险工 37 段坝岸出险。

汶河水量不大,8 月 9 日戴村坝水文站最大洪峰流量 1120 立方米每秒。8 月 12 日东平湖老湖最高湖水位 42.61 米,超过警戒水位 0.11 米,最大蓄水量 4.76 亿立方米。二级湖堤有 5 处石护坡塌陷,3 处堤脚渗水,都做了及时抢护。

黄河河口治理暨学术研讨会召开

10 月 31 日～11 月 2 日 由东营市、胜利石油管理局和黄河河口管理局共同主办的黄河河口治理暨学术研讨会在东营市召开,国内有关高等院校和科研单位以及山东河务局的 30 多名专家学者参加了会议。代表们实地考察了黄河入海口,对近年黄河口治理进行了回顾总结,交流了 20 篇研究论文。黄委副主任黄自强,东营市委书记李殿魁、市长张庆黎,山东河务局副局长石德容和胜利石油管理局副局长何富荣出席会议并讲了话。

金堤河近期治理工程可研报告通过审查

11 月 1～3 日 水利部规划计划司和水利部水利水电规划设计总院共同在北京召开会议,对黄委报送的《金堤河干流近期治理工程可行性研究报告》和《彭楼引黄入鲁灌溉工程可行性研究报告》及山东省水利厅提出的附件《彭楼引黄金堤北灌溉工程可行性研究报告》进行了审查。会议认为,两可行性研究报告符合“统筹兼顾、团结治水”的精神,反映了多年来分析研究和反复协调的成果,内容较全面,基本达到可行性研究阶段的深度。

全国水库移民工作会议在济南召开

11 月 20～24 日 全国水库移民工作会议在济南召开。国家计划委员会、贸易部、电力部、水利部,海委、珠委、松辽委、长江委、黄委等流域机构,山东河务局以及各省(区)移民主管机构,水利部 3 个移民中心的代表共 60 余人参加了会议。山东省副省长王建功、水利部副部长周文智到会并发表讲话。

与会代表回顾总结了自1986年实行开发性移民以来各地所取得的成就和经验。会议根据2000年前移民工作的目标任务提出了“四抓一加强”的措施，即加强移民工作的领导，抓好水库移民的综合规划工作，抓好深化改革，抓好基础设施建设，抓好综合治理和综合开发。

黄委闸门、启闭机设备管理评级会议在梁山召开

11月28～30日　黄委在梁山召开全河闸门、启闭机设备管理等级评定会，贯彻学习水利部“评定办法”，并以林辛进湖闸为样板进行试评定。

小开河引黄闸扩建工程竣工验收

11月29日　滨州地区小开河引黄闸扩建工程竣工验收。该闸位于临黄堤左岸桩号253+690处，闸型为钢筋混凝土箱式涵洞，共两联，每联三孔，每孔净高、宽均为3米，设计引水流量60立方米每秒，加大引水流量85立方米每秒。工程于1993年11月25日开工，1994年11月下旬竣工。该工程建成后灌区面积将扩大到滨州、阳信、沾化、无棣等4县(市)21个乡镇，可灌溉农田110万亩，牧草场29万亩，并可解决灌区内30万人口、40万头大牲畜的生活用水。工程实际投资1063.7万元。原小开河引黄闸堵复。

山东河务局转发《河道目标管理考评办法》

12月6日　为加强河道目标管理，全面衡量和不断提高河道管理水平，更好地发挥河道工程综合效益，山东河务局鲁黄管发[1994]37号文转发《黄委〈河道目标管理考评办法〉的通知》。本办法自下发之日起执行。

《特大防汛抗旱补助费使用管理暂行办法》颁发

12月29日　财政部、水利部颁发《特大防汛抗旱补助费使用管理暂行办法》，对特大防汛抗旱补助费的使用范围与管理做出了明确规定。强调：特大防汛抗旱补助费是中央财政预算安排，用于补助遭受特大水旱灾的省(自治区、直辖市)以及中央直管的大江大河进行防汛抗旱抗灾工作的专项资金，此项资金专款专用，任何地区、任何部门不得以任何理由挤占挪用。

1995 年

《黄河口入海流路治理一期工程补充意见的函》报批

1 月 12 日 水利部、山东省政府、中国石油天然气总公司以水规计[1995]11 号文联合向国家计委报送了《关于黄河入海流路治理一期工程补充意见的函》。一期工程总投资 3.64 亿元。

根据国务院副总理邹家华 1994 年 8 月对河口治理问题的批示精神及河口防洪严峻形势,为保证黄河三角洲经济开发和油田生产发展,1994 年 12 月,水利部、山东省政府和中国石油天然气总公司对河口治理有关问题再次进行协商,提出如下补充意见:

一、关于建设分工问题:胜利石油管理局负责崔家护滩以下(含崔家护滩)北岸治理工程的建设与管理。崔家护滩以下河段黄河南岸及其以上河道治理工程以及管理通信设施,由水利部和山东省政府负责实施。各项工程设计、审查仍由黄河管理部门负责。

二、关于建设资金问题,各有关方面负担的投资为:中国石油天然气总公司 20979 万元,水利部 10437 万元,山东省 5000 万元。建设工期仍按 5 年安排。

三、关于北汊 1 工程实施问题。为使黄河目前的入海流路保持较长时间的稳定,需要抓紧进行北汊 1 工程的前期和实施工作。

四、关于运行管理费问题。由水利部会同山东省政府和中国石油天然气总公司等有关单位研究专项解决,并提出相应政策措施。待管理经费落实后,交黄河管理部门统一管理。在管理经费尚未落实时,崔家护滩以下河段的北岸一期治理工程暂由胜利石油管理局管理和防护,南岸治理工程暂由山东省东营市管理和防护。

钮茂生率队慰问黄河职工

1 月 13 日 水利部部长钮茂生和人事劳动教育司司长朱登铨、计划司司长郭学恩、财务司司长魏炳才等在黄委副主任庄景林陪同下,慰问山东河务局职工和离退休人员。13 日上午,钮茂生听取了局长李善润的工作汇报,对山东河务局取得的工作成绩给予肯定,并指出:1994 年召开了全国水利工作会议,有三个问题解决得比较好,一是认识问题;二是领导问题,中共中央、国务院对各级领导提出明确要求，把水利建设作为任职期间义不容辞的一项重要任务；三是增加水利建设经费投入，宁可少搞一些其他项目，腾出钱来搞水利。还有一条就是社会办水利，凡是受益单位统统要承担责任、作贡献。近几年，水利系统的形势总体来讲是好的，但欠账较多，如职工住房问题、工资问题。希望山东河务局把离退休人员住房问题解决好，不再欠账。

山东治黄工作会议召开

1月18～20日 山东治黄工作会议召开。参加会议的有各地（市）、县（区）河务局、局机关各处室、局直各单位、公司主要负责人。会上9个地（市）局负责人汇报了1994年的治黄工作，签订了1995年目标责任书；11个目标管理先进单位受到表彰，48名领导干部荣获局长奖励基金。局长李善润作报告，总结了1994年的治黄工作。会议安排部署了1995年的治黄任务：(1)抓好防汛工作，确保度汛安全。(2)优质高效地完成基本建设任务。(3)加强工程管理，搞好引黄供水。(4)抓好“科技兴鲁”骨干项目。(5)加快经济发展，早日实现“行业脱贫，职工致富”目标。

山东河务局贯彻落实《中华人民共和国劳动法》

1月 山东河务局、山东黄河工会联合下发《关于学习、宣传、贯彻〈中华人民共和国劳动法〉的通知》。对本局副科级以上干部和全体工会、人劳干部安排进行了劳动法知识考试，共有1193人参加考试。局属10个代表队在济南进行了为期两天的知识竞赛。

山东黄河凌汛期没有封河

2月5日 黄河凌汛期气温较常年明显偏高，山东黄河没有封河，这是1990年以来第三次没有封河的年份。2月5日以后，气温稳定转正，淌凌消失。

山东黄河工程开发有限总公司更名

2月16日 山东河务局鲁黄政发［1995］4号文通知：山东黄河工程开发有限总公司更名为山东黄河工程局，更名后原隶属关系及公司性质不变，仍为大（二）型企业，按国有公司进行管理。

3月16日 山东河务局鲁黄政发［1995］32号文任命龙于江为山东黄河工程局局长。

黄河滩区二期水利建设工程竣工验收

3 月 6～21 日 水利部会同国家农业综合开发办公室、黄委等有关单位组成验收组,于 3 月 6 日至 21 日对山东省黄河第二期滩区水利建设项目进行了竣工验收。第二期滩区水利建设工程自 1992 年春开始实施,1994 年 11 月全面完成,共完成投资 3384.70 万元,其中国家投资 1689.6 万元,地方配套资金 1695.1 万元。三年累计完成土方 350.28 万立方米、石方 13.53 万立方米、混凝土 1.16 万立方米、群众义务投劳 153.16 万个工日。完成的主要建设项目为:新建渠首闸 3 座,新建排灌站 55 座、改建 22 座,新修干支沟渠 371.81 公里(其中防渗干渠 41.12 公里),新建渠系建筑物 900 座,新打配套机井 478 眼,购小机泵 913 套,新修生产道路 79.5 公里。

滩区新增灌溉面积 24.97 万亩,新增排水面积 4.29 万亩,新增引洪放淤改土面积 0.08 万亩。1994 年滩区治理区内粮食总产量比治理前(1988～1990 年三年平均总产量)增加 4074 万公斤,较协议指标(1760 万公斤)增加 2314 万公斤,亩产达 421 公斤,年人均收入 577 元。

《黄河下游滩区蓄洪区安全建设与管理的若干规定》颁发

3 月 14 日 黄委颁发《黄河下游滩区蓄洪区安全建设与管理若干规定》。本规定包括建设项目管理、工程运用管理。建设项目管理规定:黄河下游滩区、蓄洪区安全建设实行项目编号管理。项目分为避水台(村台)、围村堰、撤退道路、桥梁和平顶房五类。工程项目编列年度计划,分别由黄委、两省(山东、河南)河务局审批,或根据投资规模委托地(市)河务局审批。建设资金按项目实行资金独立核算。由两省河务局负责组织工程竣工验收。

周振先等检查黄河防汛准备工作

3 月 28～30 日 国家防总办公室顾问周振先,黄河防总办公室副主任、黄委河务局局长王新法率黄河防汛检查组在山东河务局副局长石德容陪同下,检查了山东省黄河防汛准备工作。重点察看了东平湖水库和齐河北展工程,听取了山东河务局关于黄河防汛准备工作情况的汇报。

莘县河务局等机构升格

3 月 31 日 山东河务局鲁黄政发[1995]40 号文通知:经黄委批准,莘县河务局、汶上县东平湖管理局、平阴县东平湖管理局级别升为副县级。

德州地区黄河河务局更名

3月31日　山东河务局鲁黄政发[1995]41号文通知：根据德州地区撤地设市的变化，德州地区黄河河务局更名为德州市黄河河务局，机构规格不变。

许建中等职务任免

3月31日　山东河务局鲁黄政发[1995]38号文任命许建中为菏泽地区河务局局长、赵勇为聊城地区河务局局长、周月鲁为滨州地区河务局局长；免去郭凤桐菏泽地区河务局局长职务、曹金钦聊城地区河务局局长职务、刘恩荣滨州地区河务局局长职务、周月鲁山东河务局工管处处长职务、赵勇山东河务局工务处副处长职务、许建中山东黄河职工中等专业学校校长职务。

《黄河防汛动态联系规定(暂行)》颁发

4月6日　黄河防总黄防办[1995]10号文颁发《黄河防汛动态联系规定(暂行)》。规定黄河防汛办公室为常设机构，负责办理防汛日常工作，做好防汛动态联系工作，联系内容实行防汛办公室主任签发责任制；联系内容分为汛(凌)前准备、汛(凌)期、汛(凌)后总结三部分。

向河口地区调水

4月9日　断流50天的东营市终于迎来了盼望已久的黄河水。由于黄河断流，河口地区出现供水紧张局面。为此，山东省政府4月3日发出紧急通知，对山东省上游部分地区实行限额引水，并指定由山东河务局负责调度，组织实施，支援河口地区用水。从4月6日起上游部分地区所有引黄闸一律关闭，停止引水，同时黄委指示三门峡水库从4月6日起下泄流量由725立方米每秒加大到950立方米每秒，为调水成功创造了条件。

朱尔明等查勘山东黄河

4月14～21日　水利部总工程师朱尔明等一行8人在山东河务局局长李善润、总工程师张明德等陪同下，实地查勘了济南泺口险工、滨州白龙湾淤背区开发、淄博马扎子放淤固堤、河口南北岸工程、南北展宽区、东平湖滞洪区工程等，并就黄河下游河道及黄河口治理等问题同有关方面进行了座谈。朱尔明对山东黄河工程建设和工程管理工作给予充分肯定，并对黄河口治理研究工作提出具体要求。

发布预警反馈系统管理办法

4 月 17 日　黄河防总黄防办[1995]12 号颁发《黄河滞洪区、滩区预警、反馈系统管理办法(试行)》。规定黄河滞洪区、滩区预警系统发射机及反馈系统基地台安装在有关县(市)河务局(湖管局),预警接收机及车台、手机非汛期由各县河务局(湖管局、滞洪办公室)使用、管理。各县防汛办公室汛前提出各种设备发放意见,根据洪水情况,有分洪、漫滩可能时,将设备发放到有关乡镇政府分配使用,汛期结束收回。

綦连安到山东检查工作

4 月 22 日　黄委主任綦连安到济南、东营市检查指导工作。山东河务局局长李善润在济南汇报了工作开展情况以及防洪中存在的问题。綦连安在听取汇报后,对山东河务局工作表示满意,并指出:要抓住机遇,建立项目库,把要上的项目调查论证好,项目储备多了,一有机遇,即可上马;确保黄河安全是我们的责任,要团结带领万名职工保安全、创效益,改善职工生活,创造安全环境。

全省防汛工作会议召开

4 月 23～24 日　全省防汛工作会议在济南南郊宾馆召开。参加会议的有各市(地)分管防汛的副市长(副专员)、水利局局长、建设委员会主任、气象局局长,沿黄各市(地)河务局局长以及济南军区、省军区和省直有关部门的负责人。会议就黄河防汛工作提出:一是按照防御大洪水的要求,在汛前完成防汛准备“五落实”(思想、组织、技术、料物、防守责任制);二是加大黄河防汛宣传力度,克服麻痹思想和侥幸心理,增强责任感和参加防汛抗洪的自觉性;三是继续落实好各级各类防汛责任制,各级都要签订防汛责任书;四是组织训练好各级防汛队伍,提高防汛抢险实战本领和防汛人员业务素质;五是完善各级防洪方案,加强非工程防洪措施;六是加快防汛办公自动化建设步伐,为防汛指挥决策服务;七是加强防汛政策研究和防汛新技术的研究。

张九成被授予山东省劳动模范称号

4 月　菏泽市河务局张九成被山东省政府授予山东省劳动模范称号。

调整山东省抗旱防汛指挥部领导成员

5月3日　山东省政府办公厅鲁政办发[1995]36号文公布调整后的省抗旱防汛指挥部成员。

指挥:李春亭(省长);副指挥:张瑞凤(副省长)、邵桂芳(副省长)、张玺文(济南军区作战部部长)、秦江昌(省军区副司令员)、王渭田(省农业委员会主任)、董昭合(省政府副秘书长)、王玉柱(省水利厅厅长)、李善润(山东河务局局长)、张明华(省建设委员会副主任)、赵奎(省计划委员会副主任)、柏继民(省财政厅副厅长)。

领导成员由山东河务局副局长石德容等有关厅局及省武警总队负责人组成,黄河防汛办公室设在山东河务局,负责黄河防汛日常工作,石德容兼任黄河防办主任。

邵桂芳检查黄河防汛

5月25~27日　山东省副省长邵桂芳率省长助理、省农业委员会主任王渭田及省直有关部门负责人在山东河务局局长李善润陪同下,察看了菏泽河段、东阿艾山卡口、济南泺口河段、曹家圈险工、东平湖、齐河北展等防洪工程和险点、险段。

地(市)局主任工程师称谓改变

5月30日　山东河务局鲁黄政发[1995]59号文通知,经局党组研究决定,将地(市)局主任工程师职务改称为总工程师(原行政级别不变)。

济南军区、省军区首长察看黄河工程

5月30日~6月3日　济南军区副司令员邢世忠率领省军区及各集团军首长对黄河防洪工程进行实地勘察,部署防守任务。邢世忠一行结束现场勘察后,在济南召开座谈会,就济南军区和黄委之间建立会商和情况通报制度以及慎重使用黄河防汛兵力、理顺指挥关系、解决部队防汛经费和通信等问题进行了研究,并形成了勘察纪要,黄委副主任黄自强参加了座谈会。此前,省军区副司令员秦江昌于5月下旬检查了黄河防洪工程和防汛准备情况,驻鲁各集团军首长带领所属师、旅、团、营领导相继组织了黄河实地勘察,划分了防守责任段,明确了防守任务。

姜春云视察黄河防汛工作

6 月 4～7 日 国务院副总理姜春云带领水利部、财政部、石油天然气总公司等部门负责人，在山东省省长李春亭、副省长邵桂芳等陪同下，检查了黄河防洪工程，察看了东平湖水库林辛进湖闸、清河门出湖闸和东平湖围坝工程、济南河段堤防、泺口险工以及齐河豆腐窝分洪闸改建工地等。7 日下午，姜春云在南郊宾馆听取了省委、省政府防汛工作汇报，并作了重要指示。要求黄河防汛切实做到：思想发动要落实；重点险工、堤防加固要落实；抢险队伍要落实；防汛抢险物资、通信设施要落实；滩区、分滞洪区群众安全要落实；各级领导责任制要落实。

石德容享受政府特殊津贴

6 月 16 日 接黄委黄人劳[1995]61 号文通知，石德容自 1994 年 10 月起享受政府特殊津贴，每月 100 元。

根据国家人事部人专发[1994]14 号文精神，1992、1993 年已享受 50 元政府特殊津贴的人员均从 1994 年 10 月起转为享受 100 元津贴。另据国家人事部人专发[1995]27 号文通知：自 1995 年起选拔的享受政府津贴人员，其津贴不再采取逐月发放办法，而是由国务院一次性发给 5000 元。

黄河水体纪念碑在东营市落成

6 月 17 日 大型艺术作品《黄河的渡过》水体纪念碑在黄河三角洲东营市落成。该纪念碑由 1093 个黄河水样组成，长约 800 米。全国政协主席李瑞环书写碑名，全国政协副主席孙孚凌、原中央顾问委员会常委李德生、广播电影电视部副部长兼中央电视台台长杨伟光、山东省副省长张瑞凤、中国民主促进会副主席梅向明、黄委副主任陈先德等领导出席了落成典礼。

山东河务局机关职能配置、机构设置及人员编制方案印发

6 月 26 日 根据黄委黄人劳[1994]185 号文批复精神，山东河务局鲁黄政发[1995]71 号文《山东黄河河务局机关各部门职能配置、机构设置及人员编制的通知》，山东河务局机关下设：总工室、办公室、工务处、工程管理处、防汛办公室、水政水资源处、科技处、人事劳动处、财经处、审计处、离退休职工管理处、监察处(局纪检组)、直属机关党委、黄河山东区工会、直属机关工委等 15 个职能处(室)，人员编制 230 人。

山东河务局机关服务处成立

6月26日 山东河务局鲁黄政发[1995]72号文通知，根据黄委《关于印发山东黄河河务局职能配置、机构设置及人员编制的通知》精神，成立山东河务局机关服务处，人员编制53人。

东平湖库区遭受特大暴风雨、冰雹袭击

7月1日 东平湖库区遭受特大暴风雨、冰雹袭击。6时20分至35分、8时50分至9时30分，东平湖库区梁山县郓陈乡、李官屯乡、韩岗镇、馆驿乡、王府集乡、小安山乡，东平县新湖乡、商老庄乡遭受特大暴风雨和冰雹袭击。冰雹平均直径2.5厘米左右，地面冰雹厚25厘米；风力最大10级以上；降雨120毫米，农田积水最深60厘米。库区8个乡镇206个行政村受灾，涉及人口近20万，农田面积28.5万亩。农田成灾面积27.8万亩，绝产面积21.6万亩；倒塌房屋4000余间，受伤人员173人，死亡2人；伤亡牲畜1374头，家禽10.25万只(头)，直接经济损失达2.657亿元。

黄河下游防洪问题专家座谈会召开

7月5~7日 水利部在北京召开黄河下游防洪问题专家座谈会。会议由水利部总工程师朱尔明主持，山东河务局副局长石德容参加了会议。与会专家就小浪底水利枢纽建成前后黄河下游防洪形势、下游防洪工程建设等问题展开了讨论，并就主要问题达成共识。

伟庄上延工程竣工

7月10日 为改善伟庄险工及其以下河段河势溜向，1990年新建郓城县伟庄上延工程，修建上延1~3号垛；1993年修建6~9号垛；1994年修建4、5号垛；1995年将原上延2、4、6号垛按险工标准加高改建，坝顶高出2000年设防水位1.5米，本年7月10日竣工。

东银铁路拆除

7月20日 东银铁路拆除工程全部完成。从3月10日正式开始拆除，累计投入工日3万多个，共拆除包括正线、支线、站线、专用线在内的铁路线路176公里，回收钢轨6700吨，道岔73组，扣件650吨。

东银铁路是1972年经水电部批准修建的一条专用铁路，主要担负着菏泽

地区黄河防汛石料的运输任务。从1976年开始承运,到1994年底,共运输防汛石料919696立方米,民用物资120383立方米,收入运费2379.1万元,为确保黄河防洪安全发挥了重要作用。但是,由于近年来客观条件的变化,运输任务大幅度减少,造成连年亏损。为此,经水利部批准,东银铁路拆除。

橡胶履带全地形特种防洪车现场演示会举办

8月4日 山东河务局和芬兰塞速公司在济南杨庄险工联合举办橡胶履带全地形特种防洪车现场演示会。该车为水陆两栖,能适应多种复杂地形行走。国家防办分配山东河务局4辆,存放在山东河务局仓库,并确定山东河务局仓库作为国家特种防洪车辆维修中心。

王澄方任黄河山东区工会主席

8月12日 中共黄委党组黄党[1995]61号文任命王澄方为黄河山东区工会主席。

袁崇仁等任职

8月14日 山东河务局鲁黄党发[1995]21号文通知,接中共黄委党组黄党[1995]59、60号文通知,袁崇仁、刘大练、郝金之任山东河务局副局长、党组成员;赵富庆任山东河务局纪检组组长、党组成员;明确姜西林为副局级待遇;郝金之兼济南市河务局局长。

同日 山东河务局鲁黄人劳发[1995]95号文任命姜西林为山东黄河工程局局长;龙于江不再担任山东黄河工程局局长职务。

邵桂芳考察研究彭楼引黄入鲁工程

8月下旬 山东省副省长邵桂芳一行到莘县现场考察研究彭楼引黄入鲁工程,并当场确定山东省政府投资4000万元,分3年拨款,金堤以北与金堤以南同时开工。

潘季驯治河理论与实践学术讨论会召开

9月2～4日 由中国水利学会水利史研究会和黄委黄河志编委会联合发起的"纪念潘季驯逝世400周年治河理论与实践学术讨论会"在威海召开。出席会议的有黄委、淮委、海委等流域机构,有关省(市)水利厅(局),中国水利水电科学研究院及有关大专院校的专家、学者共63人。

潘季驯在明代嘉靖四十四年至万历二十年(1565~1592 年)27 年中四任总理河道,主持治河。他在长期的治河实践中不断探索,提出了以"筑堤束水,以水攻沙"、"蓄清刷黄"、"淤滩固堤"为主要内容的比较系统的治黄理论,并在实践中取得显著成绩,特别是"束水攻沙"理论的提出,对明代以后的黄河治理产生了深远影响。他在主要著作《河防一览》一书中,特别强调坚筑堤防和加强防守的重要性,提出"河防在堤,而守堤在人"和"四防二守"制度,在发展完善黄河防洪措施方面作出了很大的贡献。1996 年 9 月河海大学出版社出版了《潘季驯治河理论与实践学术讨论会论文集》,汇集了 35 篇论文与讨论会纪要。

靖中奇等退休

9 月 6 日 山东河务局鲁黄党发[1995]22 号文通知,接中共黄委党组黄党[1995]43 号文通知,鉴于靖中奇、唐恒善均已到达退休年龄,靖中奇不再担任山东河务局副局长、党组成员职务;唐恒善不再担任黄河水利工会山东区委员会主席职务,同意两人退休。

同日 黄委会黄人劳[1995]80 号文通知,同意龙于江退休。

东银铁路局建制撤销及改建现场会召开

9 月 20 日 山东河务局局长李善润等带领财经、人劳部门负责人到东银铁路局就该局撤销建制和改建转产事宜召开现场办公会议。明确以下意见:鉴于东银铁路局运输业务已经停止的实际情况,同意按照水利部、黄委指示,撤销东银铁路局建制;根据考察论证情况,确定以原东银铁路局为基础,组建山东黄河银山建筑材料局,规格为正县级,待黄委批复后正式运转;对机构设置及人员安置、财产处置、水泥厂建设及其他问题也进行了明确。

关于公伤残评定工作的通知

9 月 22 日 根据黄委人劳局《关于公伤残评定工作的通知》精神,黄委组建了医务劳动鉴定(公伤残评定)委员会,并与黄河安全生产专家组合署办公,负责全河重大事故及事故隐患评估、工伤残评定工作。山东河务局不再享有因公负伤致残的评定审批权,山东河务局医务劳动鉴定委员会同时撤销。局属单位职工凡因公负伤致残符合民政部民优字 18 号文规定条件的,均可进行公伤残评定,享受因公伤残保健金。原经山东河务局医务鉴定委员会评定并享受伤残保健金的,可继续执行;原已评定伤残等级、未享受伤残保健金的可按财政部、民政部[1989]财文字第 455 号文享受伤残保健金,自 1995 年 9 月执行。

《公司(经济实体)劳动工资管理暂行规定》印发

9 月 27 日 为进一步规范山东河务局各类施工、生产、经营单位(经济实体)的管理,根据国家有关规定及山东河务局《关于加强和改善公司(经济实体)经营管理的意见》,山东河务局制定了《公司(经济实体)劳动工资管理暂行规定》,共 6 章 28 条,自下发之日起执行。

新建高堤口灌溉闸工程竣工

9 月 莘县新建高堤口灌溉闸工程竣工。该闸位于北金堤桩号 40+110 处,闸型为一联三孔钢筋混凝土箱式涵洞,孔高 2.4 米、宽 2.4 米。该闸为引黄入鲁工程的配套工程,设计流量 30 立方米每秒,灌溉面积 63 万亩,投资 225.22 万元。

工程质量监督中心站纳入省总站管理

10 月 6 日 山东河务局工程质量监督中心站经山东省建设工程质量监督总站研究,同意注册,纳入省总站管理。

中共山东河务局直属机关第八次党代会召开

10 月 8～10 日 中共山东河务局直属机关第八次党代会召开。会议选举产生了中共山东河务局直属机关第八届委员会和纪律检查委员会,刘大练当选为党委书记(兼)。

黄河三角洲持续发展列入支持中国 21 世纪议程

10 月 12 日 水利部部长钮茂生和荷兰交通、公共工程及水管理部部长尤里茨玛女士出席了山东省举办的“联合国开发计划署‘支持黄河三角洲持续发展’项目中期国际研讨会”。这个项目已被联合国开发计划署正式列为“支持中国 21 世纪议程”的第一个项目。

宋振华等职务任免

10 月 13 日 中共黄委党组黄党[1995]87 号文任命宋振华为河口管理局局长;袁崇仁不再担任河口管理局局长职务。

张庆信获山东省“十佳职业道德标兵”称号

10月16日 东阿县河务局工程处主任张庆信，被山东省总工会、省经委、省职教办授予山东省“十佳职业道德标兵”称号。

任士伟等职务任免

10月17日 山东河务局鲁黄人劳发[1995]109号文任命任士伟为德州市河务局局长；赵衍湖不再担任德州市河务局局长职务。

山东省政府批准吴吉英为革命烈士

10月25日 山东省政府以鲁政函民字[1995]55号文批准吴吉英为革命烈士。本年3月7日，济南槐荫河务局段店河务段临黄大堤上，发生一起故意扰乱收取养护费事件。河务段长吴吉英依法前去制止时，被一伙歹徒殴打致死。此案在黄河职工中引起强烈震动。水利部、黄委、山东河务局及济南市各级政府都十分重视，事发当天，天桥区公安机关就将这伙歹徒全部捉拿归案。9月28日，公开宣判残害吴吉英的主犯马振元死刑，立即执行，其他从犯也受到法律制裁。

山东黄河安全度过汛期

10月 山东黄河安全度过汛期。本年花园口水文站汛期来水量为119.30亿立方米，较多年平均值偏少51.6%；总沙量为6.72亿吨，较多年平均值偏少27.8%；最大洪峰流量3630立方米每秒（8月1日），相应水位93.66米。高村水文站最大洪峰流量2430立方米每秒（9月5日），水位62.43米；汛期来水量107.9亿立方米，来沙量5.08亿吨。

汛期山东河道局部河势变化较大，部分险工、控导工程出现根石走失、坝身蛰陷等险情，均及时进行了抢护。

9月4日汶河戴村坝水文站最大洪峰流量1000立方米每秒，6～9月汶河来水量为11.6亿立方米，较多年平均偏多27.9%。东平湖8、9月份有21天超过警戒水位，最高水位为42.9米。8月16日至26日，相继开启陈山口、清河门泄洪，两闸最大泄量335立方米每秒。在此期间，大清河和东平湖防洪工程多次出险：大清河流泽老桥中南部冲坏6孔，造成古台寺、武家漫险工出险；由于湖水风浪冲击，二级湖堤、卧牛堤等处有5500多平方米石护坡塌陷，坝体冲蚀深度达0.5～1.2米；有8490米堤段出现渗水、管涌险情。

引黄入卫工程竣工验收暨通水典礼举行

11 月 1 日　引黄入卫工程竣工验收暨通水典礼在东阿县位山引黄闸隆重举行。国务院副总理姜春云、国务委员陈俊生，山东省省长李春亭等分别为工程题词；水利部部长钮茂生向引黄入卫工程指挥部发来贺信。

该工程上起东阿县位山引黄闸，下至临清市城南入卫河，全长 105 公里，新建大中小型建筑物 291 座，建起了现代化的水情自动测报系统和工程管理通信网络。该工程总投资 1.97 亿元，设计渠首年引水量 6.22 亿立方米，年入卫水量 5 亿立方米。于 1992 年 11 月 5 日开工，1995 年 8 月底竣工。

黄河防总召开防办主任座谈会

11 月 11～17 日　黄河防总防汛办公室主任座谈会在济南召开。山东、河南等有关河务(管理)局防汛办公室主任及黄委有关部门的负责人参加了会议。

会上传达了《国家防总第三次全体会议纪要》，各单位汇报了 1995 年黄河防汛工作情况、当前防汛工作中存在的主要问题及 1996 年防汛工作打算。黄河防总办公室副主任、黄委河务局副局长罗启民做了会议总结。

山东水文水资源勘测局隶属关系变更

11 月 15 日　黄委黄人劳[1995]117 号文通知，经研究决定，黄委水文局和水资源保护局采用“上分下不分”的管理体制，其所属山东、河南水文水资源勘测局与水资源保护局合署办公。山东黄河水文水资源勘测局(山东水资源保护局)划归山东河务局领导，其业务仍受水文局和水资源保护局领导，局级领导任免和机构调整要事先征求水文局和水资源保护局意见。

《中央级防汛物资储备及其经费管理办法》颁发

11 月 23 日　国家防总办公室办减[1995]66 号文转发《中央级防汛物资储备及其经费管理办法》。规定：中央级防汛抗旱物资由国家防汛抗旱办公室负责储备，坚持“讲究实效，定额储备”的原则，重点支持遭受特大洪涝灾害的地区防汛抢险物资的应急需要。中央级防汛物资储备品种是编织袋、麻袋、橡皮船、冲锋舟、救生船、救生衣、救生圈。中央级防汛储备物资的调用，须由流域机构或省级防汛指挥部向国家防汛抗旱办公室提出申请，并经其批准，代储单位按其调拨令组织发货。此外，该办法还对物资储备管理、物资调用及其结算等作出了规定。

济南至河口微波干线建成开通

11月27日 山东河务局利用芬兰政府软贷款,总投资为1700万元的济南至河口数字微波通信干线工程竣工,一次全线开通,投入试运行。该工程全长238公里,共设8个站。由山东河务局通信管理处及有关地(市)局施工、安装、调试,历时一年零四个月。

黄河下游防洪工程建设可行性研究报告通过审查

11月27~30日 水利部水电规划设计总院主持在北京召开审查会,对黄委设计院完成的《黄河下游1996年至2000年防洪工程建设可行性研究报告》进行审查。参加会议的有国家防总办公室,水利部规划计划司、工管司、建设开发司和中国水利水电科学研究院、黄委等单位专家和代表36人。会议听取了黄委设计院的汇报,并进行研究讨论,认为根据黄河下游情况提出的可行性研究报告,基础资料翔实,拟订的黄河下游孟津白鹤至垦利县渔洼的重点防洪工程建设项目合理、现实,基本同意该报告。

《山东省黄河凌汛管理规定》颁发

12月1日 山东省抗旱防汛指挥部鲁旱汛字[1995]56号文颁发《山东省黄河凌汛管理规定》。自每年12月1日至翌年2月底为黄河凌汛期,特殊年份需提前或延长,由省抗旱防汛指挥部另行确定。对防凌准备工作、凌情测报、防守抢险、冰凌爆破等作了明确规定。

山东河务局科技项目获黄委科技进步奖

12月7日 山东河务局科技项目"DXX—15型多功能压力灌浆机"获黄委科技进步二等奖,并于1996年获水利部科技进步三等奖;"PSS300—30型吸泥船泥浆泵喷射抽真空系统"获黄委科技进步三等奖;"新型抗磨蚀材料在机淤生产中的应用研究"获黄委科技进步三等奖,并于1996年获山东省科技进步三等奖。

垦利县河务局获全国水利系统先进集体称号

12月15日 水利部和人事部授予垦利县河务局全国水利系统先进集体称号。

沾化县引黄过徒骇河工程竣工

12月17日 沾化县长达25公里的引黄过徒骇河工程竣工。该工程自1993年开始实施,采用倒虹吸方式穿越徒骇河底,设计过水流量为25立方米每秒,将黄河水引到沾化西部付家河,解决沾化县西部9个乡镇、20余万人饮水和40万亩耕地灌溉用水。

特种抢险车(NA—140车)管理办法印发

12月20日 山东河务局鲁黄防办发[1995]5号印发《山东黄河防汛特种抢险车(NA—140车)管理办法》,包括车辆管理、调度、使用、维修保养等内容。

山东黄河治理学术研讨会召开

12月21~22日 山东水利学会挂靠山东河务局的泥沙专业委员会、治河防洪专业委员会在济南联合召开山东黄河治理学术研讨会,这次会议的主要议题是:黄河水资源开发利用、河道整治与河口治理。会上交流了31篇论文。

为返原籍安置离退休职工解决住房困难

12月 为解决山东河务局返原籍安置的离退休职工危房改建问题,水利部、黄委拨出专项资金,山东河务局认真组织落实。到11月底,为711户职工的危房进行了改建,其中为370户职工新建住房1118间,计1.73万平方米,为341户职工的1198间住房进行了维修,计1.86万平方米,以上共投资551.96万元。其中上级拨款200万元,职工自筹215.56万元,子女筹集资助136.4万元。12月中旬经黄委验收合格。

黄河断流情况

12月 1~6月份(非汛期)黄河进入山东省高村水文站的水量为66.1亿立方米,较多年平均(120亿立方米)偏少45%,其中3~6月份用水高峰期进入山东省水量为41.6亿立方米,较多年平均(93.3亿立方米)偏少55.4%;汛期7~10月份进入高村水文站的水量为107.9亿立方米,较多年平均(235亿立方米)偏少54.6%。高村水文站自7月7日至18日断流2次,共11天;孙口站自5月22日至7月20日断流2次,共50天;艾山水文站自5月18日至

7月21日断流2次,共62天;泺口水文站自3月25日至7月22日断流2次,共77天;利津水文站自3月3日至7月23日断流3次,共122天,最大断流长度为683公里。

1996年

大王庙引黄闸竣工验收

1月3日　济南市历城区大王庙引黄闸竣工验收。该工程位于临黄堤左岸桩号131+680处,闸型为一联两孔钢筋混凝土箱式涵洞,每孔净宽2.6米,净高2.8米,设计流量15立方米每秒,灌溉面积30万亩。于1995年3月1日动工,10月20日竣工,实际投资493万元。

山东河务局受黄委嘉奖

1月29日　黄委发布嘉奖令,对在1995年目标任务考评中获一等奖的山东河务局予以嘉奖,并对其领导班子颁发主任奖励基金。

山东治黄工作会议召开

2月2～4日　山东治黄工作会议在济南召开。各地(市)县(区)河务局、局直属单位(公司)、机关各处室主要负责人及离退休老领导等140人参加了会议。山东省副省长邵桂芳、黄委副主任庄景林到会指导。局长李善润做了《抢抓机遇,奋发进取,再创山东治黄事业新局面》的报告,总结了1995年治黄工作取得的主要成绩。

会议安排部署了1996年治黄任务:一是搞好治黄工程,确保防洪安全;二是加强经营管理,进一步提高经济效益;三是实施科教兴河战略,促进治黄事业发展;四是加强思想政治工作建设,实施育人工程;五是组织好人民治黄50周年纪念活动。

会议表彰了目标管理、经济强局、综合经营先进单位,颁发了局长奖励基金,与各地(市)局签订了1996年目标责任书。

水利部派员慰问黄河困难职工

2月4～7日　水利部先后派出两个慰问组,到对口支援的东银铁路局和船舶工程处,走访和慰问离退休老职工及困难职工,送来了部机关和直属单位领导与职工自愿捐赠的 9.6 万元慰问金和春节的问候，并帮助受援单位上项目，共谋脱贫致富大计。

《黄河入海流路治理一期工程项目建议书》批复

2 月 6 日 国家计委以计农经[1996]238 号文批复《黄河入海流路治理一期工程项目建议书》。主要工程包括：河口北大堤（顺 6 号路延长）及孤东油田南围堤加高加固；南防洪堤加高加固及延长；清 7 断面以上河道整治工程；北大堤防护淤临工程；北汊 1 河道引河开挖和河口管理局（段）管理、通信设施等。按西河口流量 10000 立方米每秒时水位 12 米，作为清水沟流路下段局部改汊控制标准，防洪堤按 20 年一遇标准设防。工程总投资估算为 36416 万元，其中，中国石油天然气总公司投资 20979 万元，水利部投资 10437 万元，山东省投资 5000 万元。建设工期按 5 年安排。

黄河凌汛结束

2 月 15 日 山东黄河凌汛期间气温偏高，属暖冬年份。1995 年 12 月 25 日自河口十八公里开始封冻，上首发展到济南老徐庄险工 17 号坝，山东黄河共封冻 22 段，总长 165.4 公里，冰厚一般 10～30 厘米，总冰量 1320 万立方米，河槽蓄水 0.81 亿立方米。自 2 月 11 日起，气温大幅度回升，至 2 月 15 日山东黄河封冻段冰凌全部融通开河，凌汛结束。

平阴县东平湖管理局更名

3 月 1 日 山东河务局鲁黄人劳发[1996]20 号文通知，根据省政府对平阴县、东平县行政区划的调整和有关黄河水行政管理范围的相应变更，平阴县东平湖管理局更名为东平县东平湖出湖闸管理局，原隶属关系、机构规格不变。更名后的内设机构和干部职务称谓亦相应变更。

山东河务局召开防汛工作电话会议

3 月 5 日 山东河务局召开电话会议，传达贯彻全国防汛办公室主任会议精神，部署黄河防汛工作。

山东省抗旱防汛指挥部领导成员兼黄河防汛办公室主任、山东河务局副局长石德容传达了国务院副总理姜春云致全国防汛办公室主任的信、水利部部长钮茂生在全国防汛办公室主任会议上的书面讲话和副部长周文智在全国防汛办公室主任会议上的讲话；省抗旱防汛指挥部副指挥、山东河务局局长李善润部署了黄河防汛工作。

黄河山东区工会召开七届五次全委扩大会议

3月7日 黄河山东区工会召开七届五次全委扩大会议。会议总结上年工作,部署本年度工作任务,并选举王澄方为工会主席。

东银铁路局更名

3月11日 山东河务局鲁黄人劳发[1996]21号文通知,撤销东银铁路局建制,组建山东黄河建筑材料局,为正县级事业单位,隶属山东河务局领导。

山东河务局鲁黄人劳发[1996]22号文公布其领导班子成员,任命赵庆贵为山东黄河建筑材料局局长,其原任职务同时免除。

济南市河务局、东平湖管理局升格

3月12日 黄委黄人劳[1996]25号文通知:根据工作需要,上报水利部同意,将济南市河务局、东平湖管理局升格为副局级。两局机关分别设立办公室、水政水资源处、河务处、财经处,均为正处级部门。

豆腐窝分洪(凌)闸改建工程竣工验收

3月22~23日 齐河县豆腐窝分洪(凌)闸改建工程竣工验收。该闸始建于1974年,位于临黄堤左岸桩号104+644处,设计防洪水位36米,为防御黄河下游特大洪水和严重凌汛时向北展宽区分洪(凌)的控制闸,对确保济南、京沪铁路及胜利油田的防洪安全起着重要作用。由于黄河河床逐年淤积,防洪水位不断抬高,改建前防洪水位已超出原设防水位1.88米。改建工程于1994年4月1日开工,闸型仍为桩基开敞式,全闸7孔,每孔净宽20米,闸门高7米,设计分洪流量2000立方米每秒、分凌流量1200立方米每秒,于1995年12月20日竣工,实际投资807.26万元。主体工程由山东黄河济南基础工程处承建。竣工验收由山东河务局组织,黄委派员参加。

陈德坤检查黄河防汛准备工作

3月25~27日 国家防总办公室副主任陈德坤一行6人,在山东河务局副局长石德容陪同下,检查了黄河防洪工程与防汛准备工作,详细察看了东明滚河防护工程,黄河滩区生产堤破除情况以及东平湖和北展宽区等,并检查了山东河务局仓库储备的防汛物资。陈德坤在听取山东河务局关于防汛工作情况汇报后,对山东黄河防汛工作给予了充分肯定。希望进一步加强防汛工作的领导,抓好防汛各项责任制的落实、水毁工程的修复和工程的除险加固工作,制订好防洪预案,落实好各项度汛措施,防止生产堤堵复口门的现象再次发生,确保黄河安全度汛。

山东河务局仓库被确定为中央防汛物资定点储备仓库

3 月 27 日 山东河务局举行中央防汛物资定点储备仓库挂牌仪式。国家防汛办公室、黄委、水利厅、济南铁路局负责人参加了挂牌仪式。国家防总决定在全国各大江河流域以及重点省份建立 22 个防汛物资定点储备仓库,山东河务局仓库是其中之一。

巩树环等职务任免

4 月 8 日 中共山东河务局党组鲁黄党发[1996]6 号文任命巩树环为山东黄河东平湖管理局副局长、党组书记(主持全面工作),免去其山东河务局办公室主任职务;李金堂不再担任山东黄河东平湖管理局局长、党组书记职务。

专家学者考察指导淤背区开发利用

4 月 11～16 日 山东河务局邀请国家科委、中国农业科学院、中国农业大学的研究员、博士曾雯英、陈庆林、高振生、赵广永等,考察指导山东黄河淤背区开发利用。专家们建议:一是要建立科技集成窗口;二是人才培训;三是实行农牧生产良种化;四是以河务段为基础,进行专业化生产分工,单独经济核算;五是改善淤背区土体建造结构,提高土地产出率,达到资源永续利用。副局长王曰中等参加座谈。

山东抗旱防汛指挥部更名及领导成员调整

4 月 24 日 山东省政府办公厅鲁政办发[1996]41 号文通知,根据《中华人民共和国防汛条例》有关规定,经研究决定,山东省抗旱防汛指挥部更名为山东省人民政府防汛抗旱指挥部,并公布调整后的领导成员。

指挥:李春亭(省长);常务副指挥:邵桂芳(副省长);副指挥:陈抗甫(副省长)、王科三(省政府副秘书长、省政府办公厅主任)、林露(济南军区作战部副部长)、秦江昌(省军区副司令员)、王玉柱(省水利厅厅长)。成员由山东河务局长李善润、副局长石德容等有关厅局及武警总队负责人组成。

5 月 22 日,山东省政府办公厅鲁政办字[1996]62 号文通知,增补山东河务局局长李善润、省建委主任赵克志为省防汛指挥部副指挥;并成立山东省政府防汛抗旱指挥部黄河防汛办公室,石德容兼任黄河防办主任。

赵洪林等职务任免

4月24日 山东河务局鲁黄人劳发[1996]36号文任命赵洪林为淄博市河务局局长;杜宪奎不再担任淄博市河务局局长职务。

周月鲁任山东河务局副局长

5月10日 中共黄委党组黄党[1996]23号文任命周月鲁为山东河务局副局长、党组成员。

《黄河防汛办公室建设办法(试行)》实施细则印发

5月21日 黄河防总黄防办[1996]14号印发《黄河防汛办公室建设办法(试行)》实施细则,规定了沿黄各省、地(市)、县级防汛指挥部黄河防汛办公室组织机构建立、人员编制、主要职责,汛情、工情、灾情联系报告制度以及办公室基本设施建设等具体要求。

杨汝岱考察河口地区

5月22日 全国政协副主席杨汝岱在山东省政协副主席李殿魁等陪同下,对黄河河口地区进行实地考察。

山东黄河水、雨情实现全河共享

5月30日 山东河务局利用点对点调制解调器拨号连接的方式,实现了山东河务局和各市(地)河务(管理)局计算机远程连接,从而使水、雨情信息在山东全河范围内达到信息共享。

山东省召开黄河防汛工作会议

6月3日 山东省黄河防汛工作会议在济南召开。参加会议的有沿黄市(地)分管防汛的副市长(副专员),济南军区、省军区、省武警总队领导,省防汛抗旱指挥部领导成员,山东河务局和胜利油田负责人等。副省长邵桂芳与沿黄9市(地)分管副市长(专员)签订了黄河防汛责任书。邵桂芳要求沿黄各市(地)要研究分析、排查出本地区的防汛重点,加大防范措施,并强调指出,搞好防汛,领导是关键,要一级抓一级,层层抓落实,每一项工作都要明确专人负责,落实防汛工作行政首长和分级、分部门负责制。李善润就黄河防汛工作讲了意见。

《1996 年山东黄河防汛物资供应方案》印发

6 月 12 日 山东省防汛抗旱指挥部黄河防汛办公室鲁黄防办发[1996]6 号文印发《1996 年山东黄河防汛物资供应方案》。对防汛物资的储备、事权划分、物资调度、物资运转、物资交接等做出了具体规定。

纪念清水沟行河 20 周年座谈会举行

6 月 15 日 纪念清水沟行河 20 周年座谈会在东营市河口区河务局举行,山东河务局局长李善润、副局长袁崇仁、总工程师张明德,东营市委副书记张万湖、副市长李吉祥,胜利石油管理局副局长何富荣,黄河河口管理局局长宋振华等出席会议。

蒋于华等察看北金堤防洪工程

6 月 19 日 济南军区某军副军长蒋于华、副参谋长朱文玉一行,在山东河务局副局长石德容等陪同下察看了山东省管辖的北金堤防洪工程。

山东河务局机关程控交换机扩容并与公网 DID 联网

6 月 31 日 山东河务局机关程控交换机扩容至 1920 门,并实现与济南市电信局程控交换机以 DID 中继方式联网,增强了防汛通信保障能力。

李春亭等检查防洪工程和防汛准备情况

7 月 2 日 山东省省长、省防汛抗旱指挥部指挥李春亭,副省长、常务副指挥邵桂芳率省农委、财政厅、水利厅等有关部门负责人,在山东河务局局长李善润,副局长石德容、郝金之和济南市委书记孙淑义、市长谢玉堂等陪同下,先后检查了济南黄河杨庄、泺口险工等防洪工程和防汛准备情况,在济南市政府会议室,听取了李善润等防汛工作汇报。

河口在清 8 附近实施人工出汊

7 月 18 日 本日 10 时黄河水由清 8 汊河入海。为利用入海泥沙填海造陆,便于胜利油田石油的开采,经黄委同意,决定人工调整黄河入海口门,改由清 8 附近左岸出汊河入海。该工程由胜利油田投资,黄河河口管理局组织施工。工程于5月11日开工,计开挖引河长5000余米,原河道筑截流坝4100米,顺新河道筑导流堤5000米,导流坝700余米,共完成挖筑土方148万立方米,投资831万元。改汉后河道长度缩短了16公里。

东平湖汛情紧张

7月26日 因汶河流域近日降雨集中,大清河戴村坝水文站于13时出现洪峰流量2610立方米每秒。至31日19时,又出现2300立方米每秒洪峰。东平湖老湖水位于8月3日8时升至43.52米,超过警戒水位1.02米。由于汶河来水增加,且8月9日黄河一号洪峰到达山东河段后,影响东平湖老湖泄水入黄,18日16时湖水位升至43.67米(相应蓄水量6.42亿立方米),超过警戒水位1.17米。本次洪水湖区淹没耕地4.08万亩,倒塌房屋1230间,受灾涉及100个村庄、4.14万人。

邵桂芳检查指导黄河防汛工作

8月5日 省防汛抗旱指挥部常务副指挥、副省长邵桂芳冒雨到山东河务局了解黄河汛情,检查指导黄河防汛工作。听取了山东河务局负责人关于黄河防汛情况的汇报后,他要求沿黄各地切实加强对黄河防汛工作的领导,组织好防御洪水的各项准备;做好低滩区群众的迁移准备,确保滩区群众的生命安全;洪峰期间部分临黄大堤将偎水,对局部地区和夜间出现的问题,都要有对策,发现问题及时解决;在做好黄河防汛工作的同时,也要做好东平湖的防汛工作,确保防洪安全;黄河济德高速公路施工便桥,要采取相应措施,确保行洪安全。

黄河一号洪峰到达山东河道

8月9日 黄河一号洪峰于零时到达高村水文站,洪峰流量6810立方米每秒,水位63.87米。黄河花园口水文站于8月5日15时出现一号洪峰,流量7860立方米每秒,相应水位94.70米,创历史最高水位。洪水演进过程中,黄河滩区大部分漫滩,部分平工堤段偎水较深。据统计,截至8日16时,山东省有11个县(市、区),39个乡(镇)的358个村庄漫滩受淹。到8日22时,山东黄河共有140处376坝444次出险。

小街护滩工程出险

8月13日 随着黄河一号洪峰的来临,滨州小街护滩工程出现险情。8

月 7 日,大河流量 2800 立方米每秒,一号坝垛上跨角因受回溜淘刷,长 25 米坦石蛰动,坦石与坝基土结合部产生 10 余厘米宽裂缝。经及时组织群众 50 余人进行抛铅丝笼和抛大石块抢护,至 8 月 9 日险情基本得到控制。11 日 9 时至 12 日 13 时,坝顶出水高仅 0.5 米左右,坝前水溜急,坦石不断走失,坦石后坝基土局部被冲刷淘空,造成 7、8、9 号坝垛坦石相继下滑出险。随即组织 350 人的群众抢险队和 150 名武警战士,经过 20 多个小时的全力抢护,于 13 日险情得到了控制。累计用石 540 立方米,麻袋 900 余条,木桩 170 余根。

陶城铺险工 9 号坝出险

8 月 14 日 黄河出现第一号洪峰后,洪水演进持续时间长。8 月 10 日 13 时 20 分,阳谷县陶城铺险工 9 号坝出现险情,下跨角处发生长 23 米的根石蛰陷,坝基淘刷严重。险情出现后,及时组织了 360 余人的群防队伍和 200 余人专业抢险队员,采取抛块石、铅丝笼、柳石枕固根和修做挑溜丁坝等措施进行抢护。由于本次洪水陶城铺最高水位与历史最高水位(46.05 米)持平过程时间较长,后又调动 200 余人的群防队伍参加抢护。经过 5 昼夜的紧张抢护,于 8 月 14 日零时险情基本得到控制。共抛石 3200 立方米,柳料 5 万公斤,铅丝 6.5 吨。

黄河二号洪峰到达高村站

8 月 15 日 黄河二号洪峰于凌晨 2 时到达高村水文站,洪峰流量 4360 立方米每秒,相应水位 63.34 米。黄河花园口水文站 8 月 13 日 3 时 30 分出现第二号洪峰,流量 5560 立方米每秒,相应水位 94.11 米。一、二号洪峰在孙口水文站附近汇合形成单一洪峰向下推进。15 日零时孙口水文站洪峰流量 5800 立方米每秒,水位 49.66 米;17 日 4 时 30 分艾山水文站洪峰流量 5030 立方米每秒,水位 42.75 米;18 日 5 时 50 分泺口水文站洪峰流量 4700 立方米每秒,水位 32.24 米;20 日 22 时 45 分利津水文站洪峰流量 4130 立方米每秒,水位 14.70 米;洪峰于 22 日下午入海。

本次洪水具有以下特点:一是水位表现高,花园口水文站出现历史最高水位,孙口、泺口两站洪水位分别超警戒水位 1.16 米、1.24 米,均为历史最高水位,高村、艾山、利津三水文站洪水位均为历史上第二高水位。主要原因是 1986 年以来,来水来沙条件不利,下游河道主槽持续淤积抬高,主槽排洪能力降低。二是洪峰传播速度缓慢,从花园口至利津传播时间长达 367.2 小时(以往正常漫滩洪水传播时间为 187 小时左右),达到历史之最。三是黄、汶洪水并涨，东平湖8月18日最高水位43.67米，超警戒水位1.17米；8月3日最大出湖流量615立方米每秒，黄河、东平湖同时处于抗洪抢险紧张局面。

沿黄军民全力以赴迎战“96·8”洪水

8月15日　黄河花园口水文站出现流量5560立方米每秒第二号洪峰后，至孙口水文站附近与一号洪峰汇合形成单一洪峰向下游推进。艾山、泺口、利津等水文站均出现高水位，洪水漫滩偎堤，险情丛生，抗洪抢险进入紧张状态。

黄河出现历史最高水位洪水后，中共中央总书记江泽民、国务院总理李鹏先后打电话询问汛情，国务院副总理姜春云多次对黄河防汛作出指示，要求做到“领导、队伍、物资、通讯、后勤”五到位。水利部、黄委领导亲临山东黄河指导抗洪抢险。山东省委、省政府及时做出确保堤防安全，确保不死人的重要决策。省委书记赵志浩冒雨到济南长清等河段察看工情汛情。省长李春亭、副省长邵桂芳亲临抗洪前线指挥，并请济南军区、省军区首长调集解放军部队、派出舟桥部队支援抗洪救灾。其间，每天战斗在抗洪前线的军民达10万人。山东万名黄河职工日夜坚守在抗洪第一线，及时抢护各种险情。

这次洪水从流量上属于中常洪水，但水位表现高，工程偎水长、河势变化较大，险情发生多，造成灾害重。全省堤防偎水长达783.3公里，堤防、险工、控导工程大量出险。堤防出现渗水、管涌、裂缝、坍塌等险情157处。有93处险工、937段坝岸出现险情1324坝次，控导工程有102处1213段漫顶，有1100段坝垛出险1556坝次。经奋力抢护未发生意外。抢险共用石料36.13万立方米，土方19.01万立方米，编织袋44.32万条，铅丝284.31吨，软料960.9万公斤，抢险用工69.1万个工日。

据民政部门统计，洪水期间沿黄25个县(市、区)102个乡滩区不同程度地漫滩进水，漫滩面积113.5万亩，淹没耕地101.4万亩，倒塌房屋92107间，共涉及1491个自然村89.07万人，其中滩区村庄570个，35.86万人。

东平湖老湖8月18日16时达最高水位43.67米，超警戒水位1.17米，共淹没耕地4.08万亩，倒塌房屋1230间。受灾共涉及100个村庄，其中湖内31个(18个村进水)，湖外69个，受灾涉及人口4.14万(其中湖内2.07万人)。

在各级党委、政府的领导下，经过沿黄军民的严密防守，抢护险情，及时转移滩区群众，战胜了“96·8”洪水，确保了黄河防洪工程和滩区群众的安全。

钮茂生察看黄河防汛工程并慰问受灾群众

8月16日 国家防总副总指挥、水利部长钮茂生在山东省省长李春亭、山东河务局局长李善润等陪同下,先后察看了菏泽地区高村、伟庄险工,东平湖清河门出湖闸,济南市北店子、泺口险工,并深入灾区慰问受灾群众和参加抗洪救灾的解放军指战员、武警官兵、公安干警。

黄河淤背区开发现场经验交流会召开

9月20~25日 山东河务局召开了黄河淤背区开发及庭院经济建设现场经验交流会。各地(市)局长、局直单位、公司负责人参加会议。局长李善润,副局长袁崇仁、郝金之,东营市副市长李吉祥到会并讲话。会议采取流动形式,从东明县河务局到河口管理局,先后察看了32个淤背区开发及庭院经济典型,参观了胜利油田的银杏基地。李善润讲话提出:对淤背区开发和庭院经济建设要有强烈的事业心和责任感,全局能开发的土地有5万多亩,是发展经济的主要支柱之一;要有一个良好的运行机制,领导分工,具体到人;调整好经济发展思路,壮大黄河经济实力,有利于改善职工生活,稳定职工队伍。

许万智等享受教授、研究员待遇

10月3日 黄委黄人劳[1996]58号文通知,经水利部高级工程师评审委员会1995年12月9日评审通过,1996年8月29日批准,确认山东河务局许万智、肖如曦为享受教授、研究员同等有关待遇的高级工程师。其待遇从1996年9月1日起执行。

山东河务局参加国际水利技术装备展览会

10月7~11日 山东河务局随黄委参展团参加了北京1996年国际水利技术装备展览会。这次展览会是继1989年我国成功举办首届国际水展后的又一次大型国际水利展览。山东河务局参展项目有治河防洪工程建设、机淤固堤、淤区开发、河口治理、科研成果等项目。同时展出了山东河务局研制的智能堤坝隐患探测仪、多功能压力灌浆机和组合压力灌浆机等科研成果。

张文信等被评为山东省抗洪模范

10月16日 中共山东省委、山东省人民政府鲁普发[1996]50号文通报表彰1996年全省抗洪抢险先进个人。山东河务局张文信被评为抗洪模范;张明德、张孟贞、董继荣(水文水资源局)荣立一等功;李念平等 21 人荣立二等功。

山东河务局抗洪先进集体、个人受表彰

10 月 17 日 中共山东省委、省政府在济南南郊宾馆召开全省抗洪抢险总结表彰会议,山东黄河系统有 18 个先进集体和 25 名先进个人受到表彰。省委书记赵志浩出席会议并讲话。山东河务局副局长石德容和先进个人代表张文信等参加会议。

离休老干部实地考察黄河故道

10 月 17~24 日 山东河务局离休老干部一行 10 人对明清徐(州)淮(阴)黄河故道实地考察。明清徐(州)淮(阴)黄河故道由河南省兰考县东坝头至江苏省滨海县中山河口,全长 810 余公里,连同河口蚀退的 80 公里,共计 890 余公里。

财政部发布《事业单位财务规则》

10 月 22 日 财政部令第 8 号发布了《事业单位财务规则》,从 1997 年 1 月 1 日起实施。山东河务局变全额、差额、自收自支三种预算管理形式为核定收支、定额或定向补助,超支不补,结余留用的预算管理办法。

冯特立等被黄委授予劳动模范称号

10 月 30 日 在黄委纪念人民治黄 50 周年暨治黄表模大会上,黄委、黄河工会以黄会[1996]27 号文决定:授予山东河务局冯特立、张庆林、石和玉、刘守文、马金朝、焦长怀、崔学文、侯庆伟、布如坤、赵庆贵、刘�予、张庆信、田思群、董广现、丁安华、李开生、魏来水、王民录、葛玉亭、郑兆栋、张怀芳、谢荣光、李传顺、许万智、李洪敬、王宗义、韩文峰、张兴贞、宋桂先、李安民、李维志、韩宝信、王金祥、陈和平、杨晏珍(女)、蒋公社、陈兆伟、武传典、张志斌、张延豫等黄委劳动模范称号,颁发证书,并奖励晋升一级工资。授予利津县河务局,菏泽地区河务局谢寨闸管所,东平县河务局,黄河建材局,职工医院,阳谷县河务局,德州市河务局李家岸闸管所,济阳、惠民、垦利县河务局,将山石料厂,山东河务局仓库先进集体称号,并颁发奖牌。

东张水库竣工

10 月 黄河南展宽区东张水库竣工。该水库位于垦利县胜坨镇南展宽区末端,水库南北长 2183 米,东西长 2842 米,总占地面积 9300 亩,总库容 3675 万立方米,总投资 4410 万元。工程于本年 3 月兴建,完成土方 41 万立方米,砌石、混凝土 5.8 万立方米。水库可控制灌溉面积 8.85 万亩,同时解决垦利县及胜利油田等人畜饮水问题。

山东省隆重纪念人民治黄 50 周年

11 月 6 日 山东省政府在南郊宾馆召开大会,隆重纪念山东人民治理黄河 50 周年。参加会议的有沿黄各市(地)市长(专员),省直有关部门负责人,各市(地)、县河务局局长和离退休老职工代表、劳动模范、防汛抗洪先进集体和先进个人。省人大、省政协、省纪委、济南军区、省军区、省武警总队负责人应邀出席会议。省长李春亭,副省长邵桂芳,黄委主任綦连安出席大会并讲话。

綦连安代表水利部向大会宣读贺信。对山东人民 50 年治黄取得的成就表示祝贺;向战斗在黄河两岸的全体黄河职工表示亲切慰问;向 50 年来为治理黄河作出贡献的山东人民、解放军、武警官兵表示崇高的敬意和衷心的感谢。李春亭在讲话中指出,山东人民治黄已经走过了 50 年的光辉历程,黄河治理取得了举世瞩目的巨大成就。但黄河的治理与开发是一项长期而艰巨的任务,沿黄地区各级党政领导,都要以对党对人民高度负责的精神,从黄河长治久安的大局出发,坚持除害兴利并举,治理和开发两手抓。

局长李善润做了《总结经验,继往开来,努力开创山东治黄工作新局面》的报告。

会上,对山东黄河系统先进集体、劳动模范和防御黄河“96·8”洪水先进集体及先进个人进行了表彰。

黄委会公布新列在册险点

11 月 7 日 山东河务局以鲁黄管发[1996]43 号文公布,山东黄河 1996 年新列入黄委会在编险点险段 24 处。其中,潭坑 3 处,管涌 4 处,渗水段 16 处,裂缝 1 处。

此外,1988～1992 年,黄委会还增列穿堤建筑物在册险点 10 处。

《关于黄河断流情况的调查报告》受到表彰

12月2日 国务院发展研究中心、国家统计局、人民日报社、新华通讯社、《求是》杂志社等联合举办了首届全国优秀调查研究报告评选活动。山东河务局李善润、司毅民撰写的《关于黄河断流情况的调查报告》被评选为首届全国优秀调研报告,并在全国调查研究工作研讨会暨首届全国优秀调研报告颁奖大会上受到表彰。同时,还被水利部评选为优秀调研报告特等奖。

路庄引黄闸竣工验收

12月15日 垦利县路庄引黄闸竣工验收。该闸位于临黄堤右岸桩号216+181处,闸型为一联三孔钢筋混凝土箱式涵洞,每孔净宽2.6米,净高2.8米,设计引水流量30立方米每秒,灌溉面积60万亩。该闸于本年2月27日开工,11月15日竣工,实际投资720万元。

三十公里引黄闸竣工验收

12月16日 河口区三十公里引黄闸竣工验收。该闸位于河口北大堤桩号30+112.5处,闸型为一联三孔钢筋混凝土箱式涵洞,每孔净宽2.6米,净高2.8米,设计引水流量20立方米每秒,供孤东油田用水。该工程于本年3月16日开工,6月10日完成主体工程,工程投资392.71万元。

黄河系统第一支水政监察大队成立

12月28日 黄河系统第一支水政监察大队"黄河水利委员会山东省滨州市水政监察大队"正式挂牌成立。水利部领导和滨州地区、滨州市领导及有关部门负责人到会祝贺。

水政监察队伍的主要职责是:(1)宣传贯彻《中华人民共和国水法》、《中华人民共和国水土保持法》、《中华人民共和国防洪法》等水法规。(2)保护水资源、水域、水工程、水土保持生态环境,防汛抗旱和水文监测等有关设施。(3)对水事活动进行监督检查,维护正常的水事秩序。(4)配合和协助公安和司法部门查处水事治安和刑事案件。

黄河断流情况

12月 1996年黄河断流时间之早和时间之长均超过历年断流纪录。其中,高村水文站自5月31日至月5日断流6天;孙口水文站自5月29日至6

月 10 日断流 13 天;艾山水文站自 5 月 23 日至 6 月 27 日断流 2 次,计 25 天;泺口水文站自 2 月 14 日至 6 月 29 日断流 4 次,计 71 天;利津水文站自 2 月 14 日至 12 月 18 日断流 9 次,共断流 135 天,断流长度 579 公里。黄河断流给沿黄地区工农业生产和人民生活带来很大困难。

1997 年

李延龄等检查黄河防洪工程

1 月 5～8 日　国家防总领导成员、财政部副部长李延龄,水利部副部长周文智在山东省副省长邵桂芳、黄委副主任庄景林和山东河务局局长李善润等陪同下,先后察看了菏泽、济宁、泰安、济南四地(市)的险工险段、水毁工程修复和东平湖工程情况。8 日上午,李延龄、周文智一行,在南郊宾馆听取了邵桂芳关于黄河治理和滩区群众搬迁情况介绍,局长李善润就黄河防洪保安全存在问题及对策做了汇报。李延龄在听取汇报后,肯定了山东黄河防汛工作,并对搞好水毁工程修复、除险加固、水文通信设施建设等提出具体要求。

山东河务局科技项目获黄委科技进步奖

1 月 7 日　黄委黄科技[1997]1 号文公布,经黄委科技进步奖评审委员会评审,评出 1996 年度科技进步奖 21 项。其中,山东河务局与黄科院等 9 个单位联合完成的“黄河下游游荡性河段整治研究”、山东河务局与黄委设计院等 5 个单位联合完成的“结合引黄供水沉沙淤筑相对地下河的研究”均获一等奖;山东河务局科技处完成的“电法探测黄河堤坝隐患实验及推广应用”获二等奖;山东水文水资源局完成的“山东黄河水资源利用效益分析与展望”获三等奖。

“ZDT—I 型智能堤坝隐患探测仪”通过鉴定

1 月 20 日　由山东河务局承担的山东省科技发展计划项目“ZDT—I 型智能堤坝隐患探测仪”在济南市通过技术鉴定。该仪器是在电法勘探原理基础上,结合电子和计算机技术开发研制的新一代智能电测仪,可广泛适用于江河水库堤坝工程质量普查及其隐患和漏洞探测。该项目 1998 年 10 月获山东省科技进步一等奖;1999 年 11 月获国家技术发明三等奖。

山东治黄工作会议召开

1月23～24日　山东治黄工作会议召开。山东省副省长邵桂芳、黄委总经济师宋建洲出席会议并讲话。会上23个单位做了典型发言,交流了经验;李善润局长做了《把握大局,再接再厉,开拓前进,夺取两个文明建设新胜利》的工作报告。

会议安排部署了1997年的治黄任务,其指导思想是:坚持以防洪保安全为中心,以发展产业经济为重点,以加快职工队伍建设和领导班子建设为保证,加强治黄工程建设和经济发展步伐,全面提高管理水平,促进"治黄、致富、育人"三项建设,开拓前进,夺取治黄工作新胜利。

会议表彰了目标管理先进单位和单项先进集体,颁发了局长奖励基金;与各地(市)河务(管理)局签订了1997年目标责任书。

朱登铨等慰问黄河职工

1月30～31日　水利部副部长朱登铨带领有关司负责人,在山东省副省长邵桂芳陪同下,看望了山东河务局局级待遇离退休职工。在山东河务局机关,朱登铨听取了汇报,对山东河务局工作给予充分肯定,并向广大治黄干部职工致以春节问候。在黄委副主任兼总工程师陈效国、山东河务局局长李善润等陪同下,先后到东平湖管理局、黄河建材局、船舶工程处、黄河医院进行春节慰问。朱登铨看望了一线职工和离退休职工,听取了上述单位的工作汇报,详细了解了建材局、船舶工程处两个水利部对口扶贫单位的生产经营和职工工资发放、医药费报销等情况,并将慰问品和慰问金送到一线职工和离退休职工手中。

山东黄河安全度过凌汛

2月15日　封冻河段全部融化,凌汛结束。山东黄河凌汛期间,先后出现三次封河,三次开河。1月16日,第三次封河封冰上首至郓城县杨集险工,长233公里,为本年度长度最大的一次封河,共封冻38段,总冰量970万立方米。1月25日,气温开始回升,封冻河段逐渐融化。

李善润任山东省政协常委

2月　从本年度2月至2003年3月,李善润任第七届、第八届山东省政协常委。

《黄河》节目开拍

3 月 11 日　《德国之声》广播电台亚洲部主任君特·克纳伯到济南市河务局,研究采制一组取名《黄河》的节目制录计划并商讨与外事部门的签约合同。这是一组通过黄河新姿,展示新中国成立 48 年来特别是改革开放十多年来黄河的巨大变化和人民群众崭新精神面貌的节目。由《德国之声》、济南市政府外事办公室、济南人民广播电台、济南市河务局组成的黄河新闻考察团,从兰州顺河而下采制节目,历时约 20 天。节目制作完成后,在亚洲用华语和英语进行播放,通过宣传黄河让世界了解中国。

陶城铺东引黄闸工程竣工验收

3 月 13 日　阳谷县陶城铺东引黄闸工程竣工验收。该闸位于老闸下游、临黄堤左岸桩号 4+115 处,闸型为三联八孔钢筋混凝土箱式涵洞,每孔净宽、净高 3 米,洞身长 81 米,设计引水能力 100 立方米每秒。工程投资由聊城地区自筹,总投资 1320 万元。工程于 1995 年 12 月 1 日开工,1996 年 11 月竣工。竣工验收由省计委、山东河务局、省水利厅联合组织。

加强引黄供水调度工作的紧急通知

3 月 13 日　为缓解河口地区自 2 月 7 日断流以来干旱缺水的严重局面,省政府办公厅向沿黄地区(市)发出了《关于加强全省引黄供水调度工作的紧急通知》(简称《紧急通知》),对有关市(地)引黄流量进行限制,并责成山东河务局加强对全省引黄供水调度工作的管理,确保调度工作顺利进行。山东河务局认真贯彻执行省政府《紧急通知》精神,于本日上午向沿黄市(地)河务局发出了紧急通知,对全省引黄供水调度做了具体部署,并派出工作组认真检查落实。

沟杨引黄闸竣工验收

3 月 15 日　济阳沟杨引黄闸竣工验收。该闸位于临黄堤左岸桩号 164+755 处,闸型为一联两孔钢筋混凝土箱式涵洞,每孔净高 2.8 米,净宽 2.6 米,设计流量 15 立方米每秒,可灌溉回河等 5 个乡(镇)的 20 万亩耕地。工程于 1996 年 3 月 15 日开工,1996 年 10 月竣工,总投资 631 万元。

张齐红视察聊城黄河防汛工作

3月16日 山东省军区司令员张齐红少将,在聊城地委副书记王国生、军分区司令员于福臻、政委薛新民等陪同下,视察聊城黄河汛前准备工作。要求党政军民居安思危,确保黄河下游不出问题,为党的十五大召开和香港回归创造良好的社会环境。

孙惠杰任滨州地区河务局局长

3月18日 山东河务局鲁黄人劳发[1997]17号文任命孙惠杰为滨州地区河务局局长;其原任职务同时免除。

调整山东省防汛抗旱指挥部领导成员

3月20日 山东省政府办公厅鲁政办发[1997]9号文公布调整后的省防汛抗旱指挥部成员。

指挥:李春亭(省长);常务副指挥:邵桂芳(副省长);副指挥:陈抗甫(副省长)、侯英民(省政府办公厅副主任)、高学权(济南军区作战部副部长)、冉龙泉(省军区副司令员)、李善润(山东河务局局长)、王玉柱(省水利厅厅长)。成员由山东河务局副局长石德容及有关厅局、济南军区空军及省武警总队负责人组成。

黄河防汛专家组检查度汛工程

3月20日~4月5日 根据水利部和国家防总的指示,由国家防总办公室、华北水利水电学院及黄委等单位组成的黄河防汛专家检查组,对黄河下游花园口至河口段防洪工程的主要险点、险段进行了现场检查,对除险措施进行分析评估。

雷玉舢等职务任免

3月25日 山东河务局鲁黄人劳发[1997]16号文任命雷玉舢为山东黄河建筑材料局局长;赵庆贵任东平湖管理局调研员(正处级),其原任职务同时免除。

姜西林等享受教授、研究员待遇

4月1日 黄委黄人劳[1997]19号文通知:经部高级工程师评审委员会

1997 年 1 月 24 日评审通过，批准山东河务局姜西林、王庆生、刘承天为享受教授、研究员同等有关待遇的高级工程师；其工资、待遇按水人劳[1993]98 号文件规定执行；获得资格时间从评委会通过之日算起。

鄂竞平到山东河务局检查工作

4 月 7～8 日　黄委主任鄂竞平、副主任庄景林一行在局长李善润、副局长石德容等陪同下，先后察看了菏泽、济宁、泰安、济南四市(地)黄河险工险段、东平湖工程和淤背区开发情况，听取了菏泽地局、东平湖管理局的工作汇报，检查了险工险点的度汛措施和防汛准备情况。8 日下午，鄂竞平主任在济南听取了山东河务局的工作汇报。

黄河断流及其对策专家座谈会召开

4 月 10～12 日　国家计委、国家科委、水利部在东营市召开黄河断流及其对策专家座谈会。国家有关部委、高等院校、科研机构和山东、河南两省 70 多位专家与代表参加了会议，中国科学院和中国工程院院士张光斗、刘连生、陈述彭出席会议并发言，山东省副省长陈抗甫、黄委主任鄂竞平到会讲话。

会议期间，与会专家、代表实地考察了东营市黄河断流河段，受断流影响的农业灌区、企业及引水工程等。听取了黄委等单位关于黄河断流情况的汇报，就黄河断流的成因与发展趋势，解决黄河断流问题的方略和对策进行了讨论。专家们认为造成黄河断流的原因是多方面的：一是黄河流域经济快速增长，用水、耗水量大幅度增加；二是缺乏健全的黄河水资源调度管理体制和运行机制；三是水费标准太低，用水浪费严重；四是中游干流调蓄能力不足。专家们在分析原因的基础上提出当前和长远的对策，主要是：(1)加强黄河水资源的统一规划调度和管理。(2)应根据现有的黄河流域省际分水方案，尽快制定出可操作的偏枯、特枯年度和季度配水细则，以及黄河干流骨干控制枢纽和重要引水工程在不同来水情况下的调度方案，报国务院批准执行。(3)要充分发挥市场机制的调节作用，控制用水需求，大力促进节约用水，积极推进水价改革。(4)在沿黄地区，提倡地下水与地表水联合运用。(5)加强科学研究。(6)逐步建设黄河干流，特别是中游干流的控制性水利枢纽工程，进一步提高黄河的水沙调节能力。

专家们一致认为，黄河下游连年发生断流，对流域经济发展和生态环境已发生严重影响，威胁着我国社会和经济的可持续发展，建议国务院和各级政府列入议事日程。

山东黄河防汛会议召开

4 月 16～17 日 山东黄河防汛会议在济南召开。来自沿黄 9 地(市)分管防汛工作的副专员(市长),胜利石油管理局、济南军区、济南军区空军、省军区、省武警总队和省直有关部门负责人,各市(地)、县(市、区)河务(管理)局长,沿黄市(地)水利局局长等 100 多人参加了会议。

副省长邵桂芳在会上与沿黄地(市)专员(市长)签订了黄河防汛责任书,并强调:一是要把黄河防汛作为一项重要的政治任务抓紧抓好;二是明确任务抓好重点,切实做好防汛准备;三是加强领导,强化措施,扎扎实实地做好防汛工作,确保黄河不出问题,以实际行动迎接党的十五大召开和香港回归。

会议还采取“以会代训”形式,举办了黄河防汛知识讲座。

钱正英率全国政协调查组考察引黄灌区

4 月 17～21 日 全国政协副主席钱正英率全国政协国有大中型灌区考察组(地方组)来山东省考察。在省政协副主席李殿魁、省政协秘书长任长水、黄委副主任黄自强、山东河务局局长李善润、总工程师张明德陪同下,重点考察了东营市麻湾、滨州地区簸箕李、聊城地区位山引黄闸及其灌区和黄河口及孤东防潮堤。20 日,考察组在济南听取了副省长邵桂芳关于山东大型灌区情况的汇报。在考察结束座谈会上,钱正英指出,山东针对黄河出现断流的情况,走“以井保丰,以河补源,以库调蓄,节水灌溉”的路子是正确的。

黄河下游滩区第一处喷灌节水工程建成

4 月 18 日 黄河下游滩区第一处喷灌节水灌溉工程建成。该工程位于郓城县苏阁乡苏阁险工下首 3 公里处,灌溉面积 3000 余亩。近几年,由于农业种植结构调整,水源不足矛盾日益突出,为解决水资源短缺、提高农业产量,由郓城县政府、黄河河务部门、农民三方集资 20 万元兴建喷灌节水灌溉工程,该工程是 3 月 22 日开工兴建的。

荷兰专家考察黄河河道工程

4 月 18～20 日 应水利部邀请,荷兰政府派遣范·澳斯特姆和朱斯特拉两位专家与中方专家一道,在山东河务局副局长周月鲁陪同下对山东黄河河道工程进行考察。考察目的主要是落实水利部部长钮茂生关于“百船计划”批示,对准备利用荷兰政府贷款实施“百船计划”的必要性、可行性、环境及经济条件进行论证。

中外专家考察了东明高村、济南泺口险工、河口清 6 至清 7 河段工程、西河口工程及拟进行的黄河下游挖河疏浚启动工程河段等。荷兰专家详细察看并询问了黄河下游水沙及河道工程情况、放淤固堤情况及挖河疏浚等有关问题。4 月 20 日下午,中外专家在济南就黄河下游挖河疏浚的必要性、规模、河段、工程量、施工条件、设备类型等问题进行了座谈,对搞好黄河下游挖河疏浚及加强中荷技术交流与合作提出了建议。座谈会由黄委科技外事局局长董保华主持,山东河务局副局长王曰中、袁崇仁、周月鲁参加座谈。

山东河务局被确定为文明行业示范点

4 月 30 日 山东省文明委召开文明示范工程新闻发布会,向全省推出 100 个文明行业和 100 个城乡文明示范点,山东河务局被确定为文明行业示范点。山东省文明委领导到山东河务局机关举行挂牌仪式。

山东河务局被授予水利系统先进企业称号

5 月 在全国水利经济工作会议上,山东河务局被授予全国水利系统先进企业称号。

局直单位工人退休审批权限调整

6 月 1 日 山东河务局调整局直单位工人退休审批权限。局直单位凡是达到退休年龄、符合退休条件的工人,由各单位按照有关文件规定严格审查,直接办理退休手续,并报山东河务局备案。

黄河防总颁发防汛工作职责若干规定

6 月 2 日 黄河防总黄防办[1997]18 号文颁发《黄河防汛工作职责若干规定》,规定了各级黄河防汛指挥部和有关业务部门的防汛职责;防洪工程调度批准权限与组织实施等。7 月 14 日,黄河防总[1997]6 号文颁发《黄河防汛总指挥部洪水调度责任制(试行)》,黄防办[1997]31 号文颁发《黄河防洪工程抢险责任制(试行)》,黄河务[1997]37 号文颁发《黄河汛期水文、气象情报预报工作责任制(试行)》。

国家防汛抗旱总指挥部办公室检查黄河防汛准备情况

6 月 5~7 日 国家防汛办公室副主任张志彤、黄河防汛总指挥部办公室副主任王新法率黄河防汛检查组一行4人,在山东河务局局长李善润、副局长石德容陪同下检查了济南、聊城、东平湖、菏泽等地的黄河度汛工程、生产堤破除、大堤高度不足堤段的备土,东平湖和北金堤群众迁安等防汛准备情况。6月5日,副省长邵桂芳也一同进行了检查。石德容汇报了黄河防汛准备及抗旱情况。

张志彤指出,要继续检查各项防汛措施、备料、防汛队伍等情况,真正把各项工作落到实处,生产堤要加强管理,实行责任制,不能再修,以免劳民伤财。

黄委检查应急度汛和基建工程

6月5~13日 黄委应急度汛工程山东检查组先后对河口、滨州、淄博、济南四市(地)局的工程进度和质量情况进行了检查。6月8日上午在山东河务局机关进行座谈,检查组对四市(地)局采取的各项措施和取得的成效予以充分肯定,尤其对利津101汛屋淤背、槐荫睦里截渗工程、梁山黄花寺淤背和郓城杨集上延工程表示满意。

6月12日检查组完成外业现场检查,于13日上午在东明县河务局进行座谈。认为山东河务局领导重视,措施得力,成效显著。同时提出:一是要再接再厉,加大力度,一鼓作气完成任务;二是要做好应急度汛工程的收尾和总结;三是要经得起检查和审计;四是要加强信息传递和沟通,及时反映情况;五是要做好拟建项目前期工作和项目储备等。

王广山任聊城地区河务局局长

6月9日 中共山东河务局党组鲁黄党发[1997]11号文任命王广山为聊城地区河务局局长、党组书记。

李春亭检查东平湖防汛准备工作

6月19日 山东省省长李春亭、副省长邵桂芳带领省财政厅、民政厅、交通厅、水利厅、山东河务局负责人专程到东平湖检查防汛准备工作。李春亭在听取山东河务局局长李善润、泰安市市长张知平、济宁市市长王仁元汇报后,强调按照国家防总提出的“安全第一,常备不懈,以防为主,全力抢险”的方针,做好各项防汛准备工作,保证做到大堤不决口。

吴官正检查指导黄河防汛工作

6月20日 中共山东省委书记吴官正到菏泽地区检查指导工作。在菏泽地委、行署领导陪同下，察看了菏泽黄河部分堤段。吴官正指出，菏泽黄河河道宽，险点险段隐患多，是山东的防守重点，一定要引起高度重视，对险工险段要加固好。防滚河堤段是大事，要落实好度汛措施，牢记国务院副总理姜春云“严守死保”的指示，坚决不能出问题。

经济工作会议召开

6 月 21 日 山东河务局召开经济工作会议，局直单位和机关有关部门负责人参加会议。副局长袁崇仁传达了全国水利经济工作会议精神，并指出经济工作中存在的问题：一是产业结构不合理；二是全局缺乏稳定可靠的经济项目；三是思想不够解放，观念比较陈旧。袁崇仁对大力发展黄河产业经济、转变观念和体制改革等提出要求。

郑州至济南段市河务局至县河务局通信工程建成

6 月 28 日 黄委在郑州通信管理局举行了黄河下游地(市)河务局至县级河务局通信工程郑州至济南段建设项目开通揭幕仪式。黄委主任鄂竟平和水利部水利信息中心主任陈德坤为通信项目开通揭幕。该工程共完成 29 套电源设备、22 台程控交换机、一点多址微波通信系统 4 个中心站、29 个中继站和 24 座铁塔的建设任务。

黄河大堤隐患探测技术进行应用测试

6 月 黄河大堤隐患探测技术应用测试和比选在河南省武陟、长垣县举行。这次测试和比选选择黄委设计院物探队的 MIR—1C 多功能直流电测仪、山东河务局的 ZDT—I 型智能堤坝隐患探测仪和江西九江水科所的 TZT—I 型堤坝数字电测仪。经过在黄河下游同一堤段的测试，黄委拟选山东河务局和黄委物探队的两种仪器在黄河大堤上进行推广应用，并进行人员培训。

八连护滩和十四公里险工应用插板桩新技术筑坝

6 月 左岸河口区八连护滩 21 号丁坝和右岸垦利县十四公里险工 21 号护岸工程完工。这两处工程采用插板桩新结构筑坝，该结构是将预制的钢筋混凝土板桩插入地下，抵御水流对坝岸的冲刷，以代替传统的抛石裹护，达到不抢险或少抢险的目的。

机动抢险队建设管理办法颁发

7月23日 山东河务局鲁黄防发[1997]11号文颁发《山东省黄河专业机动抢险队建设管理办法》(简称《办法》),目的是加强黄河专业机动抢险队的建设与管理,不断提高其抗洪抢险能力。黄河专业机动抢险队是防汛专业队伍中的骨干力量,承担重大险情的抢护任务,平时由所在县(区)河务局、工程处管理,汛期由省黄河防汛办公室统一调配,管理模式为事业经营型。该《办法》规定:专业机动抢险队汛期应集中驻地待命,进行防汛抢险准备和技术训练,接上级指令后,投入防汛抢险,非汛期可充分利用现有设备承揽工程,积极开展经营创收活动。

黄委认定山东河务局为局级科技进步奖单位

7月24日 黄委黄科技[1997]23号文通知,根据《黄委科学技术进步奖励条例》及其实施细则,认定山东河务局评出的科技进步奖为局级科技进步奖。

邵桂芳察看黄河防汛准备工作

8月5日 下午3时,副省长邵桂芳在局长李善润等陪同下,从东营、滨州检查抗旱回济后,到济南市泺口、杨庄险工察看,并要求沿黄各地防汛抗旱要两手抓,在抓紧引黄抗旱的同时,做好迎战大洪水的各种准备,确保黄河万无一失。

山东河务局举行防汛抢险实战演习

8月12日 为提高黄河抗洪抢险的指挥水平和防汛队伍的抢险能力,山东省防汛抗旱指挥部委托聊城地区防汛抗旱指挥部在东阿县黄河井圈险工举行以抢险堵漏、管涌处置、捆抛柳石枕为内容的实战演习。副省长邵桂芳、省军区副司令员秦江昌、省武警总队副队长李焕良,黄委副主任庄景林、主任助理郭国顺,山东河务局局长李善润、副局长石德容,省直9个厅局的负责人和聊城地委、行署、军分区领导莅临现场指导。各地(市)河务(管理局)局长也专程赶来观摩演习。

山东河务局依法具有行政处罚主体资格

9月3日 山东省人民政府第84号令发布《山东省人民政府关于公布省

级行政处罚主体(组织)的决定》,经审核确认:黄委山东河务局依法具有行政处罚主体资格;黄委山东水文水资源局、黄河流域水资源保护局山东局以其主管行政机关的名义实施行政处罚。

姜春云邀请专家商讨黄河断流对策

9 月 29 日 国务院副总理姜春云邀请有关方面专家在北京举行座谈会,商讨黄河断流的对策措施。会上,黄委主任鄂竟平向与会专家详细汇报了黄河断流情况。与会人员分析了黄河断流的原因及影响,提出了对策和建议。姜春云对解决黄河断流提出六条要求:一是加强管理,科学调度,要从黄河实际来水量出发,重新修订完善黄河水资源分配方案,加强全流域水资源管理;二是增强全社会水忧患意识,要把黄河断流、缺水情况告诉沿黄人民,使群众逐渐增强节水意识;三是积极开辟水源,增加供水量;四是广泛深入开展节水活动;五是大搞农田基本建设;六是深化水利体制改革,充分发挥市场机制在水资源配置中的基础作用,合理确定水价。

李茂刚获全河第二届通信职工技术大比武第一名

10 月 14 日 黄委在郑州举行全河第二届通信职工技术大比武。山东河务局组团 8 人参加,济阳县河务局职工李茂刚夺得总分第一名。

黄河淤背区林业综合效益开发研究获奖

10 月 23 日 黄委黄科技[1997]5 号文公告,评出 1997 年度黄委科技进步奖 19 项,并颁发证书。其中山东河务局与山东省林业科研所联合完成的黄河淤背区林业综合效益开发研究项目获三等奖。

山东省政府召开山东黄河滩区村庄搬迁动员会

10 月 山东省政府召开全省救灾黄河滩区村庄搬迁会议,全面动员和部署黄河滩区村庄搬迁工作,确定了搬迁计划和补助资金,与沿黄地(市)政府行署签订了责任状,确立了黄河滩区村庄搬迁总的指导思想和原则。

1996 年 8 月黄河大洪水滩区受灾后,为了给黄河滩区群众创造一个比较安全的生产生活环境,从根本上解决滩区群众受灾问题,山东省政府决定将黄河滩区具备搬迁条件的村庄全部搬迁到黄河大堤以外,对搬迁确有困难的采取加高加固村台的措施。为实现滩区村庄搬迁筑台目标,省政府 1996 年第 27 次常务会议决定三年安排投资 3.1 亿元,用于黄河滩区村庄搬迁筑台补助,其中省财政负担2.65亿元,省民政厅负担1500万元,山东河务局向上级申请补助经费3000万元。

截至1999年底,迁至滩外村庄168个,外迁人口8.88万。

山东黄河安全度过汛期

10月 山东黄河安全度过汛期。本年黄河汛期为历史上罕见的枯水、枯沙期。汛期花园口水文站来水总量为50.12亿立方米,来沙总量3.14亿吨,分别为多年平均值的20.5%和33.8%。汛期高村水文站来水量为31.78亿立方米,来沙量为1.52亿吨。

8月4日2时36分花园口水文站出现洪峰流量4020立方米每秒,水位93.93米,最大含沙量363公斤每立方米。由于河床干涸和沿黄大量引水,8月4日12时到达山东高村水文站,洪峰流量为2200立方米每秒,水位62.80米;6日17时,利津水文站流量为1330立方米每秒,水位12.53米。8日15时18分利津水文站在恢复过流56小时后再次断流。

汶河来水也较少,汛期来水总量0.85亿立方米,戴村坝水文站8月22日最大流量为260立方米每秒。东平湖8月27日最高水位为41.15米,相应蓄水量2.57亿立方米。

8月18日至21日受第11号台风影响,沿黄东营、滨州、淄博等市(地)遭受了80年来未遇的特大暴风雨袭击,防洪工程雨毁比较严重。邹平以下9个县(市、区)河务局的专用通信线路全部中断,刮倒(断)线杆1091根,断线365.5对公里,防洪工程、防汛屋、生活设施及树株、淤区农作物等遭到严重毁坏。造成直接经济损失3331.2万元,其中各类雨毁工程2658.6万元。

《山东黄河治理"九五"规划》通过专家论证

11月12~13日 《山东黄河治理"九五"规划》在济南通过专家论证。规划仍以防御花园口水文站洪峰流量22000立方米每秒洪水为标准。"九五"期间,治理工程项目包括山东境内加高黄河大堤107.15公里,加培长度255.43公里,新建、续建控导工程16处,加高与改建险工98处、1045段坝,东平湖围坝加固77.78公里,二级湖堤加高加培26.7公里,改建涵闸3座,虹吸改闸2座,续建北金堤工程,治理河口流路,挖河疏浚,淤背固堤等。

向黄河口地区调水成功

11月21日 本年第四次调水到达利津。由于严重干旱,东营市及胜利油田城乡居民生活、生产用水多次出现危机。东营市、胜利油田、中国天然气总公司频频要求向河口地区调水，黄委多次召开会议，研究缓解河口地区用水危机的紧急措施，先后四次组织调水。前三次调往河口水量总计 7.35 亿立方米。第四次调水是在小浪底水库截流不久进行的。在三门峡水库和下游河道水量都不能满足为河口地区送水要求的情况下，上中游水调办公室临时调整发电计划，调度刘家峡日平均出库流量 762 立方米每秒；宁夏压减引水量 1.63 亿立方米，山西省压减引水量 80%；河南省引水仅占分配指标的 45%，压减后的水量全部送向下游。到本日 6 时 42 分利津断面恢复过流。

黄河下游挖河固堤启动工程开工

11 月 23 日 黄河下游挖河固堤启动工程开工仪式在利津县崔家控导工程举行。黄委副主任庄景林，山东河务局局长李善润，副局长石德容、周月鲁，总工程师张明德和东营市、胜利油田、河口管理局的负责人参加了开工仪式。

鉴于近年来黄河下游河道主槽淤积严重，根据国务院总理李鹏和副总理姜春云关于"治理黄河关键是三个环节：上中游水土保持、修建水库、下游疏浚河道和继续加固堤防"，"当前要抓紧河道疏浚，并把疏浚河道和建设堤防结合起来"的指示精神，经水利部批准，在靠近河口河段实施挖河固堤启动工程。工程位于朱家屋子断面以下，设计对朱家屋子至 6 断面 11 公里河段进行开挖，平均挖深 2.5 米，开挖宽度 200 米，同时对 6 断面至清 2 断面部分河段主槽进行疏通，疏通长度 13.4 公里。挖河疏浚土方用来加固两岸大堤。11 月 21 日，黄委向山东河务局发出了《关于挖河固堤启动工程试挖开工的通知》。

东平县东平湖移民管理局等受表彰

12 月 10～24 日 全国水库移民工作总结表彰大会在郑州召开。水利部移民办公室主任李天碧作了《认真贯彻党的十五大精神，为加快水库移民经济发展而奋斗》的报告，回顾总结了十年来水库移民取得的成就和基本经验，提出了下一步移民工作意见，并代表水利部和库区建设基金会向出席会议的先进集体和先进工作者表示热烈祝贺。会上，东平县东平湖移民管理局被评为先进单位，山东河务局朱永福，东平县魏绪言、王成武被评为先进个人，并受到表彰。

《山东省黄河河道管理条例》颁发施行

12 月 13 日 山东省第八届人大常委会第 31 次会议通过《山东省黄河河

道管理条例》，自 1998 年 1 月 1 日起施行。本条例适用于本省黄河河道，包括黄河蓄洪区、滞洪区、展宽区、河口及大清河河道。条例明确省、市（地）、县（市、区）黄河河务（管理）部门是本行政区域内的黄河河道主管机关，对河道整治与建设、河道保护、河道工程管理、河口管理、法律责任等做出具体规定。

山东黄河治理学术研讨会举行

12 月 18～19 日 山东黄河治理学术研讨会在济南举行，黄委、山东河务局和山东省水利厅等单位代表近 60 人参加会议。石德容、王曰中、周月鲁、张明德参加会议并发言。

会议针对当前山东黄河面临的形势和任务，重点研讨了山东黄河近期出现的断流情况和水资源的合理利用，防汛抢险技术、防汛队伍的组织，堤防隐患探测及除险加固的方法措施，河道整治和河口治理等热点、难点问题。

《黄河下游浮桥建设管理办法》发布

12 月 25 日 水利部水教资[1997]537 号文重新发布《黄河下游浮桥建设管理办法》。该管理办法原系 1990 年 8 月 31 日水利部水政[1990]17 号颁发，本次经过修改后重新发布施行。该管理办法适用于黄河下游干流河道上架设的民用浮桥。办法规定：河南、山东两省交界河段的浮桥建设方案由黄委审查，其他河段的浮桥建设方案分别由省河务局审查；浮桥建设和运用，不得缩窄河道，不得影响水文测验和河道观测，不得影响黄河工程管理；浮桥的架设必须符合防洪防凌的要求，大汛期和凌汛期，建设单位必须根据黄河河道主管机关的要求，在指定时间内拆除浮桥。

山东河务局一点多址微波通信工程完成

12 月 山东河务局一点多址微波通信工程完成。至此，除平阴、东阿、阳谷、莘县等 4 县河务局外，山东河务局 8 个地（市）局、24 个县（市、区）局及建材局全部实现数字微波传输，数字程控交换，并与郑济、济东微波干线连路并网，实现山东全河各单位之间自动拨号。

山东黄河断流创历史纪录

12 月 本年度山东黄河断流创历史纪录。在来水严重偏枯和大量引水的情况下，利津、泺口两水文站 2 月 7 日同时发生断流。全年，利津水文站断流 13 次，累计断流 226 天（含间歇性断流天数）；泺口水文站断流 7 次，累计

132 天;艾山水文站断流 4 次,累计 75 天;孙口水文站断流 3 次,累计 67 天;高村水文站断流 1 次,计 25 天。花园口水文站汛期来水总量 50.12 亿立方米,比多年平均值减少 79.5%,来沙总量 3.14 亿吨,比多年平均值减少 66.2%,属严重枯水枯沙年。

本年度山东黄河断流特点:一是断流起始时间早,泺口、利津两水文站首次断流发生于 2 月 7 日。二是断流河段长,断流河段上延至开封市柳园口,长达 683 公里。三是断流时间长,频次多。四是断流月份多,全年有 11 个月发生断流,特别是 9 月和 11 月断流,是历史上首次出现。五是汛期多次发生断流,在主汛期的 7 月孙口水文站以下河段全月无水,为历史罕见。整个汛期,利津水文站过流时间仅 16 天。

1998 年

山东河务局执行事业单位会计制度

1 月 1 日 山东河务局事业单位根据《事业单位会计准则》规定,开始执行事业单位会计制度。取消了事业单位以收抵支的办法,确立了大收入、大支出的新管理方式。

朱登铨率队慰问黄河困难职工

1 月 14～15 日 水利部春节慰问团在副部长朱登铨率领下,来到对口扶贫支援的山东黄河建材局、船舶工程处及东平湖管理局、黄河医院,了解脱贫情况,走访慰问困难职工,并给困难单位送来春节慰问金。黄委主任鄂竟平、副主任徐乘,山东河务局局长李善润、副局长袁崇仁陪同慰问。

邵桂芳察看黄河封冻情况

1 月 20 日 山东省副省长、省防汛抗旱指挥部常务副指挥邵桂芳到山东河务局听取黄河凌汛情况汇报,并在局长李善润、副局长石德容等陪同下到泺口、曹家圈实地察看了黄河封冻情况。

邵桂芳代表省政府、省防汛抗旱指挥部向黄河职工表示春节慰问。他说,农业丰收、农民增收、农村稳定离不开黄河。现在黄河水流量虽少,但凌汛不能忽视,要密切注视凌情变化,充分做好准备,预防万一,确保安全度过凌汛。

山东黄河召开水利建设工作会议，加大三项制度改革

2月9～10日 山东黄河水利建设工作会议召开。会议传达了贯彻全国水利建设工作会议和黄河流域水利建设管理工作会议的精神，总结了1997年基本建设管理和质量监督工作，安排部署了1998年的各项工程建设任务，对1997年度在水利建设中取得突出成绩的先进单位和先进个人进行了表彰。各地(市)河务局分管水利建设的局长、工务科(处)长，局直有关单位和机关处室负责人参加了会议。李善润等在会上讲了话。

会议确定了1998年水利建设工作的重点：一是强化管理，优质高效地完成年度基本建设任务，重点抓好挖河固堤启动工程的实施和菏泽八孔桥堤防截渗墙的施工。二是做好计划管理和工程前期工作。三是继续抓好“三区”工作，搞好黄河滩区和东平湖库区移民扶贫开发项目的落实。四是加大推行基本建设三项制度(项目法人责任制、招标投标制、工程监理制)改革的力度。五是继续强化质量监督，试行工程质量情况通报制度和质量保证金制度。六是做好基本建设统计工作，为领导决策提供依据。

会议对加大试行三项制度重点做了部署。要求财政专项资金安排的一期工程，在建设实施中全面推行项目法人责任制和监理制，部分项目实行招投标。鄄城八孔桥截渗墙工程首先实行建设监理招标和施工邀请招标；东平湖陈山口闸改建工程实行内部监理和合同管理；正常基建工程部分项目实行内部招标。

山东黄河安全度过凌汛

2月12日 济南以上河段冰凌全部融开，济南以下断流河段冰凌触地融化，山东黄河凌汛解除。山东黄河河道1月9日从垦利护林险工开始封河。菏泽、济南、北镇最低气温分别为-13℃(1月19日)、-12℃(1月18日)和-15℃(1月18日)。由于持续低温，1月31日，封冻上首达东明上界，封冻总长327公里，是近年来封河较长的一年。封河冰量593.3万立方米，冰厚一般在5～15厘米；岸冰、断流河段水面结冰230.2万立方米，合计冰量823.5万立方米。进入2月以来，随着气温逐步回升，冰凌逐渐融化。

黄河泺口爱国主义教育基地举行挂牌仪式

2月19日 黄河泺口爱国主义教育基地挂牌仪式在济南市隆重举行，从而成为黄委五个(三门峡大坝、郑州花园口、开封柳园口、济南泺口和黄委博物

馆)爱国主义教育基地中首家挂牌单位。

符传荣察看黄河防洪工程

2 月 23 日　国家防总副秘书长、总参作战部部长符传荣率总参作战部有关人员,在国家防汛办公室副主任张志彤、济南军区副参谋长何善福、黄委副主任黄自强、山东河务局副局长周月鲁陪同下察看黄河防洪工程。

符传荣实地察看了东明高村险工、东平湖水库石洼进湖闸、清河门出湖闸等工程,听取了山东河务局、菏泽地区河务局和东平湖管理局关于黄河防汛有关情况的汇报。符传荣对山东黄河防汛工作和防洪工程的管理十分满意。他要求解放军部队要加强与黄河部门的联系,做好一切准备,随时支援黄河抗洪抢险斗争。

廖义伟等职务任免

2 月 24 日　中共黄委党组黄党[1998]15、16、17、18、19 号文通知:

廖义伟任山东河务局局长、党组书记;免去李善润局长、党组书记职务。

通过公开选拔和组织考察,经研究决定:杜宪奎任山东河务局党组成员、副局长(试用期一年)。

王澄方任山东河务局纪检组组长、党组成员,免去其黄河山东区工会主席职务;刘大练任黄河山东区工会主席,免去其副局长、党组成员职务。

鉴于王曰中、赵富庆已到达退休年龄,免去其现任职务,同意退休。

聊城地区黄河河务局更名

3 月 5 日　山东河务局鲁黄人劳发[1998]15 号文通知:根据国务院关于撤销聊城地区,设立地级聊城市的通知精神,聊城地区黄河河务局更名为聊城市黄河河务局,机构规格不变。更名后的内设机构和干部职务称谓亦相应变更。

山东治黄工作会议召开

3 月 6～7 日　山东治黄工作会议在济南召开。各地(市)河务局局长、办公室主任、局直单位(公司)、机关各部门主要负责人参加了会议。会议总结了 1997 年治黄工作取得的主要成绩,安排部署了 1998 年的各项任务,并与各地(市)河务局签订了目标任务书。表彰了目标管理先进单位。局长廖义伟要求 1998 年做好六项治黄工作:(1)加强治黄建设,确保防洪安全。(2)发挥优势,强化管理,大力发展水利经济。(3)努力提高职工队伍素质,大力推进精神文明建设。(4)解放思想,深化改革,逐步建立起充满生机活力的治黄运行机制。(5)抓住群众关心的热点问题,千方百计提高职工的生活水平和生活质量。(6)大力加强机关作风建设,为治黄改革发展服务。

山东水文水资源勘测局隶属关系变更

3月18日　山东河务局鲁黄人劳发[1998]25号文通知,根据黄委黄人劳[1998]9号文精神,山东河务局所属山东水文水资源勘测局(山东水资源保护局)划归黄委水文局和黄河流域水资源保护局共同管理,党务工作由山东河务局直属机关党委指导和管理。

鄂竟平等考察挖河固堤启动工程

3月26～27日　黄委主任鄂竟平、副主任李国英一行在山东河务局局长廖义伟、东营市副市长杨志良、胜利石油管理局副局长何富荣等陪同下,到挖河固堤启动工程施工现场实地考察,并就有关问题与东营市、胜利石油管理局领导座谈。鄂竟平指出,黄河下游挖河固堤工程是治黄的战略性举措,在防洪上具有全局性的重要意义,国务院、水利部领导对这件事高度重视,经专家论证确定试挖河口地区这一段,已进入关键时期,必须加大力度,确保启动工程在6月底前保质保量地按时完成。李国英指出,河口地区两大问题,一是用水问题,二是防洪问题。

薛松贵任山东河务局副局长

4月1日　中共黄委党组黄党[1998]25号文任命薛松贵为山东河务局副局长、党组成员。

山东黄河工会第八次代表大会召开

4月14～16日　山东黄河工会第八次代表大会召开,刘大练当选为工会主席。会议提出今后一个时期工会工作的指导思想,明确近期工作思路和工作任务。大会要求各级工会组织认真学习邓小平理论,特别是邓小平工运理论,结合实际,理清工作思路,明确工作重点。

黄河断流万里探源和记者采访活动正式启动

4月15日　由《经济日报》和中央电视台组成的黄河断流万里探源和记

者采访活动正式启动。此次采访活动从黄河入海口始，到黄河源头止，历时 3 个月，每两天发一篇特稿，在《经济日报》二版开辟专栏，连续刊登。全国人大副委员长姜春云对该活动做了专门批示，提出具体要求，并为出发仪式做了书面讲话；全国政协副主席陈俊生参加出发仪式，水利部部长钮茂生对活动给予高度评价，黄委主任鄂竟平要求委属有关单位配合采访，做好后勤服务。

周文智率队检查黄河防汛工作

4 月 20～22 日 国家防总秘书长、水利部副部长周文智率领国家防总黄河检查组一行 8 人，在黄河防总常务副总指挥、黄委主任鄂竟平，黄委副主任庄景林，山东省副省长陈延明，山东河务局局长廖义伟等陪同下，检查了山东黄河防汛工作。

任士伟等被授予山东省先进工作者称号

4 月 21 日 山东省人民政府决定：授予德州市河务局任士伟山东省先进工作者称号；授予长清县河务局魏来水山东省劳动模范称号。

《黄河下游跨河越堤管线管理办法》颁发

4 月 27 日 黄委黄河务[1998]38 号文颁发《黄河下游跨河越堤管线管理办法》。本办法适用于黄河下游各类堤防上已建、新建或改建的水、汽、油管道及高压线等各种跨河越堤管线工程。在下游河段建设管线工程的，除大中型建设项目和省际、省界河段的建设项目需报黄委审批外，项目立项申请分别由河南、山东河务局审批，并报黄委备案。

国家防总批复东平湖水库司垓闸调度权限

5 月 5 日 国家防总以国汛[1998]5 号文正式通知黄河防总，将东平湖水库司垓闸调度权限批复如下：东平湖水库是黄河下游重要的蓄滞洪工程。按照国务院批准的防御洪水方案，当黄河下游发生大洪水，艾山水文站洪峰流量将超过 10000 立方米每秒时，为确保济南市、津浦铁路和艾山以下黄河两岸广大地区的防洪安全，需运用东平湖水库分蓄洪水，以控制艾山水文站下泄流量不超过 10000 立方米每秒。当东平湖新湖区运用后，需视大湖围坝防守和沂沭水系的汛情以及退水入黄的实际情况，相机运用司垓闸通过梁济运河退水入南四湖。鉴于司垓闸的运用属跨流域泄洪，涉及面较广，因此东平湖水库新湖运用后，由黄河防总提出司垓闸退水运用意见，报经国家防总批准后，由黄河防总通知山东省防汛抗旱指挥部组织实施。

陈延明到山东河务局检查指导工作

5月6日　山东省副省长陈延明到山东河务局检查指导工作，听取了局长廖义伟关于黄河流域概况、防洪工程体系建设、引黄供水和人员机构经费等方面情况的汇报。陈延明在听取汇报后对山东河务局的工作给予高度评价。

调整山东省防汛抗旱指挥部领导成员

5月19日　山东省政府办公厅鲁政办发[1998]27号文公布调整后的省防汛抗旱指挥部领导成员。

指挥：李春亭（省长）、常务副指挥：陈延明（副省长）、副指挥：侯英民（省政府办公厅副主任）、刘宗元（省财办主任）、廖义伟（山东河务局局长）、王玉柱（省水利厅厅长）、王军民（省建委主任）、陈文荣（济南军区作战部副部长）、秦江昌（省军区副司令员）。成员由山东河务局副局长石德容等有关厅局、济南军区空军及山东省武警总队负责人组成。

驻威海办事处更名为山东黄河职工培训中心

6月4日　山东河务局鲁黄人劳发[1998]49号文通知：撤销山东河务局驻威海办事处，成立山东黄河职工培训中心。培训中心地址：威海市高新技术产业开发区北环海路惠园公寓1号楼。

河口地区挖河固堤启动工程提前完工

6月6日　黄河河口地区挖河固堤启动工程的主河槽开挖疏通提前完成施工任务，通过黄委验收。该工程位于河口地区朱家屋子断面以下，设计开挖主河槽11公里，开挖宽度200米，平均挖深2.5米；疏通河道13.4公里；利用开挖的土方加固黄河大堤10公里，计划于1998年汛前完成。工程于1997年11月23日开工，1998年6月2日完工。施工高峰期投入人力3500多人，运输机械470多台，组合泥浆泵24组，输沙管道2万余米。累计完成开挖土方547.9万立方米，其中机械开挖293.7万立方米，水力开挖254.2万立方米。该工程总投资9645万元，由中央承担4825万元，山东省承担4820万元（其中，胜利石油管理局投资占70%）。

钮茂生等考察挖河固堤启动工程

6 月 6 日 水利部部长钮茂生、总工程师朱尔明，在黄委主任鄂竟平、副主任陈效国，山东省副省长陈延明、省政协副主席李殿魁，山东河务局局长廖义伟等陪同下，到河口地区察看挖河固堤启动工程。钮茂生称赞挖河固堤启动工程施工取得了显著成绩，指出：黄河的问题一是水沙问题，泥沙是关键；二是除害与兴利，除害是关键。黄河 50 年安澜成绩巨大，受到国内外赞誉，但再过 50 年怎么治河，光靠加高大堤不行，应逆向思维，研究试验挖河降低河床这个问题。"上拦下排、两岸分滞"的经验中，排要排得走，排得快，洪水不能耽误。解决下游的泥沙，一是水冲，从这几年来水量看，用水冲沙不现实；二是挖，挖沙是可以试验的一种办法。

对下步工作，钮茂生要求，一是按计划要求善始善终完成好各项工作。二是认真总结，加强观测。成与不成要用观测成果来证实，要向国务院实事求是地报告观测结果。从目前看，挖河固堤要继续挖。但如何挖，要请专家们研究，提出下步具体的实施意见。

山东河务局仓库更名

6 月 9 日 山东河务局鲁黄人劳发[1998]52 号文通知：将山东河务局直属仓库更名为山东河务局物资储备中心，更名后其机构规格和隶属关系不变。

黄河防总印发《黄河洪峰编号暂行规定》

6 月 11 日 黄河防总黄防办[1998]22 号文印发《黄河洪峰编号暂行规定》。具体规定中游洪峰编号站为龙门水文站，下游洪峰编号站为花园口水文站。当黄河中游龙门水文站实际出现的洪峰流量小于 5000 立方米每秒时不编号。汛期第一次达到或超过 5000 立方米每秒的洪峰编为第一号洪峰；对于第一号洪峰后再出现的洪峰，当两峰间隔在 12 小时以上并达编号标准时，后出现的洪峰按顺序编号；两峰间隔在 12 小时以内时，后峰不编号。对达到编号标准的洪峰，依洪峰出现的时间先后按"一、二、三……"的顺序编号，称为"黄河中游龙门水文站××××年第××号洪峰"；当黄河下游花园口水文站实际出现的洪峰流量小于 4000 立方米每秒时不编号。汛期第一次达到或超过 4000 立方米每秒的洪峰编为第一号洪峰。对于第一号洪峰后再出现的洪峰，当两峰间隔在 36 小时以内时，后峰不再编号。对达到编号标准的洪峰，依洪峰出现的时间先后按"一、二、三……"的顺序编号，称为"黄河下游花园口水文站××××年第××号洪峰”。

山东河务局县级河务局以下 ETS450 无线接入工程建成

6 月 25 日　山东河务局县级河务局至各堤防、涵闸、险工管理单位的 ETS450 无线接入工程全面建成。该工程是继 1997 年地(市)河务(管理)局至县级河务局通信工程建成后的又一重要应急通信工程。该工程共投资 900 万元,山东黄河设东明、杨集、州城、铜城、晏城、济阳、滨州、垦利等 8 个基站,总计 55 个无线信道,安装单用户台 384 个、8 用户台 8 个、16 用户台 1 个。

黄河下游 ETS450 无线接入工程共建成 14 个基站,585 个用户站,分布在河南、山东两省境内,覆盖黄河下游所有河段。黄河下游防汛通信网的建设与完善,结束了黄河几十年来完全依靠有线通信的历史。

庄景林察看黄河防洪工程

6 月 26～30 日　黄委副主任庄景林等,在山东河务局副局长石德容、总工程师张明德陪同下,先后对东明滚河防护工程、鄄城机动抢险队、梁山生产堤破除、东平湖水库、北展宽工程、济阳县稍门乡和东阿县大桥镇群众抢险队及黄河防洪抢险新技术演示会现场等进行检查,听取黄河防汛工作情况汇报。庄景林对黄河的防汛准备工作给予充分肯定,对下一步防汛工作提出要求。

黄河下游干流河道地图编制出版

6 月　黄河下游干流河道 1∶10 万地图册出版。至此,黄河干流河道从河源至河口的1∶10万地图册共 4 册,已全部出版。黄河干流河道 1∶10 万地图是为满足黄委各级领导和治黄各专业工程技术人员携带方便而编制出版的黄河干流全河道地形图。上游图册自黄河源至内蒙古头道拐河段分两册出版,中游图册为头道拐至河南桃花峪河段,下游图册为桃花峪至黄河口河段,编制工作于 1997 年 3 月至 1998 年 1 月进行。

关于大清河洪峰统一编号的规定

7 月 6 日　山东省防汛抗旱指挥部黄河防汛办公室对大清河洪峰编号做出规定:大清河汛期洪峰由省黄河防汛办公室统一编号,编号依据水文站为戴村坝水文站。当大清河戴村坝水文站实际出现的洪峰流量小于 2000 立方米每秒时不编号。汛期戴村坝水文站第一次达到或超过 2000 立方米每秒洪峰时编为第一号洪峰;对于第一号洪峰后再出现洪峰,当两峰间隔在 12 小时以上并达到编号标准时，后出现的洪峰按顺序编号；两峰间隔在 12 小时以内时，后峰不再编号。对达到编号标准的洪峰，依洪峰出现的时间先后按一、二、三……顺序编号，称为“大清河××××年第××号洪峰”。

黄河防汛抢险演习和新技术演示研讨会召开

7 月 9～11 日 黄河防总在山东聊城、济南举办黄河防汛抢险演习和新技术演示暨防汛关键技术研讨会。

来自黄委，河南、山东河务局的专业技术人员、防汛抢险队、武警官兵抢险队共 300 余人，在东阿井圈险工举行抢险演习和新技术演示，共进行漏洞抢堵、捆枕等 22 个抢险演习和技术演示项目。

由治黄专家参加的防汛关键技术研讨会在济南进行。专家指出，要处理好传统的抢险技术和推广新技术之间的关系。历史上黄河险情探测有两大难题，一是堤防隐患，二是根石走失。要加大科研力度，争取尽快实现抢险应用新技术的突破。做到及时发现险情，尽快控制和消除险情，确保堤防安全。

王道玉到山东河务局检查指导工作

7 月 12 日 山东省人大副主任王道玉带领人大农业与农村委员会的负责人到山东河务局检查指导工作，听取了局长廖义伟关于山东河务局工作情况的汇报。

王道玉对山东河务局的工作给予了充分肯定。他指出，山东经济的发展得益于黄河，离不开黄河，河务部门干部职工为之付出的辛勤劳动，沿黄人民和各级政府是不会忘记的。黄河系统经费不足是治黄的大问题，对此，人大积极向山东省和中央反映，多渠道增加治黄投入，确保黄河安全度汛。今后要进一步完善法律、法规体系，使黄河治理有法可依，逐步把治水、管水、用水纳入法制化管理轨道。

山东黄河防洪减灾计算机网络系统投入试运行

7 月 15 日 山东黄河防洪减灾计算机网络广域网建成，并与黄委相关部门建立连接。该系统由山东河务局和 8 个地(市)河务(管理)局局域网组成，1997 年 10 月开始建设，受黄委中芬项目办委托，山东河务局承担该系统建设任务。

李春亭等察看黄河水情工情

7月17日　山东省省长李春亭、副省长陈延明带领部分省防汛抗旱指挥部成员，先后到济南市北店子、杨庄、泺口险工察看黄河水情工情，慰问正在进行抛石加固工程的黄河职工，并听取了山东河务局局长廖义伟和济南市市长谢玉堂关于迎战黄河一号洪峰准备工作情况的汇报。

黄河洪峰进入山东河道

7月18日　黄河洪峰进入山东河道，19时高村水文站洪峰流量3030立方米每秒，相应水位63.40米。由于洪水水位表现较高，造成菏泽地区的13个滩区漫滩进水。洪峰20日3时30分到达孙口水文站，流量2800立方米每秒，相应水位48.52米；21日0时到达艾山，流量2810立方米每秒，相应水位41.43米；21日8时20分到达泺口，流量2780立方米每秒，相应水位30.87米；21日20时到达利津，流量2530立方米每秒，相应水位13.53米。

这次洪水，山东黄河共有53处险工136段坝出险163次，黄河抢险专业队伍和沿黄群众及时进行了抢护，抢险投资396万元。

陈延明检查迎战黄河一号洪峰

7月18～19日　山东省副省长陈延明在山东河务局局长廖义伟、水利厅厅长王玉柱等陪同下，赴菏泽、济宁、泰安三市(地)检查迎战黄河一号洪峰防守工作。

省军区首长察看黄河

7月19日　山东省军区司令员张齐红、副司令员秦江昌，在山东河务局局长廖义伟、副局长袁崇仁等陪同下，先后察看了鄄城郭集工程、郓城苏阁险工、杨集上延工程抢险及洪峰漫滩、洪峰演进情况。

日阳化工有限公司捐献3艘橡胶救生艇

7月20日　山东威海经济技术开发区日阳化工有限公司把其生产的3艘橡胶救生艇捐献给山东河务局，支援黄河防汛。

常旗屯堤防截渗加固工程竣工

7月21日　济南槐荫常旗屯堤防截渗加固工程竣工。该工程位于济南市常旗屯堤段,相应黄河大堤右岸桩号1+000～2+050,长1050米。本次加固主要是解决堤基渗漏问题,在临河堤脚处采用了垂直铺塑截渗技术,铺塑深5.6米。同时,将土工膜沿堤坡延伸到设防水位以上,并修前戗保护。工程于1998年5月开工,7月21日竣工,完成土方25万立方米,铺设聚乙烯塑料薄膜4.48万平方米。

东平湖水库分洪运用座谈会召开

7月30～31日 山东河务局召开东平湖水库分洪运用座谈会,进一步研究落实东平湖水库调度方案,分解洪水调度过程中的各项任务,明确承担任务的单位和责任,规范调度程序,提高可操作性,确保东平湖分洪运用的顺利实施。

廖义伟、薛松贵、龙于江、王曰中、张明德,东平湖管理局、水文水资源局负责人计30余人参加了座谈会,会议由副局长石德容主持。

山东省防汛抗旱指挥部成立黄河防汛办公室

8月1日 山东省防指鲁汛旱字[1998]49号文通知,根据黄河防汛斗争需要和黄河防总的规定,经研究决定:成立山东省防汛抗旱指挥部黄河防汛办公室,省防汛抗旱指挥部成员石德容兼任办公室主任。

黄河防汛办公室的工作职责是:贯彻执行国家有关防汛方针、政策、法令和国家防总、黄河防总、省防汛抗旱指挥部的决定、调度、命令等,依法行使黄河防汛管理工作;制订山东省黄河防御各级洪水预案和重要险点险段抢护方案,并检查执行情况;掌握汛情、灾情,及时向上级及省防汛抗旱指挥部报告;负责协调有黄河防汛任务单位的防汛工作;掌握黄河工程运行情况;组织防汛工作检查;加强与驻地部队联系;负责国家常备防汛料物准备及防汛队伍训练;做好滩区、滞洪区建设、迁安等项工作。

李殿魁到山东河务局检查指导工作

8月4日 省政协副主席李殿魁到河务局检查指导工作,廖义伟等负责人参加座谈。李殿魁听取山东河务局关于黄河治理、挖河固堤启动工程等情况汇报后,针对黄河存在的实际问题,提出了建设性意见。

紧急调运抗洪抢险物资支援长江

8月6日 山东河务局按照国家防总指令四次组织紧急调运抗洪抢险物

资,运往江苏省江都市无纺布 4 万平方米,湖南省长沙市橡皮舟 190 只、操舟机 20 台,江西省南昌市无纺布 8 万平方米、编织袋 30 万条,湖北省荆州市编织袋 20 万条。这四次紧急调运防汛物资,做到了迅速、及时、安全,受到当地防指的称赞,圆满完成了国家防总下达的任务。

吴官正察看黄河防汛工作

8 月 7～10 日　中共山东省委书记吴官正在山东河务局副局长袁崇仁陪同下,到聊城、菏泽、济宁、济南四市(地)的东阿、东明、菏泽、鄄城、梁山、平阴等县(市)检查黄河防汛工作,察看了位山、高村、刘庄、陈垓、田山等险工险段抢修加固情况和东明黄河一号洪峰漫滩情况,并慰问了滩区受灾群众。

利用财政债券建设黄河防洪工程前期工作会议召开

8 月 9 日　山东河务局召开 1998～1999 年汛前利用财政债券建设黄河防洪工程前期工作会议。各地(市)河务(管理)局分管局长、设计院等负责人参加会议。本次会议主要针对国家利用财政债券加大黄河防洪工程建设投入,安排部署有关前期工作。根据本期防洪工程建设时间紧、任务重的特点,会议决定:(1)山东河务局成立由局长廖义伟任组长的前期工作与工程建设领导小组。(2)8 月 15 日前完成 15.6 亿元工程的各项外业工作及资料收集工作,8 月 25 日和 9 月 5 日分阶段完成已确定工程项目的设计工作。(3)国家这次投资相当于抢险救灾投资,要求各单位一定保质、保量地按时完成任务。(4)全面贯彻黄委、山东河务局前期工作会议精神,特别是在项目确定、资金使用等方面,坚决杜绝违反法律、规章的事情发生。(5)严格管理,狠抓各项工程前期工作和施工建设质量,认真推行"三项制度"改革。

山东省防汛抗旱指挥部召开成员(扩大)会议

8 月 14 日　山东省政府防汛抗旱指挥部召开成员(扩大)会议,省防汛抗旱指挥部成员单位的负责人,沿黄各市(地)分管防汛的副市长(副专员)、黄河河务局局长、水利局局长等参加会议。会议主要内容是研究部署进一步做好黄河和大、中型水库的防汛准备工作。山东河务局局长廖义伟就黄河防汛工作讲了意见。

陈延明召集部门负责人研究黄河除险加固工程

8 月 22 日　副省长陈延明召集山东河务局和省计委、农委、建委、水利厅、土地管理局等部门负责人就黄河除险加固工程问题进行专题研究。

水利部和黄委拟定1998、1999两年安排山东黄河工程建设投资15.6亿元。其中,第一期3.325亿元,要求1999年汛前完成;第二期工程初步安排12.3亿元,待正式批准后实施。工程完成后,可使山东黄河大堤按2000年(设计水平年)设防标准堤顶高度差一米以上的98.2公里全部达到设防标准,可加固堤防长度57公里,黄委编号的37处险点可全部消除,使山东黄河防洪工程基本达到2000年的设防标准。

东平湖老湖汛情紧张

8月27日　东平湖老湖水位达到43.38米,超过警戒水位0.88米,相应蓄水量5.97亿立方米。8月7日以来,汶河流域连续降雨,部分地区降中到大雨,局部暴雨。23日汶河戴村坝出现828立方米每秒洪峰,东平湖老湖水位不断上涨。9日23时开启清河门出湖闸向黄河泄水。14日8时入湖流量190立方米每秒,8月26日泄水流量415立方米每秒。长时间的洪水浸泡和风浪冲刷,致使二级湖堤先后出现渗水、管涌和石护坡坍塌等险情。

省政府领导十分关注东平湖汛情,省长李春亭、副省长陈延明分别对山东河务局上报的东平湖水情信息做了批示。副省长林书香到东平湖察看清河门和陈山口出湖闸排水情况,对老湖排水和防守提出要求。29日,山东河务局局长廖义伟到东平湖察看水情,研究落实省政府和省防汛抗旱指挥部的要求,安排部署老湖排水和防守工作。

领导干部理论学习暨经济发展研讨会召开

9月14～20日　山东河务局领导干部理论学习暨经济发展研讨会在济南召开。各地(市)河务(管理)局局长、局直属单位和机关各部门主要负责人等参加会议。黄委纪检组长冯国斌和总会计师李志远专程到会指导。会上,与会人员学习了江泽民总书记的重要讲话和《中共中央关于在全党深入学习邓小平理论的通知》,廖义伟代表局党组提出了山东黄河改革与发展的思路:抓好三个方面的工作,一是对各生产经营单位有步骤地切断“皇粮”,使干部职工转变观念;二是改变不合理的财务运行机制,为经济发展创造良好的财务环境;三是对施工产业进行资产重组,有计划地调整产业结构,拉动全局经济发展。

为实现上述目标,廖义伟强调抓好以下几项工作:(1)以构建两支队伍为目标,加快体制改革步伐,理顺企业关系,规范和加强国有资产的监督管理。一支队伍专门从事防汛工作,一支队伍专门从事经济工作。建立权责明确的国有资产运营监督、管理体系。(2)在巩固和发展优势传统产业的基础上,以市场为导向,以效益为目标,进行产业、产品和企业组织结构调整。(3)以产权制度改革为切入点,大力调整所有制结构,促进多种经济成分共同发展。(4)按照企业发展的内在要求,进行劳动人事制度和分配制度改革。

山东黄河首批堤防防汛道路建设工程竣工

9月28日 山东黄河首批堤防防汛道路建设工程竣工。该工程为1998年国家水利建设基金投资计划项目,系在黄河大堤的堤顶修筑防汛道路,包括左岸齐河县112+891～124+125堤段、济南右岸23+200～40+250堤段和右岸垦利县202+010～232+710堤段,三段总长度58.98公里。道路参照三级公路标准设计,行车道宽6米,沥青碎石面层厚3厘米,石灰土基层厚20厘米。工程于1998年5月10日开工,总投资1000万元。

济南引黄保泉二期工程开工

10月5日 在引黄保泉一期工程的基础上,为确保黄河断流期能正常供水,第二期引黄保泉工程(包括鹊山水库、玉清湖水库和玉清湖水厂)开始建设。鹊山水库、玉清湖水库分别于1998年10月5日、1999年5月16日开工,于1999年12月29日和2000年12月29日竣工,库容分别为4600万、4850万立方米。两水库合计日供水量80万立方米,在黄河断流的情况下,可持续向市区供水100余天。该工程的建设不仅保障了城市供水,而且对济南市的名泉喷涌起着重要作用。

石德容退休

10月8日 中共黄委党组黄党[1998]51号文通知:鉴于石德容已到退休年龄,免去其山东河务局副局长、党组成员职务,同意退休。

全省水利建设工作会议召开

10月17日 全省水利建设工作会议在济南召开。山东省常务副省长宋法棠出席会议并讲话,副省长陈延明做了会议总结。各市(地)分管副市长(副专员)、计委主任、财政局局长、水利局局长、河务局局长,省直有关厅局负责人参加了会议。

山东河务局局长廖义伟在会上就黄河防洪工程建设提出了下步需要做好

的几项工作及措施,并与各地(市)河务(管理)局局长签订了防洪工程建设目标责任书。

黄委召开专项资金基建工作会议

10月23日 为完成国家下达的专项资金建设任务,黄委召开黄河防洪专项资金基建工作会议。国家下达黄河防洪专项资金计划6亿多元,其中山东河务局3.275亿元,主要工程量包括:土方1130.66万立方米,石方27.03万立方米。黄委主任鄂竟平与山东河务局负责人签订了目标责任书。

机构改革试点工作会议召开

10月30日 山东河务局召开机构改革试点工作会议,安排部署机构改革试点工作。各地(市)河务(管理)局分管局长、人事科(处)长,有关单位、机关各部门负责人参加了会议;副局长袁崇仁等出席会议并讲话。

按照黄委部署,为探索治黄机构改革和管理体制改革的经验,推动整个工作开展,山东河务局确定滨州、德州、淄博三地(市)河务局和鄄城、东平、阳谷、济阳、东营五个县(区)河务局为改革试点单位。会议传达了《山东河务局机构改革试点工作意见》,明确了机构改革试点工作的指导思想、目标、原则、方法、步骤和时间要求等。

山东河务局科技项目获山东省科技进步奖

10月 山东河务局"PSS300—30型吸泥船泥浆泵喷射复合抽真空系统"项目获山东省科技进步二等奖。

黄河工程用地确权登记发证完成

10月 为依法确认和保护山东黄河工程用地的使用权,加强对工程用地的管理,确保防洪安全,山东省土地管理局和山东河务局联合报请省政府同意,以[1994]鲁土[籍]字第67号文印发了《山东黄河工程用地确权登记发证若干问题的规定》,使确权划界工作具有明确、具体的政策依据。截至1998年10月,山东黄河30个县(市、区)河务局工程用地确权划界工作全面完成。土地权属明确了216宗,28.09万亩黄河工程用地依法领取了国有土地使用证。工程用地确权划界投资1107.53万元。

《财务体制改革及建立新的财会运行机制意见》印发

10 月　山东河务局以鲁黄财经发[1998]52 号文件印发《关于财务管理体制改革及建立新的财会运行机制的意见》,提出了财务体制改革目标,即突破单一事业体制,建立统一管理、三元体制并存、协调有序、机智灵活的新的财务运作模式,逐步建立事业、企业、基建三套财务管理和会计核算体系。

黄河下游滩区安全建设改变管理体制

11 月 11 日　黄委致函河南、山东省人民政府,就黄河下游滩区安全建设有关问题与两省进行协商:一是黄河下游滩区安全建设 1998 年垫支经费问题;二是 1998 年国家将改变黄河下游滩区安全建设投资管理体制,委属两省河务局将不再参与该项目的规划、计划等管理工作;三是关于工程建设管理问题。

11 月 20 日,山东省建委在《关于明确部分财政预算专项资金项目建设单位的函》中明确:省建委为黄河滩区安全建设项目主管部门;各有关县(市、区)建委为项目建设单位。

王昌慈等职务任免

11 月 9 日　中共黄委党组黄党[1998]60 号文通知:通过公开选拔和组织考察,经研究决定,王昌慈任河口管理局局长、党组书记;免去宋振华河口管理局局长、党组书记职务。

黄河防洪基建工作会议召开

11 月 13 日　山东河务局召开基建工作会议,落实黄委主任鄂竟平提出的“一个确保,三个必须”(一个确保就是:按照水利部的要求,确保在 1998 年底前完成全部建设任务的 60%以上,1999 年 6 月 30 日前全面完成建设任务。三个必须是:必须认真做好工程建设的组织工作;必须切实抓好建设监理和施工质量监督工作;必须认真做好竣工验收工作,搞好总结,积累经验)的指示精神,保质保量地完成防洪工程基建任务。同时派出 4 个工作组,对各单位工作进行检查指导。

赖维木等享受教授、研究员待遇

11 月 17 日　黄委黄人劳[1998]54 号文通知:经水利部高级工程师评审

委员会 1998 年 3 月 20 日评审通过,水利部 1998 年 10 月 16 日批准,确认山东河务局赖维木、宋振华、高庆久为享受教授、研究员同等有关待遇的高级工程师,从水利部批准之日起执行。

山东省委召开会议研究黄河治理开发问题

11 月 18 日 中共山东省委召开常委扩大会议,讨论研究山东黄河治理开发问题。局长廖义伟汇报了山东黄河治理开发情况及黄河防洪工程建设、近期黄河治理开发任务。

新一届常委指出,黄河治理事关人民生命财产安全,事关山东经济发展。对黄河的治理和 1998～1999 年汛前防洪工程建设要有紧迫感,要抓住机遇,加大力度搞好治理,充分做好防大汛的准备,并要求有关部门做好工作,尽量多争取投资,提高防洪能力,确保黄河万无一失。

经济体制改革会议召开

12 月 5 日 山东河务局在济南召开山东黄河工程局经济体制改革预备会议。黄河工程局、东平湖管理局、滨州地区河务局、淄博市河务局局长,济南、滨州、梁山建筑安装工程处和济南、淄博机械化施工工程处负责人,局机关有关部门负责人等参加了会议。副局长袁崇仁宣读了鲁黄财经发[1998]60 号文关于《山东黄河工程施工行业经济体制改革意见》,并要求按照黄委和山东河务局整体改革思路进行。第一阶段,主要是通过对现有施工组织结构、资产进行调整、重组。第二阶段,主要是在第一阶段工作的基础上按照规模化、集约化经营需要,山东黄河工程局联合各地(市)河务(管理)局所属施工企业,组建山东黄河工程施工企业集团。争取在近两三年内实现。

会议确定,从 1999 年 1 月 1 日开始,济南、梁山、滨州建筑安装工程处和济南、淄博机械化施工工程处,在人事、资产、财务、施工、生产、经营等方面,统一由山东黄河工程局管理。

孙广生任山东河务局副局长

12 月 8 日 中共黄委党组黄党[1998]66 号文任命孙广生为山东河务局副局长、党组成员。

陈延明到山东河务局现场办公

12 月 10 日 山东省副省长陈延明带领有关部门负责人,到山东河务局现场办公。局长廖义伟汇报了副总理温家宝最近在河南省视察黄河的情况，并就黄河滩区安全建设、东平湖运用、防汛责任制、抢险专业队伍建设、重要险点险段的抢护以及防洪指挥调度、防凌、黄河断流、争取灾后重建政策等问题进行了汇报。会议确定了今冬明春黄河治理开发的几项工作：(1)抓住机遇，积极争取国家投资，把黄河防洪工程建设好。(2)充分认识黄河防汛的严峻形势，采取切实措施保证黄河安全度汛。(3)计划在1999年1、2月份召开全省黄河治理和防汛会议。(4)由山东河务局组成专门班子，从现在起修订黄河防洪预案，争取1999年4月份提交省政府研究。(5)一期黄河防洪工程要加快建设速度，二期防洪工程的实施要做好准备工作。此外，目前黄河已进入凌汛期，沿黄地区要引起重视；同意召开黄河断流专家研讨会。

黄河水量分配、调度方案和管理办法颁布实施

12月14日 国家计委和水利部以计地区[1998]2520号文颁布实施《黄河可供水量年度分配及干流水量调度方案》和《黄河水量调度管理办法》。其中，《黄河可供水量年度分配及干流水量调度方案》规定了正常年份黄河可供水量年内分配指标、年度水量分配计划的编制、干流水库调度运行计划的确定、水量调度预案的编制原则和方法，同时审批了1998～1999年度黄河水量年度分配计划和干流非汛期的水量调度预案。《黄河水量调度管理办法》共分8章42条，规定了黄河水量的调度原则、调度权限、用水申报、用水审批、特殊情况下的水量调度、用水监督等内容，并规定黄河的水量统一调度管理工作由水利部黄河水利委员会负责。

八孔桥截渗工程主体工程完工

12月15日 鄄城县八孔桥截渗工程主体工程完工。该工程位于黄河大堤右岸，相应桩号273＋750～276＋750，长度3000米。该处系历史老口门、黄委在册险点，历年渗水严重。工程设计采取混凝土面板护坡和基础混凝土截渗墙方案，截渗墙厚0.22米，平均深18.5米。该工程建设实行监理制，于1998年4月21日开工。

《山东黄河水利工程建设项目施工招标投标管理办法》印发

12月21日 山东河务局鲁黄工发[1998]58号文印发《山东黄河水利工程建设项目施工招标投标管理办法》，规定山东黄河水利工程建设项目凡按照规定应该招标的，原则上在工程所在市(地)河务(管理)局所属施工企业间进

行。若无力承担施工任务时,可在山东河务局所属各施工企业间公开招标;对局属施工单位不具备施工资质、不能承担施工的工程建设项目,面向社会公开招标。

山东河务局机关档案目标管理晋升为国家二级单位

12 月 26 日 经过水利部办公厅、山东档案局、黄委办公室有关人员组成的联合考评组认真考评,山东河务局机关档案目标管理达到国家二级管理标准,并领发了国家档案局批准的科技事业单位档案管理国家二级证书。

山东河务局机关局域网建成及办公自动化系统(试用版)运行

12 月 山东河务局办公自动化系统建成并投入运行,该系统实现了机关公文、信息、电子邮件发布(送)浏览。本年 6 月,山东河务局与济南百同新技术有限公司合作建设机关局域网;10 月,与黄委信息中心签署协议,开发办公自动化软件。上述两项共计投资 68 万元。

黄河断流情况

12 月 本年仍属枯水枯沙年,泺口水文站汛期来水总量 95.52 亿立方米,比多年平均值偏少 59.8%,来沙总量 3.14 亿吨,比多年平均值偏少 65.4%。泺口水文站自 2 月 13 日开始断流,全年断流 7 次,共 42 天。利津水文站自 1 月 1 日开始断流,全年断流 16 次,共 142 天。孙口水文站断流 2 次,共 10 天。全河断流长度为 467 公里。高村水文站未断流。

1999 年

全省水利、治黄暨防汛工作会议召开

1 月 18 日 中共山东省委、省政府在济南召开全省水利、治黄暨防汛工作会议。各市(地)分管书记、市长(专员)、河务局局长、水利局局长和省直有关部门负责人参加会议。山东河务局局长廖义伟、水利厅厅长王玉柱分别就黄河防汛与治理、水利建设工作进行了部署。副省长陈延明作了总结讲话,并与沿黄市(地)行政首长签订了黄河防汛责任书。

黄河下游堤防断面测量成果通过验收

1月19日 黄委组织委属有关单位的专家,对黄河下游堤防断面测量成果进行验收。黄河下游堤防断面测量是由黄委设计院、河南河务局和山东河务局共同承担的,黄委规划计划局统一组织协调实施。该成果首次采用统一高程基准通测。本次测量共完成大堤测量1937公里,实测断面2635个,并建立了下游堤防横断面数据库。

山东治黄工作会议召开

1月19~20日 山东治黄工作会议召开。各地(市)河务(管理)局、工程分局、工会(委)、局直各单位、机关各部门负责人及部分离退休职工出席会议。局长廖义伟做了《抓住机遇 深化改革 求真务实 团结奋斗 努力开创山东治黄事业新局面》的工作报告。会议还表彰了目标管理先进单位、先进处(室)和先进个人,与各市(地)河务(管理)局签订了1999年目标任务书。

汪恕诚等考察山东黄河治理工程

1月27~29日 水利部部长汪恕诚、副部长张基尧、总工程师李国英带领黄河考察团,在黄委主任鄂竟平、副主任陈效国,山东省副省长陈抗甫、陈延明,山东河务局局长廖义伟、副局长薛松贵等陪同下,从东明至河口先后察看了鄄城大堤加高、黄河滩区移民建镇、八孔桥截渗墙、石洼分洪闸、位山引黄闸、东阿大堤加高、泺口险工、齐河北展豆腐窝分洪(凌)闸、打渔张引黄闸、南展麻湾分凌分洪闸、河口挖河固堤工程等。

29日上午,省长李春亭在南郊宾馆主持汇报会,副省长陈延明汇报了山东黄河治理和水利建设情况,分析了目前黄河面临的严峻形势和存在的突出问题,提出加快黄河治理的意见和建议。汪恕诚对山东黄河治理表示满意,并指出:1999年是新中国成立50周年,要确保防洪安全;国家对黄河治理的投入会加大,堤防建设是重点,资金的运用,要保重点工程,把堤防建设好;希望各级政府对黄河防汛工作给予大力支持,解决好防洪工程建设中征地赔偿等问题;要抢在汛前把关键工程完成,为防洪保安全争得主动。

朱登铨率慰问团来山东河务局慰问

1月29~30日 水利部副部长朱登铨率水利部春节慰问团来山东河务局进行慰问。在黄委主任鄂竟平、副主任徐乘和山东河务局局长廖义伟、副局长袁崇仁等陪同下，先后到建材局水泥厂、黄河医院、山东河务局机关慰问，并向困难单位送去慰问金。

山东黄河水政监察总队成立

1 月 30 日　黄委山东水政监察总队在山东河务局正式揭牌成立。水利部副部长朱登铨，黄委主任鄂竞平、副主任徐乘，山东省人大副主任王道玉参加揭牌仪式。

水政监察总队职能：对下级水政监察队伍进行指导和监督；宣传贯彻国家水法、防洪法等，保护水资源及有关设施；维护正常水事活动，配合公安部门查处水事治安和刑事案件；受行政、执法机关委托，办理行政许可和征收行政事业性规费(国家规定收费项目)等有关事宜。

劳动合同制职工养老保险基金缴纳比例调整

1 月　根据山东省人民政府鲁政发[1998]114 号“关于印发《山东省企业职工基本养老保险省级统筹实施办法》的通知”要求，结合山东河务局实际，自 1999 年 1 月 1 日起调整劳动合同制职工养老保险基金缴纳比例，单位缴纳由原来按工资总额的 18%变更为 16%；职工个人缴纳由原来按工资总额的 3%变更为 5%。

山东黄河安全度过凌汛

2 月 4 日　黄河封冻河段全面开通，凌汛安全度过。山东黄河凌汛期低气温时间较短，属暖冬年份。1 月 9 日河口地区最低气温达 -11℃，护林险工开始插冰封河。17 日，封冻河段长达 99.1 公里，上首封至齐河县程官庄险工。自 1 月 21 日开始，济南、北镇气温回升转正，冰凌开始融化。

张明德退休

2 月 7 日　黄委黄人劳[1999]6 号文通知：张明德已到退休年龄，不再担任山东河务局总工程师职务，同意退休。

黄河下游断流及对策研究报告获奖

2 月 8 日　黄委黄科外[1999]2 号文通知，黄委科技进步奖评审委员会评出 1998 年度黄委科技进步奖 16 项，其中山东河务局与黄委水文局等 6 个单位联合完成的《黄河下游断流及对策研究报告》获一等奖。

淄博、德州、滨州地(市)河务局进行机构改革试点

2月12日 山东河务局分别以鲁黄人劳发[1999]14、15、16号文批复《淄博市(高青县)黄河河务局机构改革试点方案》、《德州市(齐河县)黄河河务局机构改革试点方案》、《滨州地区黄河河务局机构改革试点方案》。改革后,淄博市河务局与高青县河务局、德州市河务局与齐河县河务局合署办公。人员编制:淄博、德州、滨州地(市)河务局事业总编制分别为120人、255人、350人;机关人员编制分别为50人、70人、55人。所属企业单位设置,根据生产经营需要自行确定。工程分局及工程处的机构编制管理仍按山东河务局鲁黄政发[1995]33号文执行。

鄄城县河务局等进行机构改革试点

2月13日 山东河务局[1999]黄人劳干字第3、4、5、6、7号函分别批复鄄城、济阳、阳谷、东营、东平县(区)河务局机构改革试点方案,并对其主要职责、机构设置、人员编制提出具体指导意见。上述单位按照既定方案于上半年完成了机构改革任务。

李春亭等看望山东河务局职工

2月17日 中共山东省委副书记、省长李春亭和副省长陈延明到山东河务局机关和山东黄河勘测设计研究院,看望慰问春节期间加班的工作人员,向黄河职工拜年。李春亭在听取山东河务局汇报后指出:黄河是山东的黄河,山东人民的黄河,山东是国家的一个组成部分,没有这样一个思想就做不好黄河的工作,并表示,在黄河防洪工程建设中,凡是需要山东做的事情,一定积极配合做好。李春亭还为设计院题词“精益求精”。

杜宪奎任山东河务局副局长

3月1日 中共黄委党组黄党[1999]8号文通知,杜宪奎任职试用期满,经研究决定,正式任命杜宪奎为山东河务局党组成员、副局长。

印发办公自动化网络公文及信息资料上网规定

3月15日 山东河务局以鲁黄办便字[1999]8号文印发《办公自动化网络公文及信息资料上网暂行规定》。

一、上网范围:(1)以山东河务局名义印发的文件、发送的传真电报全部上

网;(2)以黄河防汛办公室名义发送的传真电报全部上网;(3)省防汛抗旱指挥部传真电报部分上网;(4)局领导一周工作安排计划表、会议纪要、黄河情况、一周情况通报全部上网;(5)引水日报、工程进度报表全部上网;(6)领导讲话、上级来文、市(地)河务(管理)局来文有选择地上网;(7)其他需要上网的文件、信息、资料、报表等。

二、上网要求:(1)山东河务局文件、传真电报和省防汛抗旱指挥部传真电报、局领导一周工作安排计划表、会议纪要、黄河情况、一周情况通报、领导讲话、上级来文和市(地)河务(管理)局来文等的上网工作由办公室负责,一般要当日上网。(2)以省黄河防汛办公室名义发送的文件、传真电报,由防办负责在当日内及时上网。(3)引水日报由工管处在当日上午10时前上网。(4)工程施工进度报表由工务处负责在当日内及时上网。(5)其他需上网的文件、信息、资料、报表等由有关部门负责及时上网。

三、局机关凡已联通办公自动化网络的部门,要主动使用微机调阅公文及信息资料,并按有关要求认真办理。7月1日以后,已上网的公文及信息资料将逐步取消纸质传递。

刘江等调研山东黄河防洪工程建设

3月24～27日 由国家计划委员会副主任刘江率领的黄河调研组到山东调研黄河防洪工程建设情况。山东省副省长陈延明,黄委副主任陈效国,山东河务局局长廖义伟、副局长薛松贵等陪同。中共山东省委书记吴官正在南郊宾馆会见了调研组一行。

李春亭察看黄河防洪工程

4月6～9日 山东省省长李春亭分别在山东河务局局长廖义伟、济南市市长谢玉堂、泰安市委书记莫振奎、菏泽行署副专员孙义福等陪同下,察看了东平湖、菏泽黄河防洪工程和济南腊山分洪道工程,并看望了辛勤施工的黄河职工。

李洪敬获“富民兴鲁”劳动奖章

4月7日 邹平县河务局李洪敬被山东省总工会授予山东省“富民兴鲁”劳动奖章;将山石料厂新疆施工队被山东省总工会授予山东省“富民兴鲁”劳动奖状。

黄河三角洲万亩青年生态林启动

4月9日 “保护母亲河”绿色工程——黄河三角洲万亩青年生态林启动仪式拉开帷幕。该工程位于东营市黄河三角洲国家一级自然保护区大汶流管理站实验区,是由共青团中央、全国绿化委、林业部等组织的“保护母亲河行动”的重要组成部分。工程实施期限为5年,计划造林1万亩。

经济工作会议召开

4月12~13日 山东黄河经济工作会议在济南召开,各地(市)河务(管理)局分管副局长、工程局局长、财务科科长、局直单位和机关各部门主要负责人参加会议。1998年全局实现经济总收入6.2亿元,比上年增长29%。1999年经济工作计划实现水利经济总收入8亿元,比上年增长30%。各地(市)河务(管理)局、建材局汇报了经济工作情况。与会人员讨论了《事业单位经济目标考核办法》和《关于加快土地开发的若干意见》。副局长杜宪奎与局直生产经营单位签订了1999年经营合同。局长廖义伟做了《坚定信心,抓住机遇,推动经济工作再上新台阶》的报告。

科技计划项目管理办法等印发施行

4月16日 为推动治黄科技进步,加强科技管理工作的正规化、规范化建设,根据上级有关文件精神,山东河务局制定或修订了《山东黄河河务局科技计划项目管理办法》、《山东黄河河务局科技成果评审验收办法》、《山东黄河河务局进步奖励办法》、《山东黄河河务局科技论文奖励办法》、《山东黄河河务局科技进步奖评审委员会章程》、《山东黄河河务局科技工作评估管理办法》等并印发施行。原鲁黄科发[1995]2号、鲁黄科发[1997]10号文同时废止。

山东河务局组织首批工程施工招标开标

4月19日 山东河务局组织的首批防洪工程施工公开招标项目开标。本次有济阳大堤加高、东明滚河防护工程、高青截渗墙工程3个项目共5个合同段,有全国各地的31家施工企业参加了投标。开标会议按照水利部、黄委规定程序进行,山东河务局纪检、监察部门全过程介入,并委托山东省公证处在现场进行了公证。

为“保护母亲河行动”捐款

4 月 20 日　山东河务局《关于积极组织职工为“保护母亲河行动”募捐的通知》下发后，局属各单位广大职工和离退休人员积极捐款。全局共捐款 13.9 万元，交予省直机关团工委，用于沿黄植树造林。

聊城大堤加高工程出现质量事故

4 月 23 日　水利部稽查组在进行专项检查时发现，聊城黄河大堤（32 + 166～36 + 100）加高工程存在质量问题。随后，山东河务局委托黄委勘测规划设计研究院物探总队和黄委基本建设质量检测中心分别对全段进行了质量检测，主要是部分堤段干密度不满足设计要求，质量问题定性为“一般质量事故”，确定对 34 + 580～34 + 660 段等 7 个断面共 790 米进行返工处理。为避免类似问题发生，山东河务局结合本次质量事故，先后采取专题会、以查代训会、现场会等形式，开展了以规范建设行为、增强质量意识为主要内容的一系列活动。

山东河务局开展“齐鲁杯”劳动竞赛

4 月 27 日　山东省总工会和山东河务局决定，开展“齐鲁杯”黄河防洪工程建设劳动竞赛。在年度治黄工作会议上，省总工会、山东河务局联合对“齐鲁杯”竞赛活动中涌现出来的先进单位和个人进行表彰奖励。

山东河务局印发 1999 年防洪工程建设项目管理体制意见

4 月 27 日　山东河务局鲁黄人劳发［1999］41 号文印发《关于 1999 年防洪工程建设项目管理体制的意见的通知》，对 1999 年防洪工程项目建设管理体制提出如下意见：各市（地）局为管辖范围内建设项目的项目法人，并作为建设单位，对工程建设项目全面负责；较大工程项目可设临时管理机构等，以保证“三制”（项目法人责任制、建设监理制、招标投标制）的实施及防洪基建工程按时保质保量完成。

陈效国率组检查黄河防汛工作

4 月 27～29 日　黄河防总办公室主任、黄委副主任陈效国率检查组一行 4 人，在山东河务局副局长袁崇仁等陪同下，先后对菏泽、东平湖、聊城、德州、济南等地和孙口水文站、局直仓库的防汛准备工作进行检查，听取了省黄河防办关于防洪工程施工和防汛准备等方面工作汇报,对防汛工作和防洪工程建设等提出了具体要求。

温家宝检查山东黄河防汛工作

5月7日 国务院副总理、国家防总总指挥温家宝率领国家防总黄河防汛检查团,到山东省检查黄河防汛工作。7日上午,温家宝一行在省委书记吴官正、省长李春亭等陪同下,先后察看了济南市槐荫区防汛物资仓库、放淤固堤工地、泺口险工、沟阳险工、邢家渡引黄闸、堤防隐患探测和济阳县大堤加高情况。在槐荫区杨庄险工,观看了山东河务局第二机动抢险队的实战演习。晚上,温家宝在南郊宾馆听取了李春亭关于黄河防汛工作情况的汇报,并指出:要清醒地认识黄河防汛的严峻形势,把困难和问题估计得充分一些,一定要克服麻痹思想和侥幸心理,消除畏难情绪。要立足于防大汛、抢大险,加大工作力度,充分做好迎战大洪水的各项准备工作。第一,要明确地方政府和黄委的防汛责任。落实防汛责任制是取得防汛抗洪斗争胜利的重要组织保证。防洪工程由黄委统一管理,但是汛期的抗洪抢险要由沿黄各地的党政领导负责,地方党政领导要负责抗洪抢险一切措施的组织和落实。第二,抓紧进行防洪工程的除险加固和河道清障。首先对于影响度汛的重要险段、险点,要按照“急事先办、特事特办”的原则抓紧处理,汛前完成,汛期发挥作用。要把工程质量摆在突出的位置,实施全方位、全过程的质量监督管理,精心组织,精心施工。要把国家投入的资金真正用好。地方政府要给工程施工以全力支持,在施工占地、居民拆迁等方面,做好群众工作。第三,加强气象、水文预报,确保交通、通信畅通。第四,要制订防御各级洪水的对策预案,包括东平湖等蓄滞洪区运用的具体方案。第五,要落实好抢险队伍和抢险物资的准备。第六,充分做好蓄滞洪区运用的准备,继续下决心有计划、有步骤地迁移滩区的居民。温家宝最后指出,黄河防汛的责任非常重大,任务也很艰巨。希望在省委、省政府领导下,扎实工作,全力以赴,确保黄河安全度汛。

随行的检查团成员有水利部部长汪恕诚,国务院副秘书长马凯,财政部副部长张佑才,解放军总参谋部作战部部长符传荣,黄委主任鄂竟平,中共山东省委常委、济南市委书记孙淑义及副省长陈延明,济南军区副参谋长韩永录,省军区副司令员秦江昌,济南市市长谢玉堂,山东河务局局长廖义伟等。

全省防洪工程建设暨防汛工作会议召开

5月12日 全省防洪工程建设暨防汛工作会议在济南召开,各市(地)市长(专员)、省防汛抗旱指挥部成员单位负责人参加了会议。副省长陈延明传达了国务院副总理温家宝在国家防总黄河防汛工作会议上和检查山东黄河防汛工作时的讲话,李春亭就加快当前防洪工程建设,充分做好迎战大洪水的各项准备工作指出:各级要把支援黄河工程建设放在首要位置,切实抓紧抓好;对防洪工程建设要严把质量关,决不允许出现“豆腐渣”工程;防汛工作要实行行政首长负责制,全省的防汛和黄河防汛工作,省长是第一负责人,市长(专员)是各市(地)的第一负责人;各级领导要亲自参与制订重大防洪预案,把握全局,确保完成防汛任务。

山东省防汛抗旱指挥部召开会议

5 月 12 日 山东省防汛抗旱指挥部召开年度第一次指挥成员会议。会上宣读了省防汛抗旱指挥部鲁汛字[1999]11 号文《关于调整山东省人民政府防汛抗旱指挥部组成人员的通知》。根据人员变动,调整部分领导成员。

副指挥:高国峰(济南军区作战部副部长);领导成员:战树毅(省计委副主任)、孙广生(山东河务局副局长)、张万生(济南军区空军司令部作战处副处长)、杨斌(山东武警总队副总队长)、郑守龙(省农业厅副厅长)、王晓英(省广播电视厅副厅长)。其他领导成员不变。

霍家溜引黄闸竣工验收

5 月 16 日 济南历城区霍家溜引黄闸竣工验收。该工程位于临黄堤右岸桩号 49+300 处,闸型为一联两孔钢筋混凝土箱式涵洞,每孔净宽 2.6 米,净高 2.8 米,设计引水流量 15 立方米每秒,灌溉面积 30.72 万亩。工程自 1998 年 2 月 28 日开工,10 月 1 日竣工,实际投资 585 万元。

全面实行基本建设“三项制度”

5 月 18 日 山东河务局鲁黄工发[1999]106 号文印发《山东黄河防洪工程建设管理意见》,明确提出从本年起,山东黄河防洪工程建设全面实行基本建设“三项制度”。

钟新生等职务任免

5 月 20 日 中共山东河务局党组鲁黄党发[1999]9 号文聘任钟新生为聊城市河务局局长、党组书记,原职务同时免除。王广山不再担任聊城市河务局局长、党组书记职务。

民兵防汛抢险队伍建设暨组织训练现场会召开

5月26日　山东黄河民兵防汛抢险队伍建设暨组织训练现场会在淄博市高青县召开。沿黄市(地)政府(行署)分管防汛工作的副秘书长(办公室副主任)、军分区副司令员或参谋长、河务局副局长及部分县(市、区)人武部长、防汛办公室主任等参加会议。省防汛抗旱指挥部副指挥、山东河务局局长廖义伟主持会议,省防汛抗旱指挥部副指挥、省政府办公厅副主任侯英民就搞好黄河防汛队伍建设讲了三点意见:认清黄河防汛工作面临的严峻形势,增强搞好防汛队伍建设的紧迫感;引入民兵管理机制,是新形势下群众防汛队伍建设的有效措施;提高认识,采取措施,将黄河一线群众防汛队伍建设全面落到实处。

李春亭检查指导防汛准备工作

5月28日　山东省省长李春亭到黄河一线检查指导黄河防汛准备工作,先后察看了艾山卡口、北金堤大堤涵闸、张庄泄水闸、北金堤群众防汛安全建设、齐河北展宽工程及豆腐窝分洪闸等项工程,详细询问了各地防汛准备、群众迁安救护、防汛料物准备情况,并向基层的职工表示慰问。

钱国梁等检查黄河防汛工作

5月31日~6月1日　济南军区司令员钱国梁、参谋长沈兆吉率所属河南、山东两省军区、3个集团军的首长,在山东省副省长陈延明、黄委副主任陈效国和山东河务局局长廖义伟、副局长孙广生等陪同下,查勘黄河山东段重点险工、险段,检查指导驻鲁部队黄河防汛工作。钱国梁等进入黄河济南段后,与山东省省长李春亭一道进行考察,并在济南召开了济南军区黄河防汛工作会议。钱国梁在讲话中主要讲了三点要求:一是提高对黄河防汛重要性的认识;二是明确任务,做好各项防汛准备;三是要加强防汛工作领导。

《山东省黄河防汛气象服务预案》印发实施

6月1日　山东省气象局制订的《山东省黄河防汛气象服务预案》自即日起实行。预案规定,山东黄河防汛气象服务工作由省气象台统一指挥,实行各级气象部门行政一把手负责制,按照责任区分级负责。

钟声琴等察看黄河防洪工程

6月7~8日　驻潍坊某集团军军长钟声琴、政委赵承风、副军长冯育军、参谋长谈文虎率有关部门负责人及所属师、旅、团的首长，在山东省副省长林廷生、山东河务局副局长袁崇仁陪同下，察看了山东省黄河防洪工程，听取了各地河务部门关于黄河防汛情况的汇报。

基本建设工程质量管理实施细则印发

6月10日 山东河务局以鲁黄工发[1999]129号文印发《山东黄河水利基本建设工程质量管理实施细则(试行)》，共六章三十五条。主要明确山东河务局管理范围内(包括黄河干流、支流，蓄、滞洪区，展宽区、河口等)兴建的防洪、治河、供水等水利工程项目，不分投资来源，从事建设活动的项目法人(建设单位)、监理、勘察、设计、施工等单位和个人，都必须遵守和执行本细则。

水利基本建设工程质量管理体制概括为政府(主管部门)监督，法人(建设单位)负责，监理控制，企业保证。项目法人(建设单位)对工程质量负全面责任。监理、设计、施工等单位按照合同及有关规定对各自承担的质量工作负责。依据国家法律、法规和有关规定，山东黄河水利基本建设质量管理采取行政、法律、经济相结合的基本管理方式，对参建各方的违法行为追究法律责任。管理机制是：项目法人制、建设监理制、招标投标制、质量责任制、质量监督制及质量奖罚制。积极推行水利工程建设项目“三项制度”：全面实施项目法人制；在建设前期，逐步实行监理制和招投标制；在施工阶段全面实施监理制和招投标制。工程建设项目的质量行政领导人、项目法人代表、参建单位法人代表、具体质量责任人，按各自的质量责任对其承建的工程质量负终身责任。对工程在建期和运行期间发生质量问题都制定了相应的处罚办法和标准。

黄河防汛抢险新技术演示会召开

6月12日 山东黄河防汛抢险新技术演示会在滨州地区河务局召开。防汛抢险打桩机、软帘展开机具等12个新技术项目进行了现场演示。省防指副指挥、山东河务局局长廖义伟到会并讲话。

江泽民总书记考察黄河

6月17～24日 中共中央总书记、国家主席、中央军委主席江泽民考察黄河壶口至河口段，沿途经过三门峡、洛阳、郑州、开封、济南。

21日上午，江泽民在郑州主持召开黄河治理开发工作座谈会，黄委主任鄂竞平、河南省委书记马忠臣、山东省省长李春亭、济南军区司令员钱国梁在座谈会上先后汇报了黄河治理开发和防汛工作情况。江泽民在听取发言后作了重要讲话,并发出了“加强治理开发,让黄河造福于中华民族”的号召。

23日,江总书记从河南进入黄河山东段。在济南黄河二桥和泺口险工,山东河务局局长廖义伟向江泽民汇报了山东黄河的设计过洪能力、河道主要特点及洪水特征等。在盖家沟险工,黄河职工专业抢险队,解放军、武警、济南钢铁厂抢险队进行了防汛抢险技术培训汇报演习,展示了防汛抢险新技术。江泽民还察看了各种抢险机具。

24日,江泽民到东营市,分别考察了黄河入海口、胜利油田、孤东油田及东营市政建设。

崔家控导工程大部分建成

6月25日　崔家控导工程大部分建成。1990年以后,河口区崔家(左岸河道滩桩160~162号)滩岸急剧坍塌,1993年右岸苇改闸工程脱溜。为控导主溜、防止以下河势不利发展,经黄委批准,自1994年4月开始兴建崔家控导工程,初步规划修做24段坝垛,先修建14~20号7段坝垛;1995年5~7月续建21~22号两段丁坝;1999年增修7~13号、23号8段坝垛。至此,共计修建坝垛、护岸17段,工程长度1736米,护砌长度2185米。

山东省政府举办全省黄河防汛行政首长研讨班

6月29~30日　山东省政府在南郊宾馆举办了全省黄河防汛行政首长研讨班。参加研讨班的有省防汛抗旱指挥部常务副指挥、副省长陈延明,副指挥侯英民、廖义伟,省黄河防汛办公室主任孙广生,省防汛抗旱指挥部成员单位负责人,沿黄各市(地)分管副市长(副专员)及各县(市、区)长、市(地)河务局长共计80余人。研讨班聘请国家防汛办公室、黄委等有关专家授课。

山东黄河实时水雨情信息查询系统正式运行

6月30日　山东黄河实时水雨情信息查询系统正式运行。该系统为山东河务局与黄委水文局水文情报预报中心合作开发,历时半年完成。山东河务局配置了水情信息处理服务器、防汛服务器,该系统运行后可以实现水雨情信息管理和防汛日常业务的自动化处理。

黄河下游堤防查险报险专用移动通信网开通

6月30日　黄河下游堤防查险报险专用移动通信网全线开通。该移动通信网是专为满足下游堤防查险报险要求而建的,在山东境内建有16个基站,7 处直放站,145 个信道。山东黄河共配发手机 1700 部,车载台 200 部;联络半径手机为 10~15 公里,车载台为 15~25 公里;信号可以覆盖山东黄河堤防的 85%。

铰链式模袋混凝土沉排技术在高青北杜控导等工程应用

6 月 铰链式模袋混凝土沉排是在土工合成材料(高强机织丙纶布)内充填混凝土形成沉排,代替险工和控导工程坝岸传统的石料裹护方式,保护基础稳定。该结构整体性和柔性好,可适应河床冲刷变形,具有很好的坝岸基础保土和护根作用。与传统的石料裹护相比,初始施工造价稍高,但可节省后期抢险费用,特别适应于石料价格高、工程防守任务重的河段。经黄委批准,1999 年山东河务局在东明老君堂、高青北杜、利津东坝、垦利十八户等 4 处工程中采用该技术。其中高青北杜控导工程 7、8 号护岸,工程长度 242 米,为山东黄河在河道整治工程中首次采用该技术。该项工程自 5 月 8 日开工,模袋混凝土系水下施工,5 月 16 日完成混凝土充填,共完成混凝土沉排 4729 平方米,充填混凝土 1182.3 立方米,并埋设了三组观测设备。随后,其他三项工程也相继按设计完成。

山东黄河虹吸工程全部拆除

6 月 济南历城盖家沟、后张、王家梨行三处虹吸工程拆除,至此,山东黄河所建虹吸工程全部拆除(除垦利西宋简易虹吸外)。黄河虹吸工程是根据黄河为悬河的实际情况,为引水灌溉,利用虹吸原理而建设的取水工程。新中国成立以后,山东黄河最早修建的虹吸工程是在 1953 年,于利津县佛头寺修建 2 条虹吸,发挥了良好的灌溉作用。至 1989 年 8 月,王集虹吸工程建设完成,山东黄河共计修建虹吸工程 78 处,安装 331 条虹吸管,设计引水流量 298.19 立方米每秒。随着黄河设防水位的升高,堤防先后进行了数次加高,建设的虹吸管逐渐处于设防水位以下,加之引黄灌区的增加,虹吸工程在防洪安全和引水能力方面都难以满足要求。随着引黄涵闸的建设,虹吸工程的引水功能逐渐由涵闸取代,为确保防洪安全,对虹吸工程逐个进行了拆除。

东平湖老湖围湖造田

7 月 1 日 自 20 世纪 80 年代以来,东平湖区内群众自发修建围堤,将部分土地围垦耕种。1995 年下半年至 1996 年春季,省政府为解决老湖区群众的生产和生活问题,批准对东平湖老湖区进行涝洼地改造,并由省农委牵头成立了东平湖开发建设领导小组。1996～1998年先后在北吉城至孟楼、清河门至侯河、金山至二级湖堤等14处修建了围堤，围堤顶高程为44.0～45.0米。1999年汛前统计，老湖区内围湖面积总计达59.48平方公里，占老湖总面积的28.46%。该活动没有征得黄河部门的批准。

吴官正检查山东河务局防汛值班情况

7月5日 晚8时15分，中共山东省委书记吴官正在事先没有通知的情况下，轻车简从，到山东河务局检查防汛值班情况，详细了解黄河流域雨情、水情，并到微机房察看卫星云图和当日各水文站的流量、水位。吴官正要求值班人员密切注视黄河流域天气、雨情、水情变化，及时上传下达防汛情况，当好领导的参谋和耳目，为防汛抗洪提供及时、准确、可靠信息，争取防汛抗洪主动权，确保黄河安全度汛。

京福高速公路黄河大桥竣工通车

7月6日 京福高速公路黄河大桥举行竣工通车仪式。该桥位于济南杨庄附近(右岸大堤桩号15+234，左岸大堤桩号121+998)，全长5750米，主桥长947.66米，采用预应力混凝土刚构连续梁，最大跨径210米；桥面宽35.5米，设双向6车道，设计时速120公里。工程于1996年10月开工，工程概算总投资6.8亿元。竣工时，是黄河上设计标准最高、建筑规模最大的公路桥梁。

宋庄黄河大堤上延工程开工

7月9日 济南市宋庄黄河大堤上延工程开工。该工程位于槐荫区段店镇宋庄西侧，自槐荫黄河大堤起点向上游延长至220国道，相应大堤桩号-(1+430)至-(1+980)，全长550米，投资311.39万元。主体工程于1999年11月22日完成，附属工程于2000年8月完成。

张齐红等察看黄河防洪工程

7月13～15日 山东省军区司令员张齐红、副司令员秦江昌、参谋长李浩泉率机关有关部门负责人察看黄河防洪工程，沿黄各市(地)军分区，预备役师(旅)参加了本辖区(任务段)的察看。省黄河防汛办公室主任孙广生及各有关市(地)和胜利石油管理局的负责人陪同。

“100、200SP 型新型泥浆泵”项目获水利部科技进步奖

7 月 21 日 山东河务局与中国水利水电科学研究院水利机电研究所共同开发的“100、200SP 型新型泥浆泵”项目获水利部科技进步二等奖。

黄河河口治理专家研讨会召开

7 月 23～25 日 黄委黄河河口治理专家研讨会在河口管理局召开。与会专家学者 23 日乘船出海考察黄河河口拦门沙地貌，并到垦利县十八户控导工程对河口河道整治情况进行考察；24 日至 25 日，就河口流路的安排、河口地区防洪标准、工程布置、挖河疏浚和如何利用海洋动力减缓拦门沙发育等问题进行了学术交流。

会议由黄委副总工程师邓盛明主持。黄委规划计划局局长赵勇做了总结讲话。中国水利水电科学研究院泥沙所、国土资源部海洋地质研究所、国家海洋局第一海洋研究所、南京水利科学研究院、武汉水利电力大学、青岛海洋大学河口海岸带研究所、水利部水利水电规划设计总院、中科院海洋研究所、胜利石油管理局以及山东河务局、黄委设计院、黄委水科院、黄河河口管理局等单位的专家和领导 50 余人参加了会议。

李春亭检查黄河和东平湖防汛准备工作

7 月 26 日 山东省省长李春亭检查济南黄河河段和东平湖防汛准备工作。李春亭指出，各级要从大局出发，切实做好迎战黄河洪水的各项准备工作，确保黄河安澜，确保黄河两岸人民生命财产安全。

大吴排水闸改建工程竣工

7 月 大吴排水闸改建工程竣工。该闸位于北展堤桩号 36 + 123 处，闸型为一联二孔钢筋混凝土箱式涵洞，孔高 2.6 米、宽 2.8 米。本工程为在原闸前接长涵洞 10 米，可作为鹊山水库泄水闸，设计泄水流量 40 立方米每秒，投资 98 万元。

陈延明检查黄河防洪工程

8 月 1～3 日 山东省副省长陈延明带领省政府有关人员在山东河务局副局长袁崇仁陪同下，先后检查了梁山县司垓闸和郓城、鄄城、菏泽、东明四县(市)的防洪工程建设及滩区村庄搬迁工作。

裴怀亮检查黄河防汛工作

8月12～13日 济南军区副司令员裴怀亮率机关有关人员,在廖义伟、袁崇仁陪同下,检查了黄河防汛工作。先后察看了东平湖陈山口出湖闸、石洼分洪闸,菏泽地区东明县高村险工,聊城市东阿县井圈险工,济南泺口险工和德州豆腐窝分凌(洪)闸等防洪工程。

廖义伟任黄委副主任

8月13日 水利部部任[1999]42号文、中共水利部党组部党任[1999]18号文任命廖义伟为黄委副主任、党组成员。

张立文等享受教授、研究员待遇

8月25日 山东河务局鲁黄人劳发[1999]77号文通知,经水利部高级工程师评审委员会1999年5月15日评审通过,张立文、杨耀卿、杜玉海被批准为享受教授、研究员同等有关待遇的高级工程师,其有关待遇自评委会通过之日起执行。

黄河河口管理局等进行机构改革试点

9月1日 山东河务局鲁黄人劳发[1999]83号文批复,经黄委人劳局审核批准,原则同意河口管理局机构改革试点方案及实施意见。9月8日,山东河务局鲁黄人劳发[1999]85、86、87、88号文批复,原则同意菏泽地区河务局,聊城、济南市河务局,东平湖管理局机构改革试点方案及实施意见。职能配置及机关各部门职能划分暂按其上报方案界定。此项工作于年底结束,达到了预期目的。

改革后人员编制为:河口、菏泽、聊城、东平湖、济南市(地)河务(管理)局事业单位编制待上级下达统一编制定员标准后分别核定。其机关人员编制分别核定为64、50、45、60、60人。所属其他事业单位及内部企业管理单位人员编制均按其上报方案数量核定。

岱庙排灌闸改建工程竣工

9月15日 东平县岱庙排灌闸改建工程竣工。该闸位于东平湖二级湖堤桩号3+910处。闸型为一孔钢筋混凝土箱式涵洞,孔高2.2米,孔宽3.0米。设计灌溉流量1.5立方米每秒,排水流量12立方米每秒,灌溉面积3.6

万亩,系在原闸址拆旧建新,投资 187 万元。

物资储备中心受到中央文明委表彰

9 月 16 日 在北京召开的全国精神文明创建工作先进单位表彰大会上,山东河务局物资储备中心受到中央文明委的表彰,成为黄河系统率先跨入全国文明行列的单位。

传达贯彻全国江河堤防建设现场会议精神

9 月 21 日 山东河务局召开各市(地)河务局局长会议,传达贯彻全国江河堤防建设现场会议精神和黄委贯彻意见。认真学习了水利部部长汪恕诚、副部长张基尧的讲话,对上半年防洪工程建设工作进行了回顾,提出具体贯彻意见和要求:(1)各市(地)河务(管理)局要对照要求提出具体贯彻落实意见,并对 1998 年下半年以来的防洪工程建设管理工作认真总结。(2)组织学习汪恕诚部长的讲话和黄委《关于工程建设项目及水利资金使用违法违纪行为的行政处分规定(试行)》、《黄河防洪工程质量缺陷处罚办法(试行)》等文件规定。(3)强化、细化责任制,落实到人。(4)做好下半年防洪工程建设的前期准备工作,争取防洪工程建设按时开工。(5)严格工程质量管理和资金管理,明确责任,落实具体措施。副局长薛松贵就当前工程建设工作做了具体安排。

长东黄河铁路二桥建成通车

9 月 25 日 长东黄河铁路二桥位于原长东黄河铁路桥的上游,左岸为河南省长垣县临黄堤桩号 35+350,右岸为山东省东明县临黄堤桩号 193+141。该桥为钢筋混凝土结构,全长 12 976 米,主桥长 10 500 米,共 256 孔,主桥最大跨度 108 米,桥面宽 3.9 米。设计水平年为 2003 年,设计防洪水位 67.60 米。该工程于 1998 年 4 月 6 日举行开工典礼,1999 年 9 月 25 日竣工通车。

山东河务局庆祝新中国成立 50 周年

9 月 27 日 为庆祝中华人民共和国建立 50 周年,山东河务局在济南举行了表彰先进集体、劳动模范暨“颂祖国,爱黄河”演讲大会,对在近三年治黄工作中取得显著成绩的单位和在各项工作中作出突出贡献的人员予以表彰,并颁发了奖牌和证书;有 10 人在大会上进行了演讲。

山东河务局在职职工参加失业保险

10月1日 根据黄委《转发劳动和社会保障部等部门关于事业单位参加失业保险有关问题的通知》(黄人劳险[1999]2号)和山东省人民政府《关于事业单位参加失业保险有关问题的通知》(鲁政发[1999]03号)精神,山东河务局所有在职职工自本日开始向省社会保险事业局缴纳失业保险金。

黄河山东区工会更名

10月12日 中共山东河务局党组鲁黄党发[1999]29号文通知:经黄河工会同意,决定将黄河水利工会山东区委员会更名为黄河工会山东黄河委员会,内设机构和隶属关系不变。

精神文明建设工作会议召开

10月17～21日 山东河务局召开精神文明建设工作会议。各市(地)河务(管理)局分管副局长、人劳科(处)长,局直单位、机关各部门负责人参加会议,并到河南河务局进行了参观。副局长袁崇仁做了《认清形势,明确任务,狠抓落实,把精神文明建设工作提高到新水平》的讲话。截至9月底,本局精神文明创建率达81%,省级文明单位15个。山东河务局被评为"首批全国水利系统文明单位"。物资储备中心被中央文明委表彰为"全国创建文明行业先进单位"。

山东黄河工程监理有限公司成立

11月2日 山东河务局鲁黄人劳发[1999]97号文通知,成立山东黄河工程监理有限公司。该公司具备水利部乙级水利工程建设监理资格,是山东河务局控股的自主经营、自负盈亏、独立核算、具有法人资格的全民所有股份制企业。

2000年12月8日,山东河务局鲁黄人劳发[2000]94号文通知:根据治黄体制改革的需要,经研究并经水利部及山东省工商局注册,山东黄河工程监理有限公司更名为山东龙信达咨询监理有限公司。

国家防总命名防汛物资重点仓库

11月2～3日 国家防总办公室在济南召开全国防汛物资工作座谈会。会上,对全国15个防汛物资定点仓库颁发了标牌。山东河务局物资储备中心被国家防办命名为中央防汛物资黄委济南定点仓库。

黄河水量分配及水量调度年度预案颁布实施

11 月 9 日 水利部以水资源[1999]609 号文向黄委、引黄各省、自治区、直辖市水利厅(局)下发了《关于颁布实施〈1999 年 7 月至 2000 年 6 月黄河可供水量分配及非汛期干流水量调度预案〉的通知》,并进一步明确了责任:(1)黄委要根据《黄河水量调度管理办法》的要求,统一调度全河水量,并加强水文监测和监督检查。(2)沿黄各省(自治区、直辖市)水利(水电)厅(局)、黄委河南河务局和山东河务局根据下达的分水指标,负责各自管辖范围内的水量调度工作,严格实行计划用水、节约用水,并加强监督管理,服从黄委统一调度。

无棣、沾化两县群众喝上黄河水

11 月 29 日 无棣、沾化两县群众引黄吃水工程送水典礼在无棣县三角洼水库举行。无棣、沾化县是滨州地区的两个沿海县,地下无浅层淡水,深层水高氟高碘,80 万群众吃水极度困难。1998 年 7 月,中华环保世纪行记者团来此采访考察,立即向中央领导和社会各界进行了反映。全国人大副委员长邹家华在记者团的简报上做了重要批示。中共山东省委、省政府对此十分重视,专门拨款 2000 万元补助吃水工程。滨州地区先后投资 1.9 亿元,建成引黄配套水库 7 座,建设水厂 7 处,铺设输水管道 1351 公里,基本上实现村村通自来水。

山东河务局开展“三讲”教育活动

11 月 根据中共中央中发[1998]17 号文和中共黄委党组黄党[1999]50 号文件精神,山东河务局在局领导班子及其成员、局机关处级以上领导干部、局属单位领导班子和领导干部中,深入开展了以“讲学习、讲政治、讲正气”(简称“三讲”)为主要内容的党性党风教育活动。分学习提高、自我剖析、开展批评、认真整改四个步骤进行。在黄委“三讲”教育工作组的指导下,圆满完成了预期任务。此项活动于 2000 年 1 月结束。

王春迎等职务任免

12 月 1 日 中共山东河务局党组鲁黄党发[1999]33 号文任命王春迎为菏泽地区河务局党组书记,同时聘任为菏泽地区河务局局长。

中共山东河务局党组鲁黄党发[1999]17 号文通知,许建中不再担任菏泽地区河务局局长、党组书记职务。

黄河水量统一调度初见成效

12月15日 泺口水文站2月5日8时出现第一次断流，全年断流4次，共断流16天。2月6日6时，利津水文站也出现了第一次断流。截至本日，利津水文站全年断流3次，共断流41天。其中，该站自开始统一调度恢复过流后的3月12日至调度期末的7月15日仅断流7天。而来水情况相近的1996年同期断流天数达104天，黄河水量统一调度已初见成效。

鹊山水库及穿黄管线工程竣工

12月29日 济南市鹊山水库主体工程竣工。该水库位于黄河北岸济南段黄河北展区末端，占地面积11090亩，水库围坝长11.64公里，总库容为4600万立方米，设计日供水能力40万立方米，主体工程由山东黄河工程局施工。1998年10月5日，山东省暨济南市领导参加了工程奠基仪式。

鹊山水库穿黄管线右岸位于临黄堤桩号23+800、左岸位于临黄堤桩号129+595处，设计钢管1条，内径1.8米，管道长度1110米，最深处位于黄河河床以下24米，采用顶管法施工。施工单位为上海基础工程公司。工程于1999年2月1日开工，9月30日竣工。

2000年4月24日，鹊山水库正式向济南市区供水，该工程总投资5.6亿元。

刘口排灌闸改建工程竣工

12月31日 东平县刘口排灌闸改建工程竣工。该闸位于东平湖二级湖堤桩号21+840处，闸型为一孔钢筋混凝土箱式涵洞，孔高2.0米、宽2.0米。设计灌溉流量3.0立方米每秒，排水流量10.0立方米每秒，灌溉面积7万亩。本工程为在原闸后接长涵洞33.5米，投资383万元。

辘轳吊排灌闸改建工程竣工

12月31日 东平县辘轳吊排灌闸改建工程竣工。该闸位于东平湖二级湖堤桩号25+900处，闸型为一联二孔钢筋混凝土箱式涵洞，孔高2.0米、宽2.0米。设计流量10.0立方米每秒。本工程为在原涵洞的基础上接长17米，投资466万元。

山东黄河工程局通过 ISO 9000 质量体系认证

12 月 山东黄河工程局通过 ISO 9000 质量体系认证。从此,山东黄河工程局的质量管理工作纳入规范化管理的轨道。

2000 年

山东河务局被评为目标管理先进单位

1 月 19 日 山东河务局获黄委 1999 年度目标管理先进单位二等奖,并受到表彰。

山东治黄工作会议召开

1 月 23～24 日 山东治黄工作会议在济南召开。各市(地)、县(市、区)河务(管理)局、局直各单位的 100 多名代表参加会议。局长廖义伟做了《认清形势,明确任务,抓住机遇,开拓进取,把山东治黄事业全面推向 21 世纪》的工作报告。

会议对 2000 年的治黄工作做了部署,总体要求是:以防洪保安全为中心,以防洪工程建设和发展经济为重点,继续深入改革,促进治黄事业全面发展。山东河务局与各市(地)局签订了 2000 年目标任务书。对先进单位和个人进行了表彰。

山东黄河安全度过凌汛

2 月 24 日 封冻河段全部化通。凌汛期间,山东河段出现两次封河,两次开河。1999 年 12 月中旬受较强冷空气影响,19 日 16 时,利津县王庄险工首先封河,23 日封冻最上首到齐河县程官庄险工,全省共封冻 45 段,总长 117 公里,冰厚一般 8～13 厘米。由于引黄流量减少,封冻河段上游来水量增大,加之 12 月 23 日起气温大幅回升,造成水鼓冰开。25 日,大流量水头到达利津县五庄控导工程,冰凌相互挤压、堆积形成 3 米多高的冰堆。26 日 8 时,利津水文站流量 280 立方米每秒,12 月 27 日 16 时全线开通。

1 月上旬,由于受较强冷空气影响,7 日,济南、北镇最低气温分别达到 －11℃、－13℃,河口地区护林浮桥首先封河,至 2 月 2 日晨,封冻上首到达东明县王高寨控导工程,封冻共 76 段,长度达 306.42 公里。2 月 11 日,气温开始回升,至本日5时封冻河段全部化通,凌汛安全度过。

河底沉管过河取沙获得成功

2月　山东淄博黄河工程局在高青县大刘家险点放淤固堤工程施工中,利用河底沉管到河对岸取沙获得成功。高青县大刘家险点长2850米,为黄委在编险点鲁—Ⅱ—渗—14。为消除险点,经上级批准对该段进行淤背加固,由淄博黄河工程局负责施工。由于左岸无适宜沙场,在胜利油田专家指导下,将直径0.30米、长500米的两条钢管沉入河底,到右滩岸取沙施工。

山东黄河经济工作会议召开

3月9～11日　山东河务局召开经济工作会议。各市(地)河务(管理)局长、工程局局长、财经科(处)长、局直单位和机关各部门负责人参加会议。会议传达了水利部经济工作会议精神,副局长杜宪奎做了《认清形势,开拓进取,大力发展黄河水利经济》的工作报告。山东黄河1999年全年实现经济收入8.25亿元,比1998年增长32.26%。计划2000年实现经济总收入9亿元,力争实现10亿元;计划承揽外部工程合同金额达到2.9亿元,职工人均收入增长10%。

会议聘请专家教授就中国加入世贸组织(WTO)、建立现代企业制度进行了知识讲座。各市(地)局汇报了经济工作开展情况,签订了2000年经济目标责任书和经济合同。副局长袁崇仁做了总结讲话。

黄河淤背区推广三倍体毛白杨生态林试点

3月　黄委在山东河务局淤背区推广种植三倍体毛白杨生态林试点,全局当年种植2260亩,育苗260亩。

郝金之不再兼任济南市河务局局长

3月24日　中共山东河务局党组鲁黄党发[2000]15号文通知,郝金之不再兼任济南市河务局局长、党组书记职务。

全省水利建设防汛抗旱暨气象工作会议召开

3月31日～4月1日　山东省政府在潍坊市召开全省水利建设防汛抗旱暨气象工作会议,安排部署水利建设防汛抗旱和气象工作。省军区及省直有关部门负责人,各市(地)分管农业的副市长(副专员)、水利局局长、气象局局长、防汛办公室主任参加了会议。副省长陈延明与各市(地)副市长(副专员)签订了防汛责任状。

会议上,陈延明指出:黄河和大中型水库是山东省的“两大险”,黄河防洪工程建设要加快进度,积极做好征地、搬迁等各项工作,年内全面完成黄委会第一批开工项目,确保达到国务院规定的2000年治理标准。以改革的思路,加快水利发展体制和机制创新。从根本上扭转水资源紧缺局面、大幅度提高抗旱能力、改善生态环境质量。山东河务局副局长薛松贵就黄河防汛工作讲了具体意见。

归仁引黄闸工程竣工验收

4月19日 惠民县归仁引黄闸工程竣工验收。该闸位于临黄堤左岸桩号224+485处,闸型为一联两孔钢筋混凝土箱式涵洞,每孔净宽、高均为2米,设计引水流量10立方米每秒,灌溉面积10.3万亩。工程于1998年3月6日动工,7月30日竣工,工程投资565.1万元(由惠民县政府自筹)。

土地开发现场会召开

4月19～21日 山东河务局在济南召开土地开发现场会。各市(地)河务局、有关县、区河务局负责人参加会议,副局长杜宪奎带领与会人员,先后参观济阳县河务局三倍体毛白杨示范项目,千亩经济林;利津县河务局育苗、庭院建设;滨州市河务局蔬菜大棚、花卉、三倍体毛白杨示范项目;寿光市三元朱村设施农业。21日在济南召开座谈会,滨州市河务局,济阳、利津县河务局介绍淤背区开发经验。副局长杜宪奎对土地开发工作提出具体要求。

于文军等获“富民兴鲁”劳动奖章

4月28日 山东省总工会鲁会[2000]18号文决定:授予淄博市黄河工程局疏浚工程处主任于文军山东省“富民兴鲁”劳动奖章;向东营区河务局工程一队颁发了山东省“富民兴鲁”劳动奖状。

黄河三角洲国家生态经济示范区建设正式启动

4月 经国家环保总局批准,黄河三角洲国家生态经济示范区建设正式启动。经国内外40多名专家学者的考察论证,黄河三角洲资源富集,除丰富的油气资源外,还拥有辽阔的土地资源、丰富的盐卤资源和生物资源等,具有巨大的发展潜力。

胶东地区引黄调水工程批准立项

4月 胶东地区引黄调水工程批准立项。1998～2001年胶东半岛地区遭受严重干旱,山东省政府决定实施“胶东应急调水工程”,该工程以原引黄济烟方案为基础,延伸至威海米山水库。2001年7月,胶东应急调水工程更名为胶东地区引黄调水工程。2002年4月,国家发展计划委员会正式批准立项。

该工程是从山东滨州打渔张引黄闸引取黄河水,经新建沉沙池沉沙后,利用现有引黄济青工程输水至山东昌邑宋庄镇,分水后,经压力管道、隧道,暗渠输水至烟台市,再经分水后用压力管道输水至山东威海市米山水库。

刘友文任淄博市河务局局长

5月24日 山东河务局鲁黄人劳发[2000]48号文任命刘友文为淄博市河务局局长。

刘栓明任山东河务局副局长

5月26日 中共黄委党组黄党[2000]29号文任命刘栓明为山东河务局副局长、党组成员(列袁崇仁之后),兼东平湖管理局局长、党组书记;免去其黄委水文局副局长、党组成员职务。

袁崇仁主持工作

5月28日 黄委主任鄂竟平带领有关人员到山东河务局召开副处级以上领导干部会议,宣布副局长袁崇仁主持山东河务局工作;廖义伟调黄委工作,不再担任山东河务局局长、党组书记职务。

黄河泺口铁路大桥恢复通车

5月31日 10时30分,黄河泺口铁路大桥正式恢复通车。该大桥始建于1909年4月,1991年4月停用退役后,经专家论证,采取将大桥北四孔抬高,更换纵梁等措施进行改建。改建后可以用作济邯铁路跨越黄河的大桥,该方案得到了黄委的批准。工程由中铁大桥局施工,历时一年零两个月。恢复通车后,可以大大缓解曹家圈铁路大桥的通车压力。

山东河务局推行政务厂务公开制度

5月 山东河务局、山东黄河工会以鲁黄会[2000]7号文联合下发了《关于印发山东黄河政务厂务公开工作考核办法的通知》,并在河口管理局召开了现场会。至本年 12 月底,有 59 个单位建立了政务厂务公开制度,占单位总数的 95%。

2002 年 3 月,山东河务局以鲁黄办[2002]17 号文下发了《关于进一步加强政务厂务公开工作的意见》,同年 7 月,山东河务局以鲁黄办[2002]19 号文下发了《关于认真贯彻中央“两办”通知精神,推行厂务政务公开工作深入发展的通知》,使此项工作进一步深化。山东黄河工会、河口管理局先后被授予全省民主管理先进单位、厂务公开先进单位。

后市排水闸工程竣工

5 月 济南市天桥区新建后市排水闸工程竣工。该闸位于北展堤桩号 37+765 处,主要作用为排涝,闸型为一孔钢筋混凝土箱式涵洞,孔高、宽各 2.0 米。设计流量 6 立方米每秒。

济南黄河西外环浮桥建成通车

6 月 9 日 济南黄河西外环浮桥建成通车。该浮桥由济南黄河工程局暨市河务(管理)局机关、天桥区河务局职工投资 1600 万元兴建。

鄂竟平检查黄河防汛准备工作

6 月 16～17 日 黄委主任鄂竟平带领防汛督察组,在山东河务局副局长袁崇仁、郝金之等陪同下,实地检查了齐河县大堤加高、阴河险工改建,滨州市截渗墙工程,高青县放淤固堤工程等,并深入基层座谈,了解防汛责任制落实、防汛料物、防洪预案、队伍组织等准备情况,询问了基层职工生产、生活和经济收入情况。

黄河防汛信息管理系统开发完成

6 月 20 日 山东河务局与黄委信息中心合作开发的“山东黄河防汛信息管理系统”完成。该系统第一次将山东黄河的 1∶100 万、1∶25 万和 1∶5 万的河道地形图矢量化,实现了电子地图浏览以及防汛物资仓储、抢险队信息的计算机管理。

清河门出湖闸改建工程竣工验收

6 月 22 日 东平湖水库清河门出湖闸改建工程竣工验收。该闸位于东平湖斑清堤桩号 2+310 处，闸型为桩基开敞式，全闸 15 孔，每孔净宽 6 米，净高 5.5 米，设计流量 1300 立方米每秒。改建工程于 1996 年 12 月 26 日开工，1998 年 5 月竣工，工程总投资 1292.85 万元。

陈山口出湖闸改建工程竣工验收

6 月 22 日　东平湖水库陈山口出湖闸改建工程竣工验收。该闸位于东平县旧县乡陈山口村附近，两闸隔堤桩号 0+625 处，闸型为开敞式。全闸共 7 孔，每孔净宽 9 米，净高 5.5 米，设计流量 1200 立方米每秒。改建工程于 1998 年 2 月 20 日开工，1998 年 11 月底竣工，工程投资 1520 万元。2000 年 6 月 21 日至 22 日，由黄委主持对该闸进行竣工验收。

调整山东省防汛抗旱指挥部领导成员

6 月 23 日　山东省人民政府防汛抗旱指挥部以鲁汛旱字[2000]年 19 号文公布调整后的省防汛抗旱指挥部领导成员。

指挥：李春亭（省长）；常务副指挥：陈延明（副省长）；副指挥：侯英民（省政府办公厅副主任）、宋继峰（省水利厅厅长）、袁崇仁（山东河务局副局长）、吴建初（济南军区作战部副部长）、秦江昌（省军区副司令员）、王军民（省建设厅厅长）。成员由山东河务局副局长郝金之以及济南军区空军、山东省武警总队等单位负责人组成。

水利部联合检查组检查山东黄河防洪工程建设

6 月 27～30 日　由水利部稽查特派员、原水利部水利水电规划设计总院院长高雪涛带队的水利部联合检查组一行 6 人，在黄委规划计划局局长赵勇、山东河务局副局长薛松贵等陪同下，对山东邹平黄河大堤加高工程进行了检查。检查的重点是："三项制度"执行情况、资金管理与使用、工程质量以及度汛准备等情况。经过全面检查，联合检查组认为：该工程设计比较完整；工程进度较为理想，能够满足度汛要求；"三项制度"执行比较到位，招标投标符合程序，质量保证体系、制度比较健全，施工单位"三检制"落实得比较好，施工质量符合要求。

李春亭等深入黄河沿岸检查防汛工作

6 月 30 日　山东省省长李春亭、副省长陈延明带领有关部门负责人，在山东河务局副局长袁崇仁、郝金之的陪同下，深入黄河沿岸检查黄河防汛工作。李春亭就做好防汛工作要求：一是增强防汛意识，克服麻痹思想；二是要做好迎战特大洪水的准备；三是各级防汛指挥机构要切实加强对防汛工作的领导。

财政资金拨付制度改革

7 月 1 日 根据财政预算管理体制改革要求，实行国库支付制度改革试点。财政资金由原来的逐级拨付变为国库直接支付。山东河务局为授权支付单位，济南放淤固堤工程为直接支付项目。自本日起施行。

东平湖水库移民移交地方管理

7 月 18 日 水利部移民开发局在郑州召开有关省、市参加的会议，研究将黄委管理的水库移民交地方管理问题。根据江泽民“水库移民工作责任还要落实到省”的指示精神，水利部与三省（山东、河南、山西）协商，确定实施“水利部领导、省级负责、县为基础”的移民遗留问题处理工作管理新体制。

11 月 10 日，省长李春亭主持召开第 55 次省长办公会，会议同意由省水利厅接管东平湖水库移民工作。

吴官正视察黄河防汛工作

7 月 20 日 中共中央政治局委员、山东省委书记吴官正带领山东河务局、农业厅、水利厅等有关部门负责人，到菏泽视察黄河防汛工作，并亲切慰问黄河一线职工。

南坦险工进行加固根石新技术试验

8 月 6 日 为探索险工和控导工程坝岸根石加固新技术，防止根石走失，减少坝岸出险几率，提高抗冲能力，经黄委批准，德州市河务局先后在南坦险工进行了两项新结构、新材料试验：一是在 95～98 号坝修做耐特龙（土工合成材料）网护根石（网罩护根技术），该工程 1999 年 11 月 25 日开工，2000 年 6 月 30 日主体工程完工。二是在 89～92 号坝抛投混凝土四脚体加固根石，该工程 2000 年 5 月 22 日开工，同年 8 月 6 日主体工程完工。

黄河防洪减灾芬兰贷款建设项目竣工验收

8 月 16 日 黄河防洪减灾芬兰贷款建设项目通过了由黄委组织的总体竣工验收。该项目总投资 6000 多万元，共包括 6 个子项目：水文测验设备、防洪和抢险车辆、水库河道地形测量系统、济南至河口通信系统、防汛情报预报和调度计算机网络系统及防洪应用软件系统。后4个子项目直接由黄委承担完成。

大力推进企业改制工作

8月24～31日　为加快企业改制步伐,山东河务局采取多种措施,大力推进企业改制工作。一是组织各市(地)河务(管理)局及局直20多个单位负责人,赴江苏、浙江两省的5个市(地)考察学习。二是举行了企业改革培训班暨企业改制工作会议,各市(地)河务(管理)局局长、分管副局长和山东河务局机关部门及局直单位负责人等80余人参加了培训。

十八户引黄闸竣工验收

8月25日　垦利县十八户引黄闸竣工验收。该闸位于临黄堤右岸桩号246+500处,该处原为十八户放淤闸,因防洪水位抬高,原闸已不能满足防洪要求,成为防洪险点。十八户引黄闸建于原放淤闸闸前的圈堤上,闸型为一联两孔钢筋混凝土箱式涵洞,每孔高、宽各3米,设计引水流量20立方米每秒,可以解决垦利县东片地区12万亩耕地的灌溉、4.3万人的生活用水和胜利油田部分工业用水,并为下镇乡利用日元贷款进行的56万亩荒碱地综合开发项目提供水源。工程于2000年3月21日开工,8月19日竣工,工程投资632.80万元。

明堤灌溉闸改建工程竣工

8月　阳谷县明堤闸改建工程竣工。该闸位于北金堤桩号83+650处,闸型为一联二孔钢筋混凝土箱式涵洞,孔高2.5米、宽1.8米,灌溉面积17.5万亩。1999年拆除老闸原地建新闸,投资399.28万元。

山东河务局编制改革发展五年计划

9月13日　山东河务局召开机关部门负责人会议,研究安排改革发展五年计划编制工作。按照黄委关于在全河开展改革发展五年计划编制工作的通知要求,成立了五年计划编写领导小组,制定了《山东黄河河务局改革发展五年计划编制大纲》。各市(地)河务(管理)局和局直各单位按照鲁黄办[2000]19号《关于开展改革发展五年计划编制工作的通知》的要求,结合本单位实际,研究制定本单位未来五年的改革发展计划,并将成果于11月20日报山东河务局。

邢家渡引黄闸改建竣工

9 月 25 日 济阳县邢家渡引黄闸改建工程竣工。该闸位于左岸大堤桩号 146+783 处,闸型为两联四孔钢筋混凝土箱式涵洞,每孔净高、宽均为 3 米,设计引水流量 50 立方米每秒,设计灌溉面积 90 万亩。于 2000 年 3 月 1 日开工改建,原闸堵复,工程投资 1099.73 万元。

于兴文等享受教授、研究员待遇

9 月 29 日 山东河务局鲁黄人劳发[2000]81 号文通知:经水利部工程系列高级专业技术职务评审委员会 2000 年 6 月 9 日评审通过,山东河务局于兴文、蒋家隆为享受教授、研究员同等有关待遇的高级工程师,其有关待遇自评委会通过之日起执行。

翟浩辉察看位山闸应急工程建设

10 月 9 日 水利部副部长翟浩辉在黄委主任鄂竟平、副主任廖义伟,海委主任王志民陪同下,到引黄济津渠首——位山引黄闸察看应急工程建设情况。

薛松贵、杜玉海被黄委命名为“治黄科技拔尖人才”

10 月 11 日 黄委命名 22 名科技工作者为“治黄科技拔尖人才”,其中有山东河务局薛松贵、杜玉海两人。

温家宝在位山引黄闸启动按钮开闸送水

10 月 13 日 国务院副总理、国家防总总指挥温家宝在位山引黄闸启动按钮,引黄济津开闸送水。为解决天津市严重缺水问题,2000 年 9 月中旬国务院正式批准实施引黄济津应急调水。该方案为从山东聊城位山引黄闸调引黄河水,经山东、河北,从卫运河、南运河送至天津九宣闸,行程约 580 公里。这是黄河自 20 世纪 70 年代以来第六次向天津送水。到 2001 年 2 月 2 日 10 时关闭闸门,放水历时 112 天,累计引黄河水量 8.66 亿立方米,天津市九宣闸收水量 4.01 亿立方米。

黄河、汶河、金堤河汛情

10月　汛期黄河严重枯水枯沙，花园口水文站最大流量仅788立方米每秒，相应水位92.82米，高村水文站总来水量47.11亿立方米、沙量0.34亿吨，分别比多年平均值偏少79.7%和96.2%。利津水文站总来水量为17.21亿立方米，沙量0.09亿吨，分别较多年平均值偏少91.8%和98.8%。全年利津水文站没有出现断流现象。

汶河来水较少，8、9月份来水总量1.2亿立方米，戴村坝水文站8月12日最大流量376立方米每秒。东平湖老湖最高水位41.80米，相应蓄量3.53亿立方米。

金堤河发生较大洪水。7月上旬，金堤河流域连降大到暴雨，范县水文站7月7日12时洪峰流量267立方米每秒，水位47.13米。张庄闸12日8时最大排洪入黄流量253立方米每秒。本次洪水是1975年以来的最大洪水。洪水时金堤河水面宽300～500米，主溜水深7～8米，部分防洪工程出现险情。

薛松贵职务任免

10月31日　中共黄委党组黄党[2000]55号文通知，免去薛松贵山东河务局副局长、党组成员职务，调黄委任副总工程师。

山东黄河巨龙工程机械有限公司成立

11月1日　经山东省工商局批准，山东黄河巨龙工程机械有限公司成立，注册资金475万元。该公司为山东河务局、山东黄河物资总公司、山东河务局物资储备中心及8个市(地)河务局共11家投资组建的股份有限公司，董秀生任董事长。

山东河务局开展“三讲”教育回头看活动

11月7日　为巩固“三讲”教育成果，山东河务局开展了“三讲”教育回头看活动，并制定了《关于转变机关作风的整改意见》、《关于经济工作的整改意见》、《关于干部工作的整改意见》、《关于加强经济管理工作的整改意见》等。通过贯彻上述整改意见，局属各级领导班子和领导干部的思想、工作作风有了明显转变，机关工作效率有了明显提高，服务意识有了明显增强，进一步密切了与职工群众的关系。此项活动于年底结束。

山东河务局开展警示教育活动

11 月 下半年，山东河务局按照中央的统一部署，在党员干部中开展了警示教育活动。针对山东河务局近两年发生的典型案件，对科以上干部和全体财经人员进行反腐倡廉巡回教育，党组成员、纪检组长王澄方以《认真学习“三个代表”重要思想的重要论述，深入开展反腐败斗争》为题作报告 13 场，引起强烈反响。同时利用成克杰、胡长青等重大典型案件进行警示教育，组织党员干部学习《邓小平论党员领导干部廉洁自律》、《以案示教，警钟常鸣》两本书；观看《生死抉择》、《胡长青案件警示录》等电教片；参观焦裕录、孔繁森纪念馆和莱芜战役、淄博马鞍山抗日保卫战遗址等革命传统教育基地；召开由山东省监狱 3 名服刑犯人现身说法的警示教育大会，使全局广大党员干部受到深刻教育，增强了廉洁自律、遵纪守法的自觉性。

黄河下游引黄渠首供水价格调整

12 月 1 日 黄河下游引黄渠首工程供水价格开始执行国家计委计价格[2000]2055 号文件通知的新标准。这是自 1989 年以来第一次按供水成本调整引黄渠首供水价格，取消了以粮折价的定价方式。具体水价为：农业用水，4～6 月份 1.2 分每立方米，其他月份 1 分每立方米；工业及城市生活用水，4～6月份 4.6 分每立方米，其他月份 3.9 分每立方米。

水利部就黄河治理有关问题函复山东省人民政府

12 月 1 日 水利部水汛[2000]575 号发出《关于山东省黄河治理有关问题的复函》，其主要内容：一是关于黄河山东段治理和防汛岁修经费问题。堤防高度不足堤段和堤身强度不够堤段也应尽快处理。水利部将根据国家财力，逐步加以安排；黄河防汛岁修经费不足问题将进一步向国家有关部门反映。二是关于黄河滩区安全建设问题，对有条件外迁的群众可统筹考虑，鼓励外迁；对没有条件外迁的要加快安全建设步伐。三是滩区生产堤问题，从防洪大局来讲，应按照《中华人民共和国防洪法》的有关规定破除。四是关于蓄滞洪区运用补偿问题。按照《蓄滞洪区运用补偿暂行办法》规定，黄河滩区和非北金堤滞洪区运用造成的金堤河滩区的淹没损失，中央不能给予补偿。五是关于合理调整蓄滞洪区布局问题。小浪底枢纽建成运用后，黄河下游的防洪标准将会提高，北金堤滞洪区和南、北展宽工程的分洪运用机遇大大减小，南、北展宽区可以考虑建成防洪与兴利相结合的平原滞洪水库。六是关于东平湖治理问题。应按照规划抓紧实施,逐步解决。七是关于金堤河治理问题。一期工程完成后,仍存在的内涝排水等问题,需统筹考虑山东省和河南省的意见,按照基建程序办理。

东平湖徐庄、耿山口进湖闸堵复工程竣工

12月12日 东平湖徐庄、耿山口两进湖闸堵复工程竣工。两闸始建于1959年,因防洪标准低、多年老化失修,1999年6月16日,黄委黄河务[1999]34号文批复同意徐庄、耿山口两座进湖闸报废,对两闸闸前围堰进行加固。7月7日,山东河务局鲁黄管发[1999]29号文转发东平湖管理局,要求对两闸闸前围堰按临黄堤标准进行加高加固。同年11月29日,山东河务局鲁黄工作发[1999]215号文批复徐庄、耿山口闸除险加固工程施工详图设计。工程于1999年7月30日开工,本年12月12日竣工,共完成土方11.8万立方米、混凝土615.9立方米、石方1161立方米,投资357.81万元。

菏泽、滨州地区黄河河务局更名

12月25日 山东河务局鲁黄人劳发[2000]98号文通知:根据国务院批复,撤销菏泽地区、滨州地区,分别设立地级菏泽市、地级滨州市;原县级菏泽市、滨州市改为菏泽市牡丹区、滨州市滨城区。为理顺关系,决定:菏泽地区黄河河务局更名为菏泽市黄河河务局;菏泽市黄河河务局更名为菏泽市牡丹区黄河河务局;滨州地区黄河河务局更名为滨州市黄河河务局;滨州市黄河河务局更名为滨州市滨城区黄河河务局。更名后,原机构规格、领导称谓不变。

彭楼引黄入鲁灌溉工程开闸送水

12月26日 彭楼引黄入鲁灌溉工程正式启用,于10时35分开闸送水。该工程1995年12月由黄委金堤河管理局组织开工建设,历时5年,完成穿北金堤涵闸及跨金堤河倒虹吸工程各一座,跨渠桥梁26座,渠道衬砌15公里,累计完成投资5310万元。工程竣工后,在灌溉保证率50%的情况下,年恢复和增加引黄入鲁水量4亿立方米,新增金堤以北灌溉面积63万亩,补源改善灌溉面积137万亩。

胡海滨等被授予治黄劳动模范称号

12月29日 在黄委召开的全河劳动模范表彰大会上,黄委、黄河工会以黄办[2000]42号文决定:授予山东河务局胡海滨、李伟凡、郑付生、王恩劲、杨

桂芳(女)、王长亮、齐贵良、司家荣、孟广华(女)、聂培忠、武士国、高德贵、陈希云、王恭利、张恩民、李太华、郭学鑫、刘建伟、江廷山、丁惠新、王庆银、王克伦、赵启光、赵河东、王炜、董桂英(女)、董秀生为治黄劳动模范称号,颁发证书、奖章,并奖励晋升一级工资;授予菏泽市河务局苏泗庄河务段、东平湖管理局东平县河务局、聊城市河务局位山引黄闸管理所、济南市济阳县河务局、德州市河务局阴河河务段、淄博市局马扎子河务段、滨州市河务局惠民县河务局、河口管理局垦利县河务局、山东黄河工程局第二机械化施工工程处、山东黄河工程机械修理厂先进集体称号,并颁发奖牌。

玉清湖水库工程竣工

12 月 29 日 济南市玉清湖水库工程竣工。该水库为向济南市供水的调蓄水库,位于黄河滩区槐荫区吴家堡镇和长清区平安店镇交界处,占地面积 9200 亩,水库围坝长 9.6 公里,总库容 4850 万立方米,设计日供水能力 40 万立方米。工程于 1999 年 5 月 16 日开工,2001 年 7 月 9 日正式向济南市区供水。

山东黄河消除委编在册险点 147 处

12 月 自 1986 年至 2000 年底,通过各类加固措施,山东黄河共消除委编险点 147 处,其中老口门潭坑 10 处、管涌 6 处、渗水 55 处、堤防缺口 3 处、裂缝 1 处、改建病险涵闸 24 座、拆除虹吸 5 处、穿堤管线 39 处、对 4 处顺堤行洪险点完善了防护措施。至此,除北金堤仲子庙、赵升白、八里庙三座险闸外,山东黄河委编在册险点全部消除完毕。

山东黄河第一处遥测水位站建成

12 月 山东黄河第一处遥测水位站在东平湖老湖二道坡建成并投入使用。该遥测水位站系统具有快捷、无人值守的特点,每半小时自动测报一次水位,观测数据由计算机记录并进行处理,提高了测报精度,减轻了观测人员的劳动强度。

黄河水量统一调度成效显著

12 月 本年是新中国成立以来黄河第二个严重枯水年份,黄委通过“精心预测、精心调度、精心监督、精心协调”,实现了自 1991 年以来黄河首次全年不断流,改善了河口地区的生态环境,保证了城乡居民生活和工业用水,合理安排了农业用水，还完成了向天津市调水 8.66 亿立方米的任务，使有限的水资源得到合理配置和有效利用，取得明显效益。总理朱镕基对黄河、黑河、塔里木河的调水给予了高度评价，称之为“一曲绿色的颂歌，值得大书而特书”，建议分别写成报告文学在报纸上发表。副总理温家宝批示：三条河的调水为河流水量的统一调度和科学管理提供了宝贵的经验。

2001 年

山东河务局获黄委目标管理先进单位

1 月 3 日 山东河务局获黄委 2000 年度目标管理先进单位三等奖。

山东治黄工作会议召开

1 月 10～12 日 山东治黄工作会议召开。山东省副省长陈延明、黄委副主任徐乘到会指导并讲话。山东河务局副局长袁崇仁做了题为《面向新世纪，迎接新挑战，努力开创山东治黄事业新局面》的报告。报告总结了 2000 年的治黄工作成绩：(1)实施防洪工程建设责任制和质量监管，进一步深化三项制度改革，全面完成了 1999 年汛后工程和 2000 年第一期工程项目建设；(2)加大科技投入 112.2 万元，开展防汛抢险新技术、新机具等研究和应用工作，有 3 项成果获黄委科技进步奖，22 项成果获山东河务局科技进步奖；(3)精神文明建设深入发展，谢寨闸管所等 7 个单位被命名为黄委精神文明建设示范窗口，垦利县河务局等 6 个单位分别晋升为省、市、县级文明单位。2001 年各项任务目标为：一是全面做好防汛工作，确保黄河安全度汛；二是高标准高质量地完成防洪工程建设任务；三是推进经济快速、健康发展；四是切实搞好引黄供水，确保黄河不断流；五是加快科研步伐，努力提高治黄科技含量；六是以机构改革为契机，全面推行人事劳动制度改革。为确保上述任务的完成，与各市河务(管理)局签订了 2001 年目标任务书和引黄供水责任书。

山东河务局科技项目获黄委科技进步奖

1 月 16 日 黄委黄科外[2001]1 号文颁布 2000 年度科技进步奖。山东河务局“防汛抢险钢桩及快速旋桩机研制”、利津县河务局“挖塘机和汇流泥浆泵组合输沙系统”、滨州市河务局“软帘展开机具研制”项目获黄委科技进步三等奖。

山东黄河安全度过凌汛

1 月 19 日 下游气温回升，流凌密度逐渐减少，黄河凌汛结束。凌汛期黄河下游出现了 20 世纪 50 年代以来第四个低温年份，累计负气温达 129℃，但未形成封河。其原因是多方面的，初步分析，小浪底出库流量大、水温比常年偏高 2℃左右等是主要原因。

黄河、海河通信联网工程验收

2 月 2 日 聊城至临清 480 路数字微波通信工程通过水利部信息中心验收。至此，黄河、海河两大流域通信专网顺利实现对接，水利部、黄委和海委之间的电话实现即时直拨。

船舶工程处中标“百船工程”部分项目

2 月 7 日 山东河务局船舶工程处在国家河湖疏浚挖泥船建造项目（即百船工程）招标中，中标建造辅助船，中标金额 612 万元。同年 3 月，船舶工程处第二次中标承造挖泥船排泥管 11000 米，中标价 420 万元。2000 年 9 月，船舶工程处还曾中标建造三门峡 630 千瓦射流清淤船 2 艘，中标价 496 万元。

山东河务局等被评为调水先进集体

2 月 15 日 在水利部召开的黄河、黑河、塔里木河调水和引黄济津总结表彰大会上，山东河务局被评为黄河调水先进集体，聊城市河务局被评为引黄济津先进集体。

杜玉海任山东河务局总工程师

2 月 16 日 黄委黄任[2001]2 号文任命杜玉海为山东河务局总工程师。

山东黄河驻济单位发放考勤奖和目标管理奖

2 月 21 日 山东河务局鲁黄人劳发[2001]8 号文《转发〈山东省人事厅、财政厅关于给驻济省直机关事业单位工作人员发放考勤奖和目标管理奖的通知〉的通知》，经黄委同意，自 2000 年 12 月 1 日起，为驻济单位在职职工发放考勤奖和目标管理奖。

山东河务局召开经济工作会议

2月20～21日 山东河务局在济南召开经济工作会议,局属单位、局机关部门负责人参加了会议。副局长杜宪奎做了《认清形势,坚定信心,努力开创山东黄河经济发展新局面》的报告。2000年全局实现经济总收入8.77亿元,其中工程施工6.5亿元,占总收入的74%;职工人均货币收入比"八五"计划期末增长131%;企业队伍逐步扩大,近几年投资新建和改制改建企业达到30多家;新组建工程有限责任公司5家,注册资本累计8143万元;全局独资和参股经营浮桥8座,实现收入1000余万元。会议提出2001年要确保全局经济总收入9亿元。其中,引黄渠首水费力争全额收取,跨河交通等新经济增长点收入实现翻番,第一、三产业收入比上年增长10%,第二产业确保承揽外部工程额3亿元。副局长袁崇仁对2001年全局经济发展工作提出具体要求。

防洪工程施工招标工作委托代理机构进行

2月 为全面贯彻《中华人民共和国招标投标法》,规范招投标工作,山东河务局所属各建设单位防洪工程建设施工,开始实行委托招标代理机构组织进行招标工作,首批项目委托黄河技术工程开发公司负责,包括放淤固堤、险工改建等22项工程,共20个标段。

山东黄河纪检监察工作会议召开

3月21～22日 山东黄河2001年纪检监察工作会议在济南召开。会议传达贯彻了中央纪委五次全会、山东省纪委四次全会和黄委纪检监察工作会议精神。会议总结了2000年山东河务局党风廉政建设和反腐败工作,部署了2001年反腐倡廉任务。黄委党组成员、纪检组长冯国斌,省纪委二室副主任李文清出席会议并讲话;局党组成员、纪检组长王澄方做了题为《统一认识,强化责任,狠抓落实,努力取得我局反腐败斗争新成效》的报告;局领导按照分工,与各市河务(管理)局、局直单位主要负责人签订了2001年党风廉政建设责任书。山东河务局领导,各市河务(管理)局局长、纪检组长、监察(监审)处(科)长,各县(市、区)河务(管理)局局长等参加了会议。

全省水利暨防汛抗旱工作会议召开

4月18日 全省水利暨防汛抗旱工作会议在济南南郊宾馆召开。山东河务局副局长袁崇仁、郝金之和各市河务(管理)局局长、有关部门负责人参加了会议。副省长陈延明出席会议并讲话。袁崇仁在会上就全面做好黄河防汛抗旱工作做了发言。

陈延明指出:黄河防汛始终是山东防汛工作的重中之重,是首位的任务。黄河的事情就是山东的事情,要尽最大努力,同河务部门一起把黄河建设好。陈延明代表省政府与沿黄分管市长签订了黄河防汛责任书。

山东黄河电子技术公司破产

4 月 23 日 山东黄河电子技术公司宣布破产。因经营不善,济南市中级人民法院民事裁定书([1998]济中经破字第 1－4 号)裁定:终结山东黄河电子技术公司破产还债程序,未得到清偿的债权不再清偿。

郭学鑫等获“富民兴鲁”劳动奖章

4 月 29 日 山东黄河工程局郭学鑫被山东省总工会授予山东省“富民兴鲁”劳动奖章;德州市河务局阴河河务段被山东省总工会授予山东省“富民兴鲁”劳动奖状。

山东黄河水泥厂竣工验收

5 月 17～18 日 黄委在聊城市召开了山东黄河水泥厂竣工验收会议。由黄委规划计划局、经济办公室、财务局、审计局、档案馆,山东河务局特邀专家等共 22 人组成竣工验收委员会,对山东黄河水泥厂进行了竣工验收。会议认为,山东黄河水泥厂达到了设计生产指标,土建、机电设备质量合格,生产工艺符合要求,同意竣工验收。

山东黄河水泥厂是原东银铁路局的转产项目,建设规模为年产 10 万吨硅酸盐水泥,采用机械立窑生产工艺。1996 年 1 月至 1997 年 8 月主体工程建设完工。

调整山东省防汛抗旱指挥部领导成员

6 月 5 日 山东省政府防汛抗旱指挥部鲁汛旱字[2001]16 号文公布调整后的防汛抗旱指挥部领导成员。

指挥:李春亭(省长);常务副指挥:陈延明(副省长);副指挥:侯英民(省政府副秘书长)、袁崇仁(山东河务局副局长)、宋继峰(省水利厅厅长)、吴建初(济南军区作战部副部长)、秦江昌(省军区副司令员)、王军民(省建设厅厅长);成员由山东河务局副局长郝金之及有关厅局、济南军区空军、山东省武警总队等单位负责人组成。

山东河务局机关实现互联网宽带接入

6月6日　山东河务局与山东电信公司济南分公司正式签署协议,采用100兆IP专线连接方式,实现互联网的宽带接入。至此机关局域网用户可随时登陆互联网进行信息查询。

黄河水量调度会议召开

6月14日　山东黄河水量调度会议在德州市河务局召开。由于近期旱情持续发展,黄河来水偏枯,引黄供需矛盾突出。为合理分配调度水量,根据黄委制订的调度方案,6月中下旬、7月上旬,小浪底水库分别按650、500、500立方米每秒下泄,进入高村水文站流量分别为330、340、310立方米每秒。水量调度的工作重点是解决城市生活用水,并确保黄河不能断流。

袁崇仁任山东河务局局长

6月14日　水利部人教干[2001]40号文批复:经部党组研究同意,袁崇仁任山东河务局局长、党组书记。

石春先检查山东黄河防汛工作

6月15～19日　黄委副主任石春先率检查组,在山东河务局局长袁崇仁等陪同下,对黄河防汛准备工作进行全面检查。

检查组听取了沿黄各市河务(管理)局及有关县(市、区)河务(管理)局的防汛准备工作汇报,察看了黄河河道和工程情况,并到部分度汛工程施工工地、防汛仓库、县河务(管理)局、河务段、机动抢险队驻地、水文站等检查防洪工程建设、防汛物资储备、分滞洪区运用准备、防汛预案的制订和机动抢险队、防汛通信建设、水情观测等情况,并于19日下午召开了由各市、县(市、区)河务(管理)局长参加的座谈会,袁崇仁等就防汛准备工作和整体工作开展情况进行了全面汇报。

王昌慈任山东河务局副局长

6月25日　中共黄委党组黄党[2001]39号文通知,经研究并征得中共山东省委和水利部同意,王昌慈任山东河务局副局长、党组成员。

清 3 控导工程采用钢筋混凝土插板桩新技术

6 月 30 日 清 3 控导工程完工。根据《黄河入海流路治理一期工程项目建议书》安排，在清 3 断面附近新建清 3 控导工程，设置坝垛 26 段，其中 11～16 号坝采用了钢筋混凝土插板桩结构。设计板桩厚 0.3 米，深 13 米，板桩临水侧为土袋枕上压乱石护根；背面顶部设置拉杆（直径 32 毫米钢筋）及混凝土锚桩。工程于 2001 年 3 月 1 日开工，由胜利油田投资建设。

杨集上延控导工程建成

7 月 6 日 杨集上延控导工程基本建成。为控制河槽溜势，调整杨集险工出溜方向，进一步改善下游韩胡同、伟庄河段的河势，经黄委批准，于 1996 年 6 月开始建设郓城县杨集上延控导工程。至 2001 年 7 月，历经 5 年，先后修建 13 道坝、5 个垛。工程长度 1310 米，坝顶宽 15 米，坝顶高程按当年当地 5000 立方米每秒流量相应水位超高 1 米。所有坝岸均为乱石结构，其中 1～8 号坝和 -1～-5 号垛采用传统的柳石进占方式施工，9～13 号坝采用土工格栅堆石进占施工。

李国英等到山东河务局指导工作

7 月 17～21 日 黄委主任李国英、副主任徐乘，人事劳动局局长李新民一行到山东河务局指导工作。17 日在山东河务局离退休局级干部及处以上干部会议上，李国英讲话指出：山东黄河经过几十年建设，尤其是 1998 年中央实施积极财政政策以来，加快了建设步伐，各方面都取得了很大成绩。但黄河山东段还存在很多问题：一是山东河段的防洪任务艰巨，防洪形势严峻。二是河口治理问题。三是建立起一套现代化径流调节分配管理系统，确保河口地区不断流。四是大力开展多种经营，通过创收稳定队伍，提高职工的生活水平。

18～21 日，李国英一行拜访了省委、省政府和济南军区的领导，先后在副省长陈延明和局长袁崇仁、副局长郝金之等陪同下，到济南、滨州、东营、东平湖等地检查指导工作。

黄河下游通信工程竣工验收

7 月 22～26 日 黄委在郑州召开了黄河下游河南河段、山东河段通信工程竣工验收会，对黄河下游地（市）河务局至县级河务局通信工程和县级河务局以下 ETS450 无线接入通信工程等进行竣工验收。国家防总办公室、水利部水利信息中心等有关单位的专家以及黄委副主任廖义伟、副总工程师薛松贵等参加了会议。

李希宁等享受教授、研究员待遇

7月25日　山东河务局鲁黄人劳[2001]54号文通知:经水利部工程系列高级专业技术职务评审委员会2001年5月19日评审通过,李希宁、鲁泽秀、赵世来、毕东升、孔国锋、董永全、郭学鑫被批准为享受教授、研究员同等有关待遇的高级工程师,其有关待遇自评委会通过之日起执行。

东平湖汛情紧张

7月31日~8月6日　由于汶河流域连降暴雨,汶河洪水注入东平湖,31日20时老湖水位达到42.5米的警戒水位,为确保东平湖防洪安全,经请示省政府同意,20时开启陈山口、清河门出湖闸向黄河泄水。8月1日12时,戴村坝流量为1050立方米每秒,东平湖水位持续上涨。2日8时,老湖水位为43.05米,而出湖河道由于黄河水倒灌淤积,向黄河泄水流量仅160立方米每秒。根据省长李春亭关于加大流量向黄河泄水,保持入出湖平衡的指示,采用长臂挖掘机、爆破等措施对出湖河道进行开挖、疏通。8月4日,泰莱地区再次出现强降雨过程,5日10时戴村坝出现洪峰流量2610立方米每秒,19时东平湖老湖水位上涨到44.07米,相应蓄水量7.09亿立方米,超警戒水位1.57米。20时35分,再次对出湖河道进行爆破疏通。8月6日8时东平湖老湖水位达44.34米,相应蓄量7.55亿立方米,超警戒水位1.84米。8月7日东平湖老湖水位达到44.38米,为建库以来最高水位。陈山口、清河门两出湖闸8月8日最大出湖流量达到670立方米每秒。

李春亭视察济南段黄河防汛工作

8月1日　中共山东省委副书记、省长李春亭,副省长陈延明,带领省政府办公厅、山东河务局、省计委、财政厅、水利厅等有关部门负责人,视察了济南段黄河防汛工作。李春亭指示:目前防汛形势不容乐观,要从难从严要求,随时准备抗大洪,抢大险。省委副书记兼济南市市委书记孙淑义、济南市市长谢玉堂陪同视察。

戴村坝工程被冲毁

8 月 1 日 戴村坝中段乱石坝被冲毁。由于汶河流域连降暴雨，戴村坝过水。本日 8 时 30 分，戴村坝中段乱石坝根石走失，坝体自下而上逐渐滑塌，9 时冲毁坝体宽 50 米，10 时缺口宽度达 100 米。4 日 21 时戴村坝过水明显增加，23 时 40 分滚水坝过水，5 日 0 时 30 分玲珑坝过水。8 月 5 日 10 时戴村坝最大流量为 2610 立方米每秒，相应水位 45.89 米。乱石坝垮坝以后，在玲珑坝前形成顺坝水流，导致玲珑坝南段上游 20 米范围砌石坍塌。洪水漫坝期间，玲珑坝下游坦坡 50 米范围坝身淘空，滚水坝后根石全部走失，并坍塌形成高约 2.5 米立面。乱石坝溃决以后，东平湖管理局及时采取措施对缺口两端进行了抢护，减少了缺口的扩展，本次洪水坝体冲毁宽度最终约达 130 米。

戴村坝始建于明永乐九年（公元 1411 年），主要作用是横拦汶水，分流南北以济漕运，已有 670 多年的历史，不仅具有重要的文物价值，而且目前仍具有拦沙、控制河势和引水灌溉的作用。乱石坝溃决，除了工程自身年久老化，下游大清河的无序采砂也是主要原因之一。垮坝以后，坝身内部的桩、石、填土等结构暴露于世，对研究古水利建筑有重要价值。

吴官正等赴陈山口指导东平湖抗洪抢险

8 月 5 日 中共山东省委书记吴官正召集省防汛抗旱指挥部有关成员单位负责人，听取防汛情况汇报。当天，省长李春亭，副省长林廷生、陈延明到东平湖检查指导抗洪抢险工作。6 日上午 9 时，吴官正到陈山口出湖河道疏浚现场察看开挖、爆破情况，要求抓紧时间疏浚河道，增大泄洪能力，降低东平湖水位，确保安全度汛。李春亭再次召开会商会，研究东平湖防洪工作。6 日晚黄委副主任廖义伟从郑州专程赶到东平湖指导抗洪抢险工作。黄委及山东河务局派出防汛督察组到东平湖实施防汛督察。

东平湖八里湾出险

8 月 7 日 1 时东平湖老湖水位达 44.38 米，为新的建库以来历史最高水位（1990 年最高水位为 43.72 米），超警戒水位 1.88 米，相应蓄量 7.61 亿立方米。14 时 40 分，东平湖老湖湖面突起八级大风，涌浪高达 4 米，持续约 40 分钟。当时尚未加高的八里湾闸缺口段（顶高程 46 米）出现漫顶和坍塌险情，巨浪顺老湖石护坡越过堤顶，浪花飞过高出水面近 5 米的老八里湾闸机房顶。正在准备吊装运往出湖河道清淤疏浚的两只吸泥船和一只拖轮被大浪涌上石护坡,遭受重创,继而沉没湖中,造成严重损失。大堤经奋力抢护,紧急抢修子堰,保证了堤防安全,到水位退落,未再出险。

宋允胜被批准具备主任医师任职资格

8月20日 山东河务局鲁黄人劳发[2001]44号文通知,经水利部委托国家电力公司卫生系列高级专业技术资格评审委员会2001年4月6日评审通过,水利部[2001]职改办函字第36号批准,宋允胜具备卫生系列主任医师专业技术资格。

温家宝考察东平湖

9月6日 国务院副总理温家宝在水利部部长汪恕诚、山东省省长李春亭、山东河务局局长袁崇仁等陪同下,察看了南水北调东线和东平湖的有关工程及防汛准备工作。

在八里湾二级湖堤上,陪同人员向温家宝汇报了东平湖的基本情况,以及8月份东平湖老湖发生44.38米历史最高洪水位时,防洪工程多处出险,各级各部门密切配合,广大参战军民发扬抗洪精神,及时抢护各类险情,确保防洪工程和人民群众生命财产安全等情况。温家宝对战胜东平湖洪水非常满意。

土地开发工作会议召开

9月11~14日 山东河务局召开土地开发工作会议。副局长杜宪奎在《提高认识,强化措施,推动土地开发工作再上新台阶》报告中指出,经过多年努力,黄河淤背区开发已取得显著成效。全局打机井140眼,建扬水站40座,水利配套面积近2万亩,基本形成以林、果、苗、菜为主体的种植结构。现有生态林1.03万亩,培育苗木3000余亩,发展果树3100亩,土地开发的经济效益有了较大提高。局长袁崇仁就土地开发工作做了总结讲话。

贾振余等职务任免

9月17日 中共黄委党组黄党[2001]50、51、52号文通知,通过公开选拔,经研究并征得水利部人教司同意:贾振余任河口管理局局长、党组书记(试用期一年);李传顺任济南市河务局局长、党组书记(试用期一年);司毅民任东平湖管理局局长、党组书记(试用期一年)。王昌慈不再担任河口管理局局长、党组书记职务。

利津黄河公路大桥建成通车

9月26日 利津黄河公路大桥建成通车。该桥位于黄河大堤左岸桩号309+050,右岸桩号205+480,为连续双塔斜拉桥,大桥全长1350米,主桥长630米,最大跨度310米,共23孔,桥面宽20.8米,设计流量11000立方米每秒,双向四车道,荷载为汽-超20级。1999年6月开工,总投资2.03亿元。

引黄济淄工程建成通水

9月28日 引黄济淄工程建成通水。该工程自高青刘春家引黄闸引水,设计向淄博市日供水50万吨。1990年3月开始动工兴建,1993年6月因故缓建,2000年10月重新启动建设,一期工程为日供水25万吨,年引黄河水1.1亿立方米,工程投资1.2亿元。

国那里引黄闸改建工程竣工验收

10月20日 梁山国那里引黄闸改建工程竣工验收。该闸位于临黄堤右岸桩号337+127处,闸型为一联三孔钢筋混凝土箱式涵洞,每孔净宽3米,净高4.25米,设计引水流量45立方米每秒,灌溉面积50万亩。该闸原建于1966年12月,因防洪标准不足,于2000年2月23日开工改建,9月20日主体工程完成,12月30日竣工,工程总投资1411.14万元。

黄河、大清河、东平湖安全度过汛期

10月 本年黄河为严重枯水枯沙年,花园口水文站汛期最大流量1380立方米每秒,相应水位92.82米,进入高村水文站最大流量861立方米每秒,相应水位62.67米,总水量34.16亿立方米,总沙量0.26亿吨,分别比多年平均偏少85.03%和97%。

汶河(6～9月)戴村坝水文站来水9.62亿立方米,较多年平均偏多8.3%。7月下旬至8月上旬,汶河流域连续出现强降雨过程,8月1日戴村坝水文站出现洪峰流量1050立方米每秒;5日10时,戴村坝水文站洪峰流量达2610立方米每秒;7日1时东平湖水位最高达44.38米(相应蓄量7.61亿立方米),超警戒水位1.88米,为建库以来最高水位。此次洪水造成大清河滩区、东平湖老湖区8个乡(镇)受灾,受灾涉及人口9.62万人;淹没农作物5.53万亩;淹没水产养殖2万亩;损坏提(扬)水泵站31座;倒塌房屋2000间;淹没交通道路12公里。共造成直接经济损失1.428亿元。

汶河洪水发生后，黄河防总、中共山东省委、省政府、济南军区、省军区各级领导非常重视，亲临汶河和东平湖指挥部署抗洪抢险。黄河专业队伍、群众防汛队、解放军、武警部队等有 1.88 万人投入抗洪抢险。

黄河、大清河和东平湖先后共抢护各种险情 48 处，确保了防洪工程安全。黄河工程抢险共用石 0.54 万立方米，铅丝 3.47 吨，土方 0.02 万立方米，用工 0.25 万工日，投资 54.41 万元。大清河和东平湖抗洪抢险（不含金山坝）共用石 2.33 万立方米，土方 9.14 万立方米，铅丝 29.25 吨，柳料 10.2 万公斤，木桩 8250 根，袋类 33.53 万条，炸药 56 吨，雷管 2 万枚，启爆线 2 万米等，累计用工 19.18 万工日，机械台班 2.33 万个，防汛抢险费用 1879.86 万元。

黄河河口挖河固堤工程开工

11 月 5 日　黄河河口挖河固堤工程开工。该工程包括挖河段和疏通段两部分，分别位于垦利县义和险工至朱家屋子断面（挖河段）和 6 断面至清 3 断面（疏通段）。挖河段长度 9.7 公里；疏通段设计共 5 段，长 9.16 公里。设计挖河工程量 318.67 万立方米，加固大堤 5 段 8.13 公里。该工程经过前期施工准备工作，9 月 30 日，山东河务局批复工程开工。10 月 1 日，监理机构正式下达了开工令。2002 年 4 月 30 日全体工程完成。

徐乘来山东黄河调研

11 月 10～12 日　黄委副主任徐乘带领委机关有关人员，对山东河务局经济工作进行调研。在局长袁崇仁、副局长杜宪奎陪同下，先后到莘县河务局，东平湖管理局，济南、滨州市河务局进行座谈。察看了槐荫、历城区河务局冬季植树、浮桥建设和惠民县河务局、滨城区河务局淤区开发种植、生态林建设、北镇河务段花卉园及钢铝设备公司生产经营情况等。12 日下午，徐乘一行在山东河务局机关召开座谈会。杜宪奎汇报了山东河务局主要工作情况、存在的主要问题与建议。

徐乘对山东河务局的经济工作总结了三个特点：经济实力不断增强；职工生活不断改善；职工收入不断提高。

黄河位山引黄闸再次向河北省送水

12 月 12 日　本日 10 时，2001 年度引黄入卫调水工作正式开始。这次调水，将从渠首位山引黄闸引水 1.45 亿立方米，计划引水 25 天。

至 2002 年 1 月 4 日位山闸关闸，调水历时 24 天，累计供水 1.45 亿立方米，相应的河北省刘口闸 1 月 7 日收水 1.34 亿立方米。

山东黄河治理学术研讨会召开

12 月 19 日　山东河务局在济南召开了山东黄河治理学术研讨会。局长袁崇仁、副局长郝金之、工会主席刘大练、总工程师杜玉海和部分老领导、老专家，各市局、局直单位分管领导或技术负责人，机关业务处室负责人和技术人员，以及论文作者代表等 60 余人参加了会议。会议共收到学术论文 118 篇，内容涉及山东黄河综合治理、水文水资源、防汛抢险、工程建设及管理、河道整治、东平湖和河口治理开发等方面。与会人员还围绕部长汪恕诚提出的“四个不”（堤防不决口、河道不断流、水质不超标、河床不抬高）和黄委主任李国英提出的“如何实现黄河长治久安”进行了深入探讨。

黄河全年未断流

12 月 19 日　黄委召开新闻发布会，正式宣布黄河首次实现全年和全河段水量统一调度，2001 年黄河再次实现全年未断流。

《延长黄河口清水沟流路行水年限的研究》通过鉴定

12 月 28 日　《延长黄河口清水沟流路行水年限的研究》成果在济南通过专家鉴定。该项研究列入国家“八五”科技攻关计划增补项目，东营市黄河口泥沙研究所和黄河河口治理研究所、青岛海洋大学、中国水电科学研究院、山东河务局等单位参加了课题研究。通过各个专题的科学研究，取得了一系列研究成果。由中国工程院院士、中国科学院院士、清华大学教授等专家组成的鉴定委员会一致认为，这项专题研究成果总体上达到了国际领先水平，对全面推动黄河三角洲的建设、发展和实现黄河下游的长治久安都具有重要的应用价值；建议今后进一步加强黄河口演变及近海水流泥沙运动观测和分析，同时把实施导流工程、疏浚河道、高水位分洪和海岸防护作为河口治理的二期工程做进一步研究。

副省长韩寓群出席鉴定会议并讲话，项目主要负责人、省政协副主席李殿魁做了项目工作总结报告。

2002 年

徐乘来山东河务局慰问

1 月 3 日　黄委副主任徐乘一行在局长袁崇仁等陪同下,先后到基础工程处、船舶工程处等困难单位进行走访慰问,并带去了慰问金。

山东河务局被评为目标管理先进单位

1 月 5 日　在黄委召开的 2002 年全河工作会议上,山东河务局被评为 2001 年度目标管理先进单位一等奖。

刘长新被授予水利系统劳动模范称号

1 月 10 日　人事部、水利部人发[2002]5 号文决定授予济南市天桥区河务局刘长新全国水利系统劳动模范称号。

山东黄河安全度过凌汛

1 月 15 日　封冻河段全部开通,黄河凌汛结束。凌汛期气温偏暖,呈现前冬冷、隆冬和后冬暖的特点。2001 年 12 月 14 日凌晨,河口地区最低气温达 −8～−11℃,十八公里险工首先封河。1 月 2 日,封冻上首延至济阳县葛家店引黄闸,共封冻 34 段,总长 104.6 公里。此后,气温不断回升,封冰逐渐融化。

山东黄河工作会议召开

1 月 21～23 日　山东河务局召开工作会议。各市、县(区)河务(管理)局、河务段、闸管所、局直单位负责人参加会议。副省长陈延明到会指导。局长袁崇仁全面回顾总结了 2001 年治黄工作取得的主要成绩,并对 2002 年治黄工作进行了部署。对 2002 年治黄任务的总体要求是:以防洪保安全为中心,以防洪工程建设、发展经济和水资源管理调度为重点,深化改革,强化管理,扎实工作,加快发展,确保各项目标任务全面完成。

会议还表彰了 2001 年目标管理先进单位和部门,与各市河务(管理)局签订了 2002 年目标任务书。

标准化堤防建设座谈会召开

2 月 22 日　山东河务局召开黄河防洪标准化堤防建设座谈会,济南、菏泽市河务局及勘测设计院等单位有关人员参加了会议。按照黄委部署,山东河务局第一批标准化堤防建设先在菏泽、济南市河务局所辖部分堤段实施。在会议上,设计院介绍了标准化堤防建设规划情况,济南、菏泽市河务局汇报了标准化堤防建设段的基本情况,山东河务局就标准化堤防建设的前期工作提出了要求。

路干排水闸改建工程竣工

2月 垦利县路干排水闸改建工程竣工。该闸位于南展堤桩号36+950处,主要作用为南展宽区内排涝,闸型为一联三孔钢筋混凝土箱式涵洞,孔高、宽各2.0米,设计流量15立方米每秒,加大流量25立方米每秒,投资266.74万元。

黄河下游“十五”防洪工程建设可行性研究项目审查

3月4～8日 水利水电规划设计总院组织审查人员对黄河下游“十五”防洪工程建设可行性研究山东段项目进行现场查勘。根据水利部安排,由水利水电规划设计总院对黄委编制的《黄河下游2001年至2005年防洪工程建设可行性研究报告》(以下简称“十五”可研)进行审查。现场查勘组由水利水电规划设计总院副院长王治明、水利部政法司巡视员张林祥等16位专家组成,在黄委副主任石春先、副总工程师胡一三,山东河务局局长袁崇仁等陪同下,先后查勘了济南、滨州市河务局、河口管理局、东平湖管理局、菏泽市河务局的部分防洪工程建设项目。

3月18日,“十五”可研在北京通过水利水电规划设计总院审查。

山东黄河水量调度座谈会召开

3月8日 山东河务局召开山东黄河水量调度座谈会。各市河务(管理)局、水利局、山东黄河水文水资源局、山东河务局有关处室负责人参加了会议。会议回顾总结了2001年黄河水量调度情况,对2002年黄河水量调度工作进行了部署。自1999年3月1日实施黄河水量统一调度以来,黄河水量的调度手段和调度措施逐渐完善,实现了全河水量统一调度,推行了“订单供水”等新的水量调度办法,使有限的黄河水资源发挥了最佳效益,确保了黄河不断流,为山东经济和社会发展作出了巨大贡献。

“防汛抢险钢桩及快速旋桩机研制”项目获省科技进步奖

3月14日 山东省政府鲁政发[2002]20号文决定,根据《山东省科学技术进步奖励试行办法》的规定，经省科技进步奖评审委员会评审，山东河务局与山东工程学院（后更名为山东理工大学）合作的“防汛抢险钢桩及快速旋桩机研制”项目被授予省科技进步三等奖。

水利经营工作会议召开

3月17日　山东河务局在济南召开水利经营工作会议，各市河务（管理）局分管经济的副局长、经办主任，局直各单位负责人等参加了会议。会议对经济工作先进单位和个人进行了表彰，就资产管理安排了专家专题讲座，明确了山东黄河的水利经营要立足黄河水资源、淤背区土地、工程施工、跨河交通和水利政策五大优势，加快水利经营发展步伐。副局长杜宪奎作了《适应新形势，迎接新挑战，加快山东黄河水利经营工作发展步伐》报告，与各市河务（管理）局、局直属单位签订了2002年目标责任书和经营合同，局长袁崇仁做了会议总结。

黄河防洪工程建设管理工作会议召开

3月31日　山东黄河防洪工程建设管理工作会议在济南召开，各市局分管局长、总工程师、工务（河务）处（科）长，局直有关单位负责人参加会议。会议总结了2001年的基本建设工作，安排部署了2002年的防洪工程建设任务。副局长郝金之做了《与时俱进，扎实工作，开创山东黄河防洪工程建设管理工作新局面》的工作报告。袁崇仁做总结讲话。会议还表彰了先进，签订了防洪工程建设目标责任书和质量目标责任书。

防汛调度决策指挥支持系统通过验收

3月　“山东黄河防汛调度决策指挥支持系统”通过专家验收。该系统为山东河务局与河海大学计算机及信息工程学院合作，自2001年初开始，在“山东黄河防汛信息管理系统”的基础上开发完成。

刘栓明不再担任山东河务局副局长

4月1日　中共黄委党组黄党[2002]14号文通知，免去刘栓明山东河务局副局长、党组成员职务。

何文垣到山东黄河考察工作

4月2～4日　水利部总工程师何文垣一行在黄委副主任廖义伟、副总工程师胡一三和山东河务局副局长郝金之、总工程师杜玉海等陪同下，考察了东平湖石洼进湖闸、清河门出湖闸和戴村坝工程，泺口旅游景点建设情况、盖家沟险工、河口拦门沙等，对戴村坝修复、泺口堤段的建设开发及河口治理工作提出了指导性意见。

山东河务局党组作出开展向刘长新学习的决定

4 月 9 日 中共山东河务局党组作出《关于开展向济南市天桥区黄河河务局局长刘长新同志学习的决定》，要求全体党员干部特别是领导干部学习刘长新廉洁勤政、心系群众、勇于创新、与时俱进、真抓实干、艰苦奋斗，在平凡的岗位上乐于奉献的先进事迹。

张高丽到东明高村险工视察

4 月 10 日 省长张高丽在菏泽市市委书记李明先、市长陈光等陪同下视察了东明县黄河高村险工。菏泽市河务局局长王春迎现场介绍了菏泽黄河河道、防洪工程及滩区情况，张高丽详细询问了防洪工程建设、防汛准备及滩区建设、滩区人民生产生活等情况。

戴村坝修复工程开工建设

4 月 13 日 2001 年汛期戴村坝被冲毁后，同年 11 月 29 日，山东河务局以鲁黄工发[2001]144 号文上报《东平湖戴村坝修复应急工程项目建议书的请示》，黄委以黄规计[2002]77 号文《关于东平湖戴村坝修复应急工程度汛方案的批复》和黄规计[2002]192 号文《关于东平湖戴村坝修复工程初步设计的批复》批准戴村坝修复。鉴于修复工程量较大，同意先实施 2002 年度汛工程，后完成全部工程。该工程设计洪水 7000 立方米每秒，主要建筑物级别为 3 级。工程由黄委勘测规划设计研究院设计，主要内容包括：恢复被冲垮的乱石坝，同时对滚水坝、玲珑坝加固，在三坝下游增加消能防冲设施；对窦公堤进行整修加固，在灰土坝下游增加消能设施；对南引堤进行培修加固以及修做必要的管理设施等。2002 年 4 月 13 日至 8 月 14 日完成应急度汛修复工程；同年 10 月 25 日至 2003 年 8 月 17 日完成主体工程。

李国英向山东省政府通报黄河治理规划意见

4 月 17 日 黄委主任李国英专程到济南，向山东省政府通报黄河治理开发的总体规划和黄河近期标准化堤防建设的实施意见。副省长韩寓群、陈延明及省计委、水利厅、国土资源厅、济南市、泰安市、菏泽市等有关单位负责人出席通报会。

李国英从黄河治理开发面临的形势和机遇、治黄的基本思路、总体布局和近期目标、黄河近期治理的主要措施等几个方面,向省政府通报了黄河治理开发的总体规划。袁崇仁就山东黄河标准化堤防建设问题做了详细汇报。韩寓群就标准化堤防建设涉及的工程用地和群众拆迁等问题提出指导性意见。

董桂英获山东省"富民兴鲁"劳动奖章

4月 山东河务局船舶工程处董桂英(女)被山东省总工会授予山东省"富民兴鲁"劳动奖章。

朱尔明到东营考察黄河

5月1~2日 水利部原总工程师朱尔明在山东河务局局长袁崇仁、河口管理局局长贾振余等陪同下,实地考察了"河口模型"地址、黄河三角洲自然保护区。朱尔明指出,黄河口有独特的地理优势,"河口模型"建在河口是正确的,要做好"河口模型"的考察论证工作。

山东河务局机关迁址

5月1~7日 山东河务局机关从青后小区4区1号搬迁到黑虎泉北路159号办公。

山东河务局开展交通安全百日竞赛活动

5月1日~5月8日 山东河务局在全局范围内开展了"交通安全百日竞赛"活动。全局有20个单位各类机动车辆、船只和工程机械2597辆(台)、3378名驾驶员、船员及操作人员参加了竞赛活动,有2512名参赛人员获奖。活动期间,对连续治黄驾龄15年以上,安全行车50万公里无事故的优秀驾驶员进行了评选和表彰奖励。评选出济南、淄博、滨州市河务局,山东黄河建筑材料局、山东河务局机关服务处、山东黄河工程局为2002年"交通安全百日竞赛"活动优胜单位。

东平湖退水入黄清淤工地发生意外伤亡事故

5月12日 菏泽市黄河工程局第三工程处在东平湖退水入黄河道清淤施工中,推土机司机(临时工)将一名在深60厘米的土坑内休息(睡)的工人掩埋,当地派出所认定属意外伤亡事故。参照省高级人民法院"关于审理人身损害赔偿案件若干问题的意见”,经协调给予死者家属一次性 10 万元经济赔偿;同时给予施工单位及其主要负责人经济处罚。

国家防总防汛检查团检查黄河防汛工作

5 月 14～16 日　国家计委副主任刘江带领国家防总防汛检查团,在黄委主任李国英、副主任廖义伟等陪同下,来山东检查黄河防汛工作。15 日下午,副省长陈延明主持汇报会,局长袁崇仁汇报了山东黄河防汛工作情况,李国英分析了黄河防汛面临的形势,刘江对山东黄河防汛工作给予了充分肯定,并对下步工作提出了明确要求。

16 日,检查团一行在陈延明、袁崇仁等陪同下,先后到济南、德州、东平湖检查防汛工作。重点察看了济南龙王庙渗水段、北店子险工,北展宽工程和东平湖流长河、金山坝、出湖河道开挖工地,并在检查中听取了各市河务(管理)局有关情况的汇报。

调整山东省防汛抗旱指挥部领导成员

5 月 16 日　山东省政府办公厅鲁政办发[2002]28 号文公布调整后的省防汛抗旱指挥部领导成员。

指挥:张高丽(省长);常务副指挥:陈延明(副省长);副指挥:王军民(省建设厅厅长)、侯英民(省政府副秘书长)、宋继峰(省水利厅厅长)、袁崇仁(山东河务局局长)、吴建初(济南军区作战部副部长)、李浩泉(省军区副司令员)。成员由山东河务局副局长郝金之等有关厅局、济南军区空军及山东省武警总队负责人组成。

安全生产委员会召开会议

5 月 17 日　山东河务局召开安全生产委员会全体成员会议,传达学习副总理吴邦国在全国安全生产电视电话会议上的讲话精神和国务院紧急通知以及副省长韩寓群在全省安全生产电视会议上的讲话精神;听取了局安全生产办公室关于 1～4 月份安全生产情况和近期重点抓好几项工作的汇报。副局长王昌慈就安全生产工作提出了意见和要求。

山东黄河经济发展管理局等单位成立

5 月 20 日　山东河务局鲁黄人劳发[2002]17 号文通知,根据黄委批复的《山东黄河河务局职能配置、机构设置和人员编制方案》,经研究决定:(1)成立山东黄河经济发展管理局(正处级),列入经营开发类事业单位;(2)成立山东黄河人才交流服务中心(正科级),列入社会服务类事业单位,由局人事劳动教育处负责管理;(3)成立山东黄河河务局机关服务部(正科级),列入社会服务类事业单位,由局办公室负责管理。

姚玉德等受省委、省政府表彰

5月22日　中共山东省委、省政府鲁委[2002]204号文,山东省政府鲁人办发[2002]64号文分别通报表彰全省抗洪抢险先进个人,山东河务局姚玉德荣立一等功;东平湖管理局刘辉荣立二等功。

王玉华等职务任免

5月22日　山东河务局鲁黄人劳发[2002]21号文任命王玉华为菏泽市河务局局长,原任职务同时解聘;王春迎不再担任菏泽市河务局局长职务。

黄委批复东平湖防洪运用指标

5月27日　黄委《关于东平湖防洪运用指标及管理权限等问题的批复》(黄汛[2002]5号):同意将东平湖老湖警戒水位由42.5米(大沽下同)提高到43.0米;老湖汛限水位7～9月为42.0米,10月份可提高到42.5米;老湖设计防洪运用水位为46.0米,由于八里湾闸改建尚未完成等原因,2002年老湖防洪运用水位为44.5米;新湖设计防洪运用水位为45.0米,由于围坝加固尚未完成,2002年新湖防洪运用水位为44.5米。

幸胜标等察看黄河防洪工程

6月5～7日　山东省军区副政委幸胜标、参谋长金培昌率领有关人员,先后实地察看了东明滚河防护工程、高村险工、苏泗庄险工加高工程、营房险工加高工程、八孔桥截渗墙、陈山口出湖河道开挖施工、井圈险工、南展宽等防洪工程。听取了各单位防汛情况的汇报,并作出了防守兵力部署。

张高丽主持召开全省防汛工作现场办公会议

6月12日　省长张高丽主持召开全省防汛工作现场办公会暨省防汛抗旱指挥部成员第一次会议,安排部署全省防汛工作。常务副省长韩寓群、副省长陈延明及省直有关部门负责人参加了会议。局长袁崇仁汇报了山东黄河防汛准备工作情况、存在的问题及建议,张高丽、陈延明、韩寓群先后在会上做了重要讲话。

张高丽在讲话中强调了三点意见:(1)各级要按照“三个代表”重要思想的要求,把解决水的问题放在突出的战略位置。(2)要从山东实际出发,认真做好统筹规划,加快山东水网建设,要增加投入,全面节水,加快建设节水型的社会。(3)防汛问题要早预测,早报警,早组织,要居安思危,特别是要确保黄河、内河、大中型水库、主要城市、主要交通干线的防汛安全,做好防汛应急预案准备和组织,确保安全。

黄河防总检查防汛准备工作

6月17～20日 黄委副主任廖义伟带领黄河防总防汛检查组一行8人在山东河务局副局长郝金之等陪同下,到菏泽、聊城、济南市河务局检查指导黄河防汛工作。实地察看了刘庄引黄闸、鄄城苏泗庄险工加高改建工程、东阿南桥控导上延工程和东阿县河务局防汛专用仓库等,听取了有关市河务局和山东河务局关于前段防汛准备情况汇报,廖义伟对黄河防汛工作提出了指导性意见。

东平湖出湖河道治理工程竣工

6月28日 东平湖出湖河道治理应急工程竣工。东平湖出湖河道连接清河门、陈山口出湖闸和黄河河槽,是东平湖排水入黄的主要通道。由于黄河水倒灌,近几年河道淤积严重,成为2001年汛期东平湖排水严重不畅的主要原因。为解决东平湖蓄洪后向黄河排水的问题,经黄委批准,对该河道进行疏浚治理,并列入2002年应急度汛工程。工程于5月11日开工,投入工程施工设备200台(套),占压土地1274亩,清除树木5.4万株,拆迁扬水站三处,疏浚河道长5474米,共完成开挖疏浚土方155万立方米,工程投资3086.43万元。

山东河务局积极做好调水调沙准备工作

6月28日 山东河务局成立了以局长袁崇仁为指挥,副局长郝金之为副指挥的调水调沙指挥部,成立了综合调度、工情、水情、水量调度、物资后勤、宣传报道、调水调沙巡视7个职能组。编制了小浪底水库调水调沙预案,对水沙调度、河道观测、工程抢险等提出了明确的操作要求。

根据黄委安排,小浪底水库进行首次调水调沙试验。为做好有关准备工作,山东河务局于4月2日和6月15日分别发出《关于做好小浪底水库调沙运用准备工作的通知》、《关于进一步做好小浪底水库调水调沙运用工作的紧急通知》,6 月 25 日又专题研究调水调沙和防洪工作的有关问题,6 月 26 日又再次发出紧急通知,对加强观测、资料整理等有关问题进一步明确了要求。

山东黄河水情网站建成使用

7 月 1 日　山东河务局防汛办公室开发的"山东黄河水情网站"投入使用。该网站由"水雨情信息管理系统"、"卫星云图传递与发布系统"组成,通过局域网连接,实现了水雨情、卫星云图信息和山东黄河防汛基本资料全河共享。

黄河首次调水调沙试验正式实施

7 月 4 日　黄河首次调水调沙试验正式实施。黄河首次调水调沙试验总指挥、黄委主任李国英宣布小浪底水库开闸泄水。

此次试验采用的流量是花园口水文站 2600 立方米每秒,小浪底水库出库含沙量不大于 20 公斤每立方米。试验从本日 9 时小浪底水库开闸开始,到 7 月 15 日 9 时停止按试验流量控泄,历时 11 天。实际平均下泄流量为 2740 立方米每秒,下泄总水量 26.1 亿立方米,其中河道入库水量为 10.2 亿立方米,小浪底水库补水 15.9 亿立方米(汛限水位以上补水 14.6 亿立方米),出库平均含沙量为 12.2 公斤每立方米。花园口水文站 2600 立方米每秒以上流量持续 10.3 天,平均含沙量为 13.3 公斤每立方米。艾山水文站 2300 立方米每秒以上流量持续 6.7 天,利津水文站 2000 立方米每秒以上流量持续 9.9 天。

赵衍湖任山东河务局调研员

7 月 12 日　黄委黄任[2002]22 号文任命赵衍湖为山东河务局副局级调研员。

哥伦比亚参议长参观游览济南黄河

7 月 14 日　应全国人大常委会委员长李鹏的邀请前来我国进行友好访问的哥伦比亚参议长卡洛斯·加西亚一行参观了济南段黄河,主要游览了黄河公园风景区。在泺口险工,济南市河务局副局长刘广生向来宾介绍了济南黄河情况和正在进行的小浪底调水调沙试验情况。

朱镕基考察山东黄河防汛工作

7 月 18～19 日　国务院总理朱镕基、副总理温家宝率水利部部长汪恕诚、国家计委主任曾培炎、国务院有关部委领导来山东省考察黄河防汛工作。在省委书记吴官正，省长张高丽、副省长陈延明，黄委主任李国英、总工程师陈效国和山东河务局局长袁崇仁等陪同下，先后考察了济南黄河二桥附近的黄河堤防、槐荫区局境内的黄河标准化堤防建设、济南泺口险工、天桥防汛抢险物资储备仓库、东营市黄河口湿地自然保护区等。

袁崇仁就山东黄河基本情况、标准化堤防建设、济南泺口险工及山东黄河险工控导工程建设、防汛物资储备及抢险设备、黄河口治理情况等，向朱镕基一行现场做了详细汇报。在槐荫区黄河标准化堤防建设现场，朱镕基仔细询问了抽沙淤背的情况后，充分肯定了山东黄河治理工作成就，要求加快施工进度，早日建成黄河下游标准化堤防。

朱镕基指出，黄河安澜事关全局，防汛责任重于泰山。沿黄各省和有关部门要按照“三个代表”重要思想的要求，进一步动员和组织广大干部群众，立足于防大汛、抢大险，积极准备，严阵以待，确保黄河安全度汛。治理黄河历来是安民兴邦的大事，必须站在战略和全局的高度，大力实施可持续发展战略，统筹规划，标本兼治，进一步把黄河的事情办好。

陈延明、李国英主持座谈会研究河口治理

7 月 19 日晚 副省长陈延明和黄委主任李国英在东营市就黄河河口四段以下治理问题主持召开专题座谈会。陈效国、袁崇仁、郝金之，省计委、水利厅、林业厅、东营市、胜利石油管理局、河口管理局等单位的负责人参加了会议。

会议确定，由省计委牵头督办，山东河务局、东营市政府、胜利油田根据河口四段以下的实际情况，分头写出专题报告，最终由省政府、水利部和中石化总公司联合上报国务院，解决河口治理和管理问题。

李国英继续在山东河务局检查指导工作

7 月 20～21 日 李国英、陈效国一行，在袁崇仁、郝金之、杜玉海等陪同下，分别到河口管理局，滨州、德州、菏泽市河务局检查指导工作，现场察看了黄河河口、麻湾险工、打渔张引黄闸、潘庄闸管所及矿泉水生产车间、郓城杨集上延工程及菏泽岔河头滩、东明北滩漫滩受灾情况，听取了有关市河务局的情况汇报。李国英就河口治理、涵闸管理、经济创收、办公自动化及做好调水调沙资料整理分析等提出明确要求。

经济工作会议召开

7月26日 山东河务局召开经济工作会议,总结上半年经济工作,安排部署下阶段经济发展任务。

全局上半年实现经济总收入63182万元(不含应收水费4613万元),同比增长29%。第一产业有了新的发展,实现收入1564万元。各施工企业承揽工程合同金额3.32亿元,占全年计划目标的94%。新的经济增长点发展迅速,规模不断扩大。山东黄河管理运营的浮桥上半年实现收入1184万元。

下半年经济工作重点是做好水、土、施工、跨河交通和依法收费工作,力争实现全年引水60亿立方米。结合机构改革,搞好企业整合,向企业集团方面发展。加强与地方企业的联合,努力开拓外部市场。进一步健全体制,提高经济运行质量,狠抓增收节支,促使经济工作持续快速健康发展。

调水调沙总结及防汛动员电话会议召开

7月27日 山东河务局召开了调水调沙工作总结及防汛动员电话会。局长袁崇仁传达了总理朱镕基和副总理温家宝的指示精神,副局长郝金之全面总结了此次调水调沙工作,提出和部署了当前应重点做好的几项工作。

李明享受教授、研究员待遇

7月27日 山东河务局鲁黄人劳发[2002]51号文通知:经水利部工程系列高级专业技术职务评审委员会2002年4月24日评审通过,山东河务局李明被批准为享受教授、研究员同等有关待遇的高级工程师。其有关待遇从6月份执行。

郭永红被批准具备主任医师任职资格

7月27日 山东河务局鲁黄人劳发[2002]51号文通知:水利部委托国家电力公司卫生系列高级专业技术资格评委会2002年3月14日评审通过郭永红主任医师任职资格。

中国农林水工会领导到济南市河务局检查工作

7月28日 中国农林水工会副主席唐志翔等在黄河工会副主席赵登俊和山东黄河工会主席刘大练陪同下,到济南市河务局检查了槐荫区、天桥区河务局淤背区开发、职工食堂、职工活动室和西外环浮桥的经营与管理情况,听取了济南市河务局有关情况的汇报。

杨集上延控导工程抢险

7 月 第一次调水调沙期间(7 月 4～15 日),杨集上延工程 7 月 7 日开始出险,至 7 月 17 日共计 12 道坝 28 段次出险,特别是 6、7、8 号坝迎水面,于 7 月 15 日、16 日相继出现猛墩猛蛰重大险情,土坝基墩蛰最大长度 40 米,最大塌宽 8 米,局部只剩余 6 米,险情十分紧急,有垮坝危险。工程出险后,郓城县河务局按照"边汇报、边抢护"的原则,立即组织县河务局专业机动抢险队、沿黄民兵抢险队和基干班 400 余人,采用柳石搂厢等进行了抢护。同时山东省和菏泽市防汛指挥部迅速调集五个机动抢险队和 160 名武警官兵前来支援,经连续三昼夜奋力抢护,至 7 月 18 日,险情相继得到控制。本次抢险共用石料 7305 立方米、土方 1170 立方米、秸柳料 127.8 万公斤。

续修山东黄河志工作启动

8 月 15 日 山东河务局以鲁黄人劳发[2002]57 号文发出《关于成立山东黄河志编纂工作领导小组的通知》,局长袁崇仁任组长,副局长王昌慈、总工程师杜玉海、副局级调研员赵衍湖任副组长。

此届修志,按照山东省史志编委会、黄委黄河志编委会要求,用 5～7 年时间编辑出版《山东黄河大事记》、《山东黄河志》和《山东省志·黄河志》。

常延景逝世

8 月 22 日 19 时 20 分,山东河务局原副局长、党组成员常延景因病医治无效在济南去世,享年 76 岁。

常延景原籍山东省乐陵县,1926 年 11 月出生(农历),1943 年 4 月加入中国共产党。1948 年 6 月参加治黄工作。曾任山东河务局工务处副处长、办公室主任,山东河务局副局长等职。1984 年 8 月离职休养。

土地开发工作会议召开

8 月 24～27 日 山东河务局召开土地开发工作会议。与会代表参观学习了广饶县大王镇农贸集团、莱西市韩国独资梨园、青岛市海尔集团等。副局长杜宪奎在《提高认识,突出重点,狠抓落实,努力开创淤区开发工作新局面》报告中指出:山东黄河淤区土地开发取得显著效益。全局共投入资金 900 多万元,修筑灌溉渠道 10.5 万米,打机井 23 眼,增加灌溉面积 1.4 万亩;结构调整加快，高效作物和普通粮食作物种植比由2001年的59:41，调整到本年的78:22；以生态林、经济林和花卉苗木为主的种植结构基本形成。局长袁崇仁要求：各单位要制定好政策，扩大规模种植，打造黄河自己的品牌，有计划地搞好树株更新，形成优质高效的良性循环。

张学明任山东河务局党组副书记

9月2日 中共黄委党组黄党[2002]32号文通知：经研究并征得中共山东省委同意，报水利部批准，张学明任中共山东河务局党组副书记（原正局级待遇不变）。

徐乘到济南、滨州市河务局进行机构改革调研

9月16～17日 黄委副主任徐乘带领人事劳动教育局局长李新民、财务局局长夏明海等有关人员，在山东河务局局长袁崇仁、副局长王昌慈陪同下，到济南、滨州市河务局就机构改革、工程管养分离试点等工作进行调研。实地察看了历城区河务局黄金梨基地，济阳县河务局曲堤河务段生态苗圃和冬枣园，惠民县河务局白龙湾苗木基地建设、大崔河务段百亩苹果园，滨城区河务局兰家生态林、北镇花卉园、道旭农业观光示范园、滨州钢铝公司以及博兴县河务局养殖场、纺纱厂等。先后听取了济阳县河务局、滨州市河务局、滨城区河务局关于机构改革和管养分离试点情况的汇报，徐乘就机构改革等有关问题讲了意见。

廖义伟来山东检查指导防汛抗旱工作

9月18～20日 黄委副主任廖义伟带领有关人员，在局长袁崇仁、副局长郝金之陪同下，到庆云、无棣、沾化等县市检查指导抗旱工作。实地察看了蓄水工程、抗旱节水工程及农田受灾情况。针对山东当前的旱情，廖义伟表示黄委将采取有效措施，积极筹集水源，加大对山东的应急调水力度，在确保城乡人畜用水和黄河不断流的情况下，兼保秋种用水，全力支援山东抗旱。在黄河水极其紧张的情况下，沿黄各地一定要搞好用水规划，加强调水监督，更加节约用水，使有限的黄河来水发挥更大的效益。

20日，廖义伟和有关人员，对济南市历城区河务局、槐荫区河务局的防汛指挥调度决策支持系统、防汛指挥调度信息管理系统、抢险报险系统、办公自动化建设运行情况进行了检查，听取了两区河务局对各系统建设、运行情况的介绍。廖义伟认为山东河务局开发的防汛指挥、抢险报险等系统具有较强的

适用性，对山东黄河防洪资料数据库、防汛决策指挥系统给予了充分肯定，同时对数据输入、高程系列、多系统的耦合、信息共享等提出改进意见和要求。

山东黄河信息中心等单位机构变更

9 月 29 日 根据山东河务局鲁黄人劳发[2002]61 号文《山东黄河河务局局属事业单位机构改革实施意见》：(1)山东河务局防汛办公室自动化科与通信管理处合并组建山东黄河信息中心；(2)山东河务局机关服务处更名为山东黄河服务中心；(3)撤销东平县东平湖出湖闸管理局。

中日友谊林落户济南黄河

9 月 由山东省人民政府主办，山东省旅游局、济南市人民政府承办，济南市旅游局、济南市河务局协办的中日友谊林在济南黄河落户，并设立了纪念碑。中日友谊林位于济南黄河公园的中心地带，占地面积 40 亩，上接济南黄河西外环浮桥，下临老徐庄引黄闸。中日友谊林第一年植树面积近 10 亩，树株为泰山黑松，以后每年省、市政府、旅游局都将组织中日友好团到这里来种植友谊树。

宫家、麻湾引黄闸远程监控系统建设开工

9 月 黄河河口管理局《宫家、麻湾引黄闸远程监控系统建设设计报告》通过黄委专家组审查，并开工建设。两闸远程监控系统建设于 10 月 20 日完成并正式接入黄委水量总调度中心。

山东河务局科技项目获省科技进步奖

9 月 山东河务局完成的“山东黄河淤背固堤综合技术研究”获山东省科技进步三等奖。

位山引黄闸远程监控系统与山东河务局实现连接

10 月 5 日 位山引黄闸远程监控系统与山东河务局水调中心连接成功。山东河务局水调中心在办公室内点击鼠标，就可对远在 100 公里以外的位山引黄闸进行监控，闸门启闭灵活。该系统由聊城市河务局工程技术人员和山东大学控制学院科研人员合作研制。

苏茂林检查指导引黄济津准备工作

10 月 15 日 黄委副主任苏茂林、副总工程师胡一三在山东河务局副局长郝金之等陪同下，到聊城市河务局检查指导引黄济津前期准备工作。先后察看了位山闸闸后分水墙处理、位山闸自动控制室等，听取了关于引黄济津准备工作、位山闸远程监控系统建设等情况的汇报，并就引黄济津准备工作提出了要求。

黄河汛情

10 月 汛期，黄河严重枯水枯沙。三门峡水文站 7 月 7 日 21 时 48 分洪峰流量为 3780 立方米每秒，最大含沙量为 513 公斤每立方米。小浪底水库调水调沙试验期间，7 月 4 日 10 时 54 分水库最大下泄流量为 3320 立方米每秒。花园口水文站 7 月 6 日 4 时最大流量 3160 立方米每秒，汛期来水量为 90.59 亿立方米，来沙量为 0.88 亿吨，分别较多年平均值偏少 59.86% 和 89.6%；高村水文站 7 月 11 日 9 时 12 分最大流量为 2980 立方米每秒，汛期来水量为 75.82 亿立方米，来沙量为 0.79 亿吨，分别较多年平均值偏少 65.05% 和 89.54%；利津水文站 7 月 19 日 5 时最大流量 2500 立方米每秒，汛期来水量为 29.50 亿立方米，来沙量为 0.52 亿吨，分别较多年平均值偏少 85.68% 和 92.73%。7 月 1 日 8 时东平湖老湖最高水位为 41.13 米，相应蓄水量为 2.53 亿立方米。汛期山东省引黄水量 29.08 亿立方米。

黄河工程险情多发生在调水调沙期间，险工、控导工程共有 122 处 417 段坝岸出险 532 坝次，主要有根石走失、坦石下滑、墩蛰等险情。涵闸出险 19 处 19 次。全省抢险用石 8.52 万立方米，土方 0.48 万立方米，铅丝 100 吨，秸柳料 185.67 万公斤，麻袋 7322 条，木桩 1503 根，用工 4.19 万工日，投资 1057.4 万元。由于河道淤积严重，调水调沙试验中虽然流量不大，但菏泽部分河段比“96·8”洪水水位还高，致使部分低滩串水漫滩。菏泽、济宁、聊城和济南 4 个市 22 个乡(镇)共有 26 个滩区相继进水漫滩。农作物受灾面积 35.18 万亩，受灾人口 9.87 万，直接经济损失 2.39 亿元。

合并组建山东黄河培训中心

10 月 24 日 山东河务局鲁黄人劳发[2002]69 号文通知，经研究，由山东黄河河务局招待所与山东黄河职工培训中心(威海)合并组建山东黄河职工培训中心(正科级)，列入经营开发类事业单位，由山东黄河经济发展管理局管理。

精心完成山东秋季引黄调水任务

10 月 25 日 山东秋季引黄调水任务圆满完成。本年山东遭受严重干旱,缺水极其严重。国务院、水利部、黄委千方百计给山东调剂了 8 亿立方米黄河水,经省长办公会议研究,将该水量分配到各市:菏泽 1.30 亿立方米,济宁 0.60 亿立方米,聊城 1.20 亿立方米,德州 1.45 亿立方米,济南 0.75 亿立方米,淄博 0.35 亿立方米,滨州 1.45 亿立方米,东营 0.90 亿立方米。

本次引水时间为 9 月 20 日至 10 月 25 日,该时段进入高村水文站的水量为 17.2 亿立方米,山东省共引用黄河水约 13.3 亿立方米,其中引黄涵闸引水 10.89 亿立方米,滩区用水约 2.41 亿立方米,各市引水量均达到分配指标。

本次调水,重点照顾了城乡生活和工业用水的平原水库引水,自 9 月 20 日至 10 月 25 日,引黄入库蓄水量为 1.54 亿立方米(含南四湖入湖 4500 万立方米)。沿黄各市平原水库、坑塘河道等蓄水总量为 6.90 亿立方米,其中城乡生活和工业用水水库蓄水总量为 5.8 亿立方米。兼顾了秋种农业用水,山东省沿黄地区计划秋种面积为 3007 万亩,至 10 月 18 日已播种 2781 万亩,占计划的 92.5%。

李盛霖察看引黄济津渠首工程

10 月 27 日 天津市市长李盛霖在山东省副省长陈延明、聊城市委书记郭兆信、市长张秋波等陪同下,实地察看了引黄济津应急调水渠首工程位山引黄闸。李盛霖对黄委、山东河务局和聊城市河务局的工作表示感谢。

李国英检查山东河务局工作

10 月 30 日 黄委主任李国英来山东河务局检查指导工作,在听取局长袁崇仁和部分局直单位机构改革工作情况汇报后指出:山东河务局按照黄委党组提出“人员分流、资源整合、立足黄河、生产转产、改企建制、政策扶持”的指导思想,加强领导,强化措施,确保了前一阶段机构改革工作积极稳妥地顺利进行。下步工作要确保实现两个改革目标:一是通过改革让黄河治理开发与管理事业得到更快发展;二是通过改革让广大职工生活水平有进一步提高。

李国英对山东黄河治理开发与管理问题提出:东平湖对山东省国民经济发展和黄河治理开发占有重要地位,随着东线南水北调的实施,东平湖的作用将会越来越大。要研究好东平湖水资源的水权问题,争取工作主动;标准化堤防资金已基本落实，要集中精力、集中时间，完成标准化堤防建设任务；河口管理体制要尽快理顺，原则上由黄委把河口全部管起来。重点做好河口可行性研究和二期规划，争取国家早日投资建设，加快河口治理步伐；要采取有力措施，尽快实现水量调度现代化。

位山闸开闸向天津送水

10月31日　上午10时25分，水利部副部长张基尧按下电钮，位山引黄闸徐徐开启，引黄济津开闸放水。此次引黄济津，将为天津调水3.5亿立方米，从10月31日至2003年2月上旬末结束，前后历时100天左右。黄委主任李国英、副主任苏茂林，山东省副省长陈延明，天津市副市长孙海麟，山东河务局局长袁崇仁等参加了放水仪式。

李传顺等任职

11月5日　黄委黄任[2002]26号文通知：经任职试用期满考核合格，李传顺任济南市河务局局长；贾振余任河口管理局局长；司毅民任东平湖管理局局长。

《黄河河口治理规划报告》通过水利部审查

11月6～8日　水利部水利水电规划设计总院在北京召开会议，对黄委勘测规划设计研究院编制的《黄河河口治理规划报告》（简称《规划报告》）进行了审查。报告对河口地区的防洪、防潮、水资源利用、滩涂资源开发进行了全面规划，提出了近期（2010年）和远期（2020年）的规划成果。参加会议的有国家环保总局，国家防总办公室，水利部规划计划司，黄委，山东省水利厅，东营市人民政府，胜利石油管理局，山东河务局，河口管理局，黄河流域水资源保护局，山东水文水资源局，黄委勘测规划设计研究院的领导、专家以及林秉南、陈志恺院士等特邀专家共40多人。

会议听取了黄委设计院关于《规划报告》的汇报，进行了认真审议和讨论，原则同意该《规划报告》。

局直单位机构改革工作会议召开

11月12日　局长袁崇仁主持局直单位机构改革工作会议，听取了两个直属单位机构改革工作组的工作情况汇报。为使这次直属单位的机构改革确保“改革、发展、稳定”目标的实现，机构改革工作组进驻改革任务较重的原建材局、船舶处和机修厂，帮助指导机构改革工作。10 月 11 日至 11 月 11 日，三个单位圆满完成人员分流、机构精简、单位划转等工作，为直属单位下一步搞好内部机构改革创造了有利条件。袁崇仁和其他局领导对直属单位机构改革的后续工作做了安排。

黄河标准化堤防建设开工仪式在济南段举行

11 月 14 日 山东黄河标准化堤防建设开工仪式在济南历城黄河大堤上举行。省人大副主任王道玉、副省长陈延明、省政协副主席李殿魁，黄委副主任苏茂林、济南市长谢玉堂、山东河务局局长袁崇仁及省直有关厅局负责人参加开工仪式。

山东黄河标准化堤防建设，按照 2010 年水平，以防御花园口洪峰流量 22000 立方米每秒的洪水为设计标准，艾山以下按 11000 立方米每秒流量设防。大堤顶宽 12 米，堤顶修筑 6 米宽沥青路面，两边各种植一排行道林；黄河大堤淤背宽 100 米，顶高程与设计防洪水位平，顶部种植适生林木，背河堤脚外 10 米宽种植杨柳树；平工堤段临河种植宽 30～50 米的防浪林；所有险工均加高改建达到设计标准。

第一期标准化堤防工程总长 128 公里，计划于 2005 年完成。其中，菏泽东明重点防守段 62 公里，相应右岸大堤桩号 156 + 050～217 + 968；济南段右岸 66 公里，相应大堤桩号 − 1 + 980～64 + 574。

苏茂林等进行水利工程管理体制改革调研

11 月 14～16 日 黄委副主任苏茂林率建管局、财务局一行就黄河水利工程管理体制改革在山东河务局进行专题调研，在局长袁崇仁的陪同下，先后检查了东郊浮桥、西外环浮桥的经营管理情况及天桥、槐荫区河务局淤背区开发种植项目。在济南召开了黄河水利管理体制改革座谈会，局长助理王银山汇报了山东河务局水利管理体制改革工作的开展情况及在方案编制过程中存在的问题和建议。会后，苏茂林一行在副局长郝金之陪同下到济阳县河务局调研。

山东黄河河务局成立供水局

11 月 18 日 山东河务局以鲁黄人劳发[2002]84 号文批准成立山东黄河河务局供水局。该局为自主经营、独立核算、自负盈亏、具备独立法人资格的经营开发类事业单位，由山东河务局财务处管理。

中日绿色黄河友好林项目竣工

11月 中日绿色黄河友好林项目竣工仪式及植树活动在济南市长清区举行。省人大常委会主任韩喜凯、副主任王克玉、副省长邵桂芳与日本山口县知事二井关成、议会议长岛田明一起为纪念碑揭碑,并参加植树活动。中日绿色黄河友好林项目于1998年启动,面积500公顷,主要分布在长清区长清镇、平安镇、归德镇、孝里镇的黄河沿岸地区,造林树种以小黑杨为主,已植树35万株。

黄河三角洲滨海区水下地形测绘通过初步验收

11月 山东河务局在济南主持召开2000年黄河三角洲滨海区水下地形测绘成果初步验收会。黄委水文局、山东水文水资源局,黄河河口管理局等专家和代表参加。会议认为该测绘项目完成了批复的任务书内容,同意初步验收。本次测区范围西起洼拉沟口、南至小清河口的弧形海域,滨海区范围约14000平方公里,岸线长320公里。

山东黄河志编纂领导小组会议召开

12月13日 山东河务局召开山东黄河志编纂领导小组会议,研究志书续修工作。山东黄河志编纂领导小组组长袁崇仁主持会议。编纂办公室汇报了修志工作进展情况及工作打算。袁崇仁在讲话中指出,山东黄河志编纂办公室自8月成立以来,在人员少、头绪多的情况下,完成了续修志书编纂方案和编写目录,为续修志书工作开了个好头。盛世修志,是资治当代、垂鉴后世的一件大事,各级要高度重视,积极支持修志工作,编纂办公室所需设备要及时解决,在经费使用上给予保证。要依靠集体智慧和力量修好志书,按照篇目设置意见,有关部门和单位要分头完成好各自承担的任务。

“YP—A型液压自动抛石机”获黄委科技进步奖

12月23日 东平湖管理局研制的“YP—A型液压自动抛石机”获黄委科技进步三等奖。

河口地区和济南河段出现封河

12月25日 受北方强冷空气侵袭影响,9日西河口水位站最低气温达-8℃,11日8时,河口地区共封河7段长5.85公里。封冰最上首位于义和险工一号坝以上。本日历城区陈孟险工河段出现封河 1 段,插封长度 200 米。

石春先到山东河务局调研

12 月 26 黄委副主任石春先到山东河务局调研指导机构改革工作。在听取局长袁崇仁汇报机构改革和事关全局治理发展的重点工作后,对山东河务局的机构改革工作给予了充分肯定,认为总体上是成功的。一是事前沟通充分,指导意见明确;二是注重不断总结,及时调整思路、采取措施,进展非常稳健;三是人员结构年轻化,知识专业结构合理化,工作效率得到提高。局直单位人员分流安置工作措施到位。对下一步深化改革讲了指导意见。

南水北调东线工程开工建设

12 月 27 日 南水北调东线工程开工典礼在北京人民大会堂和江苏、山东施工现场同时举行。上午 10 时 15 分,朱镕基总理宣布:"南水北调工程开工!"南水北调东线工程是从长江下游江苏省扬州江都抽引长江水,利用京杭大运河等河道逐级提水北上,经洪泽湖、骆马湖、南四湖到东平湖。出东平湖后分两路输水,一路穿过黄河向北至天津;一路向东,经济南输水到胶东。本次开工的南水北调东线一期工程项目有山东段的胶东输水干线济平干渠工程和江苏段的三阳河、潼河、宝应站工程。

开工典礼山东分会场设在平阴县东部贵平山口济平干渠施工现场,山东省委、省政府领导,河务局、水利厅及有关部门、单位负责人等参加。

劳动合同制职工养老保险进入社会统筹

12 月 31 日 山东河务局劳动合同制职工基本养老保险移交地方管理签字仪式在济南举行,1100 多名合同制职工基本养老保险全部进入省级社会统筹。

自 1985 年全国开展劳动用工制度改革以来,山东河务局招收的劳动合同制职工按规定参加了地方养老保险。1992 年,根据上级有关精神实行了行业统筹。2000 年底,劳动和社会保障部、财政部、水利部联合下发了《关于水利部直属事业单位劳动合同制职工基本养老保险移交地方管理的通知》,要求水利部直属事业单位劳动合同制职工基本养老保险移交地方管理。2002 年 10 月 17 至 18 日,劳动和社会保障部养老保险司处长施朝阳、水利部人教司处长陈健、黄委人劳局副局长李向阳等,参加了山东省劳动和社会保障厅及省社会保险事业局的协调会议。

山东河务局机构改革工作结束

12 月 山东河务局机构改革工作基本结束。本年度,按照黄委总体部署,山东河务局按既定方案自上而下进行了机构改革。

6 月 20 日,完成了山东河务局机关机构改革。改革后,局机关机构设:办公室、规划计划处、水政处(水政监察总队)、水资源管理与调度处、财务处、人事劳动教育处、科技处、建设与管理处(山东黄河水利工程质量监督站)、防汛办公室、监察处、审计处、离退休职工管理处、直属单位党委(山东黄河河务局精神文明建设指导委员会办公室)、黄河工会山东黄河委员会。

10 月 30 日,山东河务局批复了 8 个市河务(管理)局机构改革方案,至 12 月底,各市河务(管理)局机关及(市、区)河务(管理)局机构改革全面完成。

局直单位机构改革于 12 月底全面完成。改革后:撤销山东黄河建材局机构编制,保留山东黄河水泥厂;山东黄河工程机械修理厂(山东黄河防汛抢险设备维修中心)经过分流后,划归济南市河务局管理;山东黄河船舶工程处所属的山东黄河疏浚工程处划归山东黄河工程局管理,其他人员和原隶属该单位管理的船舶制造、管道加工、木制品及其他生产经营项目,划归济南市河务局管理;原局直属管理的山东黄河物资公司,整建制划归山东黄河物资储备中心管理;山东黄河勘测设计研究院、山东黄河工程局纳入内部企业单位序列,在管理体制上,按照局直属单位进行管理。

山东黄河实现会计电算化

12 月 全局事业、基建、企业共有 76 个会计单位通过了黄委、山东河务局财会电算化验收,实现了会计电算化。为提高财会工作效率和信息化、会计电算化水平,减轻财会人员劳动强度,自 1999 年起,黄委为山东河务局配置 80 套“用友财务软件”,举办了 3 期培训班,先后有 58 名财会人员参加了培训。2001 年 5 月,山东河务局为局属单位配备了 40 台(套)计算机、打印机,先后举办 4 期培训班,有 120 人参加培训。

黄河连续三年未断流

12 月 自黄河实行全年和全河段水量统一调度以来,已连续 3 年实现全年不断流。

2003 年

张高丽察看东平湖防洪工程

1 月 1 日 中共山东省委书记张高丽，省委常委、秘书长杨传升，副省长陈延明，在山东河务局局长袁崇仁、副局长郝金之和中共泰安市委书记耿文清等的陪同下，到东平湖检查指导工作。先后察看了东平湖水库二级湖堤八里湾闸改建施工现场、陈山口出湖闸，看望慰问了坚守岗位的一线干部职工。

山东河务局妥善安置困难单位离退休人员

1 月 9 日 山东河务局对建材局、船舶工程处等困难单位的 380 余名离退休人员和 200 余户已故老同志遗属，按居住情况分别由 8 个市河务(管理)局及所属单位进行妥善安置，负责做好管理服务。

山东河务局荣获黄委 2002 年度目标管理先进单位一等奖

1 月 14～15 日 黄委召开全河工作会议，山东河务局荣获黄委 2002 年度目标管理先进单位一等奖。

山东黄河工作会议召开

1 月 19～21 日 2003 年山东黄河工作会议在济南召开。会议传达贯彻了黄委工作会议精神，表彰了 2002 年度目标管理先进单位和先进个人。山东省副省长陈延明出席会议并讲了话，山东河务局局长袁崇仁作了题为《解放思想 实事求是 与时俱进 加快推进山东黄河事业快速发展》的报告。报告要求在 2003 年的工作中抓好八件大事："三条黄河"建设，防汛保安全，黄河不断流，标准化堤防建设，水利经营，河口研究，东平湖研究，安全生产；办好九件实事："数字防汛"建设，遥测水位站建设，30 座引黄涵闸远程监控系统建设，规范工程标志，水费征收，行政性收费转经营性收费，法规制定，养老和医疗保险，改善住房和办公条件。

徐乘慰问离退休老干部和特困职工

1 月 22 日 黄委副主任徐乘、黄河工会副主席赵登俊等一行 10 人，在山东河务局局长袁崇仁等的陪同下，先后到山东黄河工程局、济南市河务局等单位慰问离退休老干部和特困职工,并发送慰问金。

山东河务局印发工作人员调配意见

1月28日 山东河务局印发《山东黄河河务局工作人员调配意见(试行)》,对人员的调出、进入和调配作出规定。

肖军等获“全国技术能手”等称号

1月 在第六届全国技术能手和第二届全国水利行业职业技能竞赛中,莘县河务局职工肖军获“全国技术能手”称号,德州市河务局职工陈忠获“全国水利技能大奖”,梁山县东平湖管理局职工张洪昌获“全国水利技术能手”称号。

王良田、孙惠杰职务任免

2月14日 中共山东河务局党组黄党发[2003]3号文通知,王良田任中共滨州市河务局党组书记;孙惠杰不再担任中共滨州市河务局党组书记、局长职务。

2月27日,山东河务局鲁黄人劳[2003]9号文聘任王良田为滨州市河务局局长,试用期一年。

张仰正、任士伟职务任免

2月17日 中共山东河务局党组黄党发[2003]2号文任命张仰正为中共德州市河务局党组书记,聘任为德州市河务局局长,原任职务同时解聘。任士伟不再担任中共德州市河务局党组书记、局长职务。

黄河凌汛山东河段平稳开河

2月18日 山东黄河凌汛全线平稳开河。受两次强冷空气影响,本年度山东黄河凌汛出现了“两封两开”的局面。首次封河自上年12月9日始,封河长10.25公里,因气温回升于当月18日全部化通。第二次封河自上年12月24日始,自黄河入海口封至菏泽市东明县与牡丹区交界处,封冻最长时达330.6公里。

山东河务局召开黄河志编纂工作会议

2月21日 山东河务局召开黄河志编纂工作会议,研究部署山东黄河志续修工作。省史志办公室副主任孙其海出席会议并讲了话，山东河务局局长袁崇仁，老领导齐兆庆、张学信，各市河务（管理）局，局直有关单位和局机关有关部门等负责人及修志人员参加了会议。

李希宁被黄委命名为治黄科技拔尖人才

2月28日 黄委黄人劳[2003]10号文命名山东河务局李希宁为第二批治黄科技拔尖人才。

黄委专家组来山东调研

3月4～8日 由黄委科学技术委员会主任委员陈效国等组成的专家组，在山东河务局副局长郝金之、总工程师杜玉海的陪同下，先后到德州市河务局、济南市河务局和河口管理局进行了工作调研。专家组一行察看了南、北展宽工程及其群众居住情况，河口部分河段和刁口河故道等，听取了有关情况汇报，并就南、北展宽工程运用以及河口的治理和管理等问题进行了座谈。

《山东黄河科技》更名为《山东黄河》

3月18日 山东河务局鲁黄科[2003]6号文通知，《山东黄河科技》更名为《山东黄河》，并由季刊改为双月刊。其宗旨为：积极宣传国家有关水利发展的方针政策，立足山东黄河，面向社会，宣传治黄成就，传播治黄信息，努力使之成为宣传、展示山东黄河的窗口，成为广大学者、专家及治黄工作者学术交流的园地，社会关注山东黄河、了解山东黄河、研究山东黄河的重要途径。为确保山东黄河防洪安全、科学利用黄河水资源、发展下游沿黄地区的国民经济和黄河水利经济提供服务。

黄河河口问题及治理对策研讨会在东营召开

3月21～25日 黄河河口问题及治理对策研讨会在东营召开。由中国水利学会、黄河研究会主办，东营市政府、胜利石油管理局、山东河务局协办。部分中国科学院院士、中国工程院院士和来自全国水利、海洋、环境等行业的近200名专家、代表参加了会议。与会人员考察了黄河现行入海流路、孤东防潮堤、东营海港、刁口河入海流路以及广南水库等。研讨会从防洪、生态环境、社会经济发展等不同角度对黄河口治理与开发进行了研讨，会议提出了“关于加强黄河河口研究及加快治理步伐的建议”。

水利部副部长索丽生、中国水利学会理事长朱尔明、水利部总工程师刘宁、黄委主任李国英、山东省副省长蔡秋芳、省政协副主席李殿魁等出席研讨会并讲了话。黄委副主任石春先、总工程师薛松贵、科学技术委员会主任委员陈效国,山东河务局、山东省科技厅负责人,东营市副市长刘国信等参加了会议。

李春安来山东河务局调研

3月22～30日 中共黄委纪检组组长李春安、黄委监察局局长贺树明等在山东河务局纪检组组长王澄方等的陪同下,先后到所属各市河务(管理)局及部分县(区)河务局,就治黄、水利经济和党风廉政建设等工作进行了调研,并在山东河务局机关进行了座谈。

回良玉察看济南黄河防洪工程

3月23日 国务院副总理回良玉、水利部副部长翟浩辉,在中共山东省委副书记孙淑义、副省长陈延明等的陪同下到济南视察黄河,察看了天桥区泺口险工、老徐庄淤背区。在泺口险工,山东河务局副局长郝金之就黄河山东段的历史、防洪、工程建设、水资源等情况进行了汇报。

山东河务局印发供水财务管理与会计核算办法

3月24日 山东河务局鲁黄[2003]10号文印发《山东黄河河务局供水财务管理与会计核算办法》,共八章56条。该办法规定供水单位实行"统一核算,分级管理",山东河务局供水局以山东黄河引黄供水为成本核算对象,统一计算盈亏;各市河务(管理)局供水管理处为非法人基层核算单位;独立核算的闸管所为二级非法人基层核算单位,非独立核算的闸管所由县河务局作为二级非法人基层核算单位。

山东黄河工会第九次会员代表大会召开

3月29～31日 山东黄河工会第九次会员代表大会在济南召开。来自各基层工会的120余名代表参加了会议。大会审议通过了山东黄河工会第八届委员会工作报告、山东黄河工会第八届委员会财务工作报告及经费审查工作报告。选举产生了新一届工会委员会委员及经费审查委员会委员。刘大练再次当选为山东黄河工会主席。

韩寓群就山东黄河治理提出要求

4 月 10 日 山东省省长韩寓群主持召开省政府第二次常务工作会议，山东河务局局长袁崇仁汇报了山东黄河来水、引水状况、治理工程建设情况以及请求省政府协调解决的问题。韩寓群指出，要大力推行节约用水，把黄河水调度好、运用好，搞好生活蓄水；加快黄河标准化堤防建设，搞好堤防绿化；注意解决好南、北展宽区的问题，搞好开发利用。

山东河务局组织“情系黄河职工巡回慰问演出活动”

4 月 11～18 日 山东河务局组织“情系黄河职工巡回慰问演出活动”，先后深入所属各市河务(管理)局及局直单位慰问演出 10 场，观看演出的干部职工及家属达 3600 余人。

山东河务局批复经济局机构设置方案

4 月 18 日 山东河务局鲁黄人劳[2003]17 号文批复山东黄河经济发展管理局编制为 18 人，内设综合部、开发管理部、经营管理部、财务部，均为正科级。主要职责为：负责山东黄河经济发展的宏观管理和行业指导，履行局直单位国有经营性资产出资人代表职责，根据授权，负责山东黄河全局经营性资产的监督管理，局属单位经济发展目标制定、考核和人员培训等。

李明先到山东河务局进行立法调研

4 月 21～24 日 山东省人大常委会副主任李明先、常委乔秀仑等，在山东河务局副局长郝金之陪同下，先后到河口、济南、东平湖、菏泽市河务(管理)局就《山东省黄河防汛条例》进行立法调研。

山东黄河网正式开通

4 月 28 日 山东河务局主办的网站——山东黄河网正式开通，网址为 http://www.sdhh.gov.cn。

山东河务局印发重大创新成果奖励办法

4 月 30 日 山东河务局鲁黄科[2003]8 号文印发《山东黄河重大创新成果奖励办法(试行)》，对获得国家专利的转化成果及省、部级科技进步二等奖和黄委科技进步一等奖的成果，奖励 1 万元；获得省、部级科技进步一等奖的成果,奖励 2 万元;获得国家科技进步奖的成果,奖励 4 万元。

郭学鑫荣获全国“五一劳动奖章”

5月1日 山东河务局副总工程师郭学鑫荣获中华全国总工会授予的全国“五一劳动奖章”。

《山东河务局“数字黄河”工程规划报告》编制完成

5月9日 《山东河务局“数字黄河”工程规划报告》编制完成,并上报黄委。规划报告共分 10 章,分别是:概述,需求分析,目标、任务和原则,总体框架,基础设施,信息服务平台,应用系统,保障措施,实施计划和投资估算。基础设施主要包括数据采集系统、通信网、计算机网络、数据存储与处理、安全保障体系等。应用系统主要包括防汛减灾、水量调度、水利工程建设与管理、“数字东平湖”、河口遥感监测分析系统、电子政务和综合决策会商等。

山东省政府调整省防汛抗旱指挥部组成人员

5月9日 山东省政府办公厅鲁政办发[2003]25 号文公布调整后的省防汛抗旱指挥部组成人员。

指挥:陈延明(副省长);副指挥:王玉芬(省政府副秘书长)、宋继峰(省水利厅厅长)、杨焕彩(省建设厅厅长)、袁崇仁(山东河务局局长)、阚辉(济南军区司令部作战部副部长)、冯祥来(省军区副司令员);秘书长:韩修民(省水利厅巡视员)。成员由山东河务局副局长郝金之等有关厅局、济南军区空军及山东省武警总队负责人组成。

山东河务局启用新印章

5月13日 经黄委同意,“黄河水利委员会山东黄河河务局”印章自即日启用,原“黄河水利委员会山东河务局”印章同时作废。

山东黄河视频会议系统建成运用

5月15日 山东黄河视频会议系统建成运用。该系统采用了国内通用的 H.323 视频会议标准,山东河务局机关及 8 个市河务(管理)局各安装一套视频会议终端,传输通道由山东黄河计算机广域网系统的 2MB 电路提供。

山东省农业暨防汛工作电视会议召开

5 月 20 日 山东省农业暨防汛工作电视会议召开(主会场设在济南市网通分公司)。关于防汛工作,副省长陈延明指出:各地必须按照防御建国以来最大洪水的要求,做好应对各种严峻局面的准备。一是抓好防洪工程建设,提高防洪能力。二是充分做好蓄滞洪工程运用准备。三是落实防汛物资储备供应,加强防守和抢险演练,改善装备条件,增强实战能力。四是保质保量完成今年的黄河标准化堤防工程建设任务。

山东河务局开展河道内违章片林清除工作

5 月 19 日 黄委下发了《关于迅速清除河道管理范围内违章种植片林的紧急通知》,要求深刻认识在黄河河道内种植片林危害的严重性,迅速组织对所辖河段内各类违章片林进行拉网式普查;各单位在普查的基础上,依照有关法律、法规的规定,提出包括运用法律手段解决的处理措施和实施方案,6 月份实施清除。坚决杜绝新增片林,对明显障碍行洪的,必须在汛前完成清除任务。为此,山东河务局立即研究部署清障工作,成立以局长袁崇仁为组长的违章片林清除工作领导小组,各市、县河务部门对黄河滩区内阻水片林进行了全面清查。

6 月 9 日,山东省副省长陈延明签发了《关于进一步做好清除黄河河道内违章片林工作的紧急通知》,发至山东沿黄各市政府。同日,山东河务局与省林业局联合发文,对清障工作提出了明确要求。

经普查,山东黄河河道内共有各类片林 5.5 万亩,448.31 万株(不包括滩区内村庄、沟渠植树),涉及到山东沿黄 9 市、22 个县的 66 个乡(镇)、284 个村。7 月 20 日,全面完成山东黄河两岸控导工程之间的违章片林清除任务,共清除各类片林 2.58 万亩,216.8 万株。同年 7 月,通过黄河防总验收组的验收。

黄河防总检查指导山东黄河防汛工作

5 月 20～21 日 黄委副主任、黄河防总办公室主任廖义伟带领黄河防总检查组到东平湖、菏泽市河务局检查防汛工作。先后察看了东平湖庞口防倒灌闸、八里湾闸、大清河北堤和菏泽市郓城杨集上延控导工程、东明标准化堤防、滚河防护工程等建设工地,听取了两局防汛准备工作情况汇报。廖义伟对东平湖、菏泽防汛准备工作给予了充分肯定,要求进一步抓好防洪预案、防汛队伍、料物落实等防汛准备工作,尤其是针对防“非典”(非典型性肺炎,下同)的严峻形势,要坚持防大汛和防“非典”两手抓、两不误,对黄河滩区内的阻水片林要坚决清除。

山东河务局印发人才聘用暂行办法

5月26日 山东河务局鲁黄人劳[2003]25号文印发《山东黄河河务局人才聘用暂行办法》。该办法共分6章28条,对聘用人才条件、聘用程序、合同订立、受聘人员的管理与待遇等作出了明确规定。

韩寓群检查山东黄河防汛工作

5月29~31日 山东省省长韩寓群,省军区司令员张齐红,副省长陈延明,率省计划委员会、财政厅、水利厅、气象局等单位负责人,在山东河务局局长袁崇仁、副局长郝金之的陪同下,先后到菏泽、东平湖、济南、东营察看黄河防汛准备工作。31日上午,韩寓群在东营市主持召开黄河防汛座谈会,他指出:当前处于抗击“非典”的非常时期,做好今年的防汛抗旱工作尤为重要,要引起足够的重视,立足一个“早”字,狠抓措施落实,确保度汛安全。

廖晓军率队检查山东黄河防汛抗旱工作

6月2~3日 财政部副部长廖晓军带领由水利部、财政部、国家防总办公室负责人组成的黄河流域国家防总防汛抗旱检查组,来山东检查指导黄河防汛抗旱工作,在山东省副省长陈延明,黄委主任李国英、副主任廖义伟,山东河务局局长袁崇仁、副局长郝金之等的陪同下,先后察看了山东黄河物资储备中心、济南黄河泺口险工、第二专业机动抢险队、东平湖陈山口泄洪闸、石洼分洪闸和东明黄河堤防等。

6月2日上午,检查组听取了山东省防指的汇报。廖晓军分析了黄河防汛面临的形势,指出各级要认真贯彻国家防总2003年第一次会议精神,全力做好2003年黄河防汛抗旱工作。

《山东黄河河务局内部审计工作规定(试行)》印发

6月5日 山东河务局鲁黄审[2003]6号文印发《山东黄河河务局内部审计工作规定(试行)》,对内部审计机构的职责和权限及审计人员的工作责任等作出了规定。

《山东黄河河务局政府采购管理办法》印发

6 月 5 日 山东河务局鲁黄财[2003]25 号文印发《山东黄河河务局政府采购管理办法》。该办法共 6 章 22 条,对政府采购的管理机构、采购方式、监督检查以及奖罚等作出了规定。

沈建红被批准为享受教授、研究员同等待遇的高级工程师

6 月 17 日 山东河务局鲁黄人劳[2003]29 号文通知:接黄委黄人劳[2003]31 号文公布,经水利部高级工程师评审委员会 2003 年 4 月 11 日评审通过,批准沈建红为享受教授、研究员同等待遇的高级工程师。

山东河务局举行防汛通信实战演习

6 月 19 日 山东河务局举行防汛通信实战演习。模拟在抗御大洪水的情况下,黄河专网通信设施连续 10 个小时传输防汛信息和调度指令的能力。包括视频会商、微波通信、无线接入、800 兆手机报险、一点多址、计算机广域网、通信应急保障等内容。

省、市、县三级河务(管理)局,黄委山东水文水资源局、水文(位)站、黄河河务段、闸管所等约 3500 人参加了实战演习。

山东黄河科技咨询中心成立

6 月 21 日 经山东省科技咨询中心同意,山东河务局鲁黄科[2003]13 号文通知,成立山东黄河科技咨询中心。

山东河务局进行防汛合成演练

6 月 25～27 日 黄河防总组织进行首次历时三天两夜的黄河防汛大规模合成演练,通过高含沙特大洪水全过程的模拟演进,对洪水预报、洪水处理方案、机动抢险、迁安救护、防汛物资调运等进行全方位的检验。演练启动了现代化防汛手段,初步实现了“三条黄河”的有机联动。山东河务局参加并完成了各项演练任务。

山东黄河经济发展研讨会在济南召开

7 月 4～5 日 山东黄河经济发展研讨会在济南召开。中国水利企业协会会长、水利部原副部长朱登铨应邀出席会议并讲话。会议邀请山东金瀚集

团杨青山、科达集团刘双珉两位企业家作报告。山东河务局局长袁崇仁作了《解放思想 干事创业 实现山东黄河经济发展新跨越》的讲话。

朱登铨到济南市河务局调研经济工作

7月4日　中国水利企业协会会长、水利部原副部长朱登铨在山东河务局副局长杜宪奎陪同下，先后察看了济南西外环浮桥、泺口黄河公园以及历城、济阳县河务局的果树种植等，并提出了指导性意见。

孙口黄河公路大桥开工建设

7月17日　孙口黄河公路大桥开工建设。该桥位于河南省台前县孙口乡王黑村黄河左岸大堤桩号163+230处，右岸位于蔡楼控导工程上首，大堤桩号为321+230。主桥为预应力混凝土连续梁—刚构带挂梁体系，桥长3556.18米，最大跨度108.36米，宽12米，双向四车道，计划工期3年。

张高丽检查济南黄河防汛工作

7月22日　中共山东省委书记张高丽，省委副书记、济南市委书记孙淑义，副省长陈延明，省军区副司令员刘龙光，省武警总队总队长杨正武及省直有关部门负责同志，在山东河务局局长袁崇仁陪同下，到济南检查指导黄河防汛工作，并检查了济南市防洪工程，听取了山东河务局、省水利厅、省气象局的工作汇报。张高丽指出，防汛工作是一件大事，要时刻保持清醒的头脑，做好抗洪抢险准备，决不能掉以轻心。

张高丽要求省政府专题研究黄河两岸大堤建设风貌带生态旅游线问题，济南市黄河右岸50公里堤防要先行一步建设。

《山东省黄河防汛条例》颁布施行

7月25日　《山东省黄河防汛条例》经山东省第十届人民代表大会常务委员会第三次会议审议通过，并于即日颁布施行。该条例共六章43条，是黄河防汛工作的第一部地方性法规。

山东河务局新版“办公自动化系统”投入试运行

8月1日　山东河务局新版“办公自动化系统”投入试运行。该系统对原办公自动化系统平台进行了迁移和技术升级，将C/S结构改为B/S结构，实现了公文网上流转、原样打印等功能。

徐乘到菏泽市河务局进行水利工程管理体制改革调研

8 月 5 日 黄委副主任徐乘率财务局、建设与管理局负责人，在山东河务局副局长杜宪奎等的陪同下，到菏泽市河务局进行水利工程管理体制改革调研。徐乘在座谈中指出：我们要抓住水利工程管理体制改革的机遇，加强工程管理，提高工作水平，稳定职工队伍。

全国百名小记者考察黄河

8 月 18 日 由全国保护母亲河领导小组和中国青少年发展服务中心联合举办的全国首届小记者考察黄河夏令营活动开营仪式在济南泺口黄河公园举行。开营仪式由共青团山东省委副书记林青主持，中国青少年发展服务中心事业部部长王川宣读贺词，山东河务局副局长郝金之在开营仪式上讲了话。

参加这次夏令营的 120 余名小记者来自各省、市、自治区及港澳台地区，活动的主题为“人与自然和谐与共”。小记者们由济南顺黄河而下实地考察至入海口。

将山防汛爆破物品仓库停止使用

8 月 19 日 山东河务局决定停止使用将山防汛爆破物品仓库，9 月底前处理完各类爆破物品，此后不再储备这类物资。

亚洲开发银行贷款项目黄河滩区村台建设专题协调会议召开

8 月 21 日 受山东省副省长陈延明委托，省政府副秘书长王玉芬主持召开亚洲开发银行贷款项目黄河滩区村台建设专题协调会议。省计划委员会、财政厅、水利厅等单位负责人与会。山东河务局汇报了项目建设的有关问题。会议确定：尽快启动建设项目，近期召开会议进行专门部署；落实地方政府配套资金来源；济南市、菏泽市分别成立项目建设领导小组，东明县、平阴县成立项目建设指挥部。

张高丽、韩寓群察看黄河济南段标准化堤防建设

8 月 26 日 中共山东省委书记张高丽、省长韩寓群，济南市市长鲍志强在山东河务局局长袁崇仁等的陪同下，冒雨察看了黄河济南段标准化堤防建设工程。张高丽指出，山东黄河要作为省内第三条旅游线认真策划建设好。要高起点，把黄河堤防建设成防洪保障线、抢险交通线、生态景观线。黄河济

南段标准化堤防要作为省城重点工程。

韩寓群指出，黄河风貌带建设，要与两岸城市建设、山东生态省建设、水资源利用、防洪、山东省交通和旅游建设以及经济效益等相结合。

机关财务科划归财务处管理

8月29日 山东河务局鲁黄人劳[2003]38号文通知，局办公室下设的机关财务科整建制划归财务处管理，自9月1日起施行。

山东河务局召开经济发展暨工程管理工作会议

9月2～6日 山东河务局召开经济发展暨工程管理工作会议。与会人员参观了8个市河务(管理)局的淤背区土地开发、工程管理等，并到潍坊金丝达集团育苗基地和龙口南山集团进行考察，在南山集团召开了总结交流会。

山东河务局专家组赴渭河抗洪抢险

9月3日 接黄河防总办公室通知，山东河务局派济南市河务局总工李明、东平湖管理局纪检组组长雷玉舢，分别率领本单位3名业务熟练的同志组成两个抢险专家组，深夜冒雨前往陕西渭南投入抗洪抢险。

陈延明召集会议研究并检查防汛抗洪工作

9月4日 山东省副省长陈延明在济南召集黄河、水利、气象等部门，研究黄河、汶河防汛形势。9月5日，陈延明在山东河务局局长袁崇仁、中共泰安市委书记耿文清和东平湖管理局局长司毅民的陪同下察看了黄河姜沟控导工程和大清河防洪工程等。陈延明要求黄河部门密切注意雨情、工情，制订应急方案；地方政府要积极配合黄河业务部门的工作，确保防洪安全。

大清河戴村坝水文站出现洪峰

9月5日 连日来，汶河流域普降暴雨，9月3日6时至4日10时，流域平均降雨量为100毫米，最大点雨量151毫米。9月5日8时，戴村坝水文站出现2020立方米每秒的洪峰。

阎启俊察看黄河汛情

9月6日 中共山东省委常委、山东省总工会主席阎启俊冒雨到东明县察看黄河汛情。阎启俊要求各级政府、有关部门提高警惕，加强防守，确保防洪工程和滩区人民群众生命财产安全。

山东河务局紧急支援汶河抗洪抢险

9 月 6 日 山东省防指要求山东河务局迅速支援汶河肥城段抗洪抢险工作。山东河务局副局长郝金之、东平湖管理局局长司毅民分别率领有关人员和 5 支黄河专业机动抢险队紧急奔赴出险地点投入抗洪抢险。

东平湖启闸泄水

9 月 8 日 东平湖老湖水位 10 时上升至 42.5 米,相应蓄水量 4.62 亿立方米,且湖水位继续上涨。省黄河防汛办公室请示黄河防总和省防指同意,9 月 8 日 11 时下达了排放湖水命令,有关部门随即开启陈山口、清河门、庞口三闸向黄河泄水。

第八次引黄济津开闸放水仪式在位山闸隆重举行

9 月 12 日 15 时 58 分,中共中央政治局委员、国务院副总理回良玉按下位山引黄闸启闸按钮,第八次引黄济津正式开闸放水。水利部部长汪恕诚,国家发展和改革委员会副主任刘江,财政部副部长廖晓军,中共山东省委书记张高丽、省长韩寓群、副省长陈延明,天津市市长戴相龙,河北省副省长郭庚茂,黄委主任李国英、副主任廖义伟,山东河务局局长袁崇仁、副局长郝金之等,参加了启闸仪式。13 日上午,回良玉在聊城市主持召开黄河防汛座谈会,李国英作了专题汇报。回良玉指出,沿黄各地要进一步加强组织领导,毫不松懈地抓好黄河防汛工作,加强水资源调度,顺利完成引黄济津应急调水任务。

国家发展和改革委员会评估东明堤防加固及滩区村台建设亚洲开发银行贷款项目

9 月 16～24 日 亚洲开发银行贷款项目黄河下游防洪工程初步设计评审会在郑州举行,国家发展和改革委员会评估中心对山东河务局东明堤防工程及黄河滩区村台建设项目进行了评审。东明堤防工程主要包括放淤固堤 35 公里和堤顶道路修建 34.5 公里,静态总投资 5.8 亿元。滩区村台建设涉及东明县长兴乡 11 个村庄,静态投资 1.4 亿元。

东明黄河南滩漫滩进水

9月18日　中午,河南省兰考县黄河蔡集工程28号坝上跨角处生产堤冲决,水流向上串至该工程最上首35号坝进入兰考县黄河滩区,19日上午9时,顺堤沟河进入山东省东明县滩区。随着进滩流量不断增大,东明南滩(上界至谢寨)受淹面积逐渐增加。

漫滩灾情发生后,中共山东省委书记张高丽、省长韩寓群对东明黄河防洪工作作了重要批示。强调一定要把群众生命财产安全放在第一位,坚决克服麻痹思想,全力以赴,确保大堤安全。9月20日下午,菏泽市政府常务副市长赵玉田、东明县县长刘鲁等立即到滩区察看,部署抗洪救灾工作。

截至10月12日,东明县洪水偎堤长度25.65公里(156+050～181+700),平均水深2.95米,最大水深5米,受淹农作物19.2万亩,有66个行政村、141个自然村的9.68万人被水围困。

张昭福到菏泽察看黄河汛情

9月21～23日　山东省副省长张昭福在山东河务局副局长郝金之等的陪同下,察看东明黄河南滩滩区群众受灾及洪水偎堤情况,并乘船到河南兰考蔡集工程察看了进水口门情况。22日晚,在菏泽市河务局召开会议,研究部署抗洪工作。张昭福强调:黄河防汛责任重大,一定要做到确保防洪工程安全,确保滩区群众生命安全、财产少受损失。

水利部黄河口立法调研组到河口管理局调研

9月25～26日　水利部政策法规司副司长赵伟带领黄河河口立法调研组到河口管理局进行调研。调研组考察了黄河河口三角洲,并在河口管理局召开了立法调研汇报会。黄委副主任苏茂林、水政局局长刘栓明,山东河务局副局长杜宪奎、河口管理局局长贾振余等参加了会议。

苏茂林调研工程管理及水利工程管理体制改革工作

9月27日　黄委副主任苏茂林带领有关人员来山东河务局调研工程管理及水利工程管理体制改革工作。察看了济阳县、齐河县河务局的堤防、险工、涵闸等工程管理以及天桥区河务局标准化堤防建设和管理情况,听取了有关情况汇报。

山东河务局颁布激励创新实施办法

9 月 29 日 山东河务局印发《山东黄河河务局激励创新实施办法(试行)》,办法规定对在创新工作中做出突出贡献的先进单位和个人给予精神鼓励和物质奖励。

东明临黄堤出现渗水险情

10 月 7 日 18 时 东明县临黄堤 177+500~177+650 堤段背河柳荫地发现长 150 米、宽 8 米的地带严重渗水。该处 1933 年黄河洪水时曾发生堤防漫决。经持续观察,渗水不断发展,10 月 9 日 11 时 20 分,177+500~177+700 堤段背河堤脚外长 200 米,宽 50 米的区域渗水明显加重,但出水均为清水。当晚,山东河务局局长袁崇仁、副局长郝金之、总工程师杜玉海和菏泽市河务局局长王玉华等前往现场查看,分析险情。黄委副主任苏茂林也于 23 时 30 分赶至出险地点。经组织技术人员现场分析,拟定了采用土工布上压砂石反滤层的紧急抢护方案,并下达了抢险命令。

山东黄河第一、第五、第十专业机动抢险队 151 名专业抢险队员及驻防武警部队 150 名官兵不顾天黑、雨淋、道路泥泞,立即奔赴抢险一线。9 部运输车、2 部挖掘机、2 部推土机、2 台大型发电机组、8 台小型发电机组及时运达抢险现场。抢险从 10 日 1 时 30 分开始,至 17 时 20 分结束,历时 15 小时 50 分钟,险情得到了有效控制。共铺设土工布 4400 平方米、砂石料 930 立方米,周边压砂袋 2400 条。

济南百里黄河风景区被命名为“国家水利风景区”

10 月 8 日 水利部水综合[2003]470 号文正式命名济南百里黄河风景区为“国家水利风景区”。该风景区上起济南市槐荫区宋庄,下至历城区霍家溜,全长 51.98 公里。是以黄河河道为主线,以黄河滩地、堤防、淤背区、险工等为依托,集工程景观、水域景观、人文景观于一体,以生态旅游、工程旅游为主要特色的水利风景区。

张高丽主持召开省委常委会研究东明抗洪救灾工作

10 月 8 日 中共山东省委召开常委会,专题研究菏泽抗洪救灾问题。省委书记张高丽指出:要坚决贯彻落实中共中央总书记胡锦涛和其他中央领导同志的重要指示,努力做到一个加强,即切实加强对抗洪救灾工作的领导;五个确保，即确保人民群众生命财产安全，确保黄河大堤安全，确保受灾群众基本生活，确保受灾群众身体健康，确保社会政治稳定；两个不误，即抗洪救灾、群众安全生活不误，生产自救、经济发展不误。尽最大努力减免损失。

李国英察看东明黄河滩区抗洪救灾工作

10月8日　黄委主任李国英、副主任廖义伟在山东省副省长陈延明、山东河务局局长袁崇仁、菏泽市副市长夏鲁青等的陪同下，深入东明黄河滩区看望了受灾群众，详细了解村民生产、生活情况和面临的实际困难。

中共山东省委、省政府加强菏泽黄河抗洪前线指挥班子

10月10日　当晚至11日凌晨，山东省副省长陈延明在东明县谢寨菏泽黄河抗洪前线指挥部主持召开抢险救灾紧急会议。根据中共山东省委书记张高丽和省长韩寓群的意见以及险情变化的新形势，决定加强黄河防汛抢险救灾一线指挥力量，由中共山东省委常委阎启俊，副省长陈延明、张昭福，济南军区、省军区、省武警总队首长，省直有关部门负责人，中共菏泽市委书记陈光等组成一线指挥班子，实施防汛抢险和救灾指挥协调工作。

东明黄河大堤风浪袭击出险

10月11～13日　东明县境内遭遇狂风暴雨袭击，大风持续不断，最大风速达10.8米每秒，气温骤降，风卷浪涌，淘刷冲击东明县滚河防护坝坝基和黄河大堤堤脚，55道防护坝中49道出现坍塌，共长7.3公里，坍塌高度0.3～4.5米；黄河大堤也多处出现风浪淘刷，长达4.9公里，高0.6～1.22米，工程安全受到严重威胁。

险情发生后，前线指挥部立即部署抗洪抢险工作。由于大风伴随着暴雨，加之堤顶没有硬化，泥泞难行，给抗洪抢险带来了很大困难。为确保堤防安全，自10月11日至18日，先后调动省属6支黄河专业机动抢险队279名队员、解放军及武警官兵1712人、民兵抢险队120人到东明参加抢险，共动用大型机械78台(套)。同时，积极抢修道路，动员地方大批车辆和沿黄群众运送抢险料物。经过7天奋力抢护，保障了工程安全。

李洪程察看东明黄河抗洪抢险工作

10月12日　济南军区参谋长李洪程在山东省副省长张昭福、中共菏泽市委书记陈光等的陪同下，到东明察看黄河抗洪抢险工作。李洪程对战斗在

抗洪抢险第一线的干部群众和解放军官兵表示慰问，并指示部队一定要科学调用兵力，不惜一切代价保证黄河大堤安全，全力救助滩区群众。

东平湖二级湖堤发生大面积坍塌

10月13日 9月8日至10月上旬，东平湖老湖水位上涨，高水位42.50～43.10米，持续月余。11日至12日夜间，老湖湖面北风风力6级以上，阵风10级，最大风力达11级，风浪爬坡最高达5米，二级湖堤石护坡遭受损坏长16.85公里，面积3.07万平方米，其中公里桩号14+500～19+000堤段损坏最为严重，石护坡大面积连续坍塌，坍塌宽度3～5米，淘刷深度0.3～1.2米，多处露出堤土，危及堤防安全。

险情发生后，东平湖管理局迅速组织职工进行抢护。东平湖防汛指挥部增调沿堤群众参加抢险，省黄河防汛办公室紧急调动省属第十一机动抢险队连夜支援。至13日16时，参加抢险人员达1400余人，共抛碎石袋4600立方米，砂袋450立方米；动用秸料5.2万公斤，铅丝1.1吨。使用机械台班1300个，工日5722个。险情得到控制。

回良玉检查东明黄河防汛工作

10月24日 中共中央政治局委员、国务院副总理、国家防总总指挥回良玉率领国家防总检查团到东明检查指导黄河抗洪救灾工作，国务院有关部委、黄委、山东省、济南军区及山东省军区主要负责同志陪同。

下午，回良玉一行察看了东明郭庄渗水段和滚河防护工程17+2号坝，听取了山东河务局局长袁崇仁的汇报，并到滩区黄杨寨、单庄两个被水围困的村庄了解灾情，看望受灾群众。随后，回良玉又前往阎潭闸看望参加抗洪抢险的解放军指战员、武警部队官兵和山东省第一、第十黄河专业机动抢险队队员，代表中共中央、国务院表示亲切慰问和衷心感谢；并要求各级领导和全体防汛人员再接再厉，团结奋战，夺取抗洪救灾的全面胜利。

韩寓群主持召开菏泽抗洪救灾阶段性总结会

10月25日 山东省省长韩寓群在菏泽市主持召开菏泽抗洪救灾阶段性总结会议。中共山东省委常委、省总工会主席阎启俊，副省长陈延明、张昭福，省军区副司令员胡述安，省武警总队副总队长杨斌，省直有关单位负责人袁崇仁、宋继锋、战树毅，中共菏泽市委书记陈光等出席了会议。

韩寓群指出，在中共中央、国务院的亲切关怀及国家防总、黄河防总的正确领导下，经过参战各方的顽强奋战，险情得到了有效控制，群众迁移得到了妥善安置，无一人伤亡，防汛救灾取得了阶段性胜利。各单位参加抗洪救灾人员要发扬不怕疲劳、连续作战的作风，再接再厉，确保黄河工程安全。

袁崇仁主持召开黄河防汛工作阶段会议

10月26日 山东河务局在菏泽召开黄河防汛工作阶段会议，安排部署防汛抗洪工作。菏泽市河务局汇报了前段抗洪工作开展情况及下步工作打算。山东河务局局长袁崇仁要求：一是要认真总结经验教训；二是要进一步抓好查险和防守；三是要积极与地方政府配合好，加大标准化堤防建设力度；四是对水毁工程的恢复要及早动手，有关料物及数据要翔实、清楚；五是要加大工程的普查力度；六是要配合地方政府搞好滩区排水。

惠青黄河公路大桥开工建设

10月28日 惠青黄河公路大桥开工建设。该桥左岸位于惠民县李庄镇黄河大堤桩号229+080，右岸位于高青县木李镇黄河大堤桩号129+270处，大桥全长1545.38米，其中主桥长486米，最大跨度220米，桥宽20米，双向四车道，设计时速80公里每小时，工程总投资3.1亿元，设计排洪流量11000立方米每秒，使用期为50年。该桥由惠民县交通局、惠民县河务局和高青县交通局、高青县河务局共同出资建设。

山东河务局表彰健康文明老人

11月5日 山东河务局在济南召开健康文明老人表彰大会，对被授予黄河系统及山东黄河系统的“健康文明之星”和“健康文明老人”进行了表彰。黄委副主任徐乘、离退休职工管理局局长孙山城，山东河务局、局直各单位及各市河务（管理）局负责人，黄委、山东河务局“健康文明之星”和“健康文明老人”代表，以及参加山东黄河第十届门球比赛的全体人员参加了会议。

会议还成立了山东黄河老年文体协会。

张高丽视察菏泽黄河防汛救灾工作

11月10日 中共山东省委书记张高丽带领山东河务局、水利厅等有关部门负责人到东明视察抗洪抢险和救灾工作。先后察看了东明黄河南滩的郭庄、单庄等群众受灾情况和王高寨控导工程抢险情况，并在现场听取了汇报。

在东明县召开的座谈会上，中共菏泽市委书记陈光作了汇报。张高丽对前段菏泽抗洪救灾工作表示满意，对为抗洪抢险工作做出突出贡献的黄河职工表示慰问，并要求总结好经验，夺取抗洪抢险的全面胜利。

水利部审查《黄河河口综合治理规划任务书》

11月21日 水利部水利水电规划设计总院在北京组织召开会议，对黄委上报的《黄河河口综合治理规划任务书》进行了审查。国家发展和改革委员会、财政部、水利部、国家防总办公室、清华大学、北京水利水电科学研究院、水利水电规划设计总院、黄委、山东河务局、东营市人民政府、胜利石油管理局等单位的专家和代表参加了会议。

《黄河河口综合治理规划任务书》是根据2003年3月河口治理研讨会上专家们的建议和水利部领导指示编制的。拟定规划内容包括水利、生态环境、经济社会发展、海洋、科研、管理等。

苏茂林检查涵闸远程监控建设工作

11月24～25日 黄委副主任苏茂林在山东河务局副局长王昌慈等的陪同下，先后到菏泽市河务局、东平湖管理局、济南市河务局检查指导引黄涵闸远程监控建设工作。听取了有关情况汇报，察看了引黄涵闸远程监控系统建设，并要求保证质量、加快进度，确保按时完成任务。

战胜黄河严重秋汛

11月30日 2003年黄河下游发生了严重秋汛。8月25日至10月12日，黄河流域发生了7次较大范围的降雨过程，其中9月份渭河下游、三门峡至花园口区间降雨总量较常年同期偏多100%～150%，黄河下游偏多130%～200%。经小浪底水库调节，10月13日，高村水文站最大洪峰流量2970立方米每秒。受东平湖泄水影响，10月15日艾山水文站最大流量达到3030立方米每秒。10月20日，利津水文站最大流量2890立方米每秒。洪水过程从8月31日一直持续到11月22日。此次洪水特点是：洪峰流量小，洪水持续时间长，水量大；含沙量小，冲刷力强；同流量水位明显降低，局部河段河势发生较大变化，部分堤防、控导工程出现严重险情。

8月30日至11月30日，全省共有182处险工、控导工程的1059段坝(1492坝次)和22处堤防、涵闸工程出险。抗洪抢险累计用石24.44万立方米，砂石料4.03万立方米，土方7.39万立方米，柳(秸)料541.62万公斤，铅丝330吨，编织袋54.16万条。有5处滩区漫滩，洪水偎堤长度57.8公里，最大水深5米,漫滩总面积38.6万亩,被水围困村庄171个、12.28万人,迁移人口2.86万,受灾最严重的是东明黄河南滩。东平湖水位两次超过43.0米,10月15日,老湖水位最高为43.2米。10月11日至13日,因持续大风,东平湖二级湖堤石护坡坍塌损坏严重。

险情、灾情发生后,中共中央、国务院领导高度重视,胡锦涛、温家宝、回良玉等党和国家领导人多次作出重要批示,中共山东省委、省政府多次召开专门会议进行研究部署。省委常委阎启俊和副省长陈延明、张昭福亲自坐镇指挥。山东河务局局长袁崇仁、副局长郝金之等一直坚持在抗洪第一线。省水利厅、民政厅、交通厅以及电力、卫生、通信、气象等部门派员参加抗洪抢险。山东河务局先后调用9支抢险队参加抗洪抢险,并派出防汛抢险督察组昼夜进行巡回督促检查。在这次抗洪斗争中,参加查险、抢险的人员最多时达15760人,其中黄河职工5239人,地方干部和群众队伍8809人,解放军、武警官兵1712人。

山东黄河堤防养护费转为经营性收费

12月9日 山东省财政厅、物价局联合下发《关于同意将黄河大堤堤防养护费转为经营性收费的批复》,同意自2004年1月1日起,将黄河大堤堤防养护费转为经营性收费,收入不再作为预算外资金,不实行“收支两条线”管理。

大清河北堤加高加固工程竣工验收

12月10～11日 大清河北堤加高加固工程竣工验收。该工程位于东平县境内,相应大清河北堤桩号10+150～17+800,工程等级为堤防3级,设计标准为防御尚流泽水文站7000立方米每秒洪水。堤顶宽6.0米,堤顶高程为设防水位加超高1.6米,临背河边坡1:2.5。2003年3月24日开工,同年5月31日完成主体工程,共完成土方55.72万立方米,投资2260.52万元。

东平湖水库退水入黄河道治理工程通过验收

12月11日 东平湖水库退水入黄河道治理工程是解决东平湖蓄洪后向黄河排水的关键工程,设计过水流量2300立方米每秒,疏浚河道长5474米,河底开挖高程入黄口处39.5米(大沽基面),河底比降为万分之一,开挖边坡1:3;陈山口闸后河道宽100米,清河门闸后河道宽150米,两者汇流后河道最窄处174.46米,最宽处613.33米。2002年5月10日开工,同年10月30日完工。2003 年 12 月 11 日通过了山东河务局验收。共计完成河道内清淤土方 29.3 万立方米，河道滩地开挖土方 125.8 万立方米，投资 3028.75 万元。

胡锦涛看望东明黄河滩区受灾群众

12 月 12～15 日　中共中央总书记、国家主席胡锦涛考察山东农业、农村和农民问题。12 月 14 日，胡锦涛及中共中央书记处书记王刚等在中共山东省委书记张高丽、省长韩寓群陪同下，到受灾严重的东明县黄河滩区长兴集乡黄杨寨村、单庄村走访受灾农户，看望了受灾群众。

山东河务局被授予“2003 年黄河抗洪抢险先进单位”

12 月 16 日　黄委召开 2003 年黄河抗洪抢险表彰会，山东河务局被授予“2003 年黄河抗洪抢险先进单位”，山东河务局防办、菏泽市河务局、济南市河务局、河口管理局，省属第一、第五黄河专业机动抢险队，被授予“2003 年黄河抗洪抢险先进集体”，袁崇仁、郝金之等 37 人被授予“2003 年抗洪抢险先进个人”。

山东省胶东地区引黄调水工程开工建设

12 月 19 日　山东省胶东地区引黄调水工程开工建设。该工程自打渔张引黄闸引水，输水至烟台市的门楼水库和威海市的米山水库，输水线路总长 482 公里，工程建设总投资 28.94 亿元。

30 座引黄涵闸远程监控系统建设完成

12 月 22 日　2003 年黄委安排给山东河务局 30 座引黄涵闸远程监控系统建设的任务全部完成，可实现黄委水调中心和省、市、县河务局及闸管所五级监控。至此，山东黄河共有 39 座引黄涵闸建成了远程监控系统。

黄委批准河口物理模型试验基地建设用地计划

12 月 22 日　黄委以黄规计[2003]248 号文批复山东河务局《关于请求批准黄河河口物理模型试验基地建设用地的请示》。批复同意将黄河河口模型试验基地布设在东营市广利河南岸，工程用地暂按 1000 亩控制。

中共山东省委、省政府表彰抗洪救灾先进个人

12 月 30 日　中共山东省委、省政府鲁委[2003]304 号文表彰 2003 年全

省抗洪救灾工作先进个人,山东河务局李希宁、王玉华、李国荣立一等功,孙惠杰、许建中、张庆彬、梁灿、苏金超、司毅民荣立二等功。

山东黄河引黄供水 47.01 亿立方米

12 月 31 日 山东黄河 2003 年引黄供水 47.01 亿立方米,其中引黄济津 9.96 亿立方米。

2004 年

第八次引黄济津圆满完成

1 月 6 日 自 2003 年 9 月 12 日位山闸开始放水,历时 116 天的第八次引黄济津调水结束,比原计划提前 54 天。此次位山闸放水 9.25 亿立方米,天津九宣闸收水 5.1 亿立方米。

山东河务局荣获黄委目标管理先进单位一等奖

1 月 12~13 日 黄委召开全河工作会议,山东河务局荣获黄委 2003 年度目标管理先进单位一等奖。

山东黄河工作会议召开

1 月 31~2 月 1 日 2004 年山东黄河工作会议在济南召开。会议传达了黄委工作会议精神,山东河务局局长袁崇仁作了题为《树立科学发展观,实践治河新理念,全面推进山东黄河事业可持续发展》的工作报告,回顾总结了 2003 年的工作,分析了山东黄河治理与开发面临的新形势,安排部署 2004 年的目标任务。山东河务局机关各部门汇报了工作情况和计划。会上表彰了先进单位和部门,签订了 2004 年目标任务书和标准化堤防建设目标责任状。

山东省副省长陈延明专门发来了书面讲话,对山东河务局的工作给予了充分肯定和高度评价,并提出了希望和要求。

韩寓群对山东黄河标准化堤防建设作出重要批示

2 月 6 日 中共山东省委副书记、省长韩寓群在山东河务局向省政府报送的《加强领导,强化措施,确保按期完成我省黄河标准化堤防建设任务》的呈阅件上批示:“黄河标准化堤防建设是一项利在当前、功在千秋的伟业,省政府及两市(济南、菏泽)政府应克服困难,全力予以支持,争取如期完成或提前完成。如果这项工作因为地方工作不力而造成拖延,我们则是愧对后人。我希望延明同志专门协调一次,国土资源厅要积极予以协调配合,两市政府要下决心组织动员群众把这项利国利民的大事办好。”

山东黄河安全度过凌汛

2月8日 黄河山东段凌汛解除。本年度凌汛期前冬与后冬暖,春节(1月22日)前后降温幅度大,低温持续时间短。1月25日凌晨,济阳县黄河小街附近出现局部封河,冰面宽320米,冰厚2厘米,长度600米,27日增加到1500米。封河后济阳县河务局立即调一艘拖轮破冰,27日下午5时全部破除。此后,气温回升,流凌逐渐减少。

李国英检查济南黄河标准化堤防建设

2月9日 黄委主任李国英在山东河务局局长袁崇仁、济南市副市长赵文朝陪同下,检查了济南黄河标准化堤防建设,听取了汇报,并慰问了坚守在堤防建设第一线的工作人员。

李国英强调,黄河标准化堤防建设是百年大计,确保工程质量是有关各级河务、施工、监理单位的天职,一定要切实落实责任制,严格按照工程建设程序,尽职尽责,保质保量,建设一流的标准化堤防,确保黄河安澜。

水利部水资源调度工作会议在济南召开

2月9~10日 水利部水资源调度工作会议在济南召开。来自全国有关省、市、自治区的水利厅(局)和流域机构的负责人100多人参加了会议。会议总结交流了水资源调度工作经验,对水资源调度先进集体、先进个人进行了表彰。山东河务局被授予“水资源调度先进集体”。水利部副部长索丽生、山东省副省长陈延明、黄委主任李国英等出席会议并讲了话。与会代表参观了已实现远程监控的杨庄引黄闸和济南黄河标准化堤防建设示范段等。

黄自强、石春先到菏泽检查指导标准化堤防建设

2月11日 黄委副主任黄自强、石春先到东明察看标准化堤防建设工程现场,听取了东明县河务局的汇报。黄自强等对山东黄河标准化堤防建设工作给予了充分肯定,并就下一步工作提出了要求。

山东省政府召开标准化堤防建设协调会议

2月18日　山东省副省长陈延明在济南南郊宾馆主持召开山东黄河标准化堤防建设协调会。菏泽市市长杜昌文、副市长夏鲁青，济南市副市长赵文朝，省计划委员会、财政厅、国土资源厅、水利厅，山东河务局及济南市河务局、菏泽市河务局的负责同志参加了会议。山东河务局局长袁崇仁，济南、菏泽市领导就黄河标准化堤防建设问题先后作了汇报。

陈延明讲话指出，对待标准化堤防建设，要树立忧患意识、全局意识和机遇意识。有关市、县要切实加强组织领导，有关部门要搞好配合，积极支持，按照职能分工，各负其责，保证山东黄河一期标准化堤防建设如期完成。

水利专家考察山东黄河

3月10～15日　由黄委、黄河水利科学研究院、中国海洋大学、黄委山东水文水资源局等单位的专家组成的山东黄河技术考察组，对黄河防洪工程进行了考察。考察组由山东省政协委员、省政协原副主席李殿魁，山东河务局局长袁崇仁陪同，先后考察了菏泽至河口的防洪工程、利津水文站、刁口河故道等。15日，在山东河务局就山东黄河近期存在的主要问题、治理方略以及堤防、河道、滩区、东平湖、河口治理等重大问题进行了座谈。

黄河下游治理方略研讨会与会专家考察东明黄河

3月20日　黄委总工程师薛松贵带领参加黄委召开的“黄河下游治理方略专家研讨会”的百余名专家和代表，在山东河务局副局长郝金之等的陪同下，先后考察了东明王店滩区村台和2003年秋汛大堤抢险堤段，听取了菏泽市河务局的情况介绍，并就“二级悬河”治理等问题交换了意见。

山东省防汛抗旱指挥部调整组成人员

3月24日　山东省政府防汛抗旱指挥部鲁汛旱字[2004]5号文公布调整后的省防汛抗旱指挥部组成人员。

指挥：陈延明（副省长）；副指挥：王玉芬（省政府副秘书长）、袁崇仁（山东河务局局长）、宋继峰（省水利厅厅长）、阚辉（济南军区司令部作战部副部长）、刘龙光（省军区副司令员）、杨正武（省武警总队总队长）、杨焕彩（省建设厅厅长）；秘书长：韩修民（省水利厅巡视员）。成员由山东河务局副局长郝金之及有关厅局、济南军区空军及山东省武警总队有关负责人组成。

孔国锋等被命名为“山东黄河科技创新拔尖人才”

3 月 24 日 山东河务局经研究决定，命名孔国锋、刘建伟、程义吉、刘景国为“山东黄河科技创新拔尖人才”。

山东黄河工程局获公路工程总承包一级资质

3 月 26 日 经建设部批准，山东黄河工程局获公路工程总承包一级资质。至此，山东黄河工程局拥有建设部批准的水利水电工程和公路工程两个总承包一级资质，并同时具有公路路基工程和公路路面工程专业承包一级资质和桥梁工程专业承包二级资质。

黄自强到黄河口考察

4 月 3 日 黄委副主任黄自强在河口管理局局长贾振余等的陪同下，察看了河口丁字路、清 8 断面以及崔家控导、王庄险工等工程，对河口治理工作提出了要求。

山东河务局依照国家公务员制度管理实施动员会召开

4 月 6 日 山东河务局采取视频会议的形式召开了全局依照国家公务员制度管理实施工作动员会。传达了流域机构各级机关依照国家公务员制度管理人员过渡实施办法等上级文件，宣读了《山东河务局各级机关依照国家公务员制度管理实施方案》。局长袁崇仁作了动员讲话。

8 月，山东黄河省、市、县三级河务（管理）局机关依照国家公务员制度管理过渡实施工作全部结束。全局依照国家公务员制度管理定编人员 1266 人，通过考核过渡 827 人、考试过渡 334 人、空编 105 人。

国家防总办公室到济南定点仓库检查防汛物资储备工作

4 月 15 日 国家防总办公室会同黄委防汛办公室、山东河务局防汛办公室、山东水利厅工程管理局到中央防汛物资济南定点仓库对补充的防汛物资进行了检查验收，并检查了库房和其他防汛物资储备情况。

山东河务局被评为省直机关作风建设年活动先进单位

4 月 26 日 中共山东省委鲁委[2004]40 号文发布《中共山东省委、山东省人民政府关于表彰省直机关作风建设年活动先进单位的通报》，山东河务局被评为省直机关作风建设年活动先进单位。

山东河务局财务稽查科撤销

4月28日 山东河务局鲁黄人劳[2004]24号文通知,财务处财务稽查科撤销,人员编制相应核减,其职责划入审计处。调整后的财务处下设预算科、会计科、国有资产管理科、机关财务科;审计处下设审计一室和审计二室。

周景廷和石料供应处职工医院分获富民兴鲁劳动奖章和奖状

4月28日 滨城区河务局道旭河务段职工周景廷被山东省总工会授予山东省富民兴鲁劳动奖章;山东黄河防汛石料供应处职工医院被授予山东省富民兴鲁劳动奖状。

黄河亚洲开发银行贷款第三批子项目初步设计通过国家发展和改革委员会评审

4月29日 黄河洪水管理亚洲开发银行贷款第三批子项目,包括20个工程项目和7个非工程措施的初步设计,在郑州通过国家发展和改革委员会评审。涉及山东的项目有菏泽市牡丹区堤防加固、鄄城县堤防加固、山东黄河部分险工改建加固、平阴滩区安全建设等。

韩寓群致信要求做好防大汛准备

5月13日 山东省省长韩寓群写信给山东河务局局长袁崇仁和省水利厅厅长宋继峰,要求牢固树立防大汛意识,做好防大汛准备。韩寓群在信中指出,山东省处于黄河下游,防汛任务十分艰巨。要求立即着手抢抓防汛准备工作,该做的工程要限期做好;洪水冲刷后的工程修复,要认真检查和质量验收;加快防汛道路建设,确保防洪抢险不受阻;抢险所需物资要足量配备到位;要做好各种防守预案;防汛指挥部各成员单位要团结一心,积极投入防汛准备工作。防汛事关民生,事关社会稳定,要按照胡锦涛总书记"群众利益无小事"的重要指示,全面抓好防汛工作。

山东河务局完成1950～1966年进馆档案移交工作

5月17～20日 山东河务局东平湖管理局,聊城市、菏泽市河务局等39个单位1950～1966年暂缓进馆的2568卷档案移交黄河档案馆。此前1992

年,山东河务局与黄河档案馆曾签订暂缓进馆的协议,同意将已经鉴定的7000 余卷进馆档案实体暂由原单位保存,10 年后再移交进馆。

周海燕任山东河务局副局长

5 月 18 日 中共黄委党组[2004]22 号文通知:经中共黄委党组决定,并征得水利部人教司、中共山东省委组织部同意,周海燕任山东河务局副局长、党组成员。

亚洲开发银行官员检查东平湖滞洪区围坝除险加固工程

5 月 24 日 亚洲开发银行官员汤布南一行 3 人在黄委亚洲开发银行项目管理办公室有关人员的陪同下,到东平湖滞洪区检查亚洲开发银行贷款核心子项目——围坝除险加固工程建设情况。

山东河务局调整供水局主要职责和内设机构

5 月 25 日 山东河务局调整供水局主要职责和内设机构。供水局内设综合科、财务科、工程科,其主要职责包括:山东黄河引黄供水的生产、组织、协调和管理;编报用水计划,签订供水协议;水量计量和水费计收;生产成本核算、支出预算和水价测算;供水工程管理、工程建设、维护养护计划的编报、审批与组织落实;引黄供水经营开发等。

国家防总检查山东黄河防汛工作

5 月 27～30 日 由水利部副部长翟浩辉率领的国家防总黄河防汛检查组在中共山东省委常委阎启俊、山东省副省长陈延明等陪同下,先后察看了东平湖二级湖堤、济南标准化堤防建设、河口丁字路口等,并乘船察看了河口口门疏浚试验工程。

30 日上午,在济南山东大厦举行了座谈会。黄委副主任廖义伟、山东河务局局长袁崇仁、省水利厅厅长宋继峰分别作了汇报。黄河防汛常务副总指挥、黄委主任李国英通报了中央气象台 2004 年汛期气象预报情况。

山东省省长韩寓群参加座谈并表示,山东省各级政府将积极落实以行政首长负责制为核心的各项防汛责任制,确保黄河山东段安全。

山东河务局积极推进林木种植管理模式改革

5 月 28 日 山东河务局印发《山东黄河林木种植管理模式改革实施意见

(试行)》。林木种植、管理模式改革包括林地使用权和林木所有权向系统内职工合理流转、股份制合作、承包管理等。改革的原则为:保持防洪工程完整;确保国有资产不流失;林地所有权和使用管理权“两权分离”;操作“公开、公平、公正”;不得对系统外个人进行林地使用权、林木所有权流转以及承包、租赁;在同等条件下,具有一定专业知识、懂经营、会管理的职工相对优先。

坦桑尼亚总统姆卡帕携夫人察看济南黄河

5月29日 坦桑尼亚总统姆卡帕携夫人一行31人,在我国驻坦桑尼亚大使于庆泰等的陪同下,乘对山东省进行友好访问之际,参观了已建成的济南黄河标准化堤防、泺口险工和老徐庄引黄闸,游览了济南百里黄河风景区。济南市河务局负责人向总统一行简要介绍了黄河概况。姆卡帕总统说,黄河经常泛滥,难以治理,在世界上是有名的,你们却把黄河管理得井井有条。

山东省水利发展与改革工作会议在济南召开

6月8日 全省水利发展与改革工作会议在济南召开。山东省副省长陈延明、省直有关部门负责人、各市市长、分管副市长及水利、黄河河务部门负责人参加了会议。会议传达了中共山东省委书记张高丽关于水利工作的重要指示精神,菏泽等市作了典型发言,山东河务局局长袁崇仁在发言中总结了近几年山东黄河治理的成绩,介绍了新时期治黄思路、目标和措施,对黄河防汛、标准化堤防建设两项重点工作讲了意见。陈延明与沿黄9市签订了黄河防汛责任状。

国家审计署审计检查山东黄河水利基本建设计划执行情况

6月9日 国家审计署郑州特派办胡梦月副特派员一行19人,在黄委副主任徐乘、审计局局长赵春理等的陪同下,开始进行山东黄河水利基本建设资金审计检查工作。重点检查2002～2003年的计划执行和建设管理情况等。

刘宁调研济平干渠渠首闸有关问题

6月10日 水利部总工程师刘宁率领水利部调研组来山东调研南水北调东线一期工程济平干渠渠首闸闸址有关问题。黄委总工程师薛松贵,山东河务局副局长郝金之、总工程师杜玉海等陪同调研。

河口模型试验基地建设项目建议书审查会召开

6 月 12～15 日 水利部水利水电规划设计总院在东营市主持召开《黄河河口实体模型试验基地建设项目建议书》审查会。邀请清华大学、长江科学院、黄委、黄河水利科学研究院、山东河务局、黄河河口管理局、黄委山东水文水资源局等单位的领导和专家共 40 余人参加了会议。会议听取了项目建议书编制单位黄河勘测规划设计有限公司的汇报，经审查，基本同意该项目建议书。

河口近期治理防洪工程建设可行性研究报告审查会召开

6 月 16～19 日 水利部水利水电规划设计总院在东营市主持召开《黄河河口近期治理防洪工程建设可行性研究报告》审查会。黄委、山东河务局、河口管理局、黄委山东水文水资源局等单位的领导和专家共 30 余人到会。部分专家进行了现场查勘，会议听取了可行性研究报告编制单位黄河勘测规划设计有限公司的汇报，经审查，基本同意该可行性研究报告。

姜大明检查济南黄河防汛工作

6 月 18 日 中共山东省委副书记、济南市委书记姜大明检查济南黄河防汛工作，先后察看了泺口险工和已建成的天桥区黄河标准化堤防示范段，听取了济南市河务局的汇报。座谈中，姜大明要求进一步加快标准化堤防建设步伐，着力解决好未开工堤段的土地征用和房屋拆迁问题，确保按期完成建设任务。

黄河河口研究院成立

6 月 21 日 黄委黄人劳[2004]27 号文通知成立黄河河口研究院。该院由山东河务局负责组建，其科研业务受黄河水利科学研究院领导。

2005 年 3 月 3 日，山东河务局鲁黄人劳[2005]16 号文印发《关于黄河河口研究院管理体制等有关问题的通知》，黄河河口研究院冠名为黄河水利委员会黄河河口研究院，隶属山东河务局领导，委托黄河河口管理局负责日常管理。该院为正处级基础公益类事业单位，内设科室为正科级，编制 30 人。科研业务仍由黄河水利科学研究院领导。

黄河调水调沙梁山段人工扰动泥沙试验启动

6月22日 12时，黄河第三次调水调沙山东梁山河段10公里人工扰动泥沙试验全面启动，15艘扰沙船投入泥沙扰动作业。中央电视台进行了直播。

黄委副主任廖义伟、中共黄委纪检组组长李春安在山东河务局副局长郝金之及东平湖管理局负责同志的陪同下，现场察看了扰沙作业情况，并提出了具体要求。

按照黄河防总办公室通知，扰沙船于7月13日6时停止作业。

张高丽检查山东黄河防汛工作

6月29日 中共山东省委书记、省人民代表大会常务委员会主任张高丽，省委副书记、济南市委书记姜大明，省委常委、秘书长杨传升，副省长陈延明等，带领省委办公厅、省水利厅、山东河务局等单位的负责人检查黄河防汛工作，察看了济南泺口险工，看望了正在进行训练的天桥区黄河民兵抢险队，在天桥区河务局召开了防汛工作座谈会。听取省水利厅厅长宋继峰、山东河务局局长袁崇仁、济南市市长鲍志强等的汇报。张高丽强调黄河防汛要抓好"水情预报、洪水调度、查险抢险"三个关键环节，严格落实防汛责任制，严格执行防洪预案，加快度汛工程建设，做好滩区迁安救护，各项保障措施要有力。

徐乘检查指导东明标准化堤防建设工作

6月30日 黄委副主任徐乘带领黄委规划计划、财务等有关部门负责人，在山东河务局局长助理王银山等的陪同下，察看了东明标准化堤防建设工地，听取了工程建设情况汇报。徐乘要求参建各方进一步加大工作措施，克服困难，在保证工程质量的前提下尽量使工期提前。

韩寓群检查山东黄河防汛工作

6月30日～7月2日 中共山东省委副书记、省长韩寓群率领省防汛抗旱指挥部成员单位负责同志检查黄河防汛工作。先后察看了东明标准化堤防工程建设、滩区安全建设，以及移民迁建、大清河戴村坝、东平湖二级湖堤、黄河调水调沙梁山段扰动泥沙试验现场、艾山卡口，平阴县护城堤、槐荫区标准化堤防工程建设、山东黄河物资储备中心等。

7月2日下午，在济南召开了山东省防指扩大会议暨黄河防汛工作座谈会,传达了国务院副总理回良玉在国家防总会议上的讲话精神,对黄河防汛和全省内河防汛工作进行了全面部署。

中共山东省委常委阎启俊,省军区司令员谈文虎,副省长陈延明,省武警总队总队长杨正武、济南军区有关部门负责同志,山东河务局局长袁崇仁、副局长郝金之等陪同检查并参加了会议。副省长张昭福参加了座谈会。

李洪程察看黄河防洪工程

7月7～9日 济南军区参谋长李洪程率领勘察组在黄委副主任徐乘、山东河务局副局长郝金之等的陪同下,察看了菏泽、泰安、济南黄河河段的主要险工、险段和东平湖滞洪区,并进行了兵力部署。9日,在济南听取了山东、河南两省黄河防汛准备情况的汇报。

滨州至博山高速公路黄河大桥建成通车

7月8日 滨州至博山高速公路黄河大桥建成通车。该桥位于黄河大堤左岸桩号263+330、右岸桩号161+100处,是一座三塔六跨PC斜拉桥,大桥全长1698.4米,主桥长768米,最大跨度300米,桥面宽32.8米,双向4车道,设计行车时速120公里。工程总投资7.35亿元。于2001年8月8日动工兴建。

李国英察看调水调沙人工扰动试验

7月9日 黄委主任李国英,在山东河务局局长袁崇仁等陪同下,在路那里险工乘船逆流而上,察看了扰沙试验河段河势,详细了解泥沙扰动有关情况,向冒着酷暑坚持扰沙的施工人员和前来支援的舟桥部队官兵表示慰问和感谢。

国家防汛抗旱指挥系统山东河务局骨干网设备投入试运行

7月15～26日 山东河务局信息中心顺利完成了国家防汛抗旱指挥系统一期工程计算机网络山东黄河骨干网的设备安装任务,并投入试运行。

山东河务局召开《山东黄河大事记》评审会议

7月17日 山东河务局召开《山东黄河大事记(1986～2002年)》(评审稿)评审会,山东省地方史志办公室、黄委黄河志总编辑室的有关领导和专家应邀出席会议。局长袁崇仁、副局长王昌慈、总工程师杜玉海,部分离退休老领导、老专家及机关有关处室负责人参加了会议。

与会人员对《山东黄河大事记》评审稿予以肯定，认为其指导思想明确、体例得当、语言表达准确，实事求是地反映了山东黄河治理开发的成就、时代特点和行业特色，符合大事记的编纂要求。并提出了修改意见。

汶河流域降大到暴雨

7月18日 16日12时至18日8时，汶河流域平均降雨量100毫米，肥城道郎最大点雨量207毫米。18日20时24分，戴村坝水文站洪峰流量1140立方米每秒。为使东平湖老湖低于汛限水位，7月16日起，相继开启陈山口、清河门出湖闸向黄河退水。

山东省防指印发《山东省黄河防汛抗洪指挥调度办法》

7月21日 山东省防指印发《山东省黄河防汛抗洪指挥调度办法》。要求沿黄市防汛抗旱指挥部、省防指各成员单位遵照执行。

王银山等被批准为享受教授、研究员同等待遇的高级工程师

7月22日 山东河务局鲁黄人劳[2004]41号文通知，经水利部高级工程师评审委员会2004年4月28日通过，批准山东河务局王银山、毕秀丽、张庆国、刘景国、李长海、崔节卫、杨春林为享受教授、研究员同等待遇的高级工程师。

山东河务局派员支援黄河小北干流放淤试验工程抢险

7月25日 按照黄河防总办公室《关于抽调抢险技术骨干支援黄河小北干流放淤试验现场抢险的紧急通知》要求，山东河务局从省属第二、第九黄河专业机动抢险队各抽调3名抢险骨干，赴山西省河津市黄河小北干流放淤试验现场，担负抢险技术指导任务。

山东省政府发出通知加快黄河标准化堤防建设

7月28日 山东省人民政府办公厅向济南、菏泽市人民政府及省直有关部门下发了《关于加快黄河标准化堤防建设的紧急通知》，要求济南、菏泽两市政府主要负责人要亲自抓，切实解决工程建设中的难点问题，为施工创造良好环境，确保标准化堤防建设完成年度目标任务。

东平湖老湖超过警戒水位

8 月 5 日 7 月 25 日以来,汶河流域持续降雨。7 月 30 日夜至 31 日晨又出现强降雨过程,平均降雨量为 62 毫米,戴村坝雨量站最大点雨量 167 毫米。7 月 31 日 21 时,戴村坝水文站洪峰流量 1900 立方米每秒。至 8 月 5 日 22 时东平湖老湖水位上涨至 43.63 米,超过警戒水位 0.63 米。

谢玉堂到东平湖检查指导防汛工作

8 月 6 日 山东省副省长谢玉堂带领水利厅、民政厅等省直有关部门负责人,到东平湖检查指导防汛工作。泰安市市长贾学英、中共山东河务局党组副书记张学明等陪同检查。

山东河务局开展防汛抢险技能竞赛暨实战演练

8 月 10 日 来自山东黄河系统各基层单位的防汛抢险代表队及个人选手,以实战的方式在济南泺口参加防汛抢险技能竞赛。此次参赛的队员及工作人员共计 400 多人,评选出 4 支优胜抢险队和 30 名抢险技术能手,菏泽市河务局代表队获得集体第一名,东平湖管理局张洪昌获得个人第一名。13 日演练结束。

赵衍湖任山东河务局助理巡视员

8 月 16 日 黄委黄任[2004]34 号文通知:经研究决定,任命赵衍湖为山东黄河河务局助理巡视员,免去其调研员(副局级)职务。

韩寓群批示搞好山东黄河标准化堤防建设

8 月 19 日 山东省省长韩寓群在黄委主任李国英的来信上批示济南、菏泽两市政府:"我们应当衷心感谢黄委作出加强黄河堤防建设的重大决策,历史必将证明这是一项造福于山东人民的重大建设工程。无论有多大困难,我们地方政府必须坚定不移地把这件事情办好,否则,我们将对后人无法交代。希望你们亲自召开有关部门主要负责人会议,听取一下黄河部门的汇报,制定切实有力的措施,确保工程顺利建设。"

山东省政府督导黄河标准化堤防建设

8 月 19~24 日 山东省政府办公厅与山东河务局联合组成黄河标准化

堤防建设督导组，先后对菏泽、济南标准化堤防建设进行了检查督导。督导组逐段查看了工程进展情况，并分别在东明县和槐荫区召开座谈会，督导组组长、省政府办公厅助理巡视员高洪波分析了工程建设中存在的问题，对下一步工作提出了明确要求。

黄委组织考察汶河流域和东平湖滞洪工程

8月24～26日　黄委副主任廖义伟率考察组，在山东河务局副局长郝金之、省水利厅巡视员李新华等的陪同下，考察了汶河流域防洪工程和重要水文测验断面以及东平湖滞洪工程。8月25日，考察组在梁山召开座谈会。廖义伟要求：尽最大努力解决东平湖滞洪工程和防洪非工程措施存在的问题，研究制订防洪调度常规预案和非常规预案，实现“分得进、守得住、排得出、群众保安全”的目标。

黄河高村水文站出现洪峰

8月25日　6时30分，山东黄河高村水文站洪峰流量3840立方米每秒，相应水位63.1米。山东省防汛抗旱指挥部发出紧急通知，要求各级防汛抗旱指挥部加强对黄河防汛工作的领导，加强防汛值班，做好抢险准备，最大限度地缩小漫滩造成的损失。27日，利津水文站洪峰流量为3200立方米每秒，安全通过入海。

东平湖再次超过警戒水位

8月29日　26～28日，汶河流域普降暴雨到大暴雨，最大点雨量134毫米。29日2时，大清河戴村坝水文站洪峰流量1750立方米每秒，东平湖老湖水位43.10米，再次超过警戒水位。29日8时，老湖水位涨至43.22米。

邹平创办黄河供水有限公司开始运营供水

8月30日　由邹平县河务局和县水利局吸引民间资本创办的山东黄河首家股份制供水企业——邹平黄河供水有限公司，正式向邹平县城区供水，日供水量达到5.8万立方米，基本水价为每立方米1.75元。

山东黄河经济发展暨工程管理工作会议召开

9月3～8日　山东河务局召开山东黄河经济发展暨工程管理工作会议。与会人员参观了8个市河务（管理）局的淤区种植养殖经济开发及工程管理情况。8 日上午，副局长杜宪奎在河口管理局作了题为《认清形势，强化措施，加快我局经济发展步伐，提高工程管理水平》的讲话。局长袁崇仁作总结讲话，要求立足黄河治理，解决好土地开发、经济发展、工程管理的体制和机制问题，“让大堤绿起来、黄河美起来、职工富起来”。

山东黄河勘测设计研究院、信息中心迁址

9 月 5 日 因济南市经一路延长线建设，山东黄河勘测设计研究院由历下区小园庄 47 号搬迁到东关大街 111 号办公。

10 月 12 日，山东黄河信息中心由历下区菜市南街 37 号搬迁到东关大街 111 号办公。

山东黄河各市、县河务(管理)局单位名称变更

9 月 9 日 根据《黄河水利委员会关于基层单位名称变更的通知》，山东河务局所属各市河务(管理)局名前冠以“山东黄河河务局”，如“山东黄河河务局菏泽黄河河务局”；各县(市、区)局名前冠归属市河务(管理)局名称，如“济南黄河河务局天桥黄河河务局”。不再加“市”、“县”、“区”等。

山东河务局两项成果获山东省职工优秀技术创新成果奖

9 月 9 日 山东省总工会、山东省科学技术厅、山东省劳动和社会保障厅以鲁会[2004]40 号文印发《关于表彰奖励山东省职工优秀技术创新成果的决定》，山东河务局“挖塘机和汇流泥浆泵组合输沙试验研究”、“拧扣铅(铁)丝网片编织机”两项成果分别获山东省职工优秀技术创新成果一等奖和三等奖。

山东首届黄河文化艺术节暨国际沙雕艺术展开幕

9 月 18 日 以“维持黄河健康生命、建设山东生态效益黄河”为主题的山东首届黄河文化艺术节暨国际沙雕艺术展在泺口黄河公园隆重举行开幕仪式。中共山东省委宣传部、山东河务局、省旅游局等主办、承办、协办单位负责人以及比利时、孟加拉国等国的国际友人参加了开幕仪式。国际沙雕艺术精品园展现了神农尝百草、女娲补天、伏羲与八卦、黄帝陵、大禹治水、秦始皇兵马俑、白马西来、清明上河图、四大发明等广为人知的古黄河文化。

陈延明主持召开黄河滩区移民迁建和标准化堤防建设现场办公会

9 月 20 日 山东省副省长陈延明在菏泽主持召开东明黄河滩区移民迁

建和标准化堤防建设现场办公会。听取了菏泽市、东明县政府和菏泽河务局的汇报，山东河务局局长袁崇仁、省发展和改革委员会副主任李关宾、省财政厅副厅长于国安、省国土资源厅副厅长张庆坤、省水利厅副厅长武轶群分别发言。

陈延明指出，这次现场办公会主要是研究贯彻落实国务院总理温家宝、山东省省长韩寓群重要批示精神，加快东明黄河滩区移民迁建和标准化堤防建设的步伐。移民迁建工作既要争取时间，又要确保建房质量；标准化堤防建设一刻也不能放松，确保2005年汛前全面完成。

赵安平荣获山东省富民兴鲁劳动奖章

9月27月 利津河务局职工赵安平荣获省总工会授予的山东省富民兴鲁劳动奖章。

苏茂林到位山闸检查引黄济津工作

9月30日 黄委副主任苏茂林在山东河务局副局长郝金之的陪同下，察看了位山闸第九次引黄济津各项准备工作，并给予了充分肯定，要求下一步围绕“筹足水，引得出，保安全”做好工作，确保按时完成引黄济津供水任务。

第九次引黄济津启闸放水

10月9日 上午9时，国家防总秘书长、水利部副部长鄂竟平在山东聊城位山引黄闸宣布，第九次引黄济津正式启动，并按下了启闸按钮。本次引黄济津计划从位山闸引水9.8亿立方米，天津九宣闸收水4.3亿立方米，历时120天。

黄河口模型试验基地奠基暨黄委河口研究院揭牌仪式隆重举行

10月12日 黄河口模型试验基地奠基暨黄委河口研究院揭牌仪式在东营市举行。山东省副省长陈延明、黄委副主任徐乘出席奠基仪式并为黄河口研究院揭牌。中国水利企业协会会长、水利部原副部长朱登铨，山东省政协委员、省政协原副主席李殿魁，以及来自有关单位的领导、专家参加了奠基和揭牌仪式。

山东河务局三项科技成果获黄委科技进步奖

11月8日 黄委黄国科[2004]11号文通知，经黄委科技进步奖评审委员会审定,菏泽河务局、北京清大华云科技发展中心等单位共同完成的“LQS 型两相流潜水泵疏浚系统研制”项目获黄委科技进步二等奖,该项目 2005 年获中国水利学会大禹水利科学技术三等奖;山东河务局、河海大学移民研究中心共同完成的“东平湖水库移民与区域发展”项目获黄委科技进步二等奖;山东黄河东平湖管理局、山东黄河梁山机械厂共同研制的“YZH－A(B)型工程抢险应急照明车研制”项目获黄委科技进步三等奖。

垦利河务局被评为山东省特级档案管理单位

11 月 16 日 垦利河务局因档案管理工作突出,被评为山东省特级档案管理单位。

山东黄河水泥厂划归东平湖管理局管理

11 月 17 日 山东河务局鲁黄人劳[2004]90 号文通知,将山东黄河水泥厂(包括山东黄河防汛石料供应处和职工医院)整建制划归东平湖管理局管理。隶属关系变更后,单位职能、规格不变。

山东河务局调整经济发展管理局的管理职能

11 月 17 日 山东河务局鲁黄人劳[2004]93 号文《关于进一步强化经济发展管理局职能完善运行机制的意见》通知:将山东黄河物资储备中心、山东黄河职工培训中心、山东金黄河农业开发中心、东明黄河供水有限责任公司委托山东河务局经济发展管理局全面管理。

鹊山水库截渗工程入选中国企业新纪录

11 月 23 日 中国企业联合会、中国企业家协会为 275 家企业创造的 451 项中国企业新纪录(第九批)颁发了证牌。山东黄河工程局申报承建的济南市引黄供水鹊山调蓄水库截渗工程,围坝土工膜垂直截渗最大铺塑深度 19 米,长度 11.6 公里,创国内平原水库铺塑深度及长度纪录,入选中国企业新纪录。

王澄方退休

11 月 29 日 中共黄委党组黄党[2004]42 号文通知,经研究决定,王澄方已到达退休年龄,免去其中共山东河务局纪检组组长、党组成员职务,于 2004 年 9 月退休。

水利部颁布《黄河河口管理办法》

11 月 30 日　水利部部长汪恕诚签署中华人民共和国水利部令第 21 号《黄河河口管理办法》。该办法于 2004 年 10 月 10 日水利部部务会议审查通过，自 2005 年 1 月 1 日起施行。

山东河务局召开科技与创新会议

12 月 10 日　山东河务局在济南召开山东黄河科技与创新会议。总结了近年来的科技与创新和“数字黄河”建设工作，表彰了先进单位和先进个人。局长袁崇仁作了《坚持科学发展观，加快科技与创新步伐，推动山东治黄事业持续快速健康发展》的报告。

水利部印发水利工程管理体制改革试点方案

12 月 20 日　水利部发布《关于印发水利部直属水利工程管理体制改革试点方案的通知》，山东河务局所属鄄城、梁山、东阿、齐河、槐荫、天桥、济阳、高青、惠民、利津等 10 个县（区）河务局被确定为水利工程管理体制改革试点单位。

济南黄河一期标准化堤防建设主体工程完工

12 月 22 日　黄河标准化堤防建设第一期工程主体工程全部完成，较原定时间提前 9 天。

该项标准化堤防建设工程位于黄河右岸，大堤桩号为 $-(1+980)\sim64+574$，工程长度 66.55 公里，于 2002 年 11 月 14 日开工。主要工程量：土方 1844.37 万立方米，石方 10.52 万立方米。工程建设总投资 4.45 亿元。

滨州黄河公路铁路两用桥举行奠基仪式

12 月 28 日　滨州黄河公路铁路两用桥在滨城区梁才乡大高黄河滩区隆重奠基。该桥全长 7600 米，上层公路桥双向四车道；下层铁路桥与小营至滨州的地方铁路衔接。总投资 9.5 亿元。

刘兴燕、马政委分别当选“三条黄河”建设十大杰出青年和优秀青年

12 月 29 日　黄委“三条黄河”建设十大杰出青年和优秀青年评选揭晓，山东河务局梁山机修厂职工刘兴燕被评为“三条黄河”建设十大杰出青年，德

州河务局职工马政委被评为“三条黄河”建设优秀青年。

2004 年引黄供水 44.89 亿立方米

12 月 31 日 2004 年山东黄河引黄供水共计 44.89 亿立方米,其中位山闸向天津供水 8.01 亿立方米。

山东黄河防洪工程标志标牌建设全面完成

12 月 山东黄河防洪工程标志标牌建设全面完成。山东河务局根据水利部和黄委有关规范和标准,制定了《山东黄河防洪工程标志标牌建设标准》和实施规划。2003 年统一完成了市、县河务段 108 块堤防交界牌的制作安装工作。2004 年在 1200 公里大堤上安装了 184 块指示牌(其中险工简介牌 64 块),更换了 1470 块堤防里程桩。

2005 年

山东河务局荣获黄委目标管理一等奖

1 月 10～12 日 黄委召开全河工作会议,山东河务局荣获 2004 年度目标管理一等奖。

黄委表彰山东河务局标准化堤防建设先进集体和先进工作者

1 月 11 日 黄委在济南历城河务局付家庄险工,隆重召开全河工作会议现场会,表彰山东河务局在济南、菏泽黄河标准化堤防建设中的先进集体和先进个人。黄委主任李国英、副主任徐乘和苏茂林、纪检组组长李春安、工会主席郭国顺和参加全河工作会议的与会代表出席了表彰会。山东河务局局长袁崇仁在会上汇报了 2004 年标准化堤防建设情况。

韩寓群会见李国英

1 月 12 日 中共山东省委副书记、省长韩寓群在济南亲切会见黄委主任李国英及副主任徐乘、苏茂林,纪检组组长李春安,工会主席郭国顺等。韩寓群指出,黄河标准化堤防建设是功在当今、利在千秋的利国利民工程,今后山东省将一如既往地支持黄委及黄河的治理开发与管理工作。李国英代表黄委对中共山东省委、省政府在黄河标准化堤防建设中给予的有力支持表示感谢。

中共山东省委常委、省总工会主席阎启俊，副省长陈延明，山东河务局局长袁崇仁等参加了会见。

山东河务局召开保持共产党员先进性教育动员大会

1月14日 中共山东河务局党组召开局机关和局直单位保持共产党员先进性教育动员大会，党组书记、局长袁崇仁作了动员讲话。省直机关党员先进性教育活动第25指导组组长陈群力到会并讲了话。首批开展的党员先进性教育活动为期3个月，山东河务局机关、局直单位31个总支和支部，679名党员全部参加。

山东黄河工作会议召开

1月15～16日 山东黄河工作会议在济南召开，省长陈延明到会讲话。山东河务局局长袁崇仁作了题为《以科学发展观统领全局，全面推进山东黄河事业持续健康协调发展》的工作报告。会议总结交流了典型经验，表彰了2004年目标管理先进单位和部门，签订了2005年目标任务书。中共山东河务局党组副书记张学明作会议总结。各市、县(市、区)河务(管理)局和局直属单位领导班子成员、山东河务局机关副处级以上干部及离退休老领导等150余人参加了会议。

第九次引黄济津调水圆满结束

1月25日 9时，第九次引黄济津调水任务全面完成，黄河水量总调度中心首次通过涵闸远程监控系统关闭位山闸。此次引水自2004年10月9日开始，历时108天，从位山闸调引黄河水9.01亿立方米，天津九宣闸收水4.3亿立方米。

韩寓群察看东明黄河滩区安全建设和标准化堤防建设

1月28日 中共山东省委副书记、省长韩寓群，中共山东省委常委阎启俊等，在中共菏泽市委书记陈光、市长杜昌文等的陪同下，察看了菏泽东明黄河滩区安全建设和标准化堤防建设。韩寓群听取了菏泽河务局局长王玉华关于东明黄河标准化堤防建设及滩区村台建设情况汇报，详细询问了工程建设情况，对黄河滩区安全建设工程给予了充分肯定。在黄河标准化堤防建设现场，韩寓群对在严寒中坚持正常施工的广大建设者表示慰问，并要求河务部门及各级政府克服困难，千方百计加快进度，确保按时完成建设任务。

山东河务局对供水财务实行全面预算管理

2 月 1 日　山东河务局印发了《山东黄河河务局供水财务管理办法》，对供水财务实行了全面预算管理。2005 年底，各市（县、区）河务局基本完成了供水财务的剥离和账务的移交，市河务局供水处初步完成了供水财务的建账设账。同时，内控制度进一步健全，组织开展了全局供水财务联审互查工作。

山东省政府办公厅通知要求加快标准化堤防建设步伐

2 月 23 日　山东省人民政府办公厅向各市及有关单位下发了《关于切实抓好春季农业生产工作的通知》，其中，对黄河标准化堤防建设，要求“济南、菏泽两市沿黄各有关市、县（区）政府在工程建设迁占用地、优化施工环境等方面给予大力支持和通力协作。河务部门要进一步加大工作力度，克服困难，加快工程建设步伐，确保今年 6 月底前高质量完成一期工程建设任务，为二期工程建设创造条件”。

山东黄河信息中心升格

2 月 24 日　山东河务局鲁黄人劳[2005]9 号文印发《关于山东黄河信息中心升格的通知》。通知内容为：接黄委黄人劳劳便[2004]35 号函批复，山东黄河信息中心升格为正处级，内设机构不变。

孙宗海、钟新生职务任免

2 月 25 日　山东河务局鲁黄党[2005]11 号文任命孙宗海为中共聊城黄河河务局党组书记、局长。

同日，鲁黄党[2005]10 号文免去钟新生中共聊城黄河河务局党组书记、局长职务。

山东河务局设立三个审计中心站

2 月 25 日　山东河务局召开审计工作会议，确定设立东平湖、济南、河口三个审计中心站。东平湖审计中心站负责菏泽、聊城河务局和东平湖管理局的审计任务；济南审计中心站负责德州、济南河务局和部分局直单位的审计任务；河口审计中心站负责淄博、滨州河务局和河口管理局的审计任务。

山东黄河防汛指挥中心开工建设

2月26日 山东黄河防汛指挥中心主体工程开工建设。该工程位于济南市历下区黑虎泉北路,共9层,总建筑面积22917平方米。主体工程由中国建筑第八工程局第二建筑公司施工,山东省工程建设监理公司为监理单位。8月26日主体工程封顶,全部工程计划2006年竣工。

黄河凌汛山东段封河全部开通

2月28日 15时30分,黄河凌汛山东段封河平稳开通。本年度气温较低,且持续时间长。自2004年12月27日黄河山东段开始封河,2005年1月18日,最大封冻长度达233.3公里,最大冰量1193万立方米。期间,黄河防总和山东黄河各级河务部门加强了对小浪底水库、引黄济津、引黄供水的调度和浮桥的管理,采取了相应措施,确保了凌汛安全。

济阳河务局水利工程管理体制改革试点工作顺利完成

3月2日 济阳河务局水利工程管理体制改革试点正式启动。这是从全河22个水利工程管理体制改革试点单位中选出的首批试点单位。3月17日,济阳河务局顺利完成改革试点工作,实现了水利工程管理单位、养护企业和施工企业三者的分离。成立了新的济阳黄河河务局、济阳黄河水利工程维修养护公司,原济阳县河务局所属施工企业从县河务局剥离,整合到济南黄河水利水电工程局。

黄委审计组检查山东黄河水利基本建设计划执行情况

3月7日 黄委审计局二处调研员彭永年率领黄委联合审计组一行15人,进行山东黄河水利基本建设资金审计工作。重点检查2004年国家审计涉及的有关问题整改情况及国家审计未涉及的部分单位水利基建专项资金等。

山东省政府督察黄河防洪工程建设情况

3月14～20日 山东省政府办公厅助理巡视员高洪波带领省政府办公厅、省发展和改革委员会和山东河务局有关人员,先后对淄博、滨州、聊城、济宁、菏泽五市在建黄河防洪工程和东明标准化堤防建设实施了督察。在逐段察看的基础上,分别召开了由当地市、县领导,河务部门领导和沿黄乡(镇)主要负责同志参加的座谈会。要求沿黄各级政府切实加强领导,采取有效措施,优化施工环境，全力支持黄河防洪工程建设，确保按要求完成工程建设任务，为黄河防洪安全奠定物质基础。

滨州市南城供水项目开工建设

3 月 16 日 滨州河务局山东恒泰工程集团公司与滨城区政府正式签订了“南城供水项目”开发建设合同书，项目正式启动。该项目占地 4000 亩，主要包括龙潭水库和净水厂两部分。水库设计总库容 1250 万立方米，净水厂设计日供水 5 万立方米。工程预算总投资 1.3 亿元，由恒泰公司和滨城区水务局职工共同筹措，成立滨州市黄河供水有限公司（民营），独资享有水资源供应与经营权。一期工程（水库库容 600 万立方米，投资 8000 万元）2005 年底基本完成主体工程。

同年 11 月 9 日，山东河务局供水局筹集 1000 万元以法人股的形式进入滨州市黄河供水有限公司。

《山东省黄河工程管理办法》颁布

3 月 25 日 山东省省长韩寓群签署省政府令第 179 号，颁布《山东省黄河工程管理办法》，5 月 1 日起施行。该管理办法共 6 章 40 条，依据国家有关法律、法规，对黄河工程的建设、管理与保护作出了规定。

山东河务局经济工作会议召开

4 月 2 日 山东河务局召开经济工作会议，总结 2004 年经济工作，安排部署 2005 年经济工作任务，表彰了优秀企业和优秀企业家，并邀请了林业、果树和经济专家作专题报告。副局长杜宪奎作经济工作报告。局长袁崇仁讲话，要求进一步解放思想，转变观念，以科学发展观统领经济工作；加强学习，强化培训，搞好调查研究，全面提升驾驭经济工作的能力；强化责任，齐心协力，努力完成全年经济目标任务。

调整黄河下游引黄渠首工程供工业和城市生活用水价格

4 月 8 月 国家发展和改革委员会以发改价格[2005]582 号文正式通知调整黄河下游引黄渠首工程供工业和城市生活用水价格，调整幅度为：2005 年 7 月 1 日至 2006 年 6 月 30 日，4～6 月份的每立方米由现行的 0.046 元调整到 0.069 元，其他月份每立方米由现行的 0.039 元调整到 0.062 元；2006 年 7 月 1 日以后，每年 4～6 月份每立方米 0.092 元，其他月份每立方米 0.085 元。

驻鲁中外专家考察黄河口

4月9～10日 为探寻黄河古道，寻求文化合作，来自美国、澳大利亚、英国、德国、新西兰和韩国的15名驻鲁文教专家和山东经济学院、山东工艺美术学院、中国石油大学的5名专家，在黄河河口研究院院长程义吉的陪同下，对黄河口尾闾河道及河口模型试验基地建设进行了考察，并提出了建议。

山东河务局召开黄河防汛暨信息通信工作会议

4月15～16日 山东黄河防汛暨信息通信工作会议召开。黄委信息中心主任李银全、山东河务局局长袁崇仁和副局长郝金之、总工程师杜玉海，以及各市河务局分管防汛的副局长等60余人参加了会议。会议总结了2004年黄河防汛和信息通信工作，分析了存在的问题，安排部署了2005年黄河防汛和信息通信工作任务。

黄委水行政执法检查团到东平湖检查工作

4月18日 由黄委水政局、建设与管理局、山东河务局、河南河务局组成的水行政执法检查团到东平湖检查水法规执行情况。检查团听取了东平湖管理局的汇报，检查了黄河鑫通、京九、蔡楼浮桥建设运营情况，就有关政策法规执行问题进行指导，对存在的违章行为提出了处理意见，并对今后水行政执法工作提出了要求。

刘兴燕荣获山东省富民兴鲁劳动奖章

4月27日 山东黄河梁山机械厂副厂长刘兴燕被山东省总工会授予山东省富民兴鲁劳动奖章。

事业单位人员聘用制度改革暨水利工程管理体制改革动员会召开

4月28日 山东河务局召开事业单位人员聘用制度改革暨水利工程管理体制改革动员会，中共山东河务局党组副书记张学明、副局长杜宪奎分别作了动员讲话，传达了黄委事业单位试行人员聘用制度改革及水利工程管理体制改革试点意见。

这次事业单位人员聘用制度改革，目标是逐步建立政、事职责分开，单位自主用人，人员自主择业，依法管理，配套政策完善的分类管理体制。在竞争上岗和双向选择的基础上，实行聘用合同制。从2006年起，事业单位补充工作人员都要面向社会公开招聘。

水利工程管理体制改革的主要内容是:管理、养护、施工三者分离。各县河务(管理)局事业单位人员聘用制度改革与水利工程管理体制改革同步进行。

黄委表彰治黄劳动模范和先进集体

4 月 29 日 黄委黄办[2005]14 号文《关于表彰治黄劳动模范和先进集体的决定》,山东河务局张清田、王勤修、高尚勇、徐学军、翟春华、格立民、刘双珍、赵玉英(女)、刘兴海、张学秀、汤怀义、王继堂、李金林、杨振善、张广峰、王玉华、张孟贞、刘友文、马政委、王振海、袁建民、盖吉华、马汉平、陈茂军、杨德胜、刘航东、胡振荣、王玉府、陈太平被授予黄委劳动模范称号。山东黄河工程局、山东乾元工程集团有限公司、山东恒泰工程集团有限公司、高青河务局、济阳河务局、李家岸引黄闸管理所、位山引黄闸管理所、山东黄河防汛石料供应处职工医院、东平河务局、牡丹河务局被授予先进集体称号。

山东省防汛抗旱指挥部调整组成人员

4 月 30 日 山东省防汛抗旱指挥部鲁汛旱字[2005]7 号文公布调整后的省防汛抗旱指挥部(以下简称省防指)组成人员为:

指挥:陈延明(副省长);副指挥:高洪波(省政府办公厅助理巡视员)、袁崇仁(山东河务局局长)、宋继峰(省水利厅厅长)、阚辉(济南军区司令部作战部副部长)、冯祥来(省军区副司令员)、杨焕彩(省建设厅厅长);秘书长:刘勇毅(省水利厅副厅长)。成员由山东河务局副局长郝金之等有关厅局、济南军区空军及山东省武警总队负责人组成。

山东省政府召开水利工作会议

5 月 9 日 山东省政府在济南召开全省水利工作会议,部署 2005 年防汛工作。副省长陈延明与各市签订了防汛责任状。省防指副指挥、山东河务局局长袁崇仁具体安排黄河防汛任务。

省长韩寓群强调指出,2005 年防汛工作,要突出抓好黄河防汛和城市防汛,这是重中之重。汛前,一定要按照黄委的安排完成东明黄河标准化堤防建设任务,有关市县要创造良好的施工环境。要认真落实黄河防汛行政首长负责制和部门负责制,落实好防汛物资,修复好度汛工程,确保黄河防洪安全,确保人民群众生命财产安全。

徐乘检查东明标准化堤防建设

5月10～11**日** 黄委副主任徐乘率建设管理局、防汛办公室、财务局、规划计划局、亚洲开发银行项目管理办公室等部门负责人,在中共山东河务局党组副书记张学明等的陪同下,察看了东明黄河标准化堤防建设工程施工情况,并听取了汇报。徐乘对东明标准化堤防建设成绩给予了充分肯定。要求在保证工程质量的同时,努力加快施工进度,全面完成建设任务。

国家审计署审计山东黄河亚洲开发银行贷款项目

5月10～19**日** 国家审计署驻郑州特派办事处分三个小组审计2004年度山东黄河亚洲开发银行贷款项目。此次审计涉及山东河务局、菏泽河务局和东平湖管理局。

亚洲开发银行检查团检查山东黄河该行贷款项目

5月20～30**日** 高级项目专家宾萨·汤布南先生率亚洲开发银行检查团一行5人,对山东黄河亚洲开发银行贷款项目进行2005年中期检查。检查团在菏泽东明和东平湖进行了现场查勘,并听取了工程情况汇报,分别从项目的工程、移民、环境和资金支付等方面进行了检查,还与当地环境保护部门进行了座谈。专家们对山东黄河亚洲开发银行贷款项目的前期工作和建设管理工作表示肯定,同时对工作中的不足提出了整改建议。

国家防总检查组检查山东黄河防汛工作

5月22～24**日** 国家发展和改革委员会副主任刘江率领国家防总黄河下游防汛检查组,在黄委主任李国英、副主任廖义伟,山东省副省长赵克志,山东河务局局长袁崇仁等的陪同下,先后察看了东明黄河高村险工、黄河滩区移民1号新村、东平湖八里湾闸、济南槐荫黄河标准化堤防、第二机动抢险队等。24日上午在济南召开了汇报会。

山东河务局召开信访暨宣传工作会议

5月27**日** 山东河务局召开信访暨宣传工作会议。传达了黄委贯彻国务院《信访条例》研讨班精神、《省委宣传部等五部门关于学习宣传贯彻〈信访条例〉的实施意见》。东平湖管理局,济南市、菏泽市河务局作了典型发言。副局长王昌慈作了题为《提高认识,构建和谐,努力提高信访工作和新闻宣传工作水平》的讲话。会上还表彰了新闻宣传工作的 4 个先进单位和 37 名先进个人。局长袁崇仁对做好信访工作和新闻宣传工作讲了意见。

王汉新、张仰正职务任免

6 月 3 日 中共山东河务局党组鲁黄党[2005]36 号文任命王汉新为德州黄河河务局局长(试用期一年)、党组书记,免去其德州黄河河务局副局长职务。中共山东河务局党组鲁黄党[2005]25 号文通知,免去张仰正中共德州黄河河务局党组书记、局长职务。

山东河务局印发外事工作管理办法

6 月 7 日 山东河务局鲁黄科[2005]9 号文印发《山东黄河河务局外事工作管理办法》。共 5 章 28 条,包括出国考察、交流培训、外宾接待、国外新技术引进、对外合作与交流等。

山东河务局 10 个水利工程管理体制改革试点单位完成改革任务

6 月 13 日 继济阳河务局水利工程管理体制改革试点完成以后,从 5 月 12 日开始,鄄城、梁山、东阿、齐河、槐荫、天桥、高青、惠民、利津河务局 9 个试点单位的改革相继展开,截至 6 月 13 日,10 个试点单位水利工程管理体制改革任务全面完成。

苏茂林检查水利工程管理体制改革工作

6 月 14～17 日 黄委副主任苏茂林带领黄委建管局、财务局、人劳局等有关部门负责人到山东河务局检查指导水利工程管理体制改革工作。苏茂林对该局顺利完成水利工程管理体制改革试点工作给予了高度评价,同时要求下阶段做好体制改革后的工程管理和维修养护工作。

黄河调水调沙开始正常生产运行

6 月 15 日 黄河调水调沙开始由试验转入正常生产运行。目标是继续扩大黄河下游河道主河槽过洪能力,实现黄河下游主河槽全线冲刷;进一步探索水沙联合调度方式,深化对水沙运动规律的认识。本次黄河调水调沙水量全部来自黄河干流万家寨、三门峡和小浪底三座水库汛限水位以上的蓄水,共计 46.2 亿立方米。7 月 6 日结束,历时 22 天。

按黄委部署,6 月 20 日上午 10 时,东平湖管理局承担的山东河段泥沙扰动作业正式启动，4条泥沙扰动船开始扰沙作业。扰沙河段为梁路口至影堂，作业长度4.19公里，7月2日结束。

济阳黄河公路大桥开工建设

6月17日　山东河务局以鲁黄水政[2005]3号文向济阳济北黄河大桥有限公司下发了济阳黄河公路大桥施工许可证。该桥位于济阳沟杨险工下首约210米处，相应左岸黄河大堤桩号167+270，右岸黄河大堤桩号68+350。该桥主桥采用四塔单索面部分斜拉桥桥型，引桥选用预应力混凝土简支T型梁。大桥全长为1124米，主桥宽21米。

张洪昌等3人分获"全国水利技能大奖"和"全国水利技术能手"称号

6月24日　经水利部组织的2004年度"全国水利技能大奖"和"全国水利技术能手"评选，梁山东平湖管理局河道修防技师张洪昌荣获"全国水利技能大奖"；鄄城河务局河道修防高级技师苏金超和郓城河务局闸门运行高级技师亓传周荣获"全国水利技术能手"称号。

山东黄河一期标准化堤防建设主体工程完工

6月29日　东明标准化堤防建设主体工程完工，标志着山东黄河一期标准化堤防建设主体工程完成。

山东黄河标准化堤防建设一期工程总长128公里，其中菏泽东明堤段长61.14公里，2004年2月开工建设。

山东河务局开展水利经营性资产效绩评价

6月　根据水利部和黄委的布置，山东河务局组织对资产总额4000万元以上的9家施工企业进行了水利经营性国有资产效绩评价工作，9家企业在同行业的评价结论为5良、3中、1低，在黄委系统属于较好业绩水平。

51座引黄涵闸远程监控系统建设完成

6月　2004年至2005年度实施的苏阁等12座引黄闸远程监控系统建成。至此，山东黄河共有51座引黄涵闸远程监控系统建设完成。

李国英考察山东黄河

6月30日～7月2日　黄河调水调沙期间，黄委主任李国英一行在山东河务局局长袁崇仁陪同下考察了山东黄河，先后察看了菏泽、济南、淄博、滨州、东营等河段的滩岸高出水面情况、河势溜向等，并听取了有关情况的汇报。

“两水分供”取得初步成效

7月1日 山东河务局在东营市、滨州市引黄供水工作中相继实施了“两水分供”试点，取得初步成效，改变了半个世纪以来工农业供水两水不分的状况。“两水”指农业用水与非农业用水，“分供”指在同一条引黄渠系中加强管理，工农业错开时机供水。实施此项措施可优化水资源配置，节约用水，解决黄河水资源短缺，工农业用水矛盾，优先保证季节性强的农业灌溉高峰期用水，有利于稳定沿黄地区农业生产，促进国民经济与社会发展，提高用水效益。“两水分供”引起了各级政府、社会各界及新闻媒体的广泛关注。

大清河戴村坝水文站出现洪峰

7月1～2日 汶河流域普降暴雨，局部大暴雨，最大点雨量瑞谷庄雨量站为 181 毫米。7 月 3 日，戴村坝水文站出现 2005 年第一次洪峰，流量为 1450 立方米每秒。为了确保安全，东平湖清河门、陈山口两出湖闸分别于 3 日 10 时 30 分和 12 时开闸向黄河泄水。

山东河务局召开保持共产党员先进性教育活动总结暨表彰大会

7月6日 山东河务局召开保持共产党员先进性教育活动总结暨表彰大会。对局直机关 14 个先进基层党组织、65 名优秀共产党员和 8 名优秀党务工作者进行了表彰。中共山东黄河河务局党组书记、局长袁崇仁对先进性教育活动进行了全面总结，对今后一个时期的党建工作作了部署。省直机关保持共产党员先进性教育活动第 25 指导组组长陈群力对山东河务局先进性教育活动给予了充分肯定，并对下一步工作提出了指导意见。

水利部颁布《水行政许可实施办法》

7月8日 水利部第 23 号令颁布《水行政许可实施办法》。共 9 章 62 条，包括：水行政许可应遵循的原则和基本要求，水行政许可的设定、实施机关、申请、受理、审查、决定、变更、延续以及费用、监督检查等内容。7 月 26 日，山东河务局通知学习贯彻实施。

谢玉堂察看东平湖汛情

7月10日　山东省副省长谢玉堂到陈山口出湖闸察看东平湖向黄河排水情况。在听取东平湖管理局的汛情汇报后，谢玉堂要求：加大排水速度，尽快把湖水位降到汛限水位以下；密切关注天气形势变化，做好防大汛的准备；尽快疏浚流长河，力争达到与八里湾闸相配套的要求，在黄河出现严重顶托的情况下让老湖向南排水。

张高丽检查黄河防汛工作

7月12日　中共山东省委书记张高丽、副书记姜大明，省军区司令员谈文虎，中共山东省委常委、省委秘书长杨传升，副省长陈延明，省武警总队政委冯金安及省防指成员单位的负责人，在山东河务局局长袁崇仁的陪同下，检查了济南黄河防汛工作，察看了黄河防洪工程，观看了山东省武警部队水上搜救演习及黄河机动抢险队捆抛柳石枕演习等，并向参加演习的黄河职工表示了慰问。张高丽指出，防汛已进入关键时期，要求各级要以高度的责任心抓好防汛工作。

谢军等被批准为享受教授、研究员同等待遇的高级工程师

7月12日　山东河务局鲁黄人劳[2005]53号文通知，经水利部工程系列专业技术职务评审委员会2005年5月20日评审通过(黄委人劳局黄职[2005]5号文公布)，批准山东河务局谢军、李士国、谭学龙、段海山、何同溪、王志远、林宏达为享受教授、研究员同等待遇的高级工程师。

山东省物价局调整山东黄河堤防养护费收费标准

7月19日　山东省物价局以鲁价费[2005]130号文批准调整山东黄河堤防养护费收费标准，新标准于8月1日起执行。调整后的标准与原标准相比有所提高。

山东河务局修订印发激励创新实施办法

7月20日　山东河务局鲁黄办[2005]36号文印发《山东黄河河务局激励创新实施办法(试行)》。共七章36条。创新奖分为年度创新奖、年度重大创新成果奖和年度创新组织奖三个奖项，并对评审程序、评审标准等作出了具体规定。

山东河务局印发首席技师选拔管理办法

7月21日 山东河务局鲁黄人劳[2005]58号文印发《山东黄河河务局首席技师选拔管理办法(试行)》,对首席技师的选拔、管理作了规定。首席技师原则上两年选拔一次,任期两年。

山东河务局10家养护公司全部完成注册登记

7月29日 河口管理局东营津泰维修养护有限责任公司完成了在本地工商行政管理局的注册登记工作,领取了营业执照。至此,山东河务局水利工程管理体制改革试点单位成立的10家养护公司全部完成注册登记工作。

东营黄河公路大桥建成通车

8月7日 东营黄河公路大桥建成通车。该桥位于胜利大桥以下4.6公里处,黄河大堤左岸桩号351+150,右岸桩号244+230,大桥宽26米,主桥5孔,最大跨度220米;南、北引桥分别为7孔、38孔,跨度42米,主引桥全长2743.1米。该工程于2002年9月开工建设,工程投资8.59亿元。

黄委威海职工培训中心举行挂牌仪式

8月7日 山东河务局威海职工培训中心作为黄委职工教育培训基地——黄河水利委员会威海职工培训中心举行隆重挂牌仪式。水利部人事教育司副司长陈自强、黄委人事劳动局副局长刘建明、山东河务局局长袁崇仁等参加了挂牌仪式。

河槽阻水片林清除工作完成

8月10日 黄河防总办公室6月6日通知,要求彻底清除山东黄河河槽内分布在东明、鄄城、牡丹、梁山、东阿、平阴、天桥、历城、邹平、滨城10个县(区)的阻水片林。为此,山东河务局及时成立了清障工作领导小组和两个督察组,部署有关县(区)抓紧开展工作。经各级政府和河务部门的共同努力,截至8月10日,山东黄河河槽阻水片林清障任务全部完成,共清除树林209.7万平方米、24.2万株。

山东黄河医院被定为济南市城镇职工医疗保险定点医疗机构

8月13日 山东黄河医院与济南市职工医疗保险办公室签订了医疗保

险定点服务协议,山东黄河医院被定为济南市城镇职工基本医疗保险定点医疗机构。

山东省政府召开黄河标准化堤防暨防洪工程建设会议

8月25日　山东黄河标准化堤防暨防洪工程建设工作会议在济南召开。会议宣读了省长韩寓群为山东黄河一期标准化堤防建设顺利完成发来的贺信;通报表扬了山东河务局,济南市、菏泽市人民政府等13个先进单位;总结了一期标准化堤防建设经验;安排部署了二期标准化堤防建设的前期准备工作。副省长陈延明、黄委副主任徐乘出席会议并讲了话。有关9个市的领导、省直有关厅局负责人,黄委建设与管理局、各市河务(管理)局负责人等参加了会议。山东河务局局长袁崇仁,济南市、菏泽市领导在会上发言。与会人员参观了济南黄河标准化堤防。

山东河务局举办抗日战争胜利60周年纪念活动

8月　为纪念中国人民抗日战争暨世界反法西斯战争胜利60周年,山东河务局组织开展了一系列纪念活动,下发了《关于做好慰问抗战时期参加革命离休干部的通知》。局长袁崇仁、副局长王昌慈分别对局机关抗战时期参加革命的田浮萍、赵昆山、张汝淮、霍岳五、张学信、姚动、武化善、刘毅民、张文俊、陈淑伦、牟玉玮、肖景惠、商保荣、张良、王国卿、吴少兰、卢景尧、王力、戴香远、李世娟等20名老同志逐户走访慰问,并分别送上中共中央、国务院、中央军委统一制作的中国人民抗日战争胜利60周年纪念章一枚。同时还举办了局机关抗战离休干部履历展览,以及组织老同志参加全省合唱比赛等活动。

山东河务局召开土地资源开发暨工程管理工作会议

9月5日　山东黄河土地资源开发暨工程管理工作会议在济南召开。与会人员参观了济南等5个河务(管理)局土地开发和经济发展的亮点项目,检查了工程管理情况,考察了沿黄市、县一些高新技术企业、城市建设等。山东河务局副局长杜宪奎、局长助理王银山分别就下一步经济工作和工程管理工作讲了意见,局长袁崇仁作了总结讲话。

会议总结回顾了土地资源开发工作,确定山东黄河土地开发应继续坚持以林为主,实现三个转变,即:由粗放管理转变为科学管理;由重数量转变为重质量、重效益;由行政手段推动转变为以经济、行政手段综合管理。

山东河务局通过水利部“四五”普法工作验收

9 月 13～15 日 水利部政法司副司长李崇兴一行组成的普法验收考核组，对山东河务局“四五”普法工作进行了验收。验收考核组查阅了“四五”普法基本资料，观看了《齐鲁黄河法治行》专题片、“四五”普法掠影等声像资料，分别听取了该局及东平湖管理局、德州市河务局、河口管理局的普法工作汇报。验收考核组对被验收单位的“四五”普法工作给予了充分肯定与好评。2006 年初，山东河务局被水利部授予全国水利系统“四五”普法先进集体荣誉称号。

水利部批复河口模型建设项目建议书

9 月 29 日 水利部以水规计[2005]424 号文批复黄河口模型建设项目建议书，批复投资 2998 万元，主要项目内容包括河口模型制作、仪器设备、测控系统及安装、关键专题研究、模型配套设施和模型室外辅助设施。

亚洲开发银行贷款项目黄河滩区村台建设主体工程完成

9 月 30 日 亚洲开发银行贷款项目黄河滩区村台建设主体工程完成。该工程涉及东明县长兴乡 11 个村和平阴县 4 个乡镇 12 个村，共约 2 万人。新建村台东明县 2 个、平阴县 7 个，分别于 2004 年 4 月、2005 年 4 月开工建设。总计填筑土方 770.52 万立方米、修建撤退道路 21.01 公里。村台高程按防御花园口站流量 12370 立方米每秒(20 年一遇)相应水位超高 1 米，台顶面积人均 60 平方米。

山东黄河企业协会正式成立

10 月 14 日 山东黄河企业协会成立大会在济南召开。该协会经山东省人民政府批准，由山东黄河系统的企业和事业单位自愿参加组成，为跨地区、跨所有制的非赢利性行业组织，挂靠山东黄河经济发展管理局。

水利部副部长翟浩辉、黄委原主任袁隆等题词祝贺，中国水利企业协会会长、水利部原副部长朱登铨发来贺信。

黄委组织审查黄河口模型试验厅初步设计

10 月 20 日 黄委在郑州召开《黄河口模型试验厅初步设计报告》审查会。中国建筑科学研究院、北京工业大学、河南省建筑设计研究院、河南省电力勘测设计研究院、机械工业第六设计研究院，以及黄委科学技术委员会、规划计划局、黄河水利科学研究院、山东河务局、河口管理局、黄河口研究院、黄河勘察规划设计有限公司和海军工程设计研究院等单位(部门)的专家和代表共30多人参加了会议。与会专家认为,该设计满足《建筑工程设计文件编制深度规定》要求,基本同意该设计,并提出了审查意见。

戴村坝修复工程竣工验收

11月6日 山东河务局主持对戴村坝修复工程进行竣工验收,核定工程质量等级为优良。该工程共分戴村石坝(由乱石坝、滚水坝和玲珑坝组成)修复加固、南引堤加培、窦公堤整修、灰土坝加固及北引堤加培等4个单位工程,由东平湖工程局施工,2005年5月6日全部工程完工。共完成开挖土方11.38万立方米、回填土方4.99万立方米,石方2.99万立方米,混凝土2.06万立方米。投资2333.3万元。

庞口防倒灌闸工程竣工验收

11月8日 庞口防倒灌闸工程竣工验收。该工程位于东平湖清河门、陈山口出湖闸以北5.4公里,退水入黄河道与黄河交汇处。为防止黄河水倒灌淤积出湖河道、解决东平湖退水问题,2003年1月17日,黄委批准新建庞口防倒灌闸工程初步设计。该闸为3级建筑物,共9孔,单孔宽6米。在老湖水位41.79米(黄海高程,下同)、黄河水位40.69米的情况下,设计过闸流量450立方米每秒。该工程2003年3月18日开工,同年8月22日完成主体工程,由东平湖工程局施工,共计完成土方开挖4.94万立方米、土方回填3.71万立方米,石方0.76万立方米,混凝土0.26万立方米,投资1022.02万元。

中央机构编制委员会办公室、水利部检查验收山东河务局公务员管理实施工作

11月12～13日 中央机构编制委员会办公室和水利部组成的联合检查组一行6人,在黄委人事劳动教育局副局长陈吕平的陪同下,到山东河务局检查验收机构改革和各级机关依照国家公务员制度管理工作实施情况。此次检查重点是机构改革以来的职责到位、机构内部政事企分开、机构设置、人员编制、人员过渡、工资套改等情况。12日,检查组在济南召开专题座谈会,山东河务局局长袁崇仁汇报了山东河务局机构改革和各级机关依照国家公务员制度管理工作实施情况,检查组查阅了相关资料,并就有关问题进行了询问与交流。检查组对山东河务局的工作给予了充分肯定。

亚洲开发银行贷款项目东平湖围坝除险加固工程完工

11 月 17 日 东平湖围坝(55+000～77+300,长 22.3 公里)除险加固工程完工。该工程为亚洲开发银行贷款核心子项目,包括修筑截渗墙、混凝土护坡、拆除涵闸等。该项目 2004 年 3 月 12 日开工,累计完成截渗墙 34.11 万平方米,混凝土护坡 5.74 万立方米,石方拆除 11.4 万立方米,石护坡砌筑 0.39 万立方米,土方回填 4.7 万立方米,投资 8218 万元。

黄委科学技术委员会对东平湖滞洪区等重大问题进行调研咨询

11 月 23～25 日 黄委科学技术委员会主任委员陈效国带领专家组,对东平湖滞洪区重大问题进行调研咨询。山东河务局局长袁崇仁、副局长郝金之、总工程师杜玉海及部分老专家和有关部门人员参加调研。

专家组考察了司垓退水闸、流长河、八里湾闸、二级湖堤、金山坝、陈山口闸、庞口防倒灌闸和戴村坝等工程,听取了汇报,围绕东平湖滞洪区存在的重大问题进行了座谈。

专家组认为,二级湖堤在防风浪方面存在着明显缺陷,将成为今后制约老湖调蓄能力的重要因素,对其采取工程措施十分必要;北排入黄仍存在泄流不畅问题,有必要对入黄口门的庞口闸进行扩建。对金山坝、南排及新湖区分区运用研究等问题在技术上提出了重要咨询意见。

专家组还对黄河河口挖河固堤工程综合研究进行了咨询,认为挖河固堤是河口治理和确保山东黄河防洪安全的一项长期战略措施。建议结合已经实施的三次挖河固堤工程进一步加强研究和总结,同时加大宣传力度,引起各级的关注和重视。

山东河务局事业单位聘用制度改革基本结束

11 月 山东河务局事业单位聘用制度改革基本结束。事业单位人员聘用制度改革涉及山东河务局所属 33 个事业单位(部门)和 10 个管养分离试点单位,共 1800 余人。3 月至 6 月,10 个管养分离试点单位事业人员聘用制度改革与水利工程管理体制改革同步进行,共 1113 人竞争上岗。10 月初,山东河务局所属 33 个事业单位(部门)按照批复的方案,公布岗位,实施改革;11 月初,改革基本结束,重新上岗 649 人,其中,404 人竞争上岗,245 人通过考核由单位领导集体研究决定聘用。

通过改革,实现了“三个转变”,即由原来的身份管理向岗位管理转变,由单纯行政管理向法制管理转变,由行政依附关系向平等人事主体转变。通过事业单位聘用制度改革,共有 1762 人重新走上了工作岗位,按照有关规定签订了聘用合同。

2003 年挖河固堤及口门疏浚试验工程竣工验收

12 月 12 日　2003 年挖河固堤及口门疏浚试验工程竣工验收。河口挖河固堤工程位于胜利黄河大桥上游纪冯(右岸临黄堤桩号为 224 + 800)至义和险工(右岸临黄堤桩号为 236 + 600),河段长 12.5 公里,开挖河段 9.8 公里。该工程 2004 年 4 月 16 日开工,2005 年 5 月 8 日主体工程完工,河槽底宽 100 米,挖深 1.25～1.45 米,边坡 1:5,纵比降为万分之一,开挖工程量 159.42 万立方米,全部采用绞吸式挖泥船施工。

口门疏浚试验工程位于河口的高潮线至低潮线之间,2004 年 5 月 16 日开工,11 月 5 日完工。采用海狸 1600 型挖泥船,疏浚长度 3.6 公里,疏挖宽度 20～38 米,平均挖深 1.7 米,完成土方开挖 18.78 万立方米。

上述两项工程共完成投资 4235.62 万元。

丁字路口专用水文站工程竣工验收

12 月 12 日　丁字路口专用水文站工程竣工验收。为了向黄河河口治理方案研究、工程规划决策提供水文资料,决定在丁字路口新建河口治理项目专用水文站。丁字路口位于河口尾闾段的清 6 断面附近,上距利津水文站约 79.5 公里,下距黄河入海口约 23 公里。专用水文站按防御利津 6000 立方米每秒流量标准设计,吊箱缆道施测 1000 立方米每秒以下洪水,测船施测 3000 立方米每秒以下未漫滩的洪水。

该工程 2004 年 4 月 1 日开工,同年 10 月 18 日完工,投资 397.99 万元。

菏泽河务局"土工格栅堆石进占筑坝技术试验研究"项目获黄委科技进步二等奖

12 月 16 日　黄委黄国科[2005]4 号文通知,经黄委科技进步奖评审委员会审定,菏泽河务局"土工格栅堆石进占筑坝技术试验研究"项目获黄委科技进步二等奖。

山东河务局印发《山东黄河水闸工程管理办法(试行)》

12 月 22 日　为加强山东黄河水闸工程管理,保证黄河防洪安全,发挥工程综合效益,山东河务局印发《山东黄河水闸工程管理办法(试行)》。共七章35条。对黄河水闸的管理与保护、控制运用、检查观测、维修养护、奖惩等做出了具体规定。

八里湾闸改建工程竣工验收

12 月 23 日 东平湖八里湾闸改建工程竣工验收。该工程于 2003 年 1 月 16 日开工,2003 年 6 月 7 日完成闸门吊装,达到度汛要求,9 月底完成主体工程,2004 年 10 月 30 日竣工。共完成开挖土方 8.99 万立方米,填筑土方 12.68 万立方米,石方 1.29 万立方米,混凝土 0.6395 万立方米,截渗墙 1358.5 平方米,灌注桩 145 根。工程实际支出 2214.13 万元。

南水北调东线济平干渠工程竣工

12 月 31 日 山东省政府召开新闻发布会,宣布济平干渠工程全线建成并顺利通水。该工程是南水北调东线一期首批开工项目,起自东平湖出湖闸至济南市西郊睦里庄闸附近穿涵过黄河大堤进入小清河,途经泰安市的东平,济南市的平阴、长清、槐荫 4 个县(区),全长 90.055 公里,总投资 13.06 亿元。工程于 2003 年 7 月开工,2005 年 12 月 26 日建成,27 日全线通水调试,29 日渠首闸开闸放水进行通水试验,31 日通过睦里庄闸附近穿涵进入小清河。济平干渠近期设计流量 50 立方米每秒,远期设计流量 90 立方米每秒。渠首闸位于东平县陈山口出湖闸东侧原济平干渠引湖闸处,为两孔 5.5 米×4.95 米涵洞,设计流量 90 立方米每秒,加大流量 100 立方米每秒。

山东黄河引黄供水 46.58 亿立方米

12 月 31 日 山东黄河 2005 年引黄供水 46.5 亿立方米,其中引黄济津 1.33 亿立方米。

东明标准化堤防建设部分堤段堤顶出现裂缝

12 月 东明标准化堤防建设(大堤桩号 156+050～217+968)由于施工工期紧,放淤强度大,加之在背河堤肩提前备土(高度 3～4.5 米)等原因,部分堤段堤顶出现裂缝。截至 2005 年 5 月底,在堤顶共发现纵向裂缝长度约 20 公里。较为严重的是大堤桩号 167+290～176+200、181+850～182+600 堤段,裂缝最大宽度达 30 厘米,经用竹竿探测,最大深度达到 4.5 米以上。2005 年汛前对裂缝进行了表面填缝处理。

为确保防洪工程安全。2005 年 8 月，黄河勘测规划设计有限公司编制了《山东东明标准化堤防建设工程——黄河大堤裂缝处理设计》。黄委于 2005 年 11 月 17 日以黄规计[2005]193 号文对该设计批复，基本同意裂缝处理和堤顶道路处理方案，即对裂缝进行压力灌浆处理，对破坏的堤顶路面进行修复，选择部分堤段先进行裂缝灌浆处理试验；同时，对堤防纵向裂缝形成机理及防止对策进行研究。

亚洲开发银行贷款项目山东黄河防洪工程全面开工建设

12 月　2000 年 11 月，黄委勘测规划设计研究院编制《亚行贷款项目——黄河下游防洪工程建设可行性研究报告》，2002 年 4 月国家计划委员会对上述报告予以批复。2002 年 7 月 10 日黄河下游亚洲开发银行贷款项目正式启动，9 月 11 日，中国政府与亚洲开发银行签署的贷款协定和项目协议正式生效。

为保证黄河下游亚洲开发银行贷款项目按照我国和亚洲开发银行的有关要求顺利实施，2000 年黄委成立黄河洪水管理亚洲开发银行贷款项目办公室，并在山东、河南两局设立项目办公室派出机构。

山东黄河亚洲开发银行贷款项目共计 15 个，分为 A、B、C 三类。

A 类项目为洪水管理措施，包括：山东黄河防汛指挥中心建设；机动抢险队设备补充和配备，新建防汛料物仓库 5000 平方米。

B 类项目为防洪工程，包括：加固干堤 47.5 公里；改建险工 8 处 259 道坝垛；改建控导工程 1 处 4324 米；东平湖围坝修做截渗墙 73.8 公里、翻修石护坡 22.3 公里、围坝加高帮宽 7.7 公里、拆除涵闸两座。

C 类项目为滩区安全建设工程，包括：东明、平阴两县黄河滩区 23 个村庄 9 个村台的修筑，解决 19923 人就地避洪问题；部分撤退道路和桥梁建设。

山东黄河亚洲开发银行贷款项目总投资约 13 亿元人民币，主要工程分布在东明、牡丹、鄄城、梁山、汶上、东平、东阿、平阴、天桥 9 个县(区)。2003～2004 年黄委先后对山东河务局上报的各项工程初步设计分三批进行审批，共批复 11 项，概算投资为 9.6 亿元。东平湖围坝加固工程于 2004 年 3 月 12 日最先动工，其他工程随后相继开工建设。截至 2005 年底，共计完成项目投资 6.5 亿元，完成土方 3664 万立方米、石方 28 万立方米、混凝土 7 万立方米、截渗墙 34 万平方米。

附录

晚清至民国黄河修防辑要

晚清时期

清咸丰五年(1855年)黄河于铜瓦厢决口改道,迄清王朝灭亡,正是鸦片战争失败后,中国开始沦为半殖民地半封建社会,清朝政权走向衰亡。社会的变化,给黄河的治理带来了巨大影响,国库空虚,河防失修,河道决溢频繁。铜瓦厢决口改道以后,朝廷内部对改道与归故的争论,屡议不决,持续了30年之久,黄河任其泛滥,洪水横流,民不聊生。此后河道逐年淤高,河患更加严重。

晚清时期,也曾有不少致力于黄河治理的人,提出过治河的主张,引进了一些新技术,但限于当时的社会条件,终不能付诸实践,黄河依旧决溢频繁。据记载,自咸丰五年至宣统三年(1855～1911年)的57年间,就有38年发生决溢。

现将晚清时期有关黄河修防的文献资料节录附此,以供参考。

一、治河奏议

咸丰五年(1855年)

六月十九日(旧历,下同)　河南兰阳铜瓦厢三堡河决。六月中旬黄河大水,从十五日至十七日,下游水位接连上涨。当时河南境下北厅水位骤然升高一丈一尺以上。十七日夜又下了一场大雨,水势更加汹涌,两岸普遍漫滩,一望无际,间多堤水相平之处。十八日兰阳铜瓦厢三堡以下无工堤段,登时塌三四丈,仅存堤顶丈余,签桩厢护,抛护砖石,均难措手。晚上南风大作,风卷狂澜,波浪掀天。十九日终于溃决,二十日全河夺溜。(《黄河水利史述要》)

是时,黄河向西北斜注,淹及河南封丘、祥符二县;复折转东北,漫注河南兰仪、考城、直隶长垣、东明等县;复分三股,一股由赵王河走山东曹州府南下注,二股由直隶东明南北分注,经山东濮州、范县至张秋镇汇流穿运夺大清河,由铁门关北肖神庙以下二河盖牡蛎嘴入渤海。濮、范以下寿张、东阿以上尽遭淹没。其他如东平、汶上、平阴、茌平、长清、肥城、齐河、历城、济阳、齐东、惠民、蒲台、滨州、利津沿河各州县均被淹及,灾民甚众。(《山东通志》)

七月 清文宗谕:黄流泛溢,经行三省地方,实深轸念。唯历届大工堵合,必须帑项数百万两之多。现值军务未平,饷糈不继,一时断难兴筑。若能因势利导,设法疏消,使横流有所归宿,通畅入海,不致旁趋无定,则附近民田庐舍尚可保卫,所有兰阳漫口即可暂行缓堵。著李钧派张亮基周历查勘具奏。(《历代治黄史》)

八月四日 山东巡抚崇恩奏:兰阳漫口,虽分注三省,而东省受害独重。水由曹濮归入大清河入海,经历五府二十余州县,漫口一日不堵,则民田庐舍一日不能涸复。通盘熟筹,漫口似应筹堵。(清宫廷档案)

八月五日 河东河督李钧奏:兰阳漫口,波及三省,目睹灾黎荡析离居,殊堪悯恻,自应竭尽心力,赶紧筹堵……无如需费甚巨,况当寇氛未靖,经费支绌,实无帑项可拨。其堵筑兰阳漫口暂请缓办,俟南省各路贼匪荡平,再行议堵。(清宫廷档案)

十一月十八日 监察御史宗稷辰为黄流亟应挽归故道奏称:铜瓦厢河决之后,其患由东省兖、曹等境泛滥及于畿南一带州县,粮田变为沧海,运河沦于沮洳。闻议者欲筑千里遥堤,任其水之自然而不为制意者,节目前之费,求旦夕之安,似或可行,而臣以为万万不可者……筹遥堤之用,不如筹堵口之需。(清宫廷档案)

咸丰十年(1860年)

八月九日 河东河督黄赞汤、直隶总督恒福、河南巡抚庆广、山东巡抚文煜奏:为兰阳口门以下改河筑堤,劝捐办理,民力现有不逮,拟请从缓举办。九月八日,上谕:依议从缓办理。(清宫廷档案)

同治七年(1868年)

六月 河决荥泽,筹堵铜瓦厢决口之议复起。是年十月十五日,兵部侍郎胡家玉奏请令河循故道由云梯关入海,以利漕运。

十二月十日 漕运总督张之万、两湖总督李瀚章、直隶总督曾国藩、两江总督马新贻、东河总督苏廷魁等奏:侍郎胡家玉奏请浚黄河故道以利漕运,唯以今日时势计之,有不能骤行规复者三:兰工漫决已阅十四年,自铜瓦厢至云梯关以下,两岸堤长千余里,岁久停修,堤塌河淤,今欲将旧河挑浚深通,堤岸加高培厚恐非千万帑金不能蒇事,当此中原军务初平,库藏空虚,巨款难筹,一也。荥工现已发帑二百万，堵合尚无定期，今复议兴兰工，则又须五六百万，其能否堵合更恐毫无把握，且刻下瞬交春令，兴工已难，二也。现今直、东、江、豫等省“捻氛甫靖”，而“土匪游勇”在在须防，若再添募数十万之丁夫，倘驾驶失宜，滋生事端，尤为可虑。臣等通盘筹划，往返函商，意见相同，应俟国库充盈，再议大举。上然之。（《清史稿·河渠志》）

同治九年（1870年）

九月　漕督张之万以黄河穿运，横流无所钤束，请筑南北两堤，并酌留运口筑做草闸，以为束水攻沙之计，其无关运道处不必兴修，得旨张兆栋、苏廷魁、丁宝桢会勘议办。次年丁宝桢等先后抵济宁查勘复奏，以筑堤束水办理难期得力、得谕议罢。（《山东通志》）

同治十一年（1872年）

九月　河道总督乔松年奏：黄河泛滥，运河日淤，治之之法不外两策，一则堵铜瓦厢复归故道，仍由云梯关入海；一则就黄水现到之处筑堤束之，俾免横流，由利津入海。于两者之中权衡轻重，又以借东境筑堤束黄为优。谕丁宝桢、文彬详议具奏。

十一月二十八日　山东巡抚丁宝桢、署巡抚文彬奏就东境筑堤束黄，恐济运仍无把握，地方受害滋大，请仍挽复淮徐故道。十二月初九日得谕，著军机大臣会同六部九卿与乔松年前奏一并妥议。（《再续行水金鉴》）

同治十二年（1873年）

闰六月初三日　直隶总督李鸿章奏：淮徐故道势难挽复，且于漕运无甚裨益。大清河原宽不过十余丈，今自东阿鱼山下至利津河道已刷宽半里余，冬春水涸尚深二三丈，岸高水面又二三丈，水行地中，此人力莫可挽回之事。近世治河兼言利运，遂致两难。为今之计似不得不出于河自河，漕自漕。当今沿海数千里，洋船骈集为千古来创局，已不能闭关自治，正不妨借海道转输之便，逐渐推广以扩商路而实军储。力主黄河由山东入海。初八日奉谕：河流趋重山东，自应增立堤防，著丁宝桢酌度情形，将张秋、利津一带旧有民埝加培坚固；并著将侯家林上下民埝仿官堤办法一律加高培厚，设法守护，铜瓦厢以下兰仪、东明一带地势平衍，不可无遥堤以防泛滥，著乔松年就近查看，量筑堤埝，由是挽河之争乃息。（《再续行水金鉴》）

光绪九年(1883 年)

三月　仓场侍郎游百川遵旨查看山东,河工奏称:自黄水灌入大清河,初犹水行地中,今则河身淤垫既患水不能容,海口壅阻又患水不能泄。自齐河以下北则济阳、惠民、滨州、利津,南则青城、齐东、历城以至邹、长、高、博等属凌汛冲决浸溢十一处,谨拟办法三条:一疏通河口;二疏徒骇河以分流;三亟筑缕堤。今拟自长清抵利津,南北岸先筑缕堤,其顶冲处再筑重堤,约长六百余里。朝廷乃定议筑两岸长堤。光绪十年两岸大堤成。(《清史稿·河渠志》)

光绪十年(1884 年)

八月　漕运总督吴元炳奉命查勘山东河工事竣,奏陈河病及修治办法八条。一曰增培大堤;二曰改筑民埝;三曰劝修护庄埝;四曰添筑格堤;五曰增筑利津南岸大堤;六曰接筑海口两岸长堤;七曰严禁盗决大堤;八曰勿轻议改移海口。(《再续行水金鉴》)

光绪十四年(1888 年)

署河道总督吴大澂言:筑堤无善策,厢埽非久计,要在建坝以挑溜,逼溜以攻沙,溜入中洪,河不著堤,则堤身自固,河患日轻。建议筑石坝以代秸埽,抛石护基,"其效十倍埽工"。并提出用塞门德土(水泥)涂灌坝身砖面石缝,"可使坝基做成一体,足以抵挡河溜,用石少而工必坚"。上嘉勉之。(《清史稿·河渠志》)

光绪十八年(1892 年)

十一月　山东巡抚福润奏历城、章丘、济阳、青城、滨州、蒲台等州县夹河以内村庄,终年浸于黄流,民情困苦。巡抚张曜奏请择地盖房,给资迁徙,仅迁七百余户,时值伏秋大汛,历城、蒲台、利津等地未及迁出。福润复设迁民局三处,令民速迁,统计历城、章丘、济阳、齐东、青城、滨州、蒲台、利津八州县迁出三万三千二百九十七户,计三百五十村庄,设新庄三十九处。(《山东通志》)

光绪二十二年(1896 年)

十月　山东巡抚李秉衡奏陈山东受河之害,治河之难。黄河夺济四十年来,河身淤垫,日积日高,渐至水不能容,横溢溃决,自光绪八年桃园决口以后,遂无岁不决,无岁不数决。除额拨经费不计外,其另案之款,十年通算不下八

百万两,而河工败坏日甚一日。(《山东通志》)

光绪二十五年(1899年)

二月　李鸿章勘视河工,筹议大治办法。奏称:山东黄河改道以来,初因河槽深通,又当军务顿兴,未遑修治。同治十一年以后,渐有溃溢,始筑上游南堤。光绪八年以后溃溢屡见,遂普筑两岸大堤,尺寸初不高厚。大堤成后劝民照旧守埝,后又有改归官守之处,于是堤久失修。每遇汛涨,埝决水遂建瓴而下,堤亦因而随决,此历来失事之根也。朝廷屡糜巨金,闾阎迄无安岁。臣等通盘筹划,悉心妥议,仅拟大治办法十条:

(1)大培两岸堤身以资防守。拟险工加顶宽五丈,平工三丈四尺,高以一丈六尺至二丈为率。通计两岸旧堤埝工二十三万四百十五丈三尺。需银六百二十七万九千二百余两。

(2)下口尾闾应规复铁门关故道。挑引河三十余里。两岸筑堤各八十里,并筑大坝一座。将两岸内各庄民拨地盖屋迁于堤外,约估各费需银二百万两。

(3)建立减水大坝,俟大堤告成再议兴办。

(4)添置机器浚船,约价银三十万两。

(5)设迁民局,统计各费银二十八万两。

(6)两岸堤成应设厅汛武职官缺。

(7)设堡夫。

(8)堤内外地亩给价除粮归官管理,约需银二十四万四千五百两。

(9)南北两堤设德律风传话,并于险工段内酌设小铁路取土运料,约估银二十万两。

(10)两岸清水各工俟治黄粗毕,量加疏筑以竟全工。

疏上,谕军机大臣、大学士、六部九卿瀚詹科道一体会议。(《山东通志》)

同月　李鸿章又以山东河患日甚,大治需时,议救急治标办法明言:黄河连决弊故在民埝,其堤身卑薄料物稀少兵夫不足,皆实有以致之。请自光绪二十五年起于原定岁修六十五万两之外,再添修费四十万两,以为添料添夫防汛杂项之用。并请照支三年,至光绪二十八年再行察看情形,斟酌损益,并请先行照拨,赶于五月以前一律修作。至两岸堤埝岌岌可危,应择要加修,拟于前奏大治案内拨银六十万两,速募灾民春融兴工,按去年水痕加高堤埝三四尺,帮宽一至三丈。其顶冲极险硬湾之处,对岸滩嘴挺出,相度情形挖引河抽溜沟,以掣水势。至海口尾闾仍以挑铁门关旧道,深挖引河,坚筑两堤,以束水攻沙为宜。办理此工尚有购地迁民各事,统共需银二百万两。

时有比利时工程师芦法尔随李鸿章沿河查勘,其谕以治河当筹全局。宜先测量全河形势,测绘河图,查验水性沙性较量水力,全局在握,便可参酌应办工程。犹需各省黄河统归一官节制,兴举工程必须统筹精细计算。(《山东通志》)

三月 军机大臣等奏议山东黄河工程。李鸿章等所拟大治与救急治标办法均尚切实。奉谕著户部按照所议应需各款依期筹拨。据户部复奏分次筹措,四月前解到四十万两,为加拨修防购料之用;六月前解到六十万两,为择要修培堤埝之用;其疏通海口一项先于关税拨银十万两,为购地迁民之用。一俟办有端绪即续拨一百九十万两,断不贻误。得旨:此次筹办工程均在山东境内,毓贤以巡抚兼管河工,责无旁贷,著督饬上中下三游总办,切实经理。(《山东通志》)

九月 巡抚毓贤奏以黄流坐弯之处,一湾一险,固非裁弯取直不可,然亦须相度形势,不致顾此失彼方为得计。如蒲台迤西魏家口起东至宋庄止约长四十里,河水分流,纳正河之溜三分之一。若就势修堤,建堤挑溜,则蒲台北岸之北镇、宋家滩、宋家集一带减去险工甚多。将来溜归北河,正河如淤,蒲台城垣永免水围之患。此裁弯取直最有益者,拟即勘估兴办,其余再相机办理。(《山东通志》)

光绪二十六年(1900 年)

“拳匪乱作”,未续请款。嗣时局日艰,无暇议及河防矣。(《清史稿·河渠志》)

二、修堤浚河

咸丰五年(1855 年)

河督李钧察奏治河三策:(1)顺河筑埝;(2)遇湾切滩;(3)堵截支流。上令直隶、河南、山东三省督抚劝办。沿河各州县始劝民筑埝自卫。至咸丰十一年,侍郎沈兆霖奏称:张秋以东,自鱼山至利津海口皆筑民埝,唯张秋之南、兰仪之北尚未修筑。(《清史稿·河渠志》)

咸丰七年(1857 年)

六月 齐河县知县蒋士潢以齐河境内除大清河之外,尚有温聪、赵牛、倪伦三河,自南而北,毗处其间,为夏秋泄水之所,而大清河起于鱼山,西隔张秋镇运河四十余里,一片平漫。鱼山北流之水,直达齐禹、长清,地势尤为平旷,请于张秋至鱼山一带,筑长堤四十余里。自是数年,张秋以东自鱼山至利津海口,地方官劝民筑埝,逐年补救,民地可耕,渐能复业。唯兰仪之北、张秋之南,黄流自决口而出,夺赵王河、沙河及旧引河,泛滥平原,汪洋一片,田庐多被淹没。(《山东通志》)

同治二年(1863年)

山东巡抚阎敬铭奏:黄水涨发,曹州府属之菏泽、定陶、曹县、濮州、巨野、城武等处,田庐人畜半入巨浸,水势直逼城根。各路山坡沟渠诸水,应由运河及大清河容纳者,因外水顶托,内水无从宣泄,以致金乡、东阿、东平、长清等处,两水蓄积不能归入运河,田禾亦多浸灌。此外,附近运河及大清河各州县泛滥之处不少。已饬多拨民夫,择要堵筑,并令雇备船筏救渡灾黎。(《历代治黄史》)

六月　署河督谭廷襄奏称:直、东两省黄河经过处所,本无堤坝工程,近二三年来水势较平,民埝藉资抵御。今忽值此异涨,更当设法保护。臣已咨直隶督臣、山东抚臣并檄河北道,通饬各州县劝谕乡民即就旧有土埝加筑拦护,以卫田庐。(《再续行水金鉴》)

是年秋,东明县水大至,冲入县城,伤人畜坏官私庐舍。大溜遂西徙十里余,由李连庄趋高村,复折而东北行,由董庄、刘庄入山东濮县界。(《再续行水金鉴》)

十二月十九日　署河督谭廷襄奏:自咸丰五年兰阳汛北岸溃决,由直隶之长垣、东明,至山东之濮、范、寿穿运,至张秋镇入大清河而直达利津海口。其间经行数十州县被灾轻重不等。查徒骇、马颊二河皆禹时行水故道,设法疏浚,使水有分泄。至张秋以上河流散漫,相地筑堤束水,自是一劳永逸之方。然工繁费巨,官民交困力量实有不及。为今之计似应先将开、濮两州之金堤,濮、范与菏泽毗邻之史家堤一并堵筑;并将旧有土埝加高加厚,择其紧要之处设法接修,先能保卫该处民田,俾令附近之人足以资生,而后逐渐布置。奉上谕:著刘长佑、阎敬铭按该署河督所奏,严饬该管道府督令各州县,趁此水小源微,将可以施工之处,赶紧劝令分头兴办。(《再续行水金鉴》)

同治三年(1864年)

七月　署河督谭廷襄奏办汶河戴村坝工。(《山东通志》)

十月　修筑濮州等处金堤。(《山东通志》)

同治四年(1865年)

五月　长垣县知县王兰广奉命修筑由大车集起,经由梁寨、石头庄、邵寨至三桑园土埝六十里,底宽六丈,高一丈,顶宽三丈三尺三寸。又于埝顶搭盖土房十三处雇人长川驻守。(《增续长垣县志》)

同治五年(1866年)

七月二十九日　山东巡抚阎敬铭奏:濮州旧城,四面被水,前于南岸筑圩,移徙州民以为新治。嗣黄流渐复南徙,新圩仍多水患,是以官民每转移于两城之间。六七两月大雨滂沱,连宵彻旦,各处河湖并涨,皆成汪洋。兼查州城北旧有金堤一道,实为北路屏蔽。拟即以工代赈修补城北金堤。(《再续行水金鉴》)

十一月　署巡抚丁宝桢奏:查勘濮、范堤工,所有修筑堤座约宽三四丈,高亦二三尺不等,足资抵御。(《山东通志》)

十二月　直隶总督刘长佑奏:黄河日渐北趋,畿疆虑遭浸灌。唯有上修长垣之太行堤及接筑新埝,下修开州之金堤,中间无堤处所一律接筑、加高培厚,因险设防。唯上游在豫,下游在东,断非直隶一省所能办。谕即著刘长佑将直境险工堤口一律修办,东省濮、范、馆、观等县均宜接修长堤,著苏廷魁驰经履勘妥筹办理。(《山东通志》)

同治六年(1867年)

三月十五日　户部拨银二十万两,修筑直隶开州金堤。(《再续行水金鉴》)

三月二十二日　河道总督苏廷魁奏:为查勘兰工口门以下黄河经由地方情形。兰工经十余年之久,兴举倍费工力,就目下情形,唯有先于黄河下游两岸筑堤,藉资防守。自铜瓦厢金门起至牡蛎口止共长一千三百余里,经历三省二十余州县。张秋以下水已归槽,而入海尾闾尚属通畅,其低洼地亩百姓已随宜筑埝自保,似可勿庸修筑长堤。自铜瓦厢至张秋计长五百余里,即以现在河势北卧,先筑北堤而论,亦必经六七百里之长。各县虽间有旧堤可借,然非残缺不堪而卑薄虚松,既经大兴工作必筹久远之图,堤顶至窄须五六丈,高出盛涨水痕数尺,放足坦坡,方为合式。(《再续行水金鉴》)

十二月二十三日　山东巡抚丁宝桢奏:为查验河墙(民埝)事竣。于本月初十日亲赴查勘黄防墙工,由利津向上游至齐河五百七十余里一律完竣;由齐河上至张秋二百八十余里也已完工;齐东、青城、蒲台、利津、高苑、邹平、乐安、博兴八县复于河南岸漫溢之处添筑长墙一道,约长三百余里,工程均极坚厚。此次黄河两岸平地筑墙一千一百数十里,不过二十日即行就工。(《再续行水金鉴》)

同治十年(1871年)

正月　丁宝桢等奏:为会勘张秋至鱼山筑堤束水,费巨害重未敢遽行。拟将沮河头车家楼民埝堵塞,添筑拦坝圈堤,并将郓城七里堡民埝加筑坚厚,添厢护埽;八里河民埝及王家垓两处分别添筑内堤大埽。奉谕实力兴办,总期于漕船未到之先,一律修浚妥协,以重漕务。(《再续行水金鉴》)

同治十一年(1872年)

二月　修筑南岸民埝自菏泽、巨野交界之龙凤集起,至郓城王家垓止,共长一百一十三里,底宽五丈,顶宽一丈,高一丈二尺,四月十五日完竣。后补修龙凤集以上四里,亦于六月初一告竣。(《再续行水金鉴》)

光绪元年(1875年)

四月十四日　丁宝桢奏:筑南岸长堤,直、东两省共二百五十余里(自东明李连庄以下)。(《黄河年表》)

东省菏泽等县筑堤一百九十里,顶宽三丈,底宽十丈,高一丈四尺。直境地势稍高,底宽八丈,顶宽二丈,高一丈二尺。又以北岸堤工赶办不及,先修金堤以为屏蔽。濮、范、寿、阳各县通计修补一百数十里。(《再续行水金鉴》)

十月　经历伏秋大汛,奏报通工平稳。请于贾庄北添筑挑水坝。又请疏泄沮河,以免漫溢。(《再续行水金鉴》)

是年　巡抚丁宝桢奏:准黄河工程统归山东巡抚管理,自后一切责任即与河督无涉。(《再续行水金鉴》)

光绪二年(1876年)

五月二十四日　李鸿章奏:东明上年新筑黄河南堤,由直、东两省筹拨津贴办理。自东明何店起下属于菏泽长四十里有奇,因该县灾款民力拮据,仅堆筑顶宽二丈,底宽八丈,高一丈二尺,其何店以上至长垣二十里,原议本不筑堤,因该处水无收束,始劝令酌减丈尺接筑,今年必须加筑高厚,俾与菏泽之堤一律整齐。但工大费繁,既不能再派民夫,库款又万分支绌,乃酌派淮练各军

于二月初八日开工,四月二十七日全工告竣。又每隔十丈做土牛一个。(《再续行水金鉴》)

七月初二日 丁宝桢奏:本年天时亢旱,不特山东为然,晋、豫各省均雨泽稀少,遂致河流微弱。自五月初旬至闰五月十七日前,菏泽贾庄一带迭因水势日弱,东滩淤嘴过高,大溜不能刷滩下注,全向新建北坝头一带坐弯入袖,愈坐愈深,以致南段堤坝搜淘根底,坍陷二百数十丈,万分危险。闰五月二十四日后东省连得大雨,山水坡水汇归借得刷滩,溜势渐向北趋,南堤势缓,运河漕船亦可藉此挽行。(《再续行水金鉴》)

十二月初七日 山东巡抚李元华奏:查看北面金堤距河尚远,其间村庄民地每值夏秋均遭漫溢。拟上自直隶开州起至东阿境止,于民田庐舍之外接筑民埝一道,高一丈,顶宽一丈六尺,底宽六丈,以保卫民村捍卫金堤。

十二月 李文华奏:黄河南堤自贾庄至东平境计长二百余里均属完固,唯上游自直隶东明谢寨起,经长垣至河南考城十三里堡止,约七十余里并无堤岸,与下游曹属尚未联络一气。已饬曹州知府马映奎勘估,拟调营勇承办六成,添雇四成民夫,以节经费。长堤高一丈,顶宽一丈六尺,底宽六丈,约需实银五万余两,已函商直、豫协力襄办。

又查南堤至北金堤相隔六七十里,虽金堤时加修筑,于濮、范之田亩村庄不能保卫。沿河绅民纷纷具呈,愿以民力承修,唯求酌给津贴,此堤筑成由官防守。北堤自濮范下抵东阿计长一百七十余里,此项大工分年举办,明岁正月先筑高一丈,顶宽一丈六尺,底宽六丈,次年再加高四尺,顶加宽一丈四尺,底加宽四丈,已与南堤相列;又次年不加高,底加宽四丈,顶加宽一丈,足以对列金堤。至北堤上游直隶开州辖境有八里未能联络,亦经函商直隶派员经理。北堤既成之后,分调营勇防守,清明到防,霜降回汛,并咨呈吏、兵二部立案,以垂久远。自东平以下至利津海口约九百余里,已饬沿河州县,各就所有民堤加高培厚,酌加津贴。(《再续行水金鉴》)

光绪三年(1877年)

五月初二日 李元华奏:濮州、范县、寿张、阳谷、东阿五州县境内,添筑近河北堤一百七十余里,至四月初旬先后禀报一律完工。

同日 又奏:贾庄上游直、豫境南堤,当经派勇添夫修筑完竣。(《再续行水金鉴》)

光绪四年(1878年)

入夏后,两岸均已出槽,南岸贾庄大坝一带颇形吃紧,并迤上之张河口亦见塌滩生险。北岸则王河渠、吴家堆、李家桥、高庄、陈家楼、满庄、张忠万庄、白家楼等处,多见贴溜顶冲,均赶紧做厢埽坝,竭力救护。(《山东通志》)

光绪五年(1879年)

正月二十日　文格奏:八里庙黄运口门系黄、运相接之所,北金堤尾闾紧对黄流情形吃重。为免水势北趋,光绪二年曾筑横堤一道,上年秋汛被冲百余丈,溜势北滚,倘掣入运河关系重大;必须于北岸修筑挑水坝二道,逼溜南趋,并复还堤岸加筑磨盘鱼鳞等埽三十余座,以收重门叠户之效。(《再续行水金鉴》)

二月十五日　文格奏:东省黄河北岸原以金堤为保障,近水之民埝听民间自为修守。自就埝改堤设防既经二年,不便重还之于民间,本年新堤仍当竭力筹防,将来再为变计。(《再续行水金鉴》)

春　利津县修筑沿河堤坝,烟火台境许家庄,宁海境十六户庄、小十六户庄,夹河境庄科等处先后报竣。抢筑沿城埽坝。七月堵后阎家庄、张窝庄漫口,于旧坝外加筑圈堤。堵复孟家庄、韩家垣、辛庄、十六户四坝决口。八月抢厢阎家庄、韩家垣、陈家庄、北岭子庄等处民堤。九月抢筑阎家庄复决口门及韩家垣等处民堤、辛庄信字垣灶坝。堵复韩家垣迤北并辛庄、永阜庄、陈家庄漫口。十月拆除月城墙基,筑护城石堤一道,并于城东南隅筑挑草坝,堵复北岭庄一带秋涨续溃各口。十一月抢筑大十六户溃堤。(《利津县志》)

五月　山东巡抚周恒祺奏:目下黄河水深处仅有四尺,浅者自尺余数寸不等,实为从来罕见。黄河水势自菜园口以北现分东西两溜,至史家桥方合为一,东溜尚旺西溜极微,八里庙一带舟楫不通。(《再续行水金鉴》)

十月二十八日　李鸿章奏:东明境黄河南岸地势低下,堤防吃重。又因东省北岸临河筑堤占碍水道,大流遂更南注。今年黄庄、岳辛庄一段坐弯顶冲尤极危险,于该段堤内圈筑月堤一道,七月二十四日集夫兴工,实筑长一千一百二十余丈,八月二十九日工竣。(《再续行水金鉴》)

光绪六年(1880年)

十月十二日　李鸿章奏:霜清后黄水骤涨,搜根刷底,数日内刷塌高村堤身二百丈,仅剩里皮丈许。汛房土牛全没入水,九月三十日夜间漫刷成口,宽约百余丈,水向东趋,下注菏泽、郓城、巨野、嘉祥、济宁等处。十一月十二日复奏大溜仍归正河,口门水势渐落,间有淤积,唯塌缺已及二百丈,中刷成串沟五六道。十一月初一日已将串沟堵闭,套堤亦即告成,克期合龙。(《再续行水金鉴》)

十月　山东巡抚周恒祺奏:东省黄河南岸长堤,上自直隶东明之谢寨起,下至十里堡运河口门止共长二百余里,前抚臣丁宝桢所筑。每年防汛与直省分守,计谢寨至菏泽县前油楼一段长四十五里,为直境练军承防,其余各工由东省经理。嗣因署抚臣李元华于谢寨以上至河南考城接筑新堤四十余里,又经彼此会商各守一半。(《山东通志》)

光绪七年(1881年)

正月　周恒祺奏:八里庙黄运口门,因上游水势南趋来源微弱,拟将运口改在陶城铺。(《再续行水金鉴》)

三月初八日　周恒祺奏:济南府属之济阳县东、西、南三面临黄,县城逼近河身,南关街等处距河仅十余丈及二十余丈不等。更有距城里许之官道口,大溜直冲险要尤甚。邑绅联名公恳,自官道口至城东择要建筑三合土坝三座,由北岸伸入河心逼溜南趋,经派委查勘,所筹办法尚合机宜。(《再续行水金鉴》)

三月　利津县修下游两岸民堤。(《利津县志》)

六月初九日　李鸿章奏:东明黄河南堤原无专员经管,亦无拨定经费,每届汛前抽调大名练军前往修防,霜降撤营。近年大溜南趋紧逼堤根,高村、李连庄、黄庄顿成巨险,亟应酌设厅汛专管,俾可常年修守,以重责成。(按光绪七年东明黄河始设厅汛,奏定每年修防经费四万两,光绪十年奏增为七万两,各省不敷,另案请销)。(《再续行水金鉴》)

七月　新河门淤塞,河水仍由旧河门入海。(《利津县志》)

闰七月初三日　周恒祺奏:北岸堤工上年改令官督民防,查北岸堤身本嫌卑薄,濮州、范县逼近河干险要尤甚,绅民等议请加宽三丈高四尺,计堤长一万六千六百余丈,民间无力捐修,库款亦难筹拨,只可分年举办,每岁加高一尺加宽一丈,每丈酌给津贴三钱,共拨银四千九百余两,已于伏汛前办理完竣。另于寿张县白家楼一带下游添筑月堤一道,长一百七十丈、底宽六丈,顶宽及高约一丈。(《山东通志》)

又奏:南岸贾庄险工迭出,张河口、胡庄溜势坐弯,贾庄迤西自挑水坝起至旧堤头止计长二百余丈,本年又将滩面塌尽,陡岸壁立,工险万分。该处为大坝后路,现筑磨盘埽二个护沿埽数十个;需再筑磨盘大埽四个,并挨次普厢鱼

鳞埽三十二个,以期拓溜开行,贾庄大坝方可松劲。(《山东通志》)

闰七月　堵复盐窝庄决口,抢修圈堤,抢修南北岭二庄土坝并筑圈堤。九月抢修辛庄、韩家垣毗连民堤,于缺口处接筑圈堤。(《利津县志》)

是年　东明县大堤上汛筑圈堤于大堤之外,自长垣境谢寨起经齐王集迤西至土地张止;大堤中汛筑圈堤,自双井起至双堡屋止。(《再续行水金鉴》)

光绪八年(1882 年)

十二月初十日　山东巡抚任道镕奏:桃园合龙后,于上下游另筑官堤,必须在距河二三里高阜之处,堤身始能自立。上游自西坝起至齐河之郑庄迤西接民埝止计十一里,除近坝二里地属历城,齐河应筑堤九里;下游自东坝起至史家坞迤东接民埝止计四十里,加西坝二里历城应筑堤四十二里,共筑堤五十一里。以顶宽一丈底宽六丈高一丈为准,酌给津贴。一俟开春动工,务于桃汛前完成。(《再续行水金鉴》)

光绪九年(1883 年)

二月　山东巡抚陈士杰疏请修筑历城至利津南岸大堤三百余里,东阿至利津北岸大堤四百余里,民埝一千五百余里。(《山东通志》)

九月二十五日　山东巡抚陈士杰奏:黄河各工急切,难以全举,当以修筑长堤与开通小清河二者为当务之急。而长堤两岸一千四百里亦难同时兴工,现分筑长清、齐河、惠民、滨州各北岸;历城、齐东、章丘各南岸,限来岁正月杪告竣。再行接筑长清、滨州、青城、蒲台之南岸,历城、济阳之北岸。利津则先将十四户口门收小,修筑磨盘埽挑水坝数座,以免淤塞铁门关旧河,再接筑两岸堤工。统限来年四月内告竣。长堤丈尺照部议底宽八丈,顶高八尺,顶宽二丈,顶面略宽以后加增施工较便。

小清河先开马楼入海之二十余里及高堤埝、张家坝以上之百余里。由下而上先将难处开通,再行津贴各县民夫一律挑挖,约三月前后亦可竣事。(按光绪九年东抚陈士杰议于张秋以下两岸建立大堤。去水各四五百丈,勘明基址先后兴工,十年五月陆续告成)。(《再续行水金鉴》)

光绪十年(1884 年)

三月初九日　陈士杰奏:为长堤将次告竣,请接修民埝。上自东阿、平阴起至利津铁门关止两岸计长一千五百八十里,除利津城以下民埝改堤二百三十五里外,尚有一千三百四十五里,一律筑成底宽四丈,顶宽一丈,高八尺。每

里津贴银四百两。(《再续行水金鉴》)

五月二十九日　陈士杰奏:山东新筑黄河两岸长堤一律告竣。南岸东阿、平阴、肥城傍山,地势较高无庸修筑;现由长清起至利津界三里庄止计长三百三十余里,均底宽八丈,顶宽二丈,高八尺。北岸上接濮、范金堤,东阿、平阴共长九十五里余,地势较高定以底宽五丈,顶宽一丈,高八尺;以下肥城至利津民埝第一段止长四百零三里余,堤身丈尺与南岸同。又齐河、齐东、济阳、蒲台等县近城添筑护堤,长清、历城、惠民等县加筑格堤、月堤共约四十余里。利津城以下改修民埝长一百六十余里,底三丈,顶一丈,高八尺。查堤工告竣尚须妥筹善后,现拟逐段修建堡房,添派勇夫,多备料物以资防护。请将堤工节余银十八万两作本年防汛经费之用。得旨,著照所请办理。(《再续行水金鉴》)

闰五月十三日　陈士杰奏:山东黄河两岸长堤既成,谨拟防守事宜章程十五条:一拟设河防总局总核银钱出入,并随查沿河督同文武妥为防守;二拟设堡房,三里一堡设防兵五名随时修筑堤基,栽植柳树,十堡派一守备、千把管辖;三拟招募防汛勇丁,分段驻防;四拟官民协防;五筹备料物择要堆存;六分堆土牛;七严定责成;八拟邀免民埝处分;九严禁掘堤偷料;十酌拟委员薪水;十一浚河水师口粮;十二拟定堡兵土夫口粮;十三每年抢护险工用费,霜清后定例报销;十四拟料物按时定价;十五拟照章赏罚。(《再续行水金鉴》)

山东河工自光绪元年贾庄合龙后,创筑上游南岸官堤,修北岸古金堤,奏定上游每年防汛额款六万两。光绪十年下游两岸官堤告成,奏定每年下游防汛额款三十二万两,及上游八万两,共计四十万两。但请销之数,每逾额十万两左右。(《再续行水金鉴》)

是年　两岸大堤成,各距河流数百丈,即缕堤也。而东民仍守临河埝,埝决守大堤。而堤内村庐未议迁徙,大涨出槽,居民遂决堤泄水,官亦不能禁。嗣是只守埝不守大堤。(《清史稿·河渠志》)

光绪十一年(1885 年)

五月二十九日　陈士杰奏:黄河两岸新筑长堤前请准防汛章程,按三里建堡房一座,每堡设防兵役五名,并另募勇丁二千五百名,分段驻守。嗣据总理河防局务潘骏文详禀:夫散工长不相联属,且约束不如营伍之严整,遇有险工抢护恐难得力。请自本年起改建十营,上游为河定五营,下游为河成五营,派定段落各司其事。每营五百人,勇六夫四,汛期增夫汛后递减。(《再续行水金鉴》)

本年奏准山东河工并无厅汛。设立河防总局,经理一切收支银款。(《再

续行水金鉴》)

光绪十二年(1886 年)

正月　广西巡抚张曜奉旨查勘山东黄河情况奏称:统计黄河形势最虑盈满为灾,建议减水分流。一自齐河李家岸、赵庄间筑坝、挑河以达徒骇;一自兰阳乾河口横筑大堤,紧接两岸中间建带闸石坝,分水十分之三入黄河故道。谕以黄河北徙三十余年,现欲减水分入故道,其中有无窒碍,著张曜会同曾国荃、嵩骏、成孚、卫荣光、陈士杰、边宝泉妥议具奏。(《山东通志》)

四月二十日　上谕:山东黄河堤埝近年来屡筑屡溃,皆由河口不畅河身淤垫,以致水无所归。张曜现拟在李家岸、赵庄之间建带闸石坝。接挖河身以达徒骇,至流钟镇止一律挑宽,并于徒骇北岸已筑堤者加高培厚,无堤者接续添筑。即著令同陈士杰遴委妥员核实估计,请款兴修。所拟增筑铁门关以下长堤,挑挖川字引河兼用机器船支随时淘浚,著次第举办。(《再续行水金鉴》)

五月二十日　陈士杰奏:徒骇河北岸民埝,禹城、齐河、临邑、济阳、商河、惠民等已一律筑成。唯高宽丈尺未能一律,俟新任抚臣查明卑薄之处,饬令接修。(《再续行水金鉴》)

八月二十九日　山东巡抚张曜奏:请筹办山东黄河徒骇河各项工程。(1)增培黄河两岸遥堤工程:北岸自东阿境起至齐河境止二百零四里,又利津大马家以下至灶坝尾止九十六里。拟顶、底均帮宽一丈五尺,加高三尺,收新顶二丈五尺;南岸自长清韩家林起至利津县梅家庄止三百一十五里,顶、底均帮宽一丈五尺,加高六尺,收新顶二丈五尺。(2)增培两岸民埝:北岸自东阿境起至齐河境止二百三十里,自历城境起至利津境止三百四十二里;南岸自长清玉符河口起至章丘陈家庄止一百二十里。(3)挑河工程:姚家口以挑引河十五里,挑挖淤滩三十四处。(4)培修徒骇河两岸堤工:惠民堤长八十六里,滨州堤长八十四里,沾化堤长五十里。并拟先赶造平头圆船五十只,添置铁爬等器具,疏浚河道。上谕著照所议办理。(《再续行水金鉴》)

十月十六日　张曜奏:濮州、范县、寿张、阳谷四州县金堤,连年被水冲塌已多,亟应修培。其堤尾紧靠运河曹家堤口一段向无堤身,近年来,黄水每由该处冲入运河,尤应添筑坚堤。所需经费在徐家沙窝堵口节省银两项下动支。(《再续行水金鉴》)

光绪十三年(1887 年)

三月初八日　李鸿章奉懿旨订购外洋机器铁船试挖山东海口事奏称:已

向法国费务林商厂造办挖泥送泥机器铁船二只,每船长十丈宽二丈,一百五十匹马力,每小时挖泥八十方。拟船到后在海口太平湾一带试挖。(光绪二十二年李秉衡奏称:挖泥机器船试验仅能吸水,不能挖泥,遂复退还)。《再续行水金鉴》

光绪十四年(1888年)

二月 奏修东明县上、中、下三汛南堤六十余里,并修开州金堤九十余里。(《黄河年表》)

五月二十二日 张曜奏:山东黄河挑挖河淤工程,已照原估将坐弯兜溜淤垫之处抽沟挑挖,现已赶办完竣。(《再续行水金鉴》)

五月 巡抚张曜奏:曹州府属河陡吃紧。添筑濮州、范县民埝。(《山东通志》)

光绪十五年(1889年)

正月 吴大澂奏:请成立河图局,咨调熟谙测绘之委员学生二十人,分段测绘豫、直、鲁三省河图。二月初二日得旨,著准咨调数员办理绘图事件。所称设局及奖叙未免先事铺张,著勿庸议。(《淮系年表》)

四月 张曜奏:请择要修培黄河两岸堤埝。核估需银七十七万两。各省捐输郑工银三十万两解山东应用外,应请续拨。(《再续行水金鉴》)

十二月 巡抚张曜奏议:北岸上游濮州至寿张临河堤及金堤亟应加修。接连金堤添筑格堤至陶城铺为运河保障;东阿至齐河大堤尤关紧要,应一律修培;齐河以下至惠民大堤因地势低洼修培无益,当力守民埝。南岸自玉符河迤西至章丘之马家庄民埝,地近省垣尤当修培;长清以至利津间大堤均须增培。齐河至济阳葛家店河身有窄至八十五丈者,拟于齐河以下赵庄一带添设水门。汛涨开放减水入徒骇河。得谕即著实力认真办理。(《再续行水金鉴》)

是年 张曜令山东黄河两岸,一律种柳,由河防营看护。呼为张公柳。(《历代治黄史》)

光绪十六年(1890年)

二月 平阴、齐河、济阳、齐东、蒲台修护城堤并土坝。又,齐河赵庄、刘家庙、东阿陶城铺各建闸一座。并接筑金堤尾闾格堤。(《山东通志》)

泺口为省城门户,逼近河身,张曜将泺口一律修成石坝,故东省每年患水,而济垣终免河患。(《历代治黄史》)

光绪十七年(1891年)

六月　利津南岸路庄决口,溜势直趋正东由南旺河入海。后因北岸王庄决口全河夺溜,路庄遂成旱口,十月民众自行筑堤。次年改归官修。(《再续行水金鉴》)

光绪十八年(1892年)

章丘县华庄、平阴县邓庄等处民埝修筑完竣。(《山东通志》)

光绪二十年(1894年)

福润奏:齐东县三面临河,形如釜底,每遇伏秋汛水灌入城,大半坍倒,择于县境内之九扈镇改建土城。(《山东通志》)

光绪三十年(1904年)

山东巡抚周馥注重河工,下游险工林立,原无石坝,周馥饬下游督办何国褆等改筑石坝,以期巩固。又在南三营三合庄、北三营宫家、北四营彩庄,设三处官窑,烧砖作坝,并设全河电线。(《历代治黄史》)

附山东黄河两岸官堤民埝工段里数

1. 南岸上游

官堤自菏泽朱口至寿张十里堡,共长一百八十二里。大高寨至红庙皆守民埝。

民埝自东明刘屯至寿张黄花寺接官堤,共长一百四十七里。

2. 南岸中游

官堤自长清玉符河至齐东田家拐子,共长一百四十三里。玉符河以上至寿张大王庙,凡一百七十六里为山麓不设堤防。

民埝二段,一自寿张大王庙至东平大风口长十里,一自玉符河北岸宋家桥至章丘姜庄长一百零六里。

3. 南岸下游

官堤自田家拐子至利津三里庄,共长一百八十里。

民埝二段,一自青城沙窝杨至滨州北段家接大堤;一自蒲台老三岔至利津大牡蛎滩,共长一百一十七里。老三岔以下大堤残缺改守民埝。

4. 北岸上游

官堤自濮州高堤口至东阿挂剑台,共长一百四十一里。

民埝自濮州耿密城至寿张花家长一百三十里,此段向守民埝。

5. 北岸中游

官堤自挂剑台至惠民刘旺庄,共长三百三十六里。

民埝自寿张影塘起,逾鱼山,越艾山,逾鹊山,至济阳桑家渡,共长三百六十三里。自齐河王庄以下大堤残缺,向守民埝。

6. 北岸下游

官堤自惠民刘旺庄至利津大马家,共长一百六十里。下游官堤残缺,故守民埝。

民埝自济阳桑家渡至沾化后马厂,共长二百四十四里。

以上所列南岸官堤长五百零五里,民埝长三百八十里。北岸官堤长六百三十七里,民埝长七百三十七里。两岸有工之处共长一千二百七十六里。(《山东通志》)

三、河口变迁

同治六年(1867年)

八月十一日 山东巡抚丁宝桢奏:查得自铁门关以下四十里牡蛎口为旧日海口,自黄水出利津口历年淤积均成泥滩,由牡蛎口正东冲开河身一道,直长六十余里,横宽上游三四里、下游五六里不等,水深自五六尺至八九尺不等。紧接下游落北约十里河海相冲,即系河门,水深七八尺宽十余里为太平湾。每至伏秋盛涨,河面加宽河身即淤浅至五六尺,霜清水落河面较窄,河身即刷深径丈不等。河门每年东北迁徙无定,就现时河流查看,似可无须疏浚。(《再续行水金鉴》)

同治十二年(1873年)

旧河门淤塞,自二河盖开一口门,名新河门。(《利津县志》)

光绪九年(1883年)

九月二十五日 陈士杰奏言:下游淤塞,水流不畅,疏通海口,当与修筑长堤相辅而行。查铁门关以下节节生淤,阻滞已非一日,臣拟派长龙舢板七号,并新造浚河船三十号,购到小轮船一号,各带混江龙、铁篦子前往铁门关一带逐段试刷。(《再续行水金鉴》)

光绪十二年(1886年)

外洋挖河机器于山东黄河口仿造试行。(《山东通志》)

光绪十五年(1889年)

三月　利津南北岭下游韩家垣漫口,张曜以其地距海较近奏请勿堵,于两岸筑堤各三十里束水中行,为入海之路。得旨允行。(《山东通志》)由此向毛丝坨入海。(《河务季报》)

光绪二十一年(1895年)

七月　山东巡抚李秉衡奏议:利津尾闾北岸之吕家洼决口,因地处近海,只有大小村庄十二处,再下六里即无大堤、七八里以外即海滩,拟留为入海尾闾。

九月　又奏:山东黄河向由铁门关入海,光绪十五年韩家垣漫溢冲出河身,前巡抚张曜奏请筑堤束水,全河改道由此入海,数年以来逐渐淤高,尾闾不畅。现查吕家洼漫口已宽至二百一十丈,夺大溜十分之八,韩家垣正河淤塞。吕家洼地本极低,已成入海形势。唯该处为永阜盐场滩池一百六十余处,拟即赴查勘详酌定议。(《山东通志》)

光绪二十二年(1896年)

九月　李秉衡奏:查看黄河尾闾形势,拟由旧黄河东岸挑挖新河,仍导入肖神庙旧河入海。并将赵家菜园、吕家洼漫口次第堵合。谕照所拟办理,唯所开新河能否通畅,冲坏盐滩能否一律涸出,肖神庙一带产盐处所有无窒碍,该抚辖东省全河,经此次改归旧河入海大举兴办之后,务使一劳永逸,方为不负委任。(《山东通志》)

十月　李秉衡奏请黄河尾闾开挖新河,拟定面宽十六丈,底宽四丈,深一丈,较之现在韩家垣河身深至数尺。将来大溜引入,或不致遽形阻滞。吕家洼口门以下盐滩一百六十余处,上年已冲坏一百二十余处。今既将吕家洼堵筑,盐滩尽可涸出,肖神庙系旧日河身,本非产盐所自无窒碍。疏上允行。(《山东通志》)

十一月　挑工未毕,凌汛暴涨灌入新河,不能施工。致宣泄仍复不畅。(《再续行水金鉴》)

光绪二十三年(1897 年)

五月 利津北岭子西滩民埝漫溢。北岭子冲开五六丈,西滩刷宽二十余丈,两处漫水汇由迤南之丝网口入海。九月李秉衡以该处地近海滨,居民无多,查看溜势通畅,请留为入海之路。(《山东通志》)

光绪二十四年(1898 年)

二月 巡抚张汝梅奏:西滩渐次淤塞,大溜全注北岭。复由北岭倒漾西滩漫口,分入正河涓涓细流,今已全河湮塞。查北岭口门至丝网口入海计七十余里,均已刷成河身,其势极顺。现拟自北岸薄庄起至南岸北岭子止,修筑新堤一道长四百二十丈,将旧河截断,并将迤下西滩旱口堵塞。旧河南堤改作新河北堤。南岸则从十六户迤下至丝网口迤上至二道岭止长七千丈,新修南堤一道,使河身有所收束,得以逼水刷沙,尾闾可期通畅。北岭有东坝基即改为挑水坝,厢修护埽以托溜势。劝谕十六户居民择地迁徙,将盐窝裹护砖石,逼溜东行,使河身逐渐展宽,则盐窝险工可以渐臻稳固。以下孟庄、吕家洼均改在背河,逐年防汛料物亦可节省,已饬趁桃汛以前赶紧兴办。(《山东通志》)

光绪三十年(1904 年)

六月 黄河河口改道。是月利津薄庄决口,水流东北入徒骇、老黄河归海。九月周馥赴工查勘,奏称口门宽三百三十二丈。今若堵合估银一百九十四万余两,巨款难筹,防守亦毫无把握。现时入海水势较由铁门关、韩家垣、丝网口入海加倍通畅。主张迁尾闾之民以避水之就下,遂不塞。(《山东通志》)

黄河东徙以来,凡四十九年,南决入小清河者九次,北决入徒骇河者二十六次,入泽河者三次。(《黄河变迁史》)

光绪三十一年(1905 年)

河口新筑堤工完竣。南自薄庄东七龙河起至大牡蛎滩止计长二十六里。北自西盐窝护庄堤至沾化县后马厂止计长十三里。两岸束水大溜由徒骇河入海。自是以后薄庄海口畅行,河流顺轨。(《山东通志》)

光绪三十二年(1906 年)

黄河尾闾,自虎滩东岸分为小岔河,东北流经大牡蛎东、小牡蛎西,又东北至沾化县岔河口入海。岔河口南,有岔河枝津,名面条沟。(《淮系年表》)

四、官制营汛

清沿明制设河道总督，总理河防事宜。咸丰五年铜瓦厢决口改道山东入海，南河断流。江南河道总督裁撤，豫、直、东三省河务由河东河道总督统辖。

光绪十年(1884 年)

山东巡抚陈士杰奏设河防总局于省城，办理河帑出纳及岁修防守事宜，并于两岸划分上、中、下三游各设分局。河防总局设总办、会办、提调各一员，知州、知县、县丞等四员。两岸分局为：上游贾庄分局，中游上段齐河分局、下段泺口分局，下游上段清河分局、下段滨州分局。分局设督办、提调、知县、县丞、典吏等官员。

光绪十七年(1891 年)

山东巡抚张曜奏请委派三游总办、会办各一员著为定制，并委派文武员弁分段承防。光绪二十三年七月，河道总督裁撤，黄运河务归各省巡抚兼管，督统上、中、下三游总办办理河务。上游总办驻十里堡，中游总办驻齐河南坦，下游总办驻惠民清河镇。上、中游各设会办一员，下游设会办二员，协同总办处理河工事务。三游提调会同知州、知县，督饬营委分段防守。三游总办各设收支，专司款项料物支领，设文案办理文牍，设监修、监硪、监垛、稽查等职，随工负责施工、验收工程料物。另设承防、分防、冬防员每段一二人，承防员专司修培本段堤工。分防、冬防员专司本段大汛、凌汛防守抢险事宜。

光绪二十九年(1903 年)

十二月　山东河防总局将河防营增补改组为河防十八营。即上游设菏南、郓南、金堤三营；中游设长南、历南、历北、阿北、齐北、肥北、济北七营；下游设齐南、蒲南、青南、利南、惠北、滨北、津北、利北八营。共有勇丁四千六百五十人，分驻两岸防守汛段一千二百余里。平时由营勇巡查堤防，每届大汛营勇不足，并于两岸沿堤搭盖窝铺，一般每三里设一铺，每铺调集民夫十人协助防守，霜降裁撤。(《山东通志》)

光绪三十年(1904 年)

山东巡抚周馥因河工原设营委不敷分布，奏准将沿河二十二州县一律改为兼河之缺，归三游总办节制，自此沿河州县兼管河务成为定例。

清循明制，于沿河两岸设河标四营，分汛防守，常年驻工。改道之初，山东仍有精健、防勇两营。光绪十年，山东巡抚陈士杰添募营勇，增编为河防营十一营，即河成五营、河定五营、河安五营。营设管带、游击、哨官等，每营有勇丁二三百名不等。另有砲船三十只，由管带统领，分驻三游防守。

民国时期

民国时期，内有军阀混战，外有帝国主义侵略，黄河治理始由各省分管。因财政困难，治河经费积欠较多，河防工程年久失修，决溢频繁。民国22年（1933年）黄河大水后，黄河水利委员会成立，黄河由分省治理走向统一，对黄河修防较前重视，增培堤防，改砌石坝，健全制度，对治理黄河进行过多次考察，提出过一些全面治理的规划、方案。限于当时的历史和经济条件，难以实施，黄河决溢灾害并未减少。自民国元年至花园口决口改道的27年间，就有19年发生决溢。

民国期间，由于西方水利技术的引进，在沿河设立水文测站，测验水位、流量和含沙量；用科学仪器进行水准、地形测量，测绘河图；用电话、电报报汛；进行水工模型试验；试办虹吸引水放淤工程等，使中国近代治河技术发生了显著变化。

现将民国时期有关治黄文献资料，分类整理节录，以供参考。

一、治黄基本工作

（一）水文测验

民国4年（1915年）

8月 督办运河工程总局在大汶河南城子设立水文站，施测水位、流量。（《山东水利大事记》）

民国8年（1919年）

3月 顺直水利委员会于河南陕县、山东济南泺口各设水文站，记载水位，并测量流量、含沙量、降雨量等。民国10年改为水标站。（《黄河志》）

民国10年(1921年)

2月　顺直水利委员会在东阿县设立黄河南桥水文站。(《山东水利大事记》)

民国18年(1929年)

华北水利委员会将陕县、泺口两水标站,仍恢复为水文站。民国19年1月,泺口水文站移交山东省建设厅管理,并增设寿张、利津、汶上各雨量站。3月,山东河务局设李升屯、孙楼二处水标站,定期观测水位。(《河务季报》)

民国19年(1930年)

5月　山东河务局颁布《水文站观测办法》,规定每年2月1日至10月31日为汛期。汛期每日自上午6时起,每2小时观测一次,洪峰期不分昼夜每小时观测一次。非汛期每日6、12、18时定时观测3次。观测项目对水位、流量、含沙量、降水量、蒸发量等测验技术、测验方法及时制都作出详细规定。(《山东黄河志》)

民国20年(1931年)

6月　山东河务局设官庄、齐河、济阳、王枣家、大马家、王庄等六处水标站,定期观测水位。(《河务特刊》)

民国22年(1933年)

山东河务局于沿河共设李升屯、孙楼、官庄、齐河、泺口、济阳、清河、王枣家、大马家、王庄十处水标站,定期观测水位。(《河务特刊》)

民国23年(1934年)

6月　黄河水利委员会设立兰州、包头、龙门、潼关、陕州、秦厂、高村、陶城铺、泺口、利津十处水文站。(《黄河志》)

6月　黄河干流各水文站,开始用电报拍发流量及水位等洪水警信,是为黄河历史上之创举。根据水情每日拍发一次至数次,由陕州站直达开封、河北坝头镇及山东济南等处。此外沿河及绥远各站,于河水急涨时,亦发电报。(《黄河概况及治本探讨》)

附:泺口水文站1920～1949年最高水位流量记录

泺口水文站 1920～1949 年最高水位流量记录

年　份	最高水位流量			
	月	日	水位	流量
1920	9	25	27.94	5680
1922	7	27	27.81	
1923	8	14	28.49	
1924	9	25	27.78	
1925	7	10	28.50	
1926	11	19	27.33	
1927	4	17	28.28	
1928	8	7	28.05	
1930	11	5	26.63	
1931	8	20	28.83	
1932	8	5	28.20	
1936	9	11	29.14	5630
1947	8	24	28.87	
1948	10	8	29.69	6500
1949	9	22	30.70	7410

注:水标基点为大沽基面。

民国 24 年(1935 年)

4 月　黄河水利委员会在惠民清河镇、历城北店子设水文站。八月,大汶河设立戴村坝水文站。(《山东水利大事记》)

(二)查勘测量

民国 8 年(1919 年)

山东河务局署理局长劳之常,查勘山东三游河工,提出整顿办法十二条。据查勘报告称:山东堤埝因财政拮据工多失修,埝身卑薄,埽坝朽坏,溃决堪虞。全河险工现有石坝 1292 段,砖坝 651 段,秸埽 306 段,砖石埽 327 段,柳坝 183 段,土坝 333 段,共计 2832 段。河工防守分三游分管,堤埝以防营守护,埽坝则以兵勇修补,培堤则责之承修、监修,防汛则责之承防、分防。所拟整顿办法为:(1)宜注重测量以资考核水道;(2)宜兴小轮并备泥船以资疏通而助宣泄;(3)宜于沿河两岸多栽树株以护堤埝;(4)改良埽坝以减水力而免冲刷;(5)废秸埽加多石坝以固堤埝而垂久远;(6)改良垛料以免架空之流弊;(7)废除购料例价,招商投标以昭核实;(8)宜订奖励章程;(9)宜预支用款,早备料物;(10)宜将河防营制略加修订;(11)宜改短差为长差;(12)宜定工程为

长年兴修不可间断。(《河务季报》)

8月29日　内务部派佥事向迪琮、技正周象贤赴直、豫、鲁三省河工进行考察。11月2日结束山东河工考察,提出《考察山东黄河第一次报告书》。报告称:山东黄河地居下游,工段绵长,流域自菏泽朱口至利津太平湾长约841里,两岸大堤长1250余里,计有险工170余处。工段之险要,较直、豫两省天壤悬殊,而大堤每年每里平均修守经费仅合380余元,较之直隶南岸少有6倍,较之河南亦相差甚远,原定经费实属不敷应用。查鲁省下游下段大堤,南岸原系官堤,北岸原系民埝,后始改为官堤,堤身本极卑薄,年久又未培修,现在堤顶宽约一丈六七尺至二丈一二尺不等,高出浅水面十余尺。两岸共设河兵十八营,分驻上游三营、中游七营、下游八营,每营又分五汛,分驻段内险工地点。每营官兵90人左右,各营按工程多寡雇用短夫五六十名至十数名不等。(黄委会馆藏档案)

民国9年(1920年)

春　山东河务局派工程科科员、测勘员等由海口逆流测量地形、水平,约需二年半方可竣事。测量费本无专款,每月所需六百余元由临时费开支。(《河务季报》)

5月18日　据内务部呈报派员考察河塘大概情形并筹拟治标治本办法:(1)各河源流及经流诸山宜派员详加考察,以为造林治水之准备;(2)河川测验及地形等测量宜积极筹办;(3)各河有关碍之滩地宜完全划归河务局管理;(4)各河工程队宜比照东省改编一律工作;(5)黄河尾闾宜设法疏通;(6)各河堤埝宜规定最小坡度及堤顶最窄宽度;(7)各河下游堤内居民宜严加限制不得擅种树株,私筑堤埝妨碍河流;(8)各河务局事繁责重,请准以厅道待遇,以重职守。于是日奉大总统指令,据陈各节规划周详,应即分别妥筹,次第举办,期收实效。(《河务季报》)

是年　美人费礼门应中国华洋义赈会之聘,来华研究治黄问题。费礼门报告称:治黄之问题,在使黄河流行于一狭直河槽中,其方法拟于现有内堤之内,另筑直线新堤,在此新旧二堤间存留空地,任洪水溢入,俾可沉淀淤高,可资将来之屏障。如遇特别洪涨,并于新堤与河槽之间,建筑挑丁坝,以防新堤之崩溃。民国12年8月至10月,恩格思受费礼门之委托,在德国德兰斯登大学水工试验所,进行黄河丁坝试验。(《制驳黄河论》)

民国 10 年(1921 年)

8 月　内务部派技正周象贤、技士陈树棠调查利津宫家决口情形,提出《查勘山东利津河患报告书》。报告称此次决口的主要原因为:(1)工款无着。查山东河工经费每年 48 万元,今年大汛届临尚欠 30 余万元,本年度仍欠十数万元,以致春工未修,料石桩绳无法准备,各营薪饷积欠至半年之久。(2)山东大堤原系民埝,极为卑薄,7 月 17 日河水陡涨,初系平工大溜改变,骤成新险,抢护无料,漫溢堤顶,溃决成灾。(《河务季报》)

12 月　内务总长齐耀珊呈称,河防经费向由省库专款存储,迩来库储竭蹶,现经一再核减,又发不应时。经调查各河局欠领经费几及全年三分之二,春工既丝毫未举,盛汛亦筹备多疏,此次宫家坝即以无款溃决。所有明年各河应需料物亟待拨款置备,恳请责成各该省区妥筹救济。奉大总统令,河务关系民生至重,应由各该省区长官严饬该管财政厅长,按照原定预算数目,就沿河各县应解公款,迳拨河务局应用。(《河务季报》)

民国 12 年(1923 年)

4 至 7 月　顺直水利委员会用导线测量自鲁境周家桥至泺口以下一段黄河河道,约 1030 平方公里,水准线 237 公里,其所测地形仅及河身左右一二公里,共计绘制万分之一简略地形图四十余张。(《黄河年表》)

民国 15 年(1926 年)

7 月　山东河务局精测山东黄河三游详图告成。该图是首次施测带有等高线的现代地形图。(《黄河年表》)

民国 18 年(1929 年)

德国汉诺夫大学教授方休斯应导淮委员会所聘,来华考察黄河。方休斯建议:在现有河道内,筑一道或二道之新堤,其平均距离为 650 米。以束窄平行之堤防及坚固之河岸与滩地,足使低水河床,经过洪水以后大为刷深。方氏主张缕堤束水刷深河槽,与恩氏固定中水位河槽为主有所不同。方氏于汉诺佛水工试验场进行过此项试验。(《黄河及其治理》)

7 月 22 日　内政部奉主席令派员勘察山东河堤情形,以便拨款培修。据勘察报告称:山东河堤由泺口至海滨绵长四百余里,上中二段堤坝多用石料,擦伤挤失比比皆是;下游一段河面较狭,两岸堤坝多用秸料,且已年久失修,不勘受河力之冲刷;计有险工160余段,所请培修费50万元,似可照发。但对埽坝工程,极应改革修筑方法;河防营组织,宜按工段改组,似不如改为修防工段,并录用新进工程学生,采用新式工程技术。(《国民政府档案》)

民国21年(1932年)

7月10日　冀、豫、鲁三省赞助委派李赋都工程师,前往德国巴燕邦之瓦痕湖水工及水力试验场,参加水工专家恩格思主持的治导黄河试验。此次试验的目的,研究缩窄堤距能否刷深河槽而降低水位。试验费为1.6万马克。李于7月启程,9月初抵达,10月试验完竣。(《河务特刊》)

民国22年(1933年)

3月　山东河务局鉴于黄河尾闾自民国7年施测以后历年既久,变迁时多,派出测量队从盐窝以下至海口,重新测绘完竣。(《河务特刊》)

11月11日　黄河水利委员会派测量队,测量黄河南北两岸大堤,一队自平汉路黄河铁桥起向下游施测,一队于12月24日自泺口起向上施测山东黄河大堤。23年4月20日测量结束,绘制二万分之一大堤纵断面图,标有堤顶高程、22年洪水位线,及堤脚附近之河滩与地平高度,计测北岸导线长565公里,南岸导线长401公里。(《黄河概况及治本探讨》)

民国23年(1934年)

4月7日　黄河水利委员会派视察队勘察河口,乘船由泺口顺河而下,以至河口,约在河口南15公里处水即变清,若以滩洲为中心,河口泥沙之沉淀半径为15公里,面积约为1000平方公里。(《黄河概况及治本探讨》)

4月9日　山东河务局派李士林等带领测工分赴中下游勘测黄河两岸地形。7月初施测完竣,绘制成六万分之一河图一份。(《河务特刊》)

4月　黄河水利委员会派员勘察下游三省黄河工程,编报豫、冀、鲁三省黄河大堤之培修工程计划内称:三省黄河大堤,年久失修,民国22年大水后,益复残破不堪,培修更不可缓。当由三省主管机关分别勘估,黄委会派员复测,将应办工程分列四项:(1)修复豫、冀、鲁三省堤埝埽坝工程;(2)改良河槽;(3)培修豫省太行堤及鲁省金堤工程;(4)整理山东利津下游,以兵工展筑大堤,及山西、陕西、河津、平邑等处堤坝工程。复就上列四项,斟酌工程缓急,拟就第一期善后工程计划纲要。

全国经济委员会核准第一期善后工程计划100万元,令饬黄河水利委员会办理。黄河水利委员会于3月28日召集豫、冀、鲁三省河务局局长商定，本年三省大堤紧急工程，拟择要先办九项，其中山东核准培修朱口至临濮集、杨庄至十里铺两段大堤及李升屯、康屯险工，中央补助十万元，其余由省自筹。(黄委会馆藏档案)

4月　黄河水利委员会测量队完成自郑州桥至济南泺口铁桥两岸大堤1:2万纵横断面测量，标有堤顶高程、1933年水位线、沿堤滩面与地平高程。(《民国治黄大事记》)

7月4日　全国经济委员会委托德国水工专家恩格思教授继续进行治导黄河之水工模型试验，并派沈怡工程师赴德参加试验。此项试验是继1932年在瓦痕湖水工及水力试验场所作直河段试验之后，继续作"之"字形弯曲河段冲刷试验。11月8日，四组试验全部告竣。两次试验之结果一致，即河道之刷深，在宽大之洪水河槽，较之狭小之河槽为速，说明筑堤缩狭河道是不必要的。(《河务特刊》)

7月　黄河水利委员会进行一等水准测量。上自郑州铁桥至鄄城周桥，分测南北两线，北连陶城铺，南接十里堡测至临清。由泺口北测至德县达徒骇河，南沿小清河测至羊角沟，再由博兴沿胶济铁路测至青岛。每距4～5公里设置永久水准基点一对，计测全长1300公里。(《山东黄河志》)

民国24年(1935年)

7月10日　黄河水利委员会派齐寿安视察山东黄河善后工程报告称:去岁黄河漫溢成灾，豫、冀两省筹有专款加修善后工程。唯鲁省未有专款，仅限于常年修防费，故本年所做工程，仅北岸之中上游择要加培。自范县西仑起，至齐河西关止，工长122里，加高数公寸至一公尺不等，完成土方13.5万市方。险工整修仅运到石料4000余方，秸料140万斤，全河石工1500余段，埽工500余段，现有料物每段埽坝仅有约3方石料，3000斤秸料，故整理工程，亦难期巩固。(黄委会馆藏档案)

民国25年(1936年)

5月　黄河水利委员会委托海军部海军测量局进行海口测量，该局派诚胜艇、甘露艇前往海口进行测量作业，范围自小清河之羊角沟向北，至徒骇河口附近，测至海中水深10米以外为止。(黄委会馆藏档案)

民国 26 年(1937 年)

5 月 12 日　国民经济计划委员会专门委员会水利组会议拟定《全国水利建设计划》中关于黄河下游治理计划包括:(1)整理豫、冀两省河床,拟采取恩格思试验结果,造成中水河槽,集中水力刷成正道。河槽以外滩地则任其逐年淤高,以成平陆。(2)兴办黄河两岸淤灌工程,拟择适当地点,添修涵闸或虹吸,开引干渠,于夏秋盛涨之际施以淤灌。(3)开垦黄河海口涂地。(国民政府档案)

9 月　黄河水利委员会施测完成自孟津至黄河河口的 1∶1 万河道地形图 705 幅,面积 23000 平方公里。(《民国治黄大事记》)

二、堤防工程

民国 9 年(1920 年)

7 月 16 日　内务总长田文烈呈称:山东黄河工程险要,亟待兴修,拟请特予拨款补助。奉大总统指令,交财政部查照筹拨。

查山东河防局常年经费核准为 48 万元,修守大堤共长 1256 里,每里平均用款 382 元,按其预算支配,除员工薪俸工饷杂用外,列为修堤防汛费者,仅 23.3 万元。(《河务季报》)

民国 17 年(1928 年)

山东河务局所辖三游官堤民埝工程列下。

1. 官修大堤

上游南岸大堤自菏泽县朱口河东交界起,至寿张十里堡止计长 185 里;北岸金堤自濮县高堤口河东交界起,至东阿县挂剑台止计长 128.88 里。

中游南岸大堤自长清县玉符河沿宋家桥起,至齐东县田家拐子止计长 139.9 里;北岸大堤自东阿挂剑台起,至济阳县桑家渡迤下止计长 370.6 里。

又缕堤一段自颜营至牛屯以上新运河口止,计长 9.4 里,亦归官修守。

下游南岸大堤自齐东县田家拐子起,至利津县宁海止计长 222 里;北岸大堤自济阳桑家渡起,至利津县西盐窝止,计长 222.7 里。

以上总计两岸大堤长 1234 里。

2. 民修民埝

上游南岸民埝自寿张县董庄起,至黄花寺止,计长 145 里;北岸民埝自河北省耿密城起，至寿张县东影塘止，计长 148.8 里。

中游北岸民埝自东阿牛屯以上新运河口起，至长清县于寨止，计长 110 里。

下游南岸民埝自利津宁海起，至八里庄止，计长 21.5 里；北岸民埝自利津西盐窝起，至张家屋子止，计长 23.3 里。

以上两岸民埝共长 448.2 里，归民修民守。

3. 遥堤

南岸遥堤自长清县宋家桥起，至章丘县姜庄止，计长 106 里；另自蒲台县太平庄起，至利津县三里庄止，计长 20 里。

北岸自肥城县王家厅起，至利津县大马家止，计长 376 里。

以上遥堤共长 502 里，为第二道防线。（《河务特刊》）

民国 19 年（1930 年）

4 月　山东省黄河埽坝改用石料计划，经省府委员会通过。（《黄河年表》）

9 月 25 日　山东河务局呈省政府主席称：查鲁省河工因工款支绌，历年失修，今年又受军事影响，所有秸石埽坝工程均未春厢办理，以致腐朽残缺，不堪言状。员工兵夫薪饷自 6 月至今，分文未领。上年修堤防汛费核减为 24 万元，亦不能如数领到，以致三游工程千疮百孔，几无完肤。今年春厢仅领工款 2 万元，杯水车薪，捉襟见肘，故埽坝之残朽，尤为历年所未有，若河水一涨，危险殆不可言。（《河务特刊》）

民国 21 年（1932 年）

3 月 5 日　长清北店子至盖家沟及南坦至辛庄二段大堤培修工程，经河务局招商包工修筑。培修堤工计长 54 公里，土方 15.7 万立方米，修成新顶高出民国 10 年洪水位 1.6 米，顶宽 6 米。（《河务特刊》）

民国 22 年（1933 年）

3 月　山东河务局正积极办理春厢工程，两岸险工改修石坝，预计二年后可完成。《河务特刊》

9 月 12 日　河务局于大水过后对两岸堤防进行了测量，勘估了培修工程，电报黄河水利委员会。计两岸官守大堤共长 750 公里。堤顶与洪水位相平或低于洪水位二三公寸者约长 250 公里，拟估加高 2 米按顶底均宽 14 米计算,共需土方 700 万立方米,堤顶高出洪水位不及 1 米者约长 250 公里,拟估加高 1 米按顶底均宽 12 米计算,共需土方 300 万立方米。堤顶过窄不敷加高之用者约长 375 公里,拟估平均帮宽 5 米、加高 3 米计算,共需土方 562 万立方米,以上共计土方 1562 万立方米。(《河务特刊》)

12 月,本年培修南岸菏泽兰路口以下大堤,工长 14 里余,一律加高 3 尺;寿张黄花寺上段工长 5 里余,一律加高 2 尺;鄄城李升屯改修石坝 5 道,惠民崔常、滨县张肖堂所余秸埽全部改为石坝;利津大马家修筑坝基 6 道。滨县赵家坝修筑坝基 4 道。(黄委会馆藏档案)

民国 23 年(1934 年)

春厢培修北岸大堤,自范县境至齐河县境止共长 102 里,完成土方 13.5 万余立方米,济阳小街子、惠民赵家坝,寿张雷口培修坝基等完成土方 7400 余立方米。泺口、盖家沟、道旭、王旺庄、孙家、大马家等险工整修埽坝,共用石料 7900 余立方米、秸料 331 万斤、木桩 1.5 万根,植树 8.7 万株。(《河务特刊》)

4 月　山东省赈务会拨发赈款 2 万元,由河务局分给濮县、东阿、平阴、肥城、长清等县培修民埝,以保安全。(《河务特刊》)

12 月 29 日　山东河务局颁发《修正险工埽坝编号清丈办法》、《各种埽坝丈量法》及险工埽坝清丈表,令各段汛对险工埽坝逐一清查、丈量、编号、登记入表,报局备查。(《河务特刊》)

民国 24 年(1935 年)

3 月 28 日　黄河水利委员会在汴召集培修豫、冀、鲁大堤紧急工程及培修金堤工程会议,商定培修金堤,自河南滑县境之西河井起,经河北濮阳,以迄山东省东阿县陶城铺官堤民埝交界处止共长 183 公里,堤顶高出实测民国 22 年洪水位 1.3 米,顶宽 7 米,侧坡为 1∶3,呈准中央补助工款 46 万元。共计完成土方 165 万立方米。其中山东境内自高堤口至陶城铺约长 86 公里。该工程于 4 月 18 日开始动工,6 月底全部工竣,7 月 23 日三省派员验收完毕。(《江河修防记要》)

4 月 4 日　奉山东省政府训令,查估修上中游两岸民埝共计土方 86.4 万立方米,需款 51.8 万元,经民、财、建三厅会核,请由省总预备费项下补助十分之三,复经省政府政务会议议决照准,共补助 15.5 万元。由培修民埝各县具领施工完成。河务局委派上下游总段长陈文谟、梁金铭等为总指导员分别到工监修,埝工培修于 6 月底竣工。(《河务特刊》)

4月20日　山东朱口至临濮大堤培修工程开工,中央补助5万元,因施工中临濮集决口,仅修做土方14万市方。(《江河修防纪要》)

5月6日　南岸刘庄及老大坝险工整理工程开工。刘庄堤防建自清光绪元年,当时巨险尚在上游数里之黄庄。民国10年,河流节节下移,始刷及刘庄堤身,厢有秸埽70余段,历年抢护,屡蹈危机。14年秋,河形改为南北顶冲。15年夏,即遭溃决。堵合以后,工情险恶,迄今未减。且堤土多沙,背河地势洼下,较临河低二三米,此工关系冀、鲁及苏北之安危,即日兴工,7月31日完竣,共用工料款2.4万元。(《经委会丛书》)

6月　黄河大汛将届,河防关系重要,各省治河机关对于善后紧急工程,及冀省堵复工作,进行至何种程度,工程是否完固。全国经委会电饬水利委员会常务委员孔祥榕驰往沿河视察督催。6月29日孔祥榕陈报:鲁省河工已将官民堤埝所有埽坝一律改为石坝。唯康屯民埝极为重要,民力薄弱,请由水利事业费预备费项内拨洋5万元,交由山东河务局督促民夫,购运料物,加意防守。后经上令核拨2万元,补助康屯民埝培修之用。(《经委会丛书》)

7月12日　山东河务局为整顿民埝监督修守,重新划定上中游两岸民埝工段界限,通令各县及埝工局,作为定制,永远遵守。计开:上游南岸民埝工段清单:

(1)康屯工段:自临濮集上首至左营下首止。

(2)李楼工段:自左营下首至杨集下首止。

(3)高义工段:自杨集下首至黄花寺民埝下首止。

中游北岸民埝工段清单:

(1)东阿县民埝:自陶城铺民埝上首至后郭口后止。

(2)平阴县民埝:自后郭口后至邵庄后止。

(3)肥城县民埝:自邵庄后至李家溃后止。

(4)长清县民埝:自李家溃后至乌龙谭民埝下首止。《河务特刊》

10月9日　山东省政府训令:案准黄河水利委员会阳电开:查关于黄河堵口复堤案,中央特拨补助费200万元内除允拨鲁省堵口费100万元外,余即分配四省复堤工程,以恢复本年大汛前原状为原则,相应电请河务局拟定施工计划,于10月15日来汴会商进行。

山东省政府第437次政务会议决,令河务局负责办理,并派该局长张连甲出席会议。(《河务特刊》)

12月　本年度堤工修培,完成菏泽朱口至鄄城临濮集大堤工长17公里;济南盖家沟至章丘胡家岸大堤工长33公里;齐河南坦至历城鹊山大堤工长

23公里；滨县赵家坝至张肖堂大堤工长6公里；修筑寿张雷口、利津宫家坝基，厢修各段石坝1000段、秸埽370段。

民国25年(1936年)

6月24日　山东濮县、范县、寿张、阳谷四县动工培修临黄民埝，加高培厚，以为金堤之屏障。8月21日竣工，培修长20公里，顶宽5米，培高1米，完成土方66.5万立方米，用款102 953元。(《民国治黄大事记》)

民国27年(1938年)

2月20日　日伪山东河务工赈委员会成立，临时办理黄河修防事宜。(《河务特刊》)

3月　河务工赈委员会为修复战争破坏之堤防工程，派员分赴南北两岸调查河工破坏情形及勘估修复工程。据报南岸大堤被挖掘军沟口门190余公里，北岸挖掘口门28道，电杆线路、河内船支破坏殆尽。经拟定修复工程计划，报日伪行政委员会拨款56.1万元，修复堤工，添购料物。(《河务特刊》)

4月　各段堤防培修险工整修工程相继开工。7月底告竣，计堤防培修补残上自宋家桥起至滨县董集止，共长165公里。完成土方68.2万立方米；北岸堵筑口门土方7400立方米；险工整修完成土方16.8万立方米；长清宋家桥决口处加培民埝完成土方6.6万立方米；防汛备防料物已储备麻袋3万条，木桩1.4万根，绳索4700条，石料5825立方米，秸料220万斤。修复架设泺口至齐河、北店子至宋家桥等三处电话线路，恢复工电所7处。(《河务特刊》)

三、防汛抢险

民国8年(1919年)

9月5日　山东省长屈映光报告黄河汛情：本年伏汛初届河水即见增涨，8月1日后，一月之内陕县五次电告涨水。水势之大，较六七两年最高尺度又高4尺有奇，平工水逼堤根，险工埽均漫水。上游贾庄、杨庄、岳庄、孙楼、肖寺等处，中游霍家溜、北店子、陈孟圈、高家纸坊、张辛庄等处，下游大道王、道旭、冯家、麻湾、王庄、大马家、三不赶等处，溜急工险，或因顶冲坍塌，或因淘刷掉蛰，均经抢护平稳。唯寿张县梁集、影堂，郓城县香王民埝溃决。(《河务季报》)

民国9年(1920年)

4月22日　山东河务局报告黄河凌汛安全度过。8年冬至后全河节节封冻,立春后天气渐暖,2月中旬上游冰解,24日后贾庄以下河冰节节开解,3月3日上中两游同时解冻开河,唯下游较冷,至3月7日始一律开解,连日河水抬高二三尺不等,凌牌大半铲毁,埽坝亦多有损伤,幸防护脱险。3月15日撤防。(《河务季报》)

民国10年(1921年)

7月17日　河水陡涨9尺有余,其时暴雨如注昼夜不息,同时本河雨水加涨3尺有余。黄河下游大马家、刘家夹河、三不赶、阎家、王庄等极险工段,埽坝均上水三四尺不等,波浪适与堤平,以致堤身淘塌,埽坝蛰陷等险情岌岌可危。19日利津县宫家坝因河势变化,平工骤成新险,抢护无料,以致溃决成灾。(《河务季报》)

伏汛期,东明县黄堌、高村决口。(《黄河年表》)

民国14年(1925年)

山东河务局通令沿河各县于汛期每隔一里设窝铺一处,民夫20人常川驻工协助防守,并令民夫每里堆积30立方米土牛。沿河两岸堆积土牛1700余个,永为定制。(《历代治黄史》)

8月　朱口报险,当饬菏泽知事刘孝存调集民夫万人,割新料积极抢护,做埽30余段,始获稳固。廖桥、柳园民埝同时出险,林修竹呈请山东督办补助工款1万元,新筑坝基7道,始获安全。(《历代治黄史》)

8月13日　濮阳县(鄄城)李升屯民埝漫决。(《黄河年表》)

9月21日　梁山县黄花寺大堤溃决。(《黄河年表》)

民国15年(1926年)

7月　利津崔庄小埝冲溃,利城东门外至綦家嘴十余里官堤,全形浸满,夜出漏洞4处,经抢堵一夜无事。林修竹驰往崔庄调集民夫万人,将官堤一律加高培厚,20余日抢护坚固。(《历代治黄史》)

8月14日　东明县刘庄决口,淹东明、菏泽、郓城、巨野、金乡、嘉祥等县。(《黄河年表》)

民国 17 年(1928 年)

2 月 2 日　利津县棘子刘、王家院、后彩庄、二棚庄堤段凌汛漫决。(《黄河年表》)

6 月 29 日　山东省政府训令沿河 21 县县长,关于黄河河务事项,应服从河务局指挥,协同工作,希即遵照办理。(《河务特刊》)

7 月 31 日　山东河务局训令沿河 21 县县长,每届大汛向由沿河各县于两岸堤上搭盖窝铺,派夫协防。现汛期已到,各县应迅速按里将窝铺搭盖齐整,催集民夫,于伏汛前一律上堤,各县县长亦须时常赴工会同员工,将防汛抢险等事,认真办理,勿因玩忽,贻误要工。(《河务特刊》)

8 月 18 日　山东河务局范庆煦局长,带领工程人员,分赴上、中、下游各段查勘工情,检查各营工程办理情况及防汛工作,于 30 日查勘完毕回局。(《河务特刊》)

民国 18 年(1929 年)

2 月 28 日　利津县扈家滩凌汛决口,水经沾化县逾徒骇河从套儿河入海。(《黄河年表》)

8 月　利津县纪庄决口,大河改道由陡崖头入海。(《利津县续志》)

同月　东明县黄庄溃决。(《黄河年表》)

民国 19 年(1930 年)

2 月　山东河务局改定上游两岸民埝修守章程颁布施行。章程规定:上游民埝自李升屯起至黄花寺止,北岸自耿密城起至影塘止,向归民修民守,由各该县县长负责督饬各该埝长、埝董办理修守事宜。南北两岸民埝,暂设埝屯、李楼、高义庄、柳园、廖桥埝工局五处,各埝工局选派埝长一人,埝董一至二人。民埝修守经费,按圈护之地亩摊派,分春秋两季征收由地方财政局专款存储使用。埝长、埝董按照河务局估定工程计划修培埝工和汛期调夫防守。(《河务特刊》)

6 月 13 日　南岸高村险工全河大溜直射十二坝,每日坍塌坝基一丈至三丈不等。自本月 22 日起至 7 月 28 日止,厢成秸埽 23 段,所有大堤冲溃部分均已厢护。8 月 24 日全河大溜又复内卧,第二次抢险至 31 日止。(《黄河年表》)

8 月 6 日　濮县廖桥、王庄民埝决口,淹濮、范、寿张、阳谷、东阿五县。

民国 20 年(1931 年)

2 月 2 日　濮县廖桥凌汛漫溢决口,5 月,利津县崔庄民埝决口。(《黄河年表》)

7 月 16 日　山东河务局委任大汛期间承防员及分防员,限于 7 月 17 日到达驻地。协同各分段及各汛驻工防守,确保无虞。(《河务特刊》)

7 月 24 日　山东河务局训令沿河各县县长及上下游总段段长,检发整顿窝铺办法八条,仰即知照,并转饬各区、里长切实奉行。办法规定大汛期间,每里搭盖一座,由区、里长调派民夫 10 名常住防守,平工无事时民夫减为 5 名,如遇抢险仍须调足 10 名,共同抢护,工竣即时撤回。住铺民工平时堆积土牛,填垫水沟浪窝,夜间轮班巡查,发现险情立即报警,招集邻铺帮同工兵抢护。(《河务特刊》)

8 月 8 日　黄河陕州涨水,泺口站骤涨三尺二寸,各分段均报出险。刘庄、朱口、李升屯、小鲁庄、大马家、王庄等险工埽坝坍塌掉蛰,各工埽坝十之八九漫水,埽上走溜,大堤出水二三尺不等,省政府电令沿河各县县长到工驻守,抢护险情,内政部现派华北水利委员会工程师顾秉楠等来鲁视察工情。(《河务特刊》)

8 月　利津县尚家屋子民埝决口。(《黄河年表》)

民国 21 年(1932 年)

5 月 13 日　奉内政部令复核冀、豫、鲁黄河界址案,经本局有关分段会勘查明:南岸大堤以山东菏泽县之朱口险工与河北东明县之刘庄险工为界;北岸大堤以山东濮县之高堤口庄西与河北濮阳县之陈庄迤东为界;其中南岸大堤自双合岭至董庄一段之大小高寨与大小刘屯等处地属河北辖境。堤归山东防守,历办有年;临黄民埝自梨园至姬庄一段地属插花,向由两省人民于耿密城划界防守,历久亦无异议。兹为防守便利起见,仍照旧案原定分界地址,划界防守,并绘图函送河北河务局征求意见,业经复函赞同,特报呈省政府核示。(《河务特刊》)

10 月　本年汛期,河水盛涨,利津大马家、惠民王枣家、菏泽李升屯等险工出现严重险情。7 月 13 日大马家险工着大溜,秸埽掉蛰堤坦塌尽,危及堤顶,经军民千余人砍拔青料抢修新埽三段,推枕护堤,抢护脱险。王枣家险工秸埽走失三段,经抛土袋 6000 条抢修新埽三段脱险。李升屯险工七段秸埽相继掉蛰入水,均经抛枕厢护脱险。(《河务特刊》)

民国22年(1933年)

8月9日　黄河陕县水文站出现大洪峰,后经审查计算,洪峰流量为22000立方米每秒,10日,大洪水到达下游后,两岸堤防决溢达61处,淹及下游30县,受灾人口273万,死亡12700人,财产损失2.07亿元(银圆)。(《中国水利史》)

8月18日　黄河水利委员会奉国民政府令,召集陕、豫、冀、鲁、皖、苏六省黄河防汛会议,筹议防汛事宜。(《黄河概况及治本探讨》)

12月5日　河务局遵照黄河水利委员会训令将下游民埝改归官守,拟具详细办法以凭核办。经勘察山东两岸民埝共长250公里,修培完整需工料款258万元,备文呈复。(《河务特刊》)

12月14日　山东河务局所辖南北两岸堤防公里数及各段汛驻地及交界地址,业经遵照部颁尺制派员实地勘丈,两岸大堤公里石桩,现已安齐,各段汛防守界限,已按新公里桩号重新规定,令仰各段汛知照,并布告沿河居民保护大堤石桩。(《河务特刊》)

民国23年(1934年)

6月30日　黄河入汛水势逐渐增高,亟应先事预防,以期有备无患。山东河务局检发《修正整顿窝铺办法》,通令各县即日搭盖窝铺,招集民夫,限7月15日以前一律上堤协守,无事时堆积土牛,以备抢险之需。(《河务特刊》)

7月23日　山东河务局训令菏泽、濮县县长,迅速晓谕沿河村民,严禁临河修埝妨碍河流。(《河务特刊》)

民国24年(1935年)

1月16日　山东河务局训令各总分段、各汛,并发布布告:查沿河堤顶房屋,妨害工务,本局为整顿堤防起见,自本年起,无论旧堤及新堤工程,均不准人民私行建屋。或修搭篱帐,致误工防,除布告沿堤居民一体凛遵外,各该管段汛,务负完全责任,随时认真查考,严加取缔。(《河务特刊》)

7月8日　黄河陕州站出现9 980立方米每秒洪峰。7月11日,河务局奉省政府令饬沿河各县、各总分段速调民夫上堤严加防护,此后河水续涨。8月7日,陕州流量涨至16 800立方米每秒,8日洪峰流量达18 500立方米每秒。

自7月上旬以来,各段纷纷报险,朱口、王坦、北店子、小街子、宫家、大马家等险工均抢大险。尤以朱口新险更为危急，一至七坝着大溜坍长 120 余丈，堤坦塌尽，伤及堤顶二三尺，31 段新埽或墩蛰，或前爬后溃，经抛枕、挂柳、抢修新埽 6 段，动用秸料 600 余万斤，紧张抢险达 2 月之久。(《河务特刊》)

7 月 10 日　鄄城县董庄大堤决口，淹鲁、苏两省 27 县，受灾人口 341 万余。(《中国水利史》)

民国 25 年(1936 年)

凌汛期间，历城县王家梨行大堤决口。(调查材料)。

民国 26 年(1937 年)

2 月 7 日　长清县宋家桥凌汛决口。

8 月 14 日　长清县宋家桥漫决，淹济南张庄机场、商埠及历城、章丘、齐东县。(《河务特刊》)

8 月 26 日　博兴县麻湾大堤冲决，洪水分流至寿光从小清河入海。(《山东水利大事记》)

民国 27 年(1938 年)

6 月　日本侵略军迫进开封，郑州形势岌岌可危。蒋介石妄图阻敌西侵，密令第一战区司令长官程潜部于 6 月 4～9 日，在中牟县的赵口和郑县的花园口掘堤放水，使豫、皖、苏 3 省 44 县尽成泽国，灾区人口达 1250 万，淹死 89 万人，形成了中外闻名的黄泛区，使人民遭受了一场巨大的灾难。黄河夺淮河入海后，山东河道断流。(《国民政府档案》)

四、治河机构

民国元年(1912 年)

2 月　国民政府成立，官制改革，将清末黄河河防总局裁撤，上中下三游总办改称河防局长，会办、提调等职改为分局长，山东都督统领三游河务。(《河务季报》)

民国 6 年(1917 年)

3 月　山东兼省长张怀芝因省议会之提议，改组河防局，将原有上中下三游河防局一律裁撤，另设三游河务总局于泺口，设一总办统辖其事。上下两游

仍各设分局长一人。中游统归总办管理,从此事权统一。(《河务特刊》)

民国7年(1918年)

11月15日　内务部拟定划一河务局暂行办法,呈大总统核准办理。直隶原设东明河务局,由大名道尹兼辖。山东原设上中下三游河防局。现整顿划一名称为河务局,设置直隶黄河河务局、山东河务局、河南河务局。河务局管理该管区域内治水工程及一切河务。(《河务季报》)

民国8年(1919年)

1月16日　山东省政府呈请大总统,厘定山东河务局为一等局,任命劳之常署理河务局局长,上、下游设分局,各为一等分局。4月7日,内务部任命王炳尊为山东河务局上游分局长、王露洪为山东河务局下游分局长。

山东河务局下设总务科、计核科、工程科及石料处。分局设总务、计核、工程股。河防营改为工巡队,原工段划分及编制人员不变。(《河务季报》)

民国11年(1922年)

6月2日　原山东河务局局长劳之常升任交通部次长,调张庆云任山东河务局局长。(《民国治黄大事记》)

民国14年(1925年)

3月　林修竹任山东河务局局长。(《山东黄河志》)

民国16年(1927年)

6月　王炳尊任山东河务局局长。(《山东黄河志》)

民国17年(1928年)

6月1日　战地政务委员会委任范庆煦为山东河务局长,随同省府在泰安设局办公。后因在泰安办公对于河政诸多不便,7月28日移齐河办公。

山东河务局组织系统列下:

河务局下设:秘书处、稽查处、总务科、计核科、工程科、石料处、料厂、上游分局、下游分局及河防营十八营。

河防营计设:上游南岸二营、北岸一营;中游南岸二营、北岸五营;下游南岸四营、北岸四营。河防营设营长一员,汛长四员,汛弁五员,兵夫71～77名。

河防营下各设五汛,常年驻工修防。以上共计官弁工兵1620人。另红炮各船水手200人。

另设河工公电局,管理电话、电报业务。

河务局常年修防经费核定为559740元。(《河务特刊》)

民国18年(1929年)

5月25日　赵会鹏任山东河务局局长。(《山东黄河志》)

民国19年(1930年)

1月1日　山东省政府核准河务局改组案,将三游分局改为上、中、下三总段,除中游第二总段长由河务局局长兼任外,委任吴建勋为上游第一总段总段长,季嗣诚为下游第三总段总段长。取消原汛兵十八营,改为南北两岸十分段,分段以下设工程汛、防守汛。工程汛共设17汛,有员兵340名,防守汛共设31汛,有员兵465名。以上共计官弁工兵1052名。(《河务特刊》)

2月15日　刘彭翊任山东河务局局长。(《山东黄河志》)

12月27日　山东省政府第二十五次政务会议通过组设民埝专款保管委员会简章,令饬上游总段长负责组建。民国20年2月10日,上游民埝专款保管委员会成立,由河务局局长、上游总段长、各埝工局长、各县县长为委员,河务局局长为委员长,并推选常务委员3人执行会内一切事务。该会以保管民埝专款为宗旨,每年由民埝圈护之1.7万顷地亩征收埝捐21万元,用于民埝修守,动用埝款须经保管委员会议决方准动用。(《河务特刊》)

民国20年(1931年)

1月29日　代理山东河务局局长张连甲呈报省政府,山东黄河上游民捻专款保管委员会于26日成立,并票选陈文谟、仪鸣钧、李希先3人为常务委员,于2月1日就职任事。(《河务特刊》)

4月　行政院第八次国务会议议决:所有计划治理黄河事宜,归内政部主持办理。(《河务特刊》)

10月22日　山东河务局奉省政府训令,在濮县召集濮、鄄、范、郓、寿、阳六县县长及六县财政建设各局长,开会研究改组黄河上游民埝专款保管委员会,经六县公推濮、范、鄄三县县长为常务委员,并办理接收,于12月1日启钤办公。(《河务特刊》)

11月3日　国民政府内政部召集黄河河务会议,河北、河南、山东、陕西省政府及河务局负责人参加,实业部、交通部、华北水利委员会、建设委员会、中国工程学会代表出席了会议。会议讨论蒋主席交议之废田还湖导淮入海案,以及建立黄河水利委员会、组织冀豫鲁三省黄河河务联合会统筹修防事宜、培修大堤、整修工程等案作出议决案交办。(《河务特刊》)

民国21年(1932年)

3月21日　冀、豫、鲁三省黄河河务联合会成立并召开第一次常会,研究统筹黄河修防事宜。冀、豫、鲁三省河务局局长陈汝珍、孙庆泽、张连甲出席会议讨论通过了本会组织大纲、组织办法、会议规则案以及接通三省河务电话、水文资料互换、绘制三省黄河新图、组织三省视察团视察黄河等二十四条提案。(《河务特刊》)

11月9日　冀、豫、鲁三省黄河河务联合会第二次常会在河南河务局召开,内政部代表杨保璞及三省河务局局长出席。会议听取了河北河务局经办第一次常会议决各案办理情况的报告。讨论通过了束水刷沙治本计划、放淤计划、疏浚河口计划等案拟报内政部拨款筹办,对河口测量、加培太行堤、划一三省水标,恢复河工预留金制度等案,均通过办理。(《河务特刊》)

民国22年(1933年)

7月　国民政府中央政治会议决议,黄河水利委员会筹建,自即月起每月拨给经费6万元,河南、河北、山东三省河务局受黄河水利委员会之指导监督。9月1日,该会于开封正式成立办公,李仪祉为委员长,王应榆为副委员长,张含英为秘书长。(《黄河概况与治本探讨》)

8月27日　国民政府训令山东、河南、河北、山西、陕西、绥远、宁夏、甘肃、青海九省建设厅厅长为黄河水利委员会当然委员。(《河务特刊》)

9月　黄河水灾救济委员会成立,有关黄河堵口工程、灾民救济、善后工程,均由该委员会督同各省办理。(《河务特刊》)

民国23年(1934年)

7月14日　国民政府中央政治会议第413次及第415次会议,先后通过统一水利行政及事业办法,以全国经济委员会为全国水利总机关。国民政府于今日通令执行。依照规定,岁修防汛由各修防机关办理,受中央水利总机关指挥监督,各省县水利事业经费,应由各省县自筹,并受全国经委会指挥监督。(《江河修防纪要》)

民国25年(1936年)

11月4日 国民政府颁发《统一黄河修防办法纲要》训令遵照办理:(1)黄河治本工程及大堤修防事宜,统由黄河水利委员会秉承全国经济委员会主持办理。黄河沿河各省政府主席兼任当然委员,共负河防修守职责,协助黄河水利委员会办理各该省有关黄河河务事宜。(2)黄河治本工程,由黄委会原设工务处掌握之,修防事宜由该会设河防处负责办理。(3)现有各省河务局由黄委会接收,另就黄河形势分三大段,各设修防处,各设主任一人,负责修守。关于各省地方水利仍由各省建设厅办理。(4)黄河修防经费,规定各省承担,按期拨交黄委会备用。河南省年交40万元,河北省年交25万元,山东省年交55万元。除上述各款外,不敷之数,由中央按年补助100万元。(5)黄河经费由当地中央银行代为收付。(6)黄委会及修防处设会计人员,独立管理。(7)黄委会编练河防民夫,施工防汛的征工征料。(8)沿河各省对于修防地段,有随时派员协助办理之责。(9)各省建设厅长、各专员、县长办理修防事宜,应受黄委会之指导监督。(10)沿河驻军应接受黄委会之请托,协助办理修防事宜。(国民政府档案)

民国26年(1937年)

4月12日 奉山东省政府令,山东河务局改组为山东修防处,下设第一、第二、第三科,委任王恺如为山东修防处主任。(黄委会馆藏档案)

民国27年(1938年)

2月20日 日伪山东河务工赈委员会成立,临时办理黄河修防事宜,马良任委员长,王露洪任常务委员兼专任委员,召集前河务局职员及各段汛官兵开始办公。(《河务特刊》)

3月20日 行政院训令黄河水利委员会,豫、鲁两修防处及河北省黄河河务局,因情势变更,准予撤销。其未完业务分别移交该省政府及黄河水利委员会办理。(《国民政府档案》)

五、河口变迁与治理

民国6年(1917年)

7月 黄河河口从老鸹嘴南徙,于大洋铺入海。(《黄河年表》)

民国13年(1924年)

黄河尾闾入海支流,自大牡蛎分支,自混水旺出岔河口。(《黄河年表》)

民国14年(1925年)

河徙虎滩,西北流,穿徙骇河旧道,又穿钩盘河,下合大沙河,由滔二河漫至无棣县境入海。(《黄河年表》)

民国15年(1926年)

7月　黄河自八里庄东冲一口,溜分七成,由铁门关故道入海。曾派季葆仁详勘黄河入海形势及尾闾改道状况。(《历代治黄史》)

民国18年(1929年)

9月　广饶纪庄民埝被掘成口,经汛水冲刷口门走溜占八成。河务局派员查勘认为河水由此改道入海亦较通畅,经报省政府核准不再堵口,饬令利津、广饶两县沿河自行修埝,政府酌予补助。黄河遂改道由陡崖头入海。(《河务特刊》)

民国23年(1934年)

9月　黄河于一号坝上决口后一漫无际,以后形成三股河,走老神仙沟、甜水沟及宋春荣沟入海。(《黄河河口情况与演变规律》)

民国25年(1936年)

6月　黄河河口乱荆子至寿光圩子裁弯取直工程开工,7月14日竣工。计开挖引河二段长3公里余,底宽30米,挖深1～2米,完成土方5万立方米。并修筑挑水坝二座。(黄委会馆藏档案)

六、其　他

民国14年(1925年)

山东河务局局长兼运河工程总局总办林修竹,督饬沿河各县认真提倡沿堤种树。颁布民埝及官堤种树办法各八条。自两种办法颁布以后,沿河各县及河工各营,均厉行河岸种树,认真保护。年计种柳20余万株。(《历代治黄史》)

民国 16 年(1927 年)

山东河务局工程科科长潘镒芬在李升屯险工 4 号坝下,创修柳箔工程一处,经过三年时间的考验,柳箔工程未出现险情。(《民国治黄大事记》)

民国 17 年(1928 年)

山东河务局修正上游两岸民埝修守章程。呈准省政府备案并施行。(《河务特刊》)

民国 19 年(1930 年)

3 月 山东河务局颁布:《植树利用章程》、《种树奖励章程》、《保护堤树章程》、《上游两岸民埝修守章程》、《山东省河工委员会组织章程》。(《河务特刊》)

民国 20 年(1931 年)

山东河务局通令,于堤边堤坦遍植卧柳,其原有树行太疏,及上年军事损失过巨之处,如栽卧柳不宜,亦准酌量仍栽高柳。(《黄河年表》)

民国 22 年(1933 年)

2 月 山东省建设厅拟定引黄淤田计划,于历城王家梨行、齐河红庙、齐东马扎子、滨县尉家口、蒲台王旺庄五处先行试办虹吸引黄工程,各安装钢制虹吸管一条,建设费 3.6 万元。计划灌田 25.9 万亩。(《建设月刊》)

11 月 18 日 山东省建设厅在历城王家梨行试办虹吸引黄工程竣工放水,安装 21 吋虹吸管一条,出水流量为 0.5 立方米每秒,建设费 1 万元,灌田 6.8 万亩。齐东马扎子安装 21 吋虹钢制虹吸管一条,放水淤地 1000 余亩。(《建设月刊》)

民国 23 年(1934 年)

12 月 山东河务局河工公电局,截至本年底,南北两岸架设电报、电话线路全长 865.6 公里,南岸自双河岭起,经董庄、杨庙、十里堡、望口山、泺口、长福镇、台子李、道旭,至王旺庄共长 450.7 公里。北岸自范县起,经小寺、陶城铺、香山、官庄、齐河、济阳、王枣家、清河、赵家坝、菜园、大马家,至王庄共长 414.9 公里,并设有陶城铺、泺口、道旭三处过河飞线。(《河务特刊》)

民国 24 年(1935 年)

6 月 27 日　山东河务局转发行政院颁布之《各省堤防造林计划大纲》,令沿河各县遵照办理。截至年底共植树 66.8 万株。(《河务特刊》)

11 月　山东省建设厅黄运工程处,在东阿位山安装钢制虹吸管两条,引水济运。(黄委会馆藏档案)

民国 25 年(1936 年)

黄委会令饬各河务局,两岸滩地,年有增高,沿岸人民私筑小埝,亟应取缔,嗣令非经本会批准,不准私自修筑小埝,已筑之民埝应报会查核。(《民国治黄大事记》)

民国 26 年(1937 年)

8 月 1 日　菏泽县地震。极震区在菏泽县马岭岗、解元集、木里一带,西至东明县五坝岗。据调查刘庄、冷寨、黄庄、高村等处大堤出现蛰裂,背河平地冒黑水黑沙,险工埽坝有断裂等现象。幸当时河水未上滩,未出现更大的险情。(1979 年调查材料)

编 后 记

《山东黄河大事记》经过编写人员的辛勤劳动,已编辑完成,并与广大读者见面。这部大事记全面概要地记述了1946～2005年山东黄河治理开发和管理的发展历程及其大事要事,希望能为治黄工作者和关心治黄事业的广大读者提供翔实的史料和有益帮助。其中,1946～1985年部分(含晚清至民国期间山东黄河治理辑要),是首届修志工作者张学信、包锡成、史尚儒、窦守宽、王式元、宋传国等编写的,在这次编纂过程中,对有关条目进行了修订,加注了标题,并增补了部分条目。1986～2005年山东黄河大事记编写完成后,经广泛征求意见,召开了由山东省地方史志办公室、黄委黄河志总编室及山东河务局领导、专家参加的评审会进行了评审,主编杜玉海进行了总体审改。本书共载入山东黄河大事、要事2737条。

本书的编纂工作,得到了各级领导的重视和支持。山东河务局机关部门、局属有关单位积极配合;原局长齐兆庆、原副局长张学信、首届《山东黄河志》副主编窦守宽等老领导、老专家给予了热情指导和帮助;山东省水利厅、黄委档案馆、黄河志总编室等单位积极提供帮助和支持,郝文红、张桂珍、侯曰杰、李静、曹洪海、徐惠、许曰坤、陈洪山、崔爱华、李长海、苏京兰、钟明臣、王莉莉、孙文香、张志斌、姜华、崔学文、韩业深、高庆久、张含光、李斌、孙开岗、张需东、万景绪、侯霞、王建春、赵新中等同志提供了大量资料,在此一并表示感谢!

由于《山东黄河大事记》文字记述量大,时间跨度长,搜集资料、核实工作较为困难,加之编者工作经验不足及水平所限,错误或遗漏之处在所难免,恳请广大读者批评指正。

编　者

2006年3月

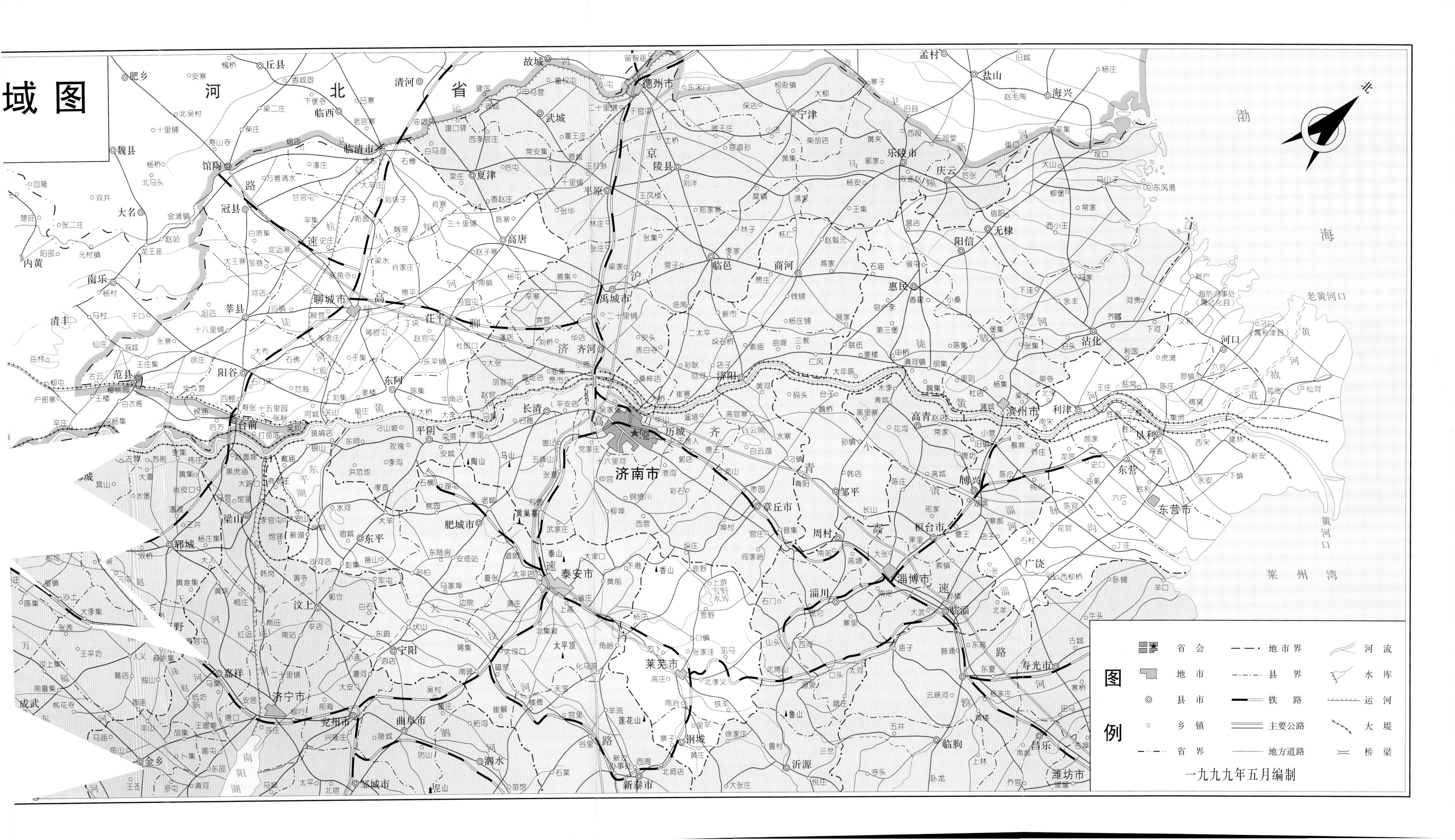

域图
河北省
渤海
莱州湾
北
济南市
德州市
聊城市
泰安市
莱芜市
淄博市
滨州市
东营市
济宁市
临清市
乐陵市
禹城市
章丘市
肥城市
新泰市
曲阜市
兖州市
邹城市
寿光市
潍坊市
图例
省会
地市
县市
乡镇
省界
地市界
县界
铁路
主要公路
地方道路
河流
水库
运河
大堤
桥梁
一九九九年五月编制